Een rol voor het leven

Catherine Cookson

Een rol voor het leven

2003 – De Boekerij – Amsterdam

Oorspronkelijke titel: Riley (Bantam Press)
Vertaling: Annet Mons
Omslagontwerp- en artwork: Hesseling Design, Ede

ISBN 90-225-3544-4

Proloog

1

Juffrouw Louise Barrington deed de laatste lade van haar bureau op slot, streek het schone vel vloeipapier op het grote schrijfblad vlak, zette het postbakje recht, schoof de potloodhouder naar de hoek van het bureau, leunde in de leren bureaustoel achterover en slaakte een diepe zucht.

Ze had in januari een tijdelijke aanstelling gekregen als lerares natuur- en scheikunde op de Giles Mentor School. Als enige vrouw in de exacte vakken was zij verantwoordelijk voor de discipline bij de meisjes terwijl meneer Beardsley, hoofd van de sectie, verantwoordelijk was voor de jongens; beiden stonden ze onder het gezag van de directeur. Voordat ze het bedrijfsleven in was gegaan had ze op een meisjesschool scheikunde gegeven. Daardoor had ze deze baan weten te bemachtigen, hoewel niet zonder commentaar van de vaste leerkrachten. Het was naar verhouding een uitstekende baan. Toch overwoog ze alweer op zoek te gaan naar een nieuwe baan omdat, zoals ze steeds tegen zichzelf zei, alles beter zou zijn dan nog langer geconfronteerd te worden met het type kind dat nu op deze school zat. Tot aan de omvorming tot een middenschool was het een jongensschool voor voorbereidend hoger onderwijs geweest. De kinderen die er nu op zaten kwamen voornamelijk uit het minder ontwikkelde deel van de stad. Maar ze wist dat ze vooringenomen was.

Er heerste een vreemde stilte in het lokaal, in de hele school, want vandaag was de zomervakantie begonnen. 'Fijne vakantie,' had deze en gene collega haar gewenst, waarbij sommigen 'in het zuiden' eraan hadden toegevoegd, alsof het zuiden even ver weg was als Hongkong.

Goed, ze had nu van iedereen afscheid genomen, behalve van meneer Beardsley. O... Beardsley.

Ze draaide zich om naar het open raam, want ze hoorde de onmiskenbare stem van die man.

Ze stond op en ging naast het raam staan. Vanuit die positie op de eerste verdieping kon ze het ijzeren hek langs de keldertrap zien. Daar stonden Beardsley en die jongen van Riley. In de stille middag kon ze hun gesprek woord voor woord volgen.

'Dus je bent bij de directeur geweest?'

'Ja, meneer Beardsley.'

'Nou, ik neem aan dat je goed naar zijn raad hebt geluisterd.'

'Nee, meneer Beardsley. Zoals u altijd zegt gaat het bij mij het ene oor in en het andere uit.'

'Let op je woorden, Riley, je bent de poort nog niet uit. Zal ik jou eens wat zeggen, Riley? Ik begrijp er niets van dat jij niet katholiek bent. Met een naam als Riley en een pa en ma die zo Iers zijn als wat, ben jij nog stééds niet katholiek. Als je dat nou maar was geweest, had je naar het St. Joseph gekund. Maar eerlijk gezegd, Riley, had ik die arme nonnen dat niet willen aandoen. Ze hebben mij nooit iets misdaan en als jij daar was geweest, hadden ze binnen de kortste keren hun habijt uitgetrokken. Ha, ha! Niet op de manier die jij denkt, Riley, haal die grijns maar van je gezicht! Ze zouden gewoon hun roeping hebben opgegeven, alleen maar om van jou verlost te zijn. Maar ik heb me ook laten vertellen dat het een taai stelletje is. Hoe dan ook, Riley, hier scheiden zich onze wegen. Ik kan je wel vertellen dat het mijn grootste wens is dat ik je nooit meer tegen zal komen, niet in deze wereld en niet in de volgende. Toch schijnt je moeder een verstandige en zorgzame vrouw te zijn, dat leek ze me tenminste die dag dat ik jou een pak voor je broek had gegeven.'

Louise Barrington kromp ineen.

'Je hebt me daarna geen geintjes meer durven flikken, hè? Maar je ging wel naar huis om bij je pa uit te huilen en die kwam, met zijn een meter zestig, om te zeggen dat hij mij wel eens een pak slaag kwam geven. Hij werd op de hielen gevolgd door je moeder, en na hem de huid vol te hebben gescholden bedankte ze me... Ja echt, ze bedankte me omdat ik jou eens goed op je donder had gegeven.'

'Ma is niet goed wijs, ze is de helft van de tijd niet goed bij d'r hoofd.'

'Maar ze zorgt wel voor je pa en voor jou, toch? En voor de drie andere kinderen doet ze ook haar best. Ik weet niet waarom ze het doet. Als ik het voor het zeggen had, had ik jullie allemaal een flink pak slaag gegeven, dat kan ik je wel vertellen.'

'Nou, ze probeert 't anders af en toe wel. U weet echt niet hoe ze is. Maar u, u bent wel een grappige man, meneer Beardsley.'

'Grappig? Ik?'

'Jawel, me pa zegt dat u best een Ier zou kunnen zijn, en ook katholiek.'

'Nou, dat ben ik dan jammer genoeg niet. Ik weet niet wat ik allemaal had kunnen doen als ik Iers en katholiek was geweest, terwijl ik nu alleen maar probeer jou en je soort bij te brengen dat je je fatsoenlijk moet gedragen en geen jochies die half zo groot zijn als jij in elkaar moet willen slaan.'

'Doe ik niet. Ik sla geen jochies die half zo groot zijn.'

'Dat deed je anders wel toen je hier pas was.'

'Ik deed een heleboel dingen toen ik hier pas was, meneer Beardsley, maar die had ik nooit eerder gedaan, ik heb ze hier geleerd.'

Er viel zo'n lange stilte dat juffrouw Louise Barrington dichter naar het gordijn schoof en iets verder opzij. Ja, ze waren er nog, maar ze stonden elkaar nu aan te staren.

'Ha! Dat is tenminste een eerlijk antwoord. Dat kwam uit het deel van je hersenen waarvan ik weet dat het ook in je hersenpan zit. En als jij een beetje verstandig was geweest, Riley, had je daar de afgelopen jaren meer gebruik van gemaakt, want wij weten allebei dat jij niet achterlijk bent. Je belangrijkste doel in dit leven schijnt te zijn mensen aan het lachen te maken, niet ten koste van jezelf maar ten koste van hen. Nou wil ik je één ding zeggen, je bezit de gave van een goed gevoel voor humor, maar dat is bij jou de verkeerde kant op gericht. Je bent iemand geworden die geintjes uithaalt waar anderen de dupe van worden. Degene op wie jij mikt, moet lachen en het verdragen, want voor die geintjes van jou heb je publiek nodig. Als jij nou één goede raad van me wilt aannemen, Riley, dan zou je het nog ver kunnen schoppen met die grappenmakerij. Probeer dat gevoel voor humor eens op jezelf te richten. Probeer jezelf eens belachelijk te maken met iets geks dat jóú is overkomen en niet een ander. Daar zullen ze om moeten lachen. Denk eens aan alle komieken die de top hebben bereikt. Die blazen echt niet hoog van de toren, ze komen altijd met een zielig gezicht het toneel op, waarbij ze je om medelijden vragen omdat ze onnozel of dom zijn of omdat hun iets is overkomen wat niet had hoeven gebeuren als ze maar beter hadden uitgekeken. Je kunt altijd pret hebben over het verdriet van iemand, vooral wanneer daar grapjes over gemaakt worden, en verdriet kan heel grappig zijn, weet je.'

Louise Barrington draaide zich om en hield haar hoofd scheef. Hij had die jongen aardig door. Hij was inderdaad iemand die graag met anderen de spot dreef en er waren kinderen die bang voor hem waren. Ze draaide zich weer om toen ze Beardsley hoorde zeggen: 'Denk daar maar eens goed over na, Riley. Je zou toch zeker een beter leven hebben als komiek op het toneel dan wanneer je wordt gepakt voor het stelen van autoradio's of hele auto's? God mag weten hoe je je laatst uit dat akkefietje met die auto hebt weten te redden. Maar God verlinkt je niet en je vader en zijn makkers ook niet, evenmin als de klanten van de Bull and Spear. En zelfs je moeder heeft je deze keer niet aangegeven. Maar jij was wél de dader, en de politie weet dat. Je bent daar gezien en er waren getuigen en de auto is in vlammen opgegaan, maar ze konden je niet oppakken, hè?'

'Nee, meneer Beardsley, want ze hebben geen vingerafdrukken van me gevonden.'

'Mijn handen jeuken om jou een flinke draai om je oren te geven, Riley. Af en toe krijg ik toch zo'n vreselijke jeuk in mijn handpalmen! Maar zoals ik al heb gezegd zullen we elkaar niet meer ontmoeten. Probeer op zijn minst ervoor te zorgen dat wij elkaar niet meer zien, hè?'

'Ik zal mijn best doen, meneer Beardsley, maar u moet bedenken dat ik dit niet uit mezelf zeg. Wat ik nu ga zeggen moet ik van m'n ma zeggen, en dat is... bedankt. Maar zoals ik het zie bedank ik omdat ik me met m'n gezicht in het natte gras heb laten duwen omdat u vond dat ik stom was, omdat ik heb moeten nablijven en u me een halfuur lang zat aan te kijken zonder ook maar iets te zeggen, zodat ik er bijna stapelgek van werd, en ten slotte dat u me zo vaak een schop voor m'n achterste hebt gegeven. Waar moet ik dan voor bedanken? Maar hoe dan ook... Nou ja, ze zei dat ik u moest bedanken.'

In de stilte die daarop volgde keek Louise Barrington voorzichtig om het hoekje van het gordijn en zag tot haar verbazing dat de twee elkaar de hand drukten, waarna de jongen bij de leraar vandaan holde, in de lucht sprong en met zijn vuist zwaaide. Ze keek hem na tot hij door het ijzeren hek was verdwenen. Toen liep ze terug naar haar stoel en ging zitten.

Wat een vreemde man was het toch! Ze hadden tot dusver weinig contact met elkaar gehad, behalve in het kantoor van de directeur, of op een ouderavond, wanneer hij een heel andere persoon werd, iemand met de gebaren en de manier van spreken van een heer. Het leek alsof hij van goeden huize kwam. Maar dat was niet te merken als hij de leerlingen aanpakte, want alleen al de manier waarop hij tekeerging kon sommigen de stuipen op het lijf jagen. Toch was het een heel vreemd gesprek geweest dat hij met die jongen had gevoerd. Soms zou je denken dat hij net zo grof was als de knul die iets had misdaan.

Nu ging ze maar eens naar het practicumlokaal om te zien of alles in orde was voor ze het gebouw aan de zorg van de conciërge overliet. Ze kon alleen maar hopen dat als ze van vakantie terugkwam, ze het gebouw geplunderd of afgebrand zou aantreffen, iets wat maar al te vaak gebeurde.

Toen ze het raam had gesloten pakte ze haar lichte regenjas van de haak aan de deur, opende vervolgens de deur en liep recht in de armen van de man aan wie ze had zitten denken.

'Ach, ik wilde juist bij u aankloppen,' zei hij.

'Kan ik iets voor u doen, meneer Beardsley?'

'Nee, ik wilde u alleen maar even een goede vakantie wensen.'

'Dank u.' Ze glimlachte even. 'Ik ben blij dat u er niet "in het zuiden" bij zegt.'

'Is dat vandaag al vaak gebeurd?'

'Heel vaak.'

'Er bestaat helaas nog altijd een grote kloof tussen het noorden en het zuiden van het land.'

Terwijl ze door de gang liepen merkte ze op: 'Dit is heerlijk, hè? Deze rust en stilte.'

'Vindt u dat prettig?' Hij keek haar van opzij aan.

'Ja, u niet?'

'Nee, ik vind dit soort stilte een beetje griezelig. In een school hoort het een herrie te zijn.' Ze zag zijn blik en wachtte al op de opmerking: als je rust zoekt moet je geen baan in het onderwijs nemen. Maar hij zei: 'Ik zat gisteren bij die vergadering achter u. U zat met Florrie... juffrouw Quail te praten en u zei dat u geïnteresseerd was in een amusant boek over een man die er ieder weekend met de fiets op uitging om geloof ik zijn vriendin te bezoeken, maar u zei dat u de naam van de auteur was vergeten. En juffrouw Quail, die in haar lange, actieve leven wel zo ongeveer alles heeft gelezen, van Horatius tot Hemingway, kon er ook niet op komen. Nou, ik dacht dat het misschien Cooper was.'

'O.' Ze keek hem met een stralend gezicht aan. 'Ja, dat is hem. Die bedoel ik. En hij heeft er ook een vervolg op geschreven. Ik kan me niet goed meer herinneren waar die romans eigenlijk over gingen, alleen dat ik ze heel onderhoudend vond. Maar het is lang geleden en misschien heeft mijn leeftijd mijn smaak wel veranderd.'

Hij knikte en zei: 'Ja, vast. Uw hoge leeftijd heeft uw smaak vast veranderd.'

Hij deed alleen maar galant. Dit was zijn charmante kant, waarvoor ze door juffrouw Elder en juffrouw Turner was gewaarschuwd toen die hadden gezien dat ze met hem een paar woorden over haar syllabus had gewisseld. Ze hadden lachend laten doorschemeren dat hij immuun was voor alle vrouwelijke listen, waarbij ze zelfs hadden toegegeven dat ze het ook wel eens hadden geprobeerd, maar tevergeefs. Ze had nooit naar zijn verleden geïnformeerd aangezien haar dat niet aanging, maar ze had gehoord dat hij getrouwd was geweest en na korte tijd was gescheiden.

'Hebt u zin het te komen halen?'

'Wat?'

'Ik vroeg of u zin had het boek te komen halen. Het ligt in mijn kamer.'

'Ja, graag.'

Ze werd binnengelaten in een ruimte die niet veel groter was dan een kast, met planken die uitpuilden van de boeken en overal stapels boeken op de vloer. Ze stond verbaasd om zich heen te kijken en hij zei: 'Ik kan zien dat u nooit eerder hier bent geweest. Dit is mijn hokje… het *sanctum sanctorum*. Het was een opslagruimte en ik heb het een paar jaar geleden in beslag genomen. Ga toch even zitten.' Hij trok een stoel bij een gehavende schoollessenaar vandaan en ze ging langzaam zitten, waarbij ze haar hoofd maar even opzij hoefde te draaien om een rij boeken, die allemaal over wiskunde gingen, te zien staan.

Ze keek hem aan en vroeg: 'Waarom zoveel wiskundeboeken?'

'Ik heb toegepaste wiskunde gestudeerd. Het was kop of munt wat ik verder ging doen.'

Toen deed hij haar verbaasd opkijken door te vragen: 'Hoe oud bent u? Zevenendertig, geloof ik?'

Ze hapte even naar lucht voor ze antwoordde: 'Vijfendertig.'

'Vijfendertig. Dat maakt het leeftijdsverschil tussen ons nog groter. Ik ben achtenveertig. Trouwens, ik vind het heel vervelend om alleen te moeten drinken. Ik heb een aantal opvallende zwakheden, dat besef ik, maar dit is er een die ik in bedwang heb weten te houden: ik drink alleen in gezelschap, want anders was ik nu een alcoholist geweest.'

Hij had op de bovenste trede van het bibliotheektrapje gezeten. Nu stapte hij omlaag, deed de klep van de lessenaar omhoog en haalde er een fles, een glas en een kop en schotel uit, die hij naast elkaar op de vlakke bovenkant van de lessenaar zette. Toen deed hij de klep weer omlaag, stak de fles naar haar uit en zei: 'Illegaal, en niet toegestaan op het terrein. Maar twee keer per jaar overtreed ik de wet: als de zomervakantie begint en met Kerstmis. Houdt u van port?' En zonder haar antwoord af te wachten schonk hij een glas in en gaf het haar.

Ze aarzelde even voor ze het glas aanpakte. Ze kon haar moeders stem nog horen snerpen toen ze waarschuwde: 'Als je in gezelschap bent, Louise, hoor je nooit port te kiezen, dat is drank voor ordinaire vrouwen. Vraag nooit om port. Het is trouwens helemaal geen drank voor dames, het is iets voor heren, na het diner.' Nou, haar moeder kon het weten. Haar lieve pappa had om zijn vrouw een plezier te doen jarenlang dusdanig de heer gespeeld dat hij failliet was gegaan voor haar tiende verjaardag.

'Weet u wat het beste opkikkertje is voor als je in de put zit, je ellendig voelt of op zoek bent naar een brug die hoog genoeg is om vanaf te springen?'

'Nee.'

'Een mengsel van cognac en port. Ja, echt, cognac en port door elkaar. Uiteraard slechts in bescheiden hoeveelheden en over het algemeen als laatste drankje voor de nacht. Voor medische doeleinden, weet u.'

Ze glimlachte instemmend. 'Ja, voor medische doeleinden.'

Hij had een lage, bulderende lach. Hij hief zijn kopje naar haar en toen zij het met haar glas aantikte zei hij: 'Op een heel verfrissende vakantie.'

Ze gaf geen antwoord maar knikte en nam een slokje port. Het was een aangename smaak, bijna als van likeur. Stel je voor! Ze was vijfendertig en ze had nooit eerder port geproefd.

'Waar gaat u naartoe? Naar huis?' vroeg hij.

'Niet echt. Ik heb niet echt een thuis. Mijn ouders zijn overleden en ik heb maar één zuster. Ik beschouw haar huis en dat van haar man en hun drie kinderen als mijn thuis en we brengen de vakanties heel vaak samen door, maar we hebben nog niet besloten wat we dit jaar gaan doen.' Ze nam nog een slokje port en zei: 'Gaat u naar huis?'

'Nee, ik heb geen centraal punt meer. Maar waar woont uw zuster?'

'In Rye.'

'O, Rye. Dat ken ik wel. Ik ben daar jaren geleden twee of drie keer met vakantie geweest en toen zijn we daar met de boot vertrokken. Leuk stadje, Rye, heel interessant. Je hebt daar ook nog Winchelsea en Hastings. Ik zou niet weten wat een mens voor een vakantie nog meer nodig heeft.'

'Nee, ik weet dat af en toe ook niet, maar ze willen toch wat afwisseling, en de kinderen ook.'

Hij boog zich naar haar toe met de fles in zijn hand. 'Laat me u nog een klein beetje inschenken.'

Ze trok het glas naar zich toe en zei: 'O nee, echt niet.'

'Kom op. Hoor eens, als u niet meer op uw benen kunt staan, zal ik u uit de auto helpen en u op de stoep van uw flat achterlaten.'

'Echt? Maar... maar ik ben niet gewend port te drinken.' Ze zei er niet bij dat ze helemaal geen alcohol gewend was.

'Maar wat drinkt u dan wel?' Hij schonk zichzelf nog eens in.

Toen ging hij op het trappetje zitten en herhaalde: 'Ik zei: wat drinkt u dan wel?'

'Nou, af en toe een glaasje sherry.'

'Af en toe maar?'

'Ja,' zei ze met nadruk. 'Af en toe, meneer Beardsley.'

'Goed, juffrouw Barrington.' Hij gebruikte nu dezelfde toon als zij. Toen lachte hij en vervolgde: 'Weet u, ik vraag me vaak af of ik geen stille drinker ben, want mijn vader was dat ook, naast nog andere dingen. Hij was ook predikant in de High Church.'

'O, ja?' Ze glimlachte om zijn openhartigheid. Ze voelde zich ontspannen en warm vanbinnen. Het was natuurlijk een warme dag.

'Bedoelt u dat het u verbaast dat hij zowel predikant als alcoholist was?'

Dit was het soort opruiende vraag waarmee sommige mensen je uit je tent probeerden te lokken, maar ze had op dit moment geen zin daarop in te gaan, dus zei ze: 'Ik wilde niet discrimineren.'

Hij lachte opnieuw, nam toen een slok uit het kopje, veegde het zweet van zijn voorhoofd en zei: 'Mijn vader, weet u, was een man die altijd zei dat alles met mate moest worden gedaan. Ik kan u verzekeren dat als mensen zulke dingen zeggen er meestal iets achter zit, en in dit geval was dat ook zo. Met mate, jawel! Mijn ouders kregen veertien kinderen, drie zijn er dood geboren en vier stierven er voor ze twintig waren. Dus bleven er nog zeven over: mijn drie oudere broers, twee oudere zusters, ik en dan nog' – hij schudde even met zijn hoofd – 'Gwendoline. Matigheid in alle dingen. Als het aan hem had gelegen waren het er twintig geweest, maar moeder was hem te snel af door dood te gaan. Ja, hij heeft een geweldige begrafenis voor haar georganiseerd, waarbij hij zelf van de kansel heeft gepreekt.'

'U kon het niet goed met uw vader vinden?'

'Nee, ik kon het absoluut niet goed met mijn vader vinden, juffrouw Barrington, en ik steek dat niet onder stoelen of banken. Toch' – hij wendde zijn hoofd even af en keek op naar de rommelige planken met boeken – 'houdt dat me tegenwoordig maar af en toe bezig, en dat is niet wanneer ik een slok ophef' – hij hief zijn kopje naar haar op – 'nee, dat gebeurt meestal na iets anders dat me

15

bezig heeft gehouden en ik heb daarnet een laatste woordenwisseling gehad met mijn aartsvijand Riley. Ach, u zult alles over Riley weten, net als iedereen. Ik denk dat ik me daardoor nog meer bewust ben van het feit dat de zaken in dit leven oneerlijk zijn verdeeld. Zo heb je Riley, een geweldige pestkop, hij komt uit een arm gezin. Zijn vader is afgekeurd vanwege zijn rug, maar zijn vrouw gelooft hem niet, ze zegt dat hij werkschuw is. Naast Riley hebben ze nog drie kinderen, allemaal meisjes. Toch had ik in mijn jeugd maar al te graag met hem willen ruilen, werkschuwe pa of niet. Want in dat grote huis van ons, hoog in de heuvels, voerde mijn vader een schrikbewind. Zo erg zelfs dat ik niet de enige was die vond dat degenen die vroeg waren gestorven geluk hadden gehad. We wisten allemaal dat hij stiekem dronk en ook dat hij letterlijk het gebod: "wees vruchtbaar, vermenigvuldig u, vervul de aarde en onderwerp haar" opvolgde door mijn moeder elk jaar met een zwangerschap op te zadelen. En onderwerpen deed hij ook… O, kijk nu maar niet zo verschrikt. Het spijt me vreselijk, ik verveel u geweldig.'

'Nee, echt niet. Maar het is zo vreemd, zo wonderlijk.' Ze keek in haar bijna lege glas en zei zacht: 'Zoals u over uw vader denkt… zo denk ik over mijn moeder.'

'Meent u dat?'

'Ja, echt. Mijn zusje en ik zijn bijna gestikt onder haar snobisme. Maar… maar gaat u verder.' Ze knikte en glimlachte. 'Vertel nog eens wat over uw familie.'

'Ach, er valt niet veel te vertellen, behalve dat we na de dood van moeder allemaal zo snel mogelijk weg wilden. Eén broer ging naar Hongkong. Hij heeft het daar heel aardig gedaan. De twee broers in Australië hebben het zelfs nog beter gedaan. Wat de meisjes betreft, ach, je zou van de ene zus kunnen zeggen dat ze een goed huwelijk heeft gesloten, maar van de andere niet. Eén is er met iemand van stand getrouwd en de andere met een gewone kerel.'

Hij lachte even en ze dacht: hij lijkt nu heel anders. Ze had hem nog nooit zo meegemaakt.

'Maar ik wed dat Lucy veel gelukkiger is dan May,' zei hij. 'Het is een beste kerel, die Robbie.' Hij tuitte zijn lippen even en ging toen verder: 'Weet u, juffrouw Barrington, u hebt een heel vreemd effect op me, want ik kan vier glazen drinken zonder dat ik er iets van merk. En nu zit ik hier zomaar over mijn familie te praten. Dat is toch wel heel vreemd, want ik praat nooit over hen, behalve met een van mijn broers of zussen. En ik stond op het punt u over Gwendoline te vertellen. Maar dat is echt een heel wonderlijk verhaal.'

'Waarom? Wat is er met haar aan de hand? Is ze ziek of zo?'

'Nee. Verre van dat.'

Ze wachtte tot hij verderging, maar toen hij bleef zwijgen vroeg ze zacht: 'Is ze getrouwd?'

'Getrouwd? Nee… Nou ja, in de officiële betekenis is Gwendoline niet getrouwd, maar in een andere betekenis is Gwendoline vele, vele keren getrouwd. U kijkt wat verbaasd. Nou, dat is ook geen wonder, u wilt waarschijnlijk weten wat zij voor de kost doet?'

'Ach!' zei ze. En toen lachend: 'Ja, graag.'

Hij antwoordde: 'Nou, om het recht voor zijn raap te zeggen: ze leeft van de liefde.'

De glimlach verdween van haar gezicht en haar lichaam verstijfde even. Hij zei zomaar dat zijn zuster prostituee was.

'Nu bent u vast erg geschokt.'

'Nee, ik ben niet geschokt. Maar ik ben wel erg verbaasd.'

'Daar ben ik blij om. Ik ben blij dat…' Zijn stem klonk ernstig en zijn gezicht stond ernstig en hij draaide een eindje op de kruk, schoof wat boeken opzij en leunde met zijn elleboog op de kast. Hij legde zijn hoofd op zijn hand. Daarna zei hij, min of meer tegen zichzelf: 'Ja, ze was een beeldschoon meisje, die Gwendoline. Mooi, zowel vanbinnen als vanbuiten, en ze bezat een overdaad aan charme. Haar grootste wens in dit leven was liefde te geven, hoewel niet aan maar één man… nee. Ze moet vanaf het begin hebben geweten dat het rampzalig zou zijn om te trouwen, en dat ze niet hoefde te zoeken… O, nee, ze kwamen vanzelf op haar af, als vliegen op de stroop. En dat beviel die lieve pappa natuurlijk helemaal niet. Ze was zijn jongste kind en hij wilde de baas over haar blijven spelen. Zij wist dit, dus wat deed ze? Zodra ze van school kwam ging ze het huis uit. Ze had het allemaal al geregeld en ze vertrok uiteraard niet alleen. Toen hij hoorde met wie ze ervandoor was gegaan, dreigde hij die man te ruïneren. En wat deed zij toen? Ze kwam weer naar

17

huis. Wij zaten daar met zijn vieren, en met de oude Eliza – die was al als jong meisje bij de familie komen werken – en toen stond Gwendoline opeens in de deuropening van de eetkamer. Eliza had net het eten op tafel gezet en we zaten allemaal met open mond te kijken. De jongens wilden overeind springen, maar mijn vader riep: "Zitten blijven!" Dus bleven we zitten en staarden naar dit prachtig geklede schepsel dat tegen ons zei: "Hallo, allemaal!" Toen keek ze haar vader aan en voegde eraan toe: "Als u het waagt ook maar één vinger naar John of naar zijn bedrijf uit te steken, dan zal ik vanaf de kansel van uw eigen kerk, waar u altijd met zoveel poeha staat te preken, eens vertellen wat voor iemand u eigenlijk bent. En wat vertel ik allemaal als ik daar sta? Ik vertel hun dat ik ben gaan tippelen, of dat ik dat binnenkort ga doen, want ik zal niet lang meer bij John blijven. John is trouwens lang niet de eerste, pappa," zei ze. "O, nee. Ik heb het pal onder uw neus gedaan, want zo zit ik nu eenmaal in elkaar. Ik wil geven en niet graaien en mensen bang maken en een onecht leven leiden zoals u. En ik zal de gemeente vragen wat zij ervan vinden dat hun deken uitstapjes maakt naar York. En dat was echt niet voor de driemaandelijkse bespreking met de accountant. Ik zal hun vragen waar het geld vandaan kwam om de familie van May Addison te helpen om in Londen te gaan wonen. Ach… Wie weet? Misschien oefent ze mijn beroep wel uit, of ik dat van haar, het een of het ander. Dat kunt u alleen zeggen, beste pappa."

Hij sprong overeind en greep de pook bij de haard vandaan, maar wij sprongen op hem, de twee jongens en ik, en Eliza moest Gwendoline snel de kamer uit werken. We hebben het nog vaak over die dag, zij en ik.' Hij knikte naar haar, maar ze bleef zwijgen. Ze kon haar oren niet geloven. En ze kon ook niet geloven dat Beardsley haar dit alles vertelde. Het was alsof hij een duister geheim uit zijn binnenste naar boven trok.

'Zeg eens iets.'

'Ik… Ik weet niet wat ik moet zeggen.'

'Nou, vraag me dan maar waarom ik zo uit de school zit te klappen, want ik heb echt niet te veel gedronken. Er is meer voor nodig dan twee flinke glazen port om mij van de wijs te brengen. Ik vraag u dit omdat ik zelf niet weet waarom ik zo zit te praten. Misschien zie ik u aan voor iemand die goed kan zwijgen en die, net als ik op dit moment, nogal eenzaam is. Gwendoline zou hier meteen een antwoord op hebben gehad. Zij zou er niet omheen hebben gedraaid, zoals ik. Zij zou me de ware reden kunnen noemen waarom ik een oude wond openrijt.'

Ze dronk haar glas leeg en toen ze naar voren leunde en het op het bureau zette, zei hij: 'Ik ga u niet nog meer aanbieden. Twee is genoeg, voor de beginnende portdrinker.'

Ze zei niet: ik had er ook echt niet nog een geaccepteerd. Ze zei wel: 'Is uw zuster... Ik bedoel... Is ze nog steeds in leven?'

'Springlevend, en ze zit er warmpjes bij. We ontmoeten elkaar zo vaak als we kunnen, en altijd in de beste hotels, dat kan ik u verzekeren, of in haar flat. Maar daar ga ik liever niet naartoe, want ik wil niet het risico lopen lord Zus-of-Zo of sir Huppeldepup tegen het lijf te lopen. Ja,' – hij knikte – 'u kijkt verbaasd. Voor Gwendoline is alleen het beste goed genoeg. Ze hebben het tegenwoordig over vriendjes of vriendinnetjes, maar zij brengt haar kant van de overeenkomst duidelijk onder woorden: maîtresse. En bedenk wel, ze is inmiddels zesenveertig. Ze is tien jaar lang de maîtresse geweest van een erg bekende man en sinds hij drie jaar geleden is gestorven stel ik verder geen vragen.'

Ze keken elkaar zwijgend aan. Hij zou verbaasd zijn geweest als hij haar gedachten had kunnen lezen, want ze vroeg zich af of zij eigenlijk wel echt had geleefd. Het antwoord was nee. En ze had zelf nog wel gedacht dat haar leven een maand later zou beginnen. Dat was een aantal jaren geleden. Hoeveel? Acht? Negen? Achtenhalf. Ze was toen zesentwintig. Ze waren drie jaar verloofd geweest en een maand voor de trouwerij vertelde hij haar dat hij zich niet zeker voelde over hun toekomst. Hij wist niet of hij er al aan toe was om zich te binden. En... o, nee! Het idee alleen al! Hij peinsde er niet over haar te vragen met hem te gaan samenwonen. Wat zouden hun vrienden daar wel niet van zeggen, en zijn moeder, en niet te vergeten pastoor Ramshaw. In de `Rooms-Katholieke kerk werd nu eenmaal niet lichtvaardig over het huwelijk gedacht! Zijn moeder was tegen echtscheiding en hij deelde haar mening.

Ze kon zich nog voor de geest halen hoe hij voor haar had gestaan en hoe zij zich had afgevraagd of ze ooit van hem had gehouden. Ja, ze wist dat zijn moeder tegen echtscheiding was, en dat was de reden waarom zijn arme vader haar een royale alimentatie moest betalen en als gevolg daarvan van 's morgens vroeg tot 's avonds laat moest werken om zijn nieuwe gezin in leven te houden. Ze wist nog dat ze zich had afgevraagd waarom ze hem niet eerder als het evenbeeld van zijn moeder had gezien. Ze had wel af en toe gemerkt dat hij heel kieskeurig deed over veel dingen, maar ze had haar ogen gesloten voor deze kant van zijn karakter. Niemand was immers volmaakt en als ze er zo op terugkeek was het feit dat hij haar in de steek had gelaten niet zo pijnlijk als het had kunnen zijn wanneer ze hartstochtelijk verliefd op hem was geweest. Dus eigenlijk begreep ze niet waarom ze hem, tot zijn grote verbijstering, een klap in het gezicht had gegeven en toen tegen hem had geschreeuwd terwijl ze hem met een vaas hard op het hoofd had geslagen. Toen ze het bloed uit zijn voorhoofd had zien stromen was ze volledig de kluts kwijtgeraakt. Haar vader had haar in zijn armen genomen en haar gewiegd alsof ze weer een kind was, terwijl haar moeder zich om haar gehavende verloofde had bekommerd. Daarna had ze een kleine zenuwinzinking gehad, gevolgd door een aantal tijdelijke baantjes, tot ze een baan in het bedrijfsleven had gevonden. Maar nu zat ze in deze rommelige kamer met deze man die heel anders bleek te zijn dan ze de afgelopen maanden had gedacht.

Hij pakte haar hand en zei: 'Is alles goed met u? Ik ben een volstrekte dwaas. Ik heb u helemaal van slag gemaakt door zo te zitten leuteren. Ik weet niet wat er over me kwam, het spijt me geweldig.'

'Toe... Zeg alstublieft niet dat het u spijt. U hebt iets voor me gedaan.'

'O, ja?'

Hij bracht zijn gezicht dicht bij het hare, en ze knikte en zei: 'Ja, u hebt een oude wond opengemaakt zodat het vuil eruit kon... Lieve hemel! Nu begin ik ook al in metaforen te spreken.' Ze glimlachte.

'Ach, die metaforen van mij. Die moeten voor anderen wel heel vervelend zijn.'

'Ze hebben in mijn geval wel gewerkt.'

'Ik kan niet zeggen dat ik echt niet had gedacht dat u over oude wonden zou beschikken, maar als ons drinken heeft geholpen om iets te verwerken, dan ben ik daar blij om.'

Hij schoof het trapje dichter naar haar toe, ging er weer op zitten en zei: 'Wanneer vertrekt u?'

'Morgen, ergens in de loop van de dag.'

'Ik ook.'

'Hebt u... Hebt u bepaalde plannen?'

'Niet echt. Ik heb niets geboekt. Meestal maak ik een reis, maar ik denk dat ik me deze keer tot Zuid-Europa beperk. Ik hoef met niemand rekening te houden, dus ga ik soms wat wandelen en trakteer mezelf zo nu en dan op een goed hotel bij een mooi strand om wat te zwemmen en te zeilen en zo.'

Ze keken elkaar recht in de ogen en hij vroeg: 'Bent u ooit verliefd geweest?' Ze antwoordde: 'Ja, dat heb ik tenminste vier jaar lang gedacht.'

'Was u getrouwd?'

'Nee, dat niet, maar wel bijna.'

'En bent u toen van gedachten veranderd?'

'Ik niet. Maar hij wel.'

'Wat een stommerd.'

Ze schoot in de lach en hij lachte mee, enigszins beschroomd. Ze veegde de tranen uit haar ogen en hij vroeg zacht: 'Hoelang is dit geleden?'

'O... een jaar of zeven, acht. Iets in die richting.'

'En dat hebt u al die tijd weggestopt?'

Ze keek hem even peinzend aan voor ze zei: 'Ja, ik denk dat je dat zou kunnen zeggen.'

'Nou, ik weet hoe dat voelt, mij is het net zo vergaan.'

Haar mond viel open en ze zei verbaasd: 'Dat kan ik me gewoon niet voorstellen.'

'Ach,' – hij glimlachte zuur – 'ik heb het in eerste instantie niet meteen weggestopt. Maar ik ben wel bijna de bak ingedraaid om mijn reactie.'

'En dat betekent naar de gevangenis gaan?'

'Precies. We waren vier jaar getrouwd. Men zei dat we jong en dwaas waren. Maar ik heb me nooit echt jong of dwaas gevoeld. Ik wilde het voorbeeld van mijn ouders niet volgen, dus deed ik het precies andersom: ik was te zorgzaam, te aardig, te goed van vertrouwen. Ik kwam drie uur eerder uit Londen terug dan verwacht, en toen heb ik haar betrapt. Ik was zachtjes naar boven gegaan. Ik had een speciaal cadeau voor haar en ik dacht dat ze lag te rusten. Ze was de laatste tijd wat pips geweest, wat broos, wilde niets van me weten maar wilde wel worden bediend en vertroeteld, ja, en ze had veel slaap nodig. Maar om het recht voor z'n raap te zeggen: voor wat zij daar op dat moment deden was heel veel energie nodig.'

Ze boog even haar hoofd en hij zei: 'Sorry.' Maar ze richtte haar hoofd snel weer op en zei: 'Nee, het geeft niet. Ga door.'

'Zal ik eens wat zeggen? Op dat moment hield mijn hart op met slaan. Het stond echt even stil. Ik denk dat het niet veel scheelde of ik had een hersenbeschadiging opgelopen. Echt waar. Of misschien had ik die al, want wat ik die kerel en haar heb aangedaan wil ik hier niet vertellen. Ja, haar ook. Trouwens, hij was niet mijn beste vriend of zo, ik kende hem zelfs niet eens. Ik had hem nooit eerder gezien, maar hij bleek een oude vlam van haar te zijn, een van haar eerste vriendjes. Nou, mijn laatste daad jegens hen was hen bij hun haar te grijpen – er was niets anders om beet te pakken – en hen de trap af te slepen en het huis uit te gooien.'

'Nee toch zeker!' Ze schudde haar hoofd.

'Jawel. Ik was echt finaal van de wereld, maar ik heb ze allebei naar buiten geschopt. Gelukkig voor hen hadden we een voortuin met een hoog hek eromheen en het was bijna donker, maar het was niet warm buiten. Zowel mevrouw Bradley aan de ene kant als mevrouw Newbank aan de andere scheen te hebben geweten wat er pal onder mijn neus gaande was. Ze hadden achter de gordijnen gestaan en het een en ander gezien, en omdat ze meelevende mensen waren, hebben ze iets over hen heen gelegd en een ambulance gebeld.'

'Een ambulance?'

'Ja, een ambulance. Zijn kaak was gebroken, hij was een aantal tanden kwijt en hij was aan alle kanten bont en blauw. Ik weet niet of ik dat met mijn voeten of met mijn handen heb gedaan. Wat haar betreft, de arme ziel, ze heeft een paar dagen niet uit haar ogen kunnen kijken en ze had een gebroken pols. Nou, het was een geweldige sensatie in de kranten. We hebben er zelfs de landelijke pers mee gehaald, de derde pagina, maar toch.'

'En, hoe liep dit af? Werd het de gevangenis?'

'De politie werd er uiteraard bijgehaald, en ik werd beschuldigd van het toebrengen van ernstig lichamelijk letsel, maar ik werd op borgtocht vrijgelaten. Toen werd de zaak geseponeerd. Ik geloof dankzij zijn familie, de familie van zijn vrouw... ja, hij bleek getrouwd te zijn, had vier kinderen. Hij kwam van goeden huize, ze zaten in de groentehandel en hadden kennelijk geen zin in nog meer schandalen. Maar later heeft zijn vrouw zich van hem laten scheiden.'

'Gebeurde dat allemaal hier in de buurt?'

'Nee, ik woonde toen in York. Ik kwam op mijn tweeëntwintigste van de universiteit en ben een jaar later getrouwd, dus was ik ongeveer zevenentwintig toen ik weer vrij was, en tegen die tijd had ik mijn huis en mijn kleine boekwinkel verkocht.' Hij knikte. 'Ja, ik had een boekwinkel die niets anders dan boeken verkocht, geen kranten, sigaretten, snoep of wat dan ook, alleen maar boeken. Zo zijn er tegenwoordig niet veel meer, in elk geval niet van die kleine winkels in zijstraten, behalve wanneer ze in zeldzame of antieke of technische en wetenschappelijke boeken doen. Dus bracht ik de volgende maanden, tot bijna een jaar, door met wandelen in het buitenland en het bekijken van de plaatsen waarover ik had gelezen. Daarna ben ik hier als leraar gekomen' – hij wees naar de vloer – 'en dat is bijna twintig jaar geleden.'

Haar woorden klonken bedachtzaam en zacht toen ze zei: 'U had eigenlijk directeur moeten worden, dat vindt iedereen.'

'Ja, en dat vind ik ook. Als die ouwe heer niet was gestorven maar met pensioen was gegaan, was ik het geweest.'

'Ik heb gehoord dat u een paar jongens verder hebt geholpen.'

'Degenen met wetenschappelijke belangstelling waren uit zichzelf ook wel verder gekomen. Het is heel gemakkelijk om intelligente kinderen te helpen. Lieden als Riley, dat zijn de moeilijke gevallen. Maar uiteindelijk geven zij je meer voldoening als ze het ver weten te schoppen met het een of ander, behalve natuurlijk met het stelen van auto's.' Ze glimlachten naar elkaar en hij zei: 'Al dit gepraat maakt dat ik me heel oud voel. Kijk eens naar mijn haar, het wordt helemaal wit.'

'Nee hoor, het begint alleen een beetje grijs te worden.'

'Ach, op je achtenveertigste kun je verwachten dat je een beetje grijs wordt. Maar het was natuurlijk aardig bedoeld.'

'Ja, dat klopt.'

Ze schoten in de lach en hij boog zich naar haar toe. 'Raad eens waar ik op dit moment een geweldige zin in heb?'

Ze schudde haar hoofd.

'Een kop thee.'

'Echt?' Ze glimlachte opgewekt. 'Ik ook.'

'Nou, wat zitten we hier dan nog? We kunnen naar de leraren-kamer gaan om thee te zetten – er is vast nog wel wat melk over – of we gaan ergens in een café theedrinken. Wat doen we?'

'In een café kunnen we niet rustig praten.'

'Nee, dat is zo. Dus kom mee.'

Toen hij haar bij haar hand pakte en haar omhoogtrok, stribbel-de ze heel even tegen, niet omdat ze niet met hem mee wilde gaan, maar omdat ze weer moest lachen...

Ze gingen bij een open raam zitten met een tafeltje tussen hen in en dronken daar thee. Ze keek neer op de sportvelden en hij ver-brak de stilte met: 'Hoelang is het geleden dat we in de gang tegen elkaar zijn opgebotst?'

Ze keek op haar horloge. 'Ongeveer een uur of iets langer.'

'Dat kan niet.'

Ze keek weer op haar horloge. 'Ja, volgens mij is het precies een uur geleden.'

'Dat zegt het horloge, dat zegt de tijd, maar hoelang is het vol-gens jou geleden?'

Ze staarde hem aan met haar hoofd een beetje scheef. Maar toen ze niet antwoordde, zei hij: 'Het lijkt wel een eeuwigheid, want ge-durende de tijd die jij een uur noemt, heb ik met jou gepraat op een manier zoals ik in geen jaren met iemand heb gepraat, en dat is de waarheid. Jij bent de enige hier in de stad, of waar dan ook, die weet wat voor beroep die lieve Gwendoline heeft, jij bent de enige die weet wat Gwendoline voor de kost doet. Jij bent de enige die weet dat ik mijn vader nog steeds haat – dat hij drie jaar geleden overle-den is heeft die haat niet verminderd. Jij bent de enige op deze school aan wie ik de andere kant van Grijze Beardsley, zoals mijn bijnaam luidt, heb laten zien. En weet je, jij hebt mij verteld welke façade je om je heen hebt opgetrokken, met grote letters erop: tot hier en niet verder. En ik denk dat ik de enige ben die een kijkje heeft kunnen nemen achter deze façade. Klopt dat?'

Ze keken elkaar doordringend aan voor ze zacht zei: 'Ja, je hebt gelijk.'

'Goed, hoe moet je dan de tijd meten die je een uur hebt genoemd en waarin ik jou heb leren kennen en jij mij? Terwijl ik jou nog steeds niet Louise heb genoemd en jij mij geen Fred hebt genoemd?' Hij boog zich naar haar toe, zoals ze daar met haar ellebogen op de tafel zat, de kop en schotel tussen haar handen, en hij zei: 'Zal ik eens iets zeggen? Na deze periode van niet te bepalen tijd die we samen hebben doorgemaakt, zullen jij en ik nooit meer dezelfde zijn. Kun je me volgen?'

Ze maakte even een beweging met haar hoofd en zei bevestigend: 'Ja, ik kan je volgen, Fred.'

Hij haalde lang en diep adem, schoof toen zijn stoel wat dichter naar de tafel, zodat hij zijn handen op de hare kon leggen, en zei: 'Ik ga je twee vragen stellen. De tweede vraag hangt af van het antwoord op de eerste en die luidt heel simpel: zullen je zuster en haar gezin heel teleurgesteld zijn als jij hen geen gezelschap houdt in de vakantie?'

Ze keek hem recht aan terwijl ze zich afvroeg: zouden ze erg teleurgesteld zijn? Ja, in zekere zin wel. Maar waarom? Omdat haar aanwezigheid in het huis hen in staat stelde vaker uit te gaan, terwijl ze haar achterlieten om een oogje op de twee jongste kinderen van negen en tien te houden. Dat vond ze niet erg, maar ze had een hekel aan Susan, de dochter van vijftien. Hoezeer ze ook haar best deed, ze mócht haar nichtje niet. Ze had het nooit laten blijken, dat hoopte ze tenminste. Haar zuster had het heel moeilijk met haar en haar gebruikelijke reactie op Susan was: 'Nou, je mag erheen als tante Louise met je meegaat.' Maar welk meisje van vijftien wil naar een dansavond of zo met een tante die net zo oud is als haar moeder? En daarom zei ze tegen hem: 'Nee, ze vinden het fijn als ik hun huis als mijn thuis beschouw. Als ik er ben gaan ze gewoon hun eigen gang, net als anders en,' voegde ze er zonder iets van bitterheid aan toe, 'ongehuwde tantes zijn altijd inschikkelijke mensen, weet je. Je kunt hun vragen dingen te doen die je niet aan je vrienden zou durven vragen.'

25

'Louise, wat zie je alles toch scherp. Ik denk dat je nu al een ant-woord hebt gegeven op de tweede vraag: zul jíj het missen als je hen geen in de vakantie gezelschap zult houden?'

Toen ze niet meteen antwoord gaf, trok hij vragend zijn wenk-brauwen op. Waarop ze zei: 'Nou, in mijn geval hangt het er hele-maal van af of ik er iets leukers voor in de plaats heb, iets om die tijd op te vullen.'

Ze zag hem op zijn lip bijten. Toen zei hij: 'Ik ga je iets voorstel-len wat die tijd zou kunnen opvullen, maar ook al ken ik je nu beter dan wie ook en ook al heb ik je vanaf het eerste begin beter willen leren kennen, toch begreep ik zelf ook eerst niet goed waarom. Ik had het niet eens voor mezelf onder woorden durven brengen voor ik dit met jou had doorgemaakt, want ik weet dat zoiets niet in slechts één uur had kunnen gebeuren. Nee, het zaad was lang gele-den gezaaid... nou ja, maanden geleden, in januari van dit jaar, en ik kan je wel verzekeren dat het op uitermate harde en rotsachtige bodem viel. Grond die erop was berekend het opbloeien van enige emotie te weerstaan. Ja. Alle emotie werd afgedekt door Beardsleys lange tirades over dit of dat onderwerp en dat hij eigenlijk geen vrouw kon gebruiken, zowel binnen als buiten de school. Hij deed altijd beleefd tegen ze, af en toe zelfs charmant, vooral op ouder-avonden, maar ze schrokken steeds weer terug voor zijn scherpe tong. Ze wisten hoever ze konden gaan en ze waarschuwden ande-ren, zoals ze jou waarschuwden, nietwaar, Louise?'

'Inderdaad, Fréd.' Ze had het Fred benadrukt en ze grinnikten beiden.

'Maar jij vroeg je af, Louise, wat zij in die grijze kerel konden zien. Want hij was toch minstens in de veertig, eind veertig, niet-waar?'

'Nee, echt niet. Dat heb ik nooit gedacht. Ik dacht eind dertig.'

'Dat is werkelijk heel aardig. Maar voor dit moment betekent het alles of niets. Nou ja, misschien niet alles of niets, maar het gaat erom of we weer terug kunnen keren naar dat moment van zojuist. Het zit zo. Ik stap morgenochtend in mijn auto en rijd dan naar Dover. Ik breng de auto met de veerboot naar de overkant en daar-na rijd ik verder door Frankrijk, terwijl ik me de hele tijd afvraag waarom ik alleen ben. En daarom vraag ik me deze keer af of ik geen gezelschap op die reis zou kunnen hebben. Het zou…' – hij stak zijn hand op, als een politieagent die het verkeer tot staan brengt, en hij hield die hand vlak boven haar schouder – '… het zou volstrekt platonisch kunnen zijn of volstrekt anders. Dat zou helemaal aan jou zijn. En als jij wilde dat dit werd stilgehouden, dan zou dat ook volledig aan jou zijn. Ik zou je 's ochtends kunnen oppikken en dan zouden we wegrijden. En anders zou alles bij het oude blijven: Beardsley zou in zijn eentje op stap gaan en juffrouw Barrington zou naar haar zuster in Rye gaan.'

Ze drukte haar rug tegen de stoelleuning en staarde hem aan. Hij bood haar voor zes weken zijn gezelschap aan. Ze zouden in hotels overnachten en luieren op het strand. Ze zouden plaatsen bezoeken waar ze nooit van had gedroomd en zoals hij zei, het zou platonisch of anders zijn. *Platonisch* of *anderszins*. Ze zou moeten zeggen… wat zou ze moeten zeggen? Nooit eerder in haar leven had ze zich zo gevoeld. Ze was opgetogen, anders, heel anders, en vrij. Misschien was dat niet het juiste woord, maar het gevoel van te zijn afgewezen, dat ze jarenlang met zich had meegedragen, bestond niet meer. Er was iemand die haar begeerde. Diegene zei niet: 'Ik ken je nu vier jaar en ik moet er niet aan denken met jou te trouwen.' En als je zo naar jezelf kijkt, word je als niets, bevriezen je emoties, om slechts te ontdooien in het duister van de nacht, als het verlangen naar liefde overweldigend wordt.

Platonisch of *anderszins*.

Haar stem was even zacht als de blik in haar ogen toen ze antwoordde: 'Waarom tot morgenochtend wachten? Het blijft nog licht tot een uur of tien.'

Hij boog zijn hoofd naar zijn borst en ze hoorde hem mompelen: 'O, Louise, mijn lieve, lieve Louise.' Toen liep hij om de tafel heen en greep hij haar tot haar schrik bij de hand, trok haar overeind en nam haar in zijn armen. Maar hoewel hij haar stevig vasthield, kuste hij haar niet en hij zei aangedaan: 'Dit noem ik nog eens hard van stapel lopen. Het is meer dan alleen platonisch en je hebt nog niet eens een besluit genomen.' Hij liet zijn armen zakken, greep haar weer bij de hand en wilde al weghollen toen hij zich omdraaide en het gebruikte theekopje en het glas in de vensterbank zag staan. Toen zei hij: 'Ach, verdraaid! Ik ga straks wel even langs Robson om het uit te leggen.' En toen ze haastig de kamer uit gingen, voegde hij eraan toe: 'Maar ik kan maar beter niet te veel uitleggen, hè?'

'Waar gaan we naartoe?' hijgde ze.

'Terug naar mijn kamer om dat boek op te halen waar u voor kwam, juffrouw Barrington, en voor de rest van de port. Het kost ons maar vijf minuten.'

Het kon haar niets schelen, al duurde het vijf uur, zo heerlijk voelde ze zich. Ze leefde, en ze holde. Ze holde hand in hand met Fred Beardsley en ze gingen naar het buitenland en ze zouden vijf tot zes weken samen zijn. Ze was weer jong en ze was verliefd. Ja, ze was verliefd. Ze was verliefd op die man, en hij was verliefd op haar. Ja, hij was heel erg verliefd op haar en dat was allemaal binnen een uur duidelijk geworden. Ze probeerde tegen zichzelf te zeggen dat dit niet kon, dat het echt niet kon, maar het was wel gebeurd. Zoals hij zei, wat stelde tijd eigenlijk voor?

'Ik zeg je dat ik 'm uit de lerarenkamer zag hollen en hij hield juffrouw Barrington bij de hand vast, en toen holden ze de gang door naar zijn kamer. Tegen de tijd dat ik de kopjes die ze in de lerarenkamer hadden laten staan had afgewassen en ik naar buiten ging, holden zij de hoofdingang uit naar de parkeerplaats, nog steeds hand in hand.'

Mevrouw Robson keek uit het raam van de keuken en zei: 'Ik heb hier mijn bakspullen staan afwassen en ik heb zijn auto weg zien rijden, maar ik zag hem er alleen in zitten.'

'Nou, veel meer kun je vanaf deze kant ook niet zien.'

'Weet je zeker dat jij niets gedronken hebt?'

'Mens, hou toch op!'

'Nee, ik hou niet op. Maar hij met al z'n geschreeuw en gevloek, en met z'n losse handen... Het is een wonder dat hij nooit door ouders is aangeklaagd. En zei je dat hij met haar liep te hollen, met die stijve trut? Gisteren zeiden ze nog – dat hoorde ik toen ik de spullen voor de thee stond af te wassen – dat ze geen blijvertje zou zijn en dat 't niemand zou verbazen als ze in de vakantie d'r ontslag nam. Ze past er niet bij. Ze is gewoon een beetje bekakt.'

'Tegen mij is ze nooit bekakt geweest. Ik heb d'r altijd heel beleefd gevonden en ze ziet er altijd netjes uit, niet als die flodderjuffies, die naar mijn smaak nooit het onderwijs in hadden mogen gaan.'

'Hoor eens, ga zitten en drink je thee op.'

'Geloof je me niet?'

'Nou, dat gaat toch wel een beetje moeilijk. Als je hém hebt gezien, kan zíj er niet bij zijn geweest, en als je háár hebt gezien, kan híj 't niet zijn geweest. Beardsley en juffrouw Barrington. Ach joh, gebruik toch je verstand.'

Joss Robson ging aan de tafel zitten, maar in plaats van zijn mes en vork te pakken en zich op de salade met ham en tong te storten, staarde hij er slechts naar. Het was inderdaad te gek voor woorden: die ouwe grijze Beardsley en de jonge juffrouw Barrington. Maar aan de andere kant was hij nou ook weer niet zo oud en zij niet meer zo jong. En hij had ze toch zeker gezien? Of niet soms?

De kreet die haar man slaakte was zo luid, dat mevrouw Robson van schrik bijna de twee kopjes die ze uit het rek pakte liet vallen. 'Godsamme nog 's aan toe, meisje! Ik heb die twee echt gezien!'

Ze liep kalm naar de tafel, duwde hem terug in de stoel en zei: 'Als jij dat zegt, dan zal het wel zo zijn. Ik geloof je heus wel. Ga nu maar gauw eten.'

Ze moest hem maandag maar eens naar de dokter sturen om hem een tonicum of zo voor te laten schrijven, want hij was helemaal over zijn toeren. En wie zou dat niet zijn, met al die jonge woestelingen. Apen van jongens waren het, minstens de helft van hen. Hij was nooit zo geweest, zo zenuwachtig en schrikachtig. En nu zag hij dingen die er niet waren. Het moest ook niet gekker worden.

2

De man droeg een wit linnen pak met een lichtblauw zijden overhemd en een grijze zijden das. De vrouw naast hem droeg een zacht-
lila mantelpakje met daaroverheen een lichtbeige zijden jas met
driekwart mouwen. Net als de man droeg ze geen hoed. Zijn haar
was grijs, en dat van haar glanzend kastanjebruin en lag in een
wrong in haar nek. Ze liepen door een smalle, met bomen omzoom-
de laan die naar de Champs-Elysées voerde.

Hij bleef met haar bij een bloemenwinkel staan en speldde een
bosje viooltjes op de revers van haar jas, maar hij keek met een schok
op toen hij vanaf de overkant van de weg zijn naam luid hoorde roepen. Ze keken naar de gestalte die naar hen toe holde: eigenlijk waren het twee gestalten, maar de tweede holde niet. De man keek de
vrouw aan en zei: 'Dat kán niet. Niet hier. Niet hier. Riley? Nee! Dat
is onmogelijk.'

'Hallo, meneer Beardsley. Wie had dat nou kunnen denken! We
zijn u vanaf het eind van de straat aan de overkant gevolgd, ik zei tegen me oom Frank hier: "Dat is meneer Beardsley. D'r is maar één
meneer Beardsley op de wereld." En toen zei me oom: "D'r zijn een
heleboel mannen met grijs haar." Maar ik zei: "Niet zoals dat van
hem." Niet zoals dat van u. En dat met uw lengte, meneer Beardsley.'

Ze waren inmiddels een eindje voorbij de bloemist gelopen, maar
ze bleven opnieuw staan toen Riley op luide toon uitriep: 'Nee maar,
u bent het, juffrouw Barrington! Ik had u helemaal niet herkend.' Hij
keek lachend naar meneer Beardsley, maar richtte zijn blik toen
weer op Louise voor hij naar de lange, magere man naast zich om-
hoogkeek en zei: 'Juffrouw Barrington geeft les op mijn school.'

'Aangenaam kennis te maken.' De lange, magere man stak een
hand uit en schudde die van Louise. Ze glimlachte breed en zei: 'Geheel wederzijds.'

'Wat doe jij in hemelsnaam in Parijs, Riley?' Dit was de school-meester die sprak.

'Nou, meneer, dat is een lang verhaal. Ik had een weekendje Parijs gewonnen, maar me ma wilde me niet op eigen houtje laten gaan. Nou ja, ik was niet echt op eigen houtje, ze zouden me een soort gids meegeven, maar het moest per se me oom Frank zijn, anders was 't niet goed. Hij is een goeie kerel, die oom Frank.' Toen Rileys elleboog zijn oom in de ribben raakte, zei de lange man: 'Kijk eens uit, joh. Pas op!'

'Bent u net aangekomen, juffrouw? Voor het weekend?'

Voor ze tijd had gehad om antwoord te geven, blafte Beardsley: 'Nee, ze is hier niet net voor het weekend gekomen.'

'Let op je toon, Fred,' onderbrak Louise hem.

'Goed,' zei hij, en hij knikte naar haar maar voegde eraan toe: 'Ik heb hier met Riley te maken, Louise, met Riley. Je herinnert je Riley toch nog wel.' Daarna keek hij de lange man aan en verklaarde: 'Hij is de enige persoon van wie ik hoopte hem nooit van mijn leven weer te zien.'

'Is het zó erg?'

'Ja, het is zo erg. En dan is er nog iets wat ik jou duidelijk moet maken,' – hij stak zijn vinger naar de jongen uit – 'en dat is dat haar correcte naam mevrouw Beardsley en niet juffrouw Barrington is.'

Rileys mond viel open en hij bleef een halve minuut zwijgen. Toen zei hij: 'Echt waar? Geen geintje?'

Fred Beardsley haalde diep adem, trok zijn kin in, leek even te zuchten en zei toen: 'Geen geintje, Riley. Geen geintje.'

'Gefeliciteerd, juffrouw… mevrouw Beardsley.' Riley schudde Louise enthousiast de hand, daarna keek hij naar de man naast zich en zei: 'Wat vindt u daar wel van, oom? Wat vindt u daar wel van? Meneer Beardsley getrouwd. Allemachtig! Wanneer is dat gebeurd, meneer Beardsley?'

Fred en Louise wisselden een snelle blik en Louise antwoordde: 'Vandaag vijf weken geleden.'

Riley leek het niet te kunnen geloven, want na een korte stilte merkte hij op: 'Dat is dan vlak na mijn vertrek geweest.'

'Jazeker, vlak na jouw vertrek, Riley.'

'Was dat in St. Bede? Ik wou dat ik erbij was geweest.'

31

Maar Fred antwoordde: 'Nee, Riley, we zijn niet in St. Bede getrouwd maar in Beieren, in een kerkje aan de voet van de Alpen.'

Riley was duidelijk verbaasd over dit nieuws en keek van de een naar de ander. Toen zei hij: 'Tjonge, in Beieren.'

Fred antwoordde: 'Nee, de Almachtige was er niet bij, Riley, maar er waren wel heel wat dorpsbewoners die toekeken.'

Rileys oom lachte luid en Riley lachte ook en zei tegen hem: 'Dat is nou echt meneer Beardsley, weet u, degene over wie ik u heb verteld. Hij is je altijd weer te slim af.' Hij keek Fred aan en vroeg: 'Hoe bent u daar terechtgekomen?' Waarop Fred antwoordde: 'We zijn naar Dover gelopen, Het Kanaal overgezwommen, daarna door Noord-Frankrijk en België gelopen en verder naar Duitsland, en zijn ten slotte met blaren op onze voeten in Beieren beland.'

Nu lachten ze allemaal, maar Riley dacht na en zei in dezelfde trant: 'Jawel, dan zult u wel blaren hebben gehad en een paar laarzen hebben versleten, lijkt me, maar... maar het zou toch veel tijd kosten, meneer, of niet soms? En u moet dit alles hebben gepland en niemand die er iets van wist. Ik bedoel, niemand op school.'

'Nee, we hadden het niet gepland, Riley. Het gebeurde in een opwelling op die gedenkwaardige dag waarop ik je vertelde dat ik popelde om jou nog eens terug te zien, nietwaar, liefste?' Louise knikte naar Riley en zei: 'Ja, Riley, het gebeurde in een opwelling en ik kan je verzekeren dat jij degene was die alles aan het rollen bracht.'

'Wat? Ik, juffrouw?'

'Ja, jij, Riley.'

Fred draaide zich om, keek haar aan en zei: 'Dat heb je me nooit verteld.'

'Nee, ik heb het niet verteld, maar herinner jij je nog het gesprek met deze jongeman?'

'Jawel, juffrouw,' viel Riley in. 'Ik herinner me dat nog heel goed. De laatste opmerking bij het afscheid. Die was heftig.'

'Ja, in zekere zin wel, Riley, maar daardoor leerde ik wel een andere kant van de Grijze Beardsley kennen.'

Rileys lach schalde door de straat zodat mensen naar hem omkeken. Hij proestte: 'Dat u hem zo noemt! Maar bedoelt u dat het toen is begonnen?'

'Ja, Riley, het is toen begonnen. Maar ik zou graag willen dat jij het voor je hield, als een geheim tussen ons drieën, want ik heb zo'n gevoel, weet je, dat we elkaar in de toekomst nog wel vaker zullen zien.'

'Nou, niet als het aan mij ligt.' Haar man schudde nadrukkelijk zijn hoofd en Riley zei: 'Hij zal daar niet veel over te zeggen hebben, hè, juffrouw... mevrouw? Want echtgenoten hebben nooit veel in te brengen, als ik mijn moeder moet geloven.'

'Trouwens, Riley, wat voor wedstrijd heb jij gewonnen dat je hier gekomen bent?'

'Toneelspelen, mevrouw.'

'Toneelspelen?' Freds stem overstemde de hare en hij herhaalde: 'Toneelspelen?'

'Jawel,' zei Riley. 'U bent degene, meneer, die me op onze laatste dag vertelde dat ik iets had. Ik bedoel, dat ik een komiek was of zo. Nou, d'r was een wedstrijd, die duurde drie weken, in het theater in Fellburn, en dat was voor talent tot zeventien jaar. Allemachtig, je hebt nog nooit zo'n rij zien staan. Me pa zei dat ik geen enkele kans had, maar me oom Frank zei: doe mee en wees gewoon jezelf en ga iemand nadoen. Hè, oom?'

Oom Frank knikte en zei: 'Jawel, dat heb ik gezegd. Wees jezelf, zei ik, maar neem iemand die je goed kent en die je kunt imiteren.'

'Dus dat heb ik gedaan,' zei Riley.

'En wie heb je dan wel uitgekozen?'

'U, meneer.'

Even viel er een verbaasde stilte. 'Wíé heb jij uitgekozen?' klonk er als een brul, en Beardsleys vrouw moest opnieuw tussenbeide komen: 'Fred, je staat hier op straat, de mensen kijken naar je. Ze denken dat jullie gaan vechten.'

'Nou, dat gaan we over een minuut ook doen, liefste, dat verzeker ik je, als hij mij heeft uitgekozen om belachelijk te maken.'

'O, maar zo zat 't niet, meneer. Ik bedoel, ik deed u alleen maar na.'

Er viel opnieuw een stilte, en Louise probeerde haar lachen in te houden en zei: 'Hoe heb je hem dan nagedaan?'

'Nou, eh,' Riley wierp zenuwachtig een blik op zijn voormalige opponent, toen lachte hij even en zei: 'Weet u, juffrouw, meneer Beardsley heeft verschillende gezichten voor de verschillende dingen die hij zegt.'

33

Hierop wisselden Fred en Louise een blik, hij met opgetrokken wenkbrauwen en zij met haar hand voor haar mond. 'Weet u,' ging Riley verder, 'als hij naar je luistert en het bevalt hem niet wat je zegt, dan knijpt hij zijn ogen tot spleetjes, net als bij een Chinees, weet u, en zijn lange bovenlip – u hebt een lange bovenlip, meneer…' Riley hapte even naar lucht voor hij verderging: 'Nou, u trekt die over uw onderlip, kijk zo,' – hij deed het voor – 'en dan gaat uw neus natuurlijk mee. Het is dan net of u niet kunt geloven wat u hoort. Snapt u, meneer?' Louise kon haar lachen niet langer bedwingen en het schalde door de straat, zodat de voorbijgangers onderzoekend glimlachten. Fred glimlachte niet, hij zei alleen maar grimmig: 'Ga verder.'

'Goed.' Riley keek even omlaag voor hij vervolgde: 'Uw oren, meneer. Weet u, als de jongens mompelen en niet wat u noemt algemeen beschaafd Engels spreken, dan luistert u niet naar ze maar u steekt uw vinger in uw oor en u schudt ermee en u blijft ermee schudden en dan slaat u met uw hand tegen de zijkant van uw hoofd, kijk, zó. En dan zegt u' – en hierbij deed hij een opmerkelijke imitatie van de stem van de leraar – '"Lieve help, lieve help! Ik versta er geen woord van. Niemand in het lokaal kan er ook maar iets van verstaan. Lieve help! Wat jammer. Als die jongen nu eens Engels leerde spreken, dan zou hij misschien zelf de kost kunnen verdienen."'

Louise had zich omgedraaid en leunde tegen haar man aan. Hij hield zijn hoofd gebogen en probeerde vergeefs het feit te verbergen dat hij schudde van het lachen en Rileys oom Frank schaterde het ook uit.

'En, wat vonden ze van míj?'

'Nou, meneer, u kreeg de hele zaal plat. En ik was een van de tien die uit die eerste groep werden gekozen. En daarna was ik een van de drie die uit die tien werden gekozen.'

'Allemaal komieken?'

'O, nee, meneer. Ik was de enige. Ik bedoel, d'r waren een heleboel grappenmakers geweest, zoals de man zei, maar… nou ja, die hadden allemaal grappen met zo'n baard, het soort werk dat echte komieken al jaren geleden hebben afgezworen, of het waren alleen maar moppentappers. Daar was echt niets aan. Maar van die drie was de ene een zanger, en de andere droeg Shakespeare voor. Ik had echt niet gedacht dat ik een kans had, want ze waren allebei goed, vooral die zanger. Hij had een prachtige stem. Ik was ervan overtuigd dat hij zou winnen.'

'Maar hij maakte de mensen niet aan het lachen?'

'Nee, meneer, nee. Hij maakte de mensen niet aan het lachen.'

'Maar toen jij mij imiteerde moesten ze wel lachen?'

Riley keek snel van zijn oom naar Louise en zei: 'Nou, hij trekt wel gekke gezichten, hè, juffrouw?'

'Riley, ik moet je eerlijk bekennen dat ik die kant van hem nog niet ken. Weet je, ik heb hem nog niet kwaad gemaakt. Ik zal er in de toekomst natuurlijk wel op letten. Ben je van plan aan het toneel te gaan?'

'Volgens mij is dat het enige wat ik kan, juffrouw. Meneer daar' – hij knikte naar Fred – 'heeft me verteld dat dat het enige is waarvoor ik geschikt ben. Maar het is wel grappig dat hij dat heeft gezegd, want het is de eerste baan die me is aangeboden.'

'Is jou een baan bij het toneel aangeboden?'

'Nee, nee, meneer. Kijk nou maar niet zo verbaasd. Ik heb die reis gewonnen, hè? En wat erbij hoort, en dat is een baan.'

'Wat voor baan?'

Riley rechtte zijn schouders en zei op een toon die veel op Freds stem leek: 'Toneelmeester van The Little Palace Players.'

'Wat? Jij toneelmeester?'

'Nou ja,' zei Riley, die nu weer gewoon deed, 'assistent of zoiets. Het is niet zo geweldig als het klinkt, meneer, maar ze zeggen dat het een begin is. In het begin vond ik dat begin niet zo geweldig, als u begrijpt wat ik bedoel.'

'Thee zetten, met decorstukken sjouwen, opruimen en vegen, boodschappen doen, manusje-van-alles spelen.'

'U schijnt er alles van te weten, juffrouw.'

'Een beetje, ja.' Louise zag Freds vragende blik en zei: 'Ik heb een paar jaar bij een amateurgezelschap gespeeld. Maar zelfs wij hadden een toneelmeester met een assistent en die werden maar al te vaak voor een rol gevraagd. Sommigen van hen waren zelfs beter dan veel leden van de cast, dat kan ik je wel verzekeren, en ik ben ervan overtuigd dat het bij jou ook zo zal gaan, Riley.' Ze knikte goedkeurend naar hem.

'Niet doen, liefste… Niet doen. Die jongen is toch al zo verwaand. Nou blaast hij zich nog meer op!' Fred keek Rileys oom aan en vroeg kalm: 'Vertelt u me nu eens eerlijk hoe hij op het toneel is.'

Oom en neef wisselden een snelle glimlach voordat de man zei: 'Hij komt er wel, neemt u dat maar van mij aan. Ik heb hem natuurlijk wel verteld, zoals u hem dat ongetwijfeld al heel vaak zult hebben verteld, dat als hij op het goede pad weet te blijven, het helemaal niet slecht is om het vermogen te bezitten mensen aan het lachen te maken.'

Fred keek op zijn horloge en zei: 'We gaan nu even iets eten. Wat gaan jullie doen?'

'Wij kijken nog even rond en dan gaan we een hapje eten,' zei oom Frank. Hij gaf Louise een hand en ging verder: 'Weet u, mevrouw, ik wilde eerst niet mee op deze reis, maar ik werd ertoe gedwongen. Maar nu ben ik blij dat dat is gebeurd, want het betekent dat ik u heb ontmoet en deze goede man hier, over wie ik zoveel heb gehoord.'

Toen hij ook Fred een stevige hand had gegeven, werd er afscheid genomen. Daarna draaiden Louise en Fred zich glimlachend om om hun weg te vervolgen, terwijl Riley en zijn oom de straat weer overstaken.

'Ik… ik vind het niet leuk dat we hen zo alleen laten. Ze zullen moeite hebben om een plek te vinden om te eten, als ze niet naar een bar willen. En die oom lijkt me niet zo'n bartype. Heel serieus, eigenlijk.'

'Nou, als hij niets weet te bedenken, dan weet Riley het wel.'

'Ja, en misschien pakt dat wel verkeerd uit.'

'Nou, nou! Hoor eens, waarom vragen we niet of ze met ons meegaan?'

'Meen je dat?'

'Ja, dat meen ik.'

'Poeh!' Fred lachte even. 'Ik dacht eigenlijk aan hetzelfde, maar ik wilde het je niet voorstellen. Je moet hem onwillekeurig toch aardig vinden… Riley, bedoel ik. Hij hééft iets.'

'Nou, waar wachten we dan nog op? Gebruik dan nu maar je gewone stem en brul ze terug.'

Maar in plaats van te roepen stak Fred twee vingers in zijn mond en floot schel.

Alsof hij op dit teken had gewacht, draaide Riley zich met een ruk om en hij antwoordde met een zwaai. Daarna greep hij zijn oom bij de arm en holde met hem terug.

'Is er iets aan de hand?'

Fred keek de oom aan. 'Nee, er is niets aan de hand. We vroegen ons alleen af of jullie zin hadden iets te gaan eten met ons,' zei hij.

Ze wisselden even een blik en toen zei de oom: 'Dat is heel aardig van u, meneer en mevrouw, maar kijk eens naar ons, we zijn heel gewoon gekleed. Ik bedoel, ik heb wel een pak aan, maar deze meneer hier draagt alleen een trui.'

'Maar het is een effen trui, d'r staat niks op.' Riley wees met zijn duim naar zijn borst.

'Nee, maar het is niet gebruikelijk om zo gekleed naar een aardige gelegenheid te gaan.'

'Laat dat maar aan ons over. Het zal u verbazen hoe de mensen hier in de beste restaurants gekleed gaan, en ik ben niet onbekend in het restaurant waar we nu naartoe gaan, ik eet er minstens één week per jaar. Bovendien heeft de eigenaar een oogje op mijn vrouw. We zullen ongetwijfeld het beste tafeltje krijgen en hij zal ons adviseren naar welke revue we moeten gaan waar de taal geen rol speelt, de *Folies-Bergère*, neem ik aan.'

'*Folies-Bergère*? Maar, meneer!'

'Niks "maar", meneer! Kom nu maar mee en loop eens voorop met mijn vrouw, ik wil een praatje maken met je oom.'

Wat er daarna gebeurde zou een doorslaggevend effect op het leven van Riley hebben, want de vrouw van meneer Beardsley stak haar arm door de zijne. Ze liep echt met hem verstrengeld en hij was zo verbaasd, dat hij even uit de pas raakte en bovendien – nog belangrijker – niets wist te zeggen, omdat deze dame hem als een man behandelde, niet als de straatjongen Riley. Het was alsof zijn leven opeens was veranderd en hij jaren ouder was geworden. Hij kon zijn toekomst opeens voor zich zien en dit vooruitzicht wond hem op. Hij wist zeker dat hij iets zou bereiken en dat hij op het smalle, rechte pad zou blijven. Hoe smal, zou hij nog merken.

Deel 1

1

The Little Palace Theatre lag in een zijstraat achter het marktplein van Fellburn. Het theater had een onopvallende ingang en als de naam er niet in grote letters op had gestaan, hadden de twee grote groene deuren onder het bord ook naar een pakhuis kunnen leiden.

De ingangshal was eveneens onopvallend, met als uitzondering de rijkversierde boog die naar een verrassend grote foyer leidde, met rechts het kaartjesloket terwijl links een royale, brede trap naar het balkon leidde. Recht vooruit waren twee fraaie deuren die in de stalles uitkwamen.

Dat het interieur bijna hetzelfde was als toen het theater zeventig jaar geleden was gebouwd, zei veel over de zorg van de beide vroegere eigenaren en van de huidige, een zekere David Bernice. Hij was de eigenaar, maar fungeerde tevens als bedrijfsleider en directeur, net als zijn voorgangers. Dat was ook wel nodig als er winst moest worden gemaakt: The Little Palace bood, net als zoveel andere theaters die met moeite het hoofd boven water konden houden, plaats aan hoogstens vijfhonderd man publiek, opeen gepropt in twee loges, het balkon en de stalles. En dat kon alleen als de eigenaar zich met hart en ziel inzette voor alle facetten van het bedrijf.

David Bernice was nooit een goed acteur geweest, maar hij ging er prat op dat hij wist hoe hij op alle fronten het onderste uit de kan moest halen. Hij behandelde The Palace Players alsof ze deel van zijn gezin uitmaakten, minstens negen maanden per jaar. Ze speelden alles, van Ibsen tot kluchten. Niet altijd briljant, heel zelden briljant zelfs, maar altijd onderhoudend voor het publiek. Hoewel er af en toe, zoals wanneer Nyrene op haar best was, een wonder gebeurde...

'Het raam zat eerst links van het bureau. Nu zit het rechts.'

'Maakt dat veel uit, Vera?'

'Ja, meneer Bernice, het maakt heel veel uit. Het licht valt op de verkeerde manier op het bureau. Het begint schemerig, omdat het licht vanachter het raam vandaan komt.'

Voor hij verder commentaar kon geven schrok hij op doordat Nyrene Forbes-Mason, hun steractrice, die raadselachtige vrouw, met een heel lief stemmetje, dat totaal anders was dan haar eigen stem, uitriep: 'Ja natuurlijk, meneer Bernice, dat maakt echt heel veel uit, want als het aan die kant is, is haar haar niet te zien.'

Er klonk enige opwinding vanaf de eerste rij, waar een paar acteurs zaten.

'Dat pik ik niet!'

'Vera! Vera, toe nou!'

'Niks toe nou! Dit wordt echt te gek. Ze beledigt me... Dit is beledigend. Ik vertrek. Ik verzeker je, nu stap ik op.'

Toen hier geen reactie op kwam, slaakte David Bernice een zucht en schreeuwde vervolgens: 'Riley!'

Alsof hij op dit wachtwoord had gewacht kwam Riley uit de coulissen te voorschijn en liep naar de rand van het podium. Hij keek omlaag naar zijn baas en zei: 'Ja, meneer Bernice?'

'Waarom heb je dat decorstuk anders geplaatst?'

'Nou eh, kijk, het zit zo, meneer. Weet u, ik eh...' Riley keek (hij stond op de rand van het podium) naar de toneelmeester en wachtte tot die het zou uitleggen. John Maybright liep naar de rand van het toneel, keek naar de hoofdrolspeelster en zei: 'Ik heb het veranderd, Vera, omdat het raam op die plaats nauwelijks door het publiek kon worden gezien, alleen maar door de mensen aan die kant. Bovendien zien de decors er doods uit. Het is de bedoeling dat het de muur van een kantoor is en daar hoort een raam in. Bovendien, Vera, had jij over mijn hoofd heen opdracht gegeven het raam te plaatsen en ik vind dat we in dit werk allemaal moeten weten wat onze plaats is en ik ken de mijne.'

'Ik pik 't niet! Ik pik 't gewoon niet!'

Hierop zag het hele gezelschap hoe zich een heel vreemde scène op het toneel afspeelde, een scène die niets met het toneelstuk waar ze mee bezig waren te maken had, want juffrouw Nyrene Forbes-Mason, de dame die slechts op het toneel tot leven leek te komen, terwijl ze verder zo ijzig als een koelkast was en die iedere toenadering afwimpelde, pakte de achtentwintigjarige Vera Fielding, die pas negen maanden bij het gezelschap was, vast. Vera had met het laatste stuk waarin ze had gespeeld een halfjaar in Londen gestaan en ze was met uitstekende referenties bij The Palace gekomen. En nu werd ze teder omarmd door de lange, imposante gestalte van juffrouw Mason, die op een toon die niemand haar eerder had horen gebruiken zei: 'Hoor eens, liefje, we zijn allemaal een beetje gespannen. Het spijt me dat ik zo vals heb gedaan. Op jouw leeftijd had ik net zo gereageerd op een raam dat was verplaatst, maar we hebben in tijden niet zo'n goed stuk gehad, dus laten we nu maar verdergaan, ja? Je zult van mij geen last meer hebben, dat kan ik je verzekeren.' Ze liet de vrouw los, draaide zich om, keek naar David Bernice en zei: 'Zullen we dan nu maar verdergaan?'

'Ja, dat is goed, juffrouw Mason. Dat doen we.'

Riley, die al die tijd bij het gedoofde voetlicht had gestaan, keek naar de lange actrice die nu haar schouders ophaalde, wat haar rug nog rechter maakte. Ze liep door de coulissen weg, in afwachting van haar wachtwoord. Hij stapte snel terug naar zijn plaats naast Phillip Vernon, die James Culbert, de hoofdrolspeler, souffleerde en hij voelde een rilling van opwinding door zich heen gaan terwijl hij wachtte tot juffrouw Mason weer opkwam.

En daar was ze. Ze zeilde het toneel op, waarbij ze op haar hooghartige manier achterom zei: 'Ik weet de weg, Johnson. Ik weet zo langzamerhand de weg.' Het was een lage, mannelijke stem. Ze droeg een onopvallende grijze jas, haar bruine haar zat in een grote knot op haar achterhoofd. Maar dat was niet wat hij zag. Hij zag haar in dure kleding, met een grote hoed, een veer op de rand. Ze liep mank, steunend op een wandelstok met zilveren knop. Toch was haar lichaam nog heel recht. Ze bleef staan en keek naar de jonge vrouw achter het bureau. Toen kwam ze een stap dichterbij en keek eerst naar de ene en toen naar de andere kant, alsof ze een standbeeld bekeek. Daarna zei ze met een lage, bevelende en nog steeds hooghartige stem: 'Wie ben jij?'

De jonge vrouw stond langzaam op vanachter het bureau en zei: 'Ik ben Patricia Stace en ik zou u dezelfde vraag willen stellen.'

'O, ja?' Het grote hoofd ging twee keer naar achteren. 'Dat zou je

43

wel willen weten? Nou, ik ben toevallig lady Forester en ik schijn in dit pand bekend te staan als Minnie. Wanneer ben jij hier begonnen?'

'Twee weken geleden.'

'Juist ja. En wie ben jij dan wel? En waarom zit je hier, in deze kamer, achter het bureau van mevrouw? Of liever gezegd, haar bureau voor ze besloot te… verscheiden?'

'Ik ben een nicht van lord Fielding.'

'Wat! Dat is de eerste keer dat ik dit hoor.'

'Nou, misschien moet ik wat preciezer zijn en zeggen dat mijn moeder een nicht van lord Fielding was.'

'Stop!' onderbrak David Bernice hen. 'Ik zou achter het bureau vandaan komen, Vera, als je dat zegt. Je moet oprechte verontwaardiging tonen, je daarna omdraaien en naar de deur kijken waar James en Phillip zijn.'

En zo ging het door tot David Bernice zei: 'Mooi. Mooi. Laten we nu even pauzeren. We gaan om halftwee verder.'

Er klonk algeheel gestommel. Het grootste deel van het gezelschap pakte jassen, sjaals of wollen mutsen en vertrok naar de pub aan de overkant van het plein. Daar zouden ze iets drinken en de lunch gebruiken.

Harry Mogan, de elektricien en huismeester, woonde op het terrein. Omdat hij huismeester was, had hij de driekamerflat die aan het theater grensde. Zijn vrouw fungeerde als kleedster en naaister. En Bernice, die al achtenveertig jaar in Fellburn woonde, had een comfortabel huis in een buitenwijk. Dit liet alleen juffrouw Mason en Riley over, en als Riley iets in de lunchpauze wilde ondernemen, moest hij dit doen nadat hij juffrouw Mason had verzorgd.

Dit patroon was ongeveer een jaar geleden ontstaan, toen het manusje-van-alles, Billy Carstairs, ziek was geworden. Toen hij weer op het werk was verschenen, had juffrouw Mason duidelijk gemaakt dat ze er de voorkeur aan gaf dat Riley haar sandwiches haalde.

Zoals Riley tegen zijn moeder had opgemerkt: 'Het was alsof ik een onderscheiding van de koningin kreeg, omdat ze praktisch onbenaderbaar is wanneer ze van het toneel af komt. Geen gepraat over koetjes en kalfjes. Ze schijnt met niemand te praten, behalve met de baas. Ze zijn oude vrienden. Ze zit daar al twaalf jaar, weet je. Het enige wat ze eet is een sandwich met tong of ham. Ik heb een keer voorgesteld *fish and chips* te halen, maar ze keek me aan alsof ik een vies woord had gezegd.'

Na op de deur te hebben geklopt van wat de beste kleedkamer was, en na te zijn gevraagd binnen te komen, zouden de meeste spelers verbaasd hebben opgekeken van de verandering bij zowel de ster van het gezelschap als die jonge blaag Riley. Nyrene zat op een soort kampeerbed tegen de verste muur van de kamer, en op het bed lag een felgekleurd Indiaas kleed. Riley begroette haar met: 'Oef! U moet iets aantrekken, het is hier koud. Ik wed dat hij de verwarming weer heeft uitgedraaid.'

'Nee, hij heeft 'm niet uitgedraaid, hij staat nog steeds aan.' Haar stem klonk zo gewoon dat ze onmogelijk dezelfde persoon leek als de dame op het toneel of die ernaast.

Hij schoof een stoel dichterbij, draaide die om en ging erop zitten, met zijn ellebogen op de rugleuning. Hij keek haar aan en zei: 'Het is buiten snijdend koud. Hoor eens, u moet iets warms in uw maag hebben. Ik heb genoeg van die sandwiches. Nee, rustig nou maar,' – hij hief zijn vinger naar haar – 'ik ga gewoon erwtenpastei halen. Ik ben er zo mee terug. U weet toch dat de pub op Town Hall Square zit? Kom op, pastei met erwten dan maar? Ik begrijp dat fish and chips niet kan, want dat is te ordinair, maar pastei en erwten stamt uit de tijd van Shakespeare. Wat dacht u daarvan?'

'Ik ben jarig, Riley.'

Hij schoof de stoel een eindje bij haar vandaan, maar leunde verder over de leuning toen hij zei: 'Nee! U bent jarig en niemand weet het!'

'Ik bedacht gisteren, Riley, dat jij meer over me weet dan ieder ander in dit theater. In feite meer dan iedereen die ooit in dit theater heeft gewerkt, zelfs meer dan onze goede directeur, regisseur, eigenaar en weldoener.'

Ze keken elkaar even aan. Riley schudde zijn hoofd, hij wilde een vraag stellen maar wist niet hoever hij kon gaan. Maar zij was hem voor. 'Ik word vandaag zevenendertig, Riley.'

'Zevenendertig?' Er klonk verbazing in zijn stem, want hij had gedacht dat ze ver in de veertig was. Maar hij zei galant: 'Dat had ik echt niet gedacht.'

'Riley!' Haar stem bevatte nu een spoortje van haar toneelstem. 'Bederf mijn beeld van jou niet. Jij dacht dat ik veel ouder was, hè?' 'Jawel... Ja, dat dacht ik. Maar ik zie u alleen op het toneel en... nou ja, hier binnen. Ik zie u niet als u uzelf bent. En u moet toch een echt eigen zelf hebben.'

Er viel opnieuw een stilte tussen hen. Toen zei ze: 'Ik heb geen ander eigen zelf dan dat wat ik jou toon, Riley. Je hoort je vereerd te voelen.'

'O, maar dat is ook zo. Echt waar, ik meen het. Ik heb mijn moeder verteld dat toen u de eerste keer tegen me sprak en me vroeg sandwiches te halen, het was alsof ik een onderscheiding van de koningin kreeg.'

Hierop werd gereageerd met een bijna meisjesachtige lach. 'Je méént het!'

'Jawel, echt waar. En daarom... nou ja, omdat het uw verjaardag is, wat dacht u voor één keer van pastei met erwten?'

'Goed, Riley, voor één keertje dan. En' – ze liet haar stem dalen – 'ik denk dat ik vandaag voor één keertje mijn medicijn verander.'

'In wat, juffrouw?'

'Ik denk dat ik cognac neem.'

'Goed, juffrouw, een glas cognac. Ga daar maar zitten.'

Toen hij van de stoel opstond, zei ze: 'Ik heb je nooit gevraagd hoe jij er elke dag in slaagt drank te kopen zonder dat je daar problemen mee krijgt. Ze doen wel eens moeilijk als een jongeman als jij' – ze zei niet jongen maar jongeman – 'daarom vraagt.'

'Maakt u zich daar nou maar geen zorgen over, juffrouw. Er staan op de markt twee kraampjes met bier en dan is er ook nog de Co-op, dus ik wissel het af.'

'Je bent heel lief voor me, Riley,' zei ze, met in haar stem een trilling waardoor hij zich geroerd voelde en hij antwoordde: 'Nee, het is juist andersom. U hebt mij heel veel geleerd sinds ik hier ben.'

'Ach, probeer nou niet zo bescheiden te zijn. En dan is er iets wat ik je wil vertellen, maar je moet doen alsof je er nog niets van weet. Je zult binnenkort misschien een rol aangeboden krijgen, maar het zal een moeilijke rol zijn. Ik weet er alles van, maar ik ben ervan overtuigd dat je het kunt.'

'Ik? Een echte rol? Niet alleen maar de rol van ezel of dwaas?'

'Nee, niet alleen maar de rol van ezel of dwaas. Dit is iets... Tja, het zal heel moeilijk zijn. Je zult kennis moeten maken met een heel andere manier van leven, echt een vreselijk leven. Ik kan nu niet in details treden, wij moeten nu niet in details treden. Ik vertel het je later nog wel. Maar weet je, Riley, ik... ik... zou jouw kansen in dit leven echt niet willen verspillen en je zult wel allerlei verhalen over mij hebben gehoord. Ik ben waar ik nu ben omdat ik heb beloofd nimmer drank aan te zullen raken wanneer ik in een theater ben en ik heb die belofte verbroken, en als dat ontdekt wordt, vlieg ik eruit, net als jij. Ik weet dat ze hard zullen zijn, ik heb al te vaak een nieuwe kans gekregen. Dus, Riley, na vandaag geen kleine flesjes drank meer en ik zal geen mondverfrissers meer nodig hebben.'

'Ach, juffrouw, ik... ik zie er geen kwaad in.'

'Nee, ik ook niet, als ik maar kon ophouden als mijn verstand zegt dat het genoeg is geweest. Maar weet je, in mijn geval wilde mijn verstand niet luisteren en ik heb het aan het goede hart van meneer Bernice te danken dat ik mocht blijven.'

Ze kwam overeind. Ze deed statig noch stijfjes toen ze hem aankeek en zei: 'Nee, Riley, we laten dit niet de laatste keer zijn. Als ik wil ophouden, doe ik dat vanaf nu. Dus ga jij die pastei met erwten halen, dan zet ik een pot thee.' Ze knikte naar de grote vierkante doos die op de tafel naast de wasbak stond. 'Ga nu, en breng ze warm mee terug. Dan zal ik jou over die rol vertellen, hoewel het voorlopig echt tussen jou en mij moet blijven. Begrijp je?'

Hij staarde haar even aan zonder iets te zeggen. Toen zei hij zacht: 'U bent een geweldige dame... een echte dame.' Hij draaide zich lachend om en riep: 'Pastei met erwten, komt eraan!'

2

'Waar ga jij vanavond heen?'
  'Ik ga naar meneer Beardsley.'
  'Zorg dat je daar niemand tot last bent.'
  'Ik ben hun niet tot last, ma.'
  'Dat weet je helemaal niet. Ze zijn verdomme veel te beleefd om dat te zeggen.'
  'Wat! Beardsley te beleefd om tegen mij te zeggen wanneer het tijd is om te gaan?'
  'Doe nou es niet zo eigenwijs, je moet weten wat je plaats is.'
  'Grote god, ma! Ik had gedacht dat je blij zou zijn dat ik een rol in een toneelstuk krijg.'
  'Maar je zegt zelf dat je nog niet weet wat voor rol het is.'
  Hij wendde zich van haar af en draaide een sjaal om zijn nek. Hij durfde haar niet te vertellen wat voor rol hij moest spelen, want dan zou ze hem de volle laag geven. Hij wist zelf niet of hij het kon. Maar meneer Bernice scheen te denken dat hij het kon en juffrouw Mason was ervan overtuigd dat hij het kon, jawel, ook al had hij hen beiden erop gewezen dat hij volmaakt tevreden was met de dingen die hij tot nu toe deed, zoals deze en gene voor gek zetten. Hij kon zelfs bijna alle stemmen van de leden van de cast imiteren en ook hun maniertjes en gebaren. Maar dit andere, drama zoals ze het noemden, o lieve help!
  'Misschien zijn ze wel niet thuis,' zei zijn moeder hoopvol.
  'Ze zijn waarschijnlijk wel thuis, ma, zoals ik je al heb gezegd. Ze gaan tegenwoordig zelden uit, ze willen de baby liever niet alleen laten. Het lijkt wel of dit de enige baby is die er ooit is geboren.' Hij draaide zich om en glimlachte naar haar. Hij vervolgde: 'Maar het is heel leuk om ze ermee bezig te zien. En hij moest 'm natuurlijk Jason noemen.'

'Waarom? Hoe bedoel je?'

'Nou, Jason was een van de goden, weet je, die een groep helden leidde toen ze het Gulden Vlies gingen zoeken. Ze heetten Jason en de Argonauten.'

Goden en Argodingessen. Die knul begon te veranderen. Niet alleen sinds hij van school was en een soort vriendschap met meneer Beardsley had gesloten, maar waarschijnlijk meer omdat hij met die toneelspelers omging. Zo te horen was dat een vreemd stel mensen.

Ze was pas twee keer in The Little Palace geweest sinds hij daar was begonnen en de tweede keer had ze een hoofd als een boei ge-kregen om de dingen die daar werden gezegd. Misschien was dat tegenwoordig de mode, maar de mode van tegenwoordig beviel haar helemaal niet. Nee, echt niet. Dat had ze ook tegen zijn vader gezegd, maar die zei alleen maar: 'Ach, mens, word toch eens wak-ker!' Nou, daar had ze hem eens flink de waarheid over gezegd. Word eens wakker, jawel! En dan uit de mond van iemand die met-een last van zijn rug kreeg als een baantje hem verveelde.

Riley keek naar de kleine vrouw en bedacht dat hij niet kon zeg-gen dat hij ooit van haar had gehouden. Ze was een moeilijke vrouw die door niemand aardig werd gevonden, bazig en hard, met een eenzijdige kijk op alles, heel scherp en gemeen. En toch had hij soms met haar te doen, vooral als ze uit werken moest gaan om-dat zijn vader thuis zat met zijn rug. Aan de andere kant was ze echt niet de enige vrouw hier in de buurt die moest gaan werken om de zaak draaiende te houden.

Afgezien van dit alles had hij begrip voor haar. Niet dat hij dat zelf zo wilde stellen, maar hij wist dat de ware reden dat zij zo over de Beardsleys tekeerging was dat ze jaloers was omdat hij me-vrouw Beardsley graag mocht – ze vond haar bekakt. En dan was er haar duidelijke jaloezie jegens juffrouw Mason. Hij had terloops verteld dat het een knappe vrouw was, iemand die het in Londen ver zou hebben gebracht als ze niet ooit een drankprobleem had ge-had, waarop zijn moeder onmiddellijk tegen hem was uitgevallen: 'Hoe oud is ze?'

Hij wist nog dat hij over zijn antwoord had moeten nadenken. 'Ik denk minstens veertig of zo, maar het hangt er helemaal van af welke rol ze speelt, want soms lijkt ze nog geen dertig.' En toen had hij de vergissing begaan eraan toe te voegen: 'Het is een heel knappe vrouw.' Dat moet zijn moeder aan het denken hebben gezet want ze was regelrecht naar het theater gegaloppeerd om te zien hoe de vrouw er nou eigenlijk uitzag.

En nu verwachtte hij in een stuk te gaan spelen dat haar de haren te berge zou doen rijzen. Hij moest echt maken dat hij wegkwam, hij moest met mevrouw Beardsley praten.

'Pak je warm in!'

'Ik ben warm ingepakt, ma.'

Toen ze de sjaal strakker om zijn nek trok, zei hij: 'Niet doen, zo krijg ik helemaal geen lucht meer.'

'Maak nu maar gauw dat je wegkomt en zorg dat je niet te laat thuis bent. Dat meen ik, kom niet laat thuis. Elf uur, denk eraan.'

'Ach, ma!'

'Niks ach, ma! En hang niet de grote jongen uit, dat stadium heb je echt nog niet bereikt.'

Buiten benam de koude lucht hem bijna de adem. Kom niet te laat thuis! Elf uur! En dan, je bent nog geen volwassen man. Over een paar maanden zou hij achttien zijn. Ze moest eens weten, hij was allang een volwassen man, dat vertelde zijn onderlijf hem anders wel.

In plaats van de bus te nemen naar de 'moderne woonwijk' waar zijn vrienden nu woonden, liep hij de hele afstand, want hij had de vijfentwintig minuten die de wandeling duurde nodig om alles nog eens te overdenken. Hij kon zich niet goed voorstellen dat die rol geschikt voor hem was, zo was hij echt niet. Maar meneer Bernice en juffrouw Mason, met name juffrouw Mason, waren erg overtuigd van zijn capaciteiten, en wat nóg verbazingwekkender was, was dat de hoofdrolspeler, James Culbert, heel instemmend had gereageerd.

Hij dacht terug aan de scène in het kantoor van meneer Bernice, die middag. Ze hadden hem alle vier op hun manier duidelijk verteld dat hij het kon… Hij was toch goed in mime, nietwaar? Jawel, in mime, maar hij had nog nooit geacteerd, niet echt, hij had alleen maar wat losse zinnen gedaan om His Lordship aan te kondigen, dat soort dingen. Hij had de eerste keer geweldig de kriebels gekregen en een sterke neiging gehad zich tot het publiek te wenden om iets geks te zeggen. Dat zou vast veel opschudding hebben veroorzaakt en hij zou er op staande voet uitgevlogen zijn...

Hij belde aan, en toen de deur werd geopend, begroette de reusachtige gestalte van Fred Beardsley hem met: 'Sst! Kom binnen.' Hij stak een lange arm uit, tilde hem zo ongeveer over de drempel de hal in en fluisterde: 'Ze heeft 'm net in slaap weten te sussen. Die kerel begint veel te veel praatjes te krijgen... Voor hem is zeven uur geen bedtijd. Kom, geef me je jas. Allemachtig, hij is bijna bevroren!'

'Dat zou u ook zijn geweest, meneer, als u in dit weer buiten was geweest. Het wordt nog erger. Als het nou maar ging sneeuwen, dan werd het een beetje warmer.'

Ze liepen op hun tenen door de grote hal en toen ze langs de trap kwamen, keken ze omhoog. Louise Beardsley kwam naar beneden, ze begroette hem ook al fluisterend. 'Hallo, Riley. Je ziet eruit alsof je het koud hebt.'

'Ik heb het ook koud, mevrouw. Heeft hij weer een keel opgezet?'

'Ja, hij heeft weer een keel opgezet, Riley. Het lijkt wel of hij weet dat ik het grootste deel van de dag weg ben geweest nu ik weer naar school ga.'

'Natuurlijk weet hij dat je het grootste deel van de dag weg bent, mens. Zelfs een achterlijk kind zou zijn moeder missen. Maar die jongen is niet achterlijk, nee, hij weet dat hij maar een kik hoeft te geven of jij springt in de houding. Nou, het wordt tijd dat hem dat wordt afgeleerd.'

'U verkondigt nu wel heel andere dingen, hè, meneer?'

'Hoe bedoel je?'

'Nou, het is nog niet zo lang geleden dat u beweerde dat kinderen vanaf hun geboorte weten wat het beste voor ze is en dat ze vrijheid van meningsuiting moeten hebben. Dat was het toch, mevrouw? Vrijheid van meningsuiting. Daar had hij het toch altijd over?'

'Ja, Riley, daar had hij het altijd over, tot hij ontdekte dat zijn geweldige zoon nog geen klok kan kijken. Sinds de klok is teruggezet en het vroeger donker wordt, doet hij zo.'

'Hou toch je mond, mens! En ga eens zitten, want dat doe ik ook, en als hij schreeuwt, dan laat je hem maar schreeuwen. Hoort u dat, mevrouw Beardsley? Hij blijft schreeuwen tot hij moe is, en als hij moe is, zal hij vanzelf in slaap vallen.'

Louise Beardsley keek op naar haar man. Achter de humor in haar blik lag een diepe liefde, die Riley duidelijk zag. Hij vond het altijd heerlijk om haar naar haar man te zien kijken. Het was een heerlijk gevoel bij deze twee mensen te zijn. De atmosfeer was zo anders dan bij hem thuis, zo anders dan in het theater. Het was iets wat gewone liefde te boven ging. Maar er was nog iets waarover hij moest praten.

'Wat voert jou vanavond hierheen? Meestal worden we op vrijdag vereerd met een bezoek van jou.'

'Fred! Hou je mond en schenk ons iets te drinken in.'

Riley wendde zich tot de elegante vrouw die naast hem op de bank zat en hij zei zacht: 'Ik kom jullie om raad vragen. Ik weet niet wat ik moet doen.'

Fred Beardsley hield op met het inschenken van glazen en keek de jongeman aan. Het was vreemd, maar die knul leek vanavond heel anders. Eigenlijk leek hij al een tijdje heel anders, maar hij had er nog niet over nagedacht. Hij leek geen jongen van achttien, zoals hij daar zat. Eerder een jongeman van in de twintig.

'Zijn er problemen?' vroeg hij.

'Nee, meneer, er zijn geen problemen, niet het soort problemen dat u bedoelt, tenminste. Ik heb wel overwogen een auto te pikken, ik kwam onderweg langs een mooie Jaguar, maar ik ben het een beetje verleerd.'

'Riley!'

Hij keek naar Louise, die lachend zei: 'Je hebt toch niet echt een auto gestolen, hè?'

'Jawel, mevrouw, dat... heb ik echt gedaan. Maar het ding botste tegen een muur en ik wist er nog net op tijd uit te komen voor hij in de lucht vloog.'

'Lieve help!'

'Ach, jij weet niets over het verleden van onze vriend hier.' Fred gaf zijn vrouw een glas sherry en daarna gaf hij er een aan Riley. Toen ging hij met zijn glas port zitten en zei: 'Nou, vooruit met de geit. Wat is het probleem?'

'Het is geen probleem.'

'Nou, als het geen probleem is, waarom kijk je dan zo moeilijk?'

'Hebt u ooit het boek *Het Gouden Verstand* gelezen?'

Man en vrouw keken elkaar aan en herhaalden: '*Het Gouden Verstand*?' En Louise zei: 'Ja, dat boek heeft een paar jaar geleden voor veel sensatie gezorgd. Het werd een toneelstuk en het heeft een poos in Londen gelopen. Het was geschreven door een Amerikaan. Wat is daarmee?' Maar voor Riley antwoord kon geven zei Fred: 'Ga me nou niet vertellen dat ze dat stuk willen brengen.'

'Ja, en ze zijn er allemaal voor.'

Riley zag hoe zijn vrienden een lange blik wisselden. Toen zei Louise zacht: 'En ze willen dat jij die geestelijk gehandicapte jongen speelt?'

'Ja, dat willen ze, mevrouw. Ik moet een jongen van zestien spelen. De gedachte lokt me niet erg aan. We hadden vroeger aan het eind van de straat een jongen die zo was. Ik heb altijd geprobeerd hem te mijden, en hij mij.'

Hij keek Fred aan. 'Ik ben altijd de grappenmaker, dat weet u, meneer. U hebt zelf gezegd dat ik met imiteren en met komedie mijn brood zou kunnen verdienen en ik besef dat ik dat kan. Ik kan ze aan het lachen maken, maar... maar...'

'Maar wat?'

Riley keek Fred aan en zei zacht: 'Juffrouw Mason, u kent juffrouw Mason?'

'Jazeker, ik ken juffrouw Mason heel goed en ik hecht veel waarde aan haar oordeel.'

Riley richtte zijn blik even op het tapijt voor hij antwoordde: 'Ze zei dat het moeilijker was om mensen te laten huilen dan om ze te laten lachen.'

Het was stil in de kamer. De blokken in de neoklassieke open haard knetterden. Ergens buiten klonk het geluid van een auto die werd gestart.

'Je wilt het niet doen?'

'Ik zou het toch zeker niet kunnen, meneer? Ik bedoel, ík! Ik kan de dwaas spelen. Tja, daar hebt u maar al te veel ervaring mee gehad, hè? En ik kan iedereen aan het lachen maken met mijn malle opmerkingen, en ik heb veel geleerd van het kijken naar anderen:

wanneer je eens moet wachten, wanneer je door moet ratelen, en wanneer je er een punt achter moet zetten. Net als u zei, mezelf altijd voor schut zetten en niemand anders, omdat ik op die manier meer lachers op mijn hand zou krijgen. En dat gebeurt ook. In de pauzes ligt de hele groep soms in een deuk als ik deze of gene nadoe. En stel je dan eens voor dat ik iets serieus moet spelen, zo serieus dat ik een geestelijk gehandicapte moet spelen, en zo serieus dat ik me als niet-normaal moet gedragen. Ze hebben me het boek gegeven, maar ik durfde het niet mee naar huis te nemen. Ik heb er een beetje in gelezen voor ik wegging. Niet te geloven, wat die kerel doet!'

'Ja, niet te geloven wat die kerel doet.' Louise knikte. 'Ik heb het stuk twee keer gezien. De acteur die de rol speelde was geweldig, want hij moest zoveel verschillende dingen doen: hij moest dansen, hij moest flarden zingen van de liedjes die in zijn hoofd opkwamen, en hij moest alle poëzie spuien die door zijn gekwelde geest ging. Af en toe treedt hij buiten zichzelf en ontdekt hij wat liefde is. Als zijn ouders hem dan nadat hij zoveel jaar in een inrichting heeft gezeten naar huis halen, waarbij zijn moeder naar hem verlangt en zijn vader ontzet is over deze gedachte, terwijl er een oudere broer en een jongere zuster zijn met wie ook rekening moet worden gehouden, is dat het moment dat het drama pas echt begint. De broer reageert net als de vader, die hem niet kan verdragen, en hij plaagt hem. Maar het zusje heeft medelijden met hem, vanaf het eerste moment houdt ze zelfs van hem.' Ze zweeg, knikte naar haar man en zei: 'Het is een heel zwaar stuk voor The Little Theatre om te brengen, vind je niet?'

'Ach, ze hebben Ibsen ook gebracht,' zei Fred.

Hierop verklaarde Riley: 'Ja, meneer, ze hebben Ibsen ook gebracht, maar meneer Bernice heeft wel toegegeven dat Fellburn er nog niet klaar voor was, en dat het een vergissing van hem was geweest. Maar dit lijkt me een nog veel grotere vergissing.'

'Dit is iets heel anders. Dit is een modern toneelstuk, Riley, en je zult het feit dat ze denken dat jij het kunt als een eer moeten beschouwen. Ze hebben ingezien dat jij iets in je hebt. De hemel mag weten wat,' – hij schudde zijn hoofd – 'want ik heb het nooit ontdekt.'

'Ach, hou toch je mond.' Louise gebaarde ongeduldig naar Fred. 'Die scène met de broer en zuster in bed is het gedeelte waar het echt op aan komt. Het is maar net hoe het wordt gespeeld. Toen ik het zag, kwam het heel mooi over, of liever gezegd, aangrijpend.'

'Nou, bij mij niet. Allemachtig! Mijn haren gingen er zelfs van overeind staan.'

Nu schalde er gelach door de kamer. Fred boog zijn hoofd over zijn knieën, Louise lag achterover tegen de rugleuning van de bank, en Riley sloeg zijn handen voor zijn ogen en zei: 'Nou, het spijt me hoor, maar dat doet de deur dicht. Ik doe niet mee aan die grap. Ik moet er niet aan denken wat mijn moeder zou zeggen. Hemel! Ze zou er op slag grijze haren van krijgen.'

'Het geeft niet, Riley. Het stelt echt niets voor. Het is maar net hoe je ertegenaan kijkt,' zei Fred.

'Het maakt niet uit hoe ze het brengen. Ze krijgen mij niet op het toneel met iemand in bed, laat staan met een meisje dat mijn zuster moet voorstellen. Wilt u me ook nog vertellen wat er daarna gebeurt?'

'Tja, de ouders vinden hen daar en de vader, die er het ergste van denkt, trekt zijn dochter uit het bed en schudt haar als een rat heen en weer, maar dan rukt de jongen zich los uit de armen van zijn moeder en stort zich op zijn vader. Ze vallen allebei op de grond, de jongen boven op de man.' Louise zweeg even en zei toen: 'Dat was een van de griezeligste momenten in het stuk, want de jongen, die heel sterk leek te zijn, tilt zijn verdwaasde vader bij de schouders op en beukt zijn hoofd herhaaldelijk tegen de vloer. Ik hoor nog hoe het publiek een gesmoorde kreet slaakte toen ze hem weer op zagen staan, waarbij de lieve glimlach weer op het gezicht kwam terwijl hij zich in zichzelf terugtrok en weer begon te dansen en te zingen, om tot slot vlak bij het voetlicht te gaan zitten en zwijgend het publiek aan te staren met een vreemde glimlach op zijn gezicht. Ik weet nog dat het een paar minuten duurde voor het gordijn viel en er volgde nog een periode van stilte voordat het publiek begon te klappen.'

Het bleef stil in de kamer, tot Riley uitbarstte: 'Hoe zou ik zoiets kunnen doen, hoe zou ik zo iemand kunnen spelen? Ik kan dat echt niet!'

'Nee, dat kun je niet.' Fred stond op om zijn glas op het bijzetta-feltje nog eens in te schenken. Daarna vervolgde hij: 'Niet met jouw houding zoals die op dit moment is, in ieder geval. Maar met wat begeleiding van je vriendin juffrouw Mason en met veel repetities, zou je het kunnen. Dat wil zeggen, als je de knoop doorhakt en niet weifelt. Of je zegt bij jezelf dat je het doet, óf je zegt dat je het niet kunt, dat het te zwaar voor je is.'

Riley keek Louise aan en zei: 'Ik weet niet waarom ik hem om raad kom vragen. Over negatief doen gesproken. Als ik niet al ne-gatief was toen ik hier kwam, dan ben ik het nu zeker nu ik vertrek.' Hij schudde langzaam zijn hoofd en liet zijn stem bijna zielig dalen tot die van een jonge jongen: 'Maar eerlijk gezegd jaagt de gedach-te aan het spelen van zo'n rol me de stuipen op het lijf.'

3

'Ja, zo, en niet met je ogen knipperen, nu nog niet in elk geval,' zei juffrouw Mason. 'Hou je ogen halfdicht, laat ze nu langzaam groter worden. Ja, zo. Nu moet je gaan glimlachen. Je mag nu knipperen. En laat je hoofd steeds een beetje bewegen, alsof het aan een veer hangt, heel zachtjes laten schokken. Een beetje naar achteren... een beetje naar voren, een heel klein beetje maar... dat is het. Denk maar aan een opwindpoppetje dat bijna is afgelopen. Nu kijk je strak over het publiek heen. Laat je schouders hangen en je armen bungelen. Goed zo, je hele lichaam moet slap zijn, als een lappen-pop. Dat is beter. Je hebt het allemaal al eens doorgenomen, maar vergeet niet dat je aan alle onderdelen moet blijven werken.

Nu weer terug naar het begin: tik vier keer hard met je knokkels op je voorhoofd. Goed, mooi zo. En nu hard knipperen, knijp je ogen een beetje dicht, beweeg je hoofd alsof je probeert iets weg te duwen, en dan hou je je weer stil. Je blik verandert in een van herkenning en je kijkt je moeder aan en zegt: "O, mamma..."'

'Ik voel me altijd zo stom als ik...'

'Stil, Riley. Stil! Geen interrupties. Je hebt je moeder herkend, nu kijk je naar je vader. De glimlach verdwijnt langzaam, alles wordt omgekeerd en op dat moment zegt je moeder: "Pappa is er." Je blik bevriest, maar je hoofd knikt als in herkenning. Dan loop je haastig naar het raam en vandaar kijk je je moeder stralend aan en je zegt: "Vogels, zingen. Luister. Luister, mamma."

Zij loopt naar het raam en wat het publiek hoort is een auto en het geluid van kinderen die spelen of schreeuwen, maar jij houdt je hoofd scheef en zegt: "Mooi. Mooi. Luister." Begin nu weer op-nieuw.'

'Ach, juffrouw! Ik weet het nu wel. Ja, ik weet het zo langzamer-hand echt wel.'

'Je weet het, Riley, maar je belééft het nog niet. Ja, je kent je tekst, woord voor woord, maar je belééft het niet. Ik zeg je dat iedere handeling in die rol doorleefd moet zijn, vooral je binnenkomst in dat kantoor, waar je je vader en moeder ziet, die zojuist te horen hebben gekregen dat dit tehuis zal worden gesloten en dat jij niet met twee of drie anderen naar een kleiner huis kunt worden gestuurd om daar door een leidster te worden verzorgd. En wat het publiek moet kunnen aanvoelen is of jij je van de alternatieven bewust bent: óf je gaat naar huis, óf je wordt naar een inrichting gestuurd. Dit is je ouders duidelijk gemaakt: je vader wil dat je naar een inrichting gaat, je moeder wil je naar huis halen. En nu raak je kennelijk in verwarring door de voortdurende discussie. Maar je lijkt je er niet zo heel veel van aan te trekken, want je begint te dansen, je doet dat stukje ballet. Trouwens, ik vind dat je dat geweldig doet. Hoe kun je in hemelsnaam zo goed op je tenen lopen?'

'Dat komt door onze lieve Doris. Zij heeft me laten zien hoe ik mijn… ledematen moet gebruiken.'

'Ja, Doris zal je vast hebben verteld hoe je je ledematen moet gebruiken. Bij Doris heb je het niet over tenen, dat neigt te veel naar platvoeten.'

Ze schoten allebei in de lach en juffrouw Mason zei: 'Laten we eerst maar een kop thee drinken.' Riley liep naar het kistje naast de tafel en zette de waterkoker aan. Toen draaide hij zich om en zei: 'We hebben nog maar veertien dagen, het lukt me nooit…'

'Hou je mond! Hou gewoon je mond, wil je? En zeg nooit meer "Nooit" of "Het lukt me niet", want je kúnt het! En je gáát het doen! Bovendien, zoals ik gisteren al zei, moet je maar doen alsof ik je moeder ben. Ik zal het grootste deel van de tijd samen met jou op het toneel staan, dus waar maak je je druk over?'

'Ik maak me alleen maar druk omdat ik moet dansen, zingen, gedichten opzeggen en voor idioot spelen.'

Toen ze begon te lachen zodat haar lichaam ervan schudde, deed hij mee en zei: 'U hebt geen idee hoe ik me voel.'

'Doe niet zo gek, zeg nou niet dat ik niet weet hoe jij je voelt. Ik voel me iedere dag zo, wanneer ik uit de coulissen het toneel op loop.'

'Nee, daar geloof ik niets van.'

Ze keken elkaar doordringend aan en na een korte aarzeling zei hij: 'Dat is toch zeker niet zo?'

'Elke keer. Als je dat gevoel niet hebt, zul je nooit bij je publiek overkomen. De grootste vergissing die je in dit vak kunt begaan is dat je te zeker van jezelf bent. Dat heeft al menig beginnende ster de das om gedaan. Dit stuk vergt alles van je lichaam en geest. Denk niet meer aan Peter Riley, je bent een geestelijk gehandicapte jongen, lief, innemend, grappig. En weet je, een groot deel van het stuk ís heel grappig, en de komiek in jou komt af en toe naar buiten en dat is een gave.'

'Ach, ik ben de hele tijd Larry Meredith. De helft van de tijd ben ik niet goed snik, en als ik buiten ben, wil ik het liefst in de goot rondhangen, net als jonge jochies.'

'Je bént hem al half, maar wel half. Je zult hem pas helemaal zijn op de eerste avond op het toneel, wanneer het licht wordt gedoofd en jij opkomt om je dans te doen. Eerst zonder geluid, daarna begin je te zingen, en dan wordt het toneel opeens helemaal donker.' Ze zweeg even, en toen zei ze, als tegen zichzelf: 'Ze moeten het binnen dertig seconden doen, als het langer duurt werkt het niet. Hoe dan ook,' – haar stem steeg – 'de volgende scène zal voor jou de moeilijkste zijn. Het hoge gelach is weggestorven en als het licht feller wordt ziet het publiek je op de grond zitten, in kleermakerszit, met je handen slap over je knieën. Je bent nu een jongen van zeven. Ga daar eens zitten!'

'O, hemel!' Riley knielde op de vloer en stopte zijn voeten onder zich.

'Nu loop ik voor je heen en weer en smeek je vader jou niet weg te sturen, zeg tegen hem dat ik je kan verzorgen. En hij zegt tegen mij dat jij groter wordt, snel groter wordt, enzovoort, en dat als jij blijft, hij weggaat, en wat moet er dan van mij worden?' Ze zweeg en keek op hem neer. 'Jij moet langzaam je hoofd opzijdraaien om hem aan te kijken als hij tegen me schreeuwt: "Hij gaat niet naar Goudens Internaat voor achterlijke kinderen, hij gaat naar het gekkengesticht, waar hij allang had moeten zitten. Kijk nou toch eens naar hem, met al zijn streken. Hij heeft gewoon geen verstand."'

Ze wees naar Riley en benadrukte: 'De timing moet hier heel precies zijn. Wanneer je vader "geen verstand" zegt, tikt hij vier keer op zijn voorhoofd en zegt daarna: "Het is Gouden of de inrichting, jij mag kiezen." Op dat moment doe jij je hand langzaam omhoog en je tikt ook vier keer op je voorhoofd, en je herhaalt: "Gouden". En daarna zeg je: "Verstand". Dan glimlach je en je blijft op je voorhoofd tikken terwijl je steeds weer "Gouden verstand" zegt, tot hij langs je heen wil lopen, waarna je hem bij zijn broekspijp grijpt. En hierop schudt hij jou van zich af, alsof je iets weerzinwekkends bent. Als de deur dan met een klap wordt dichtgesmeten, kijk je naar mij omhoog en je zegt: "Verstand. Verstand. Gouden verstand" en je tikt weer tegen je voorhoofd, en ik neem je in mijn armen en omhels je.'

'Ik vind het leuk dat u me omhelst. Maar u bent niet uzelf als u op dat toneel staat. Allemensen! Ik heb nog nooit iemand gezien die zo goed op bevel kan huilen. Ik had van de anderen gehoord dat u dat kunt. Ze zeiden dat u jaren geleden in een geweldig toneelstuk had gespeeld waarin u hysterisch moest worden, en dat u huilde, echt huilde, en dat elke avond twee weken achter elkaar.'

Ze gebaarde even met haar hoofd en zei: 'Het gaat nu niet om mijn huilen en om stukken uit het verleden. We moeten ons nu op jou concentreren en je moet je niets aantrekken van dat stel dat zegt hoe geweldig je bent en hoe goed die rol bij je past. Ik verzeker je dat je er nog niet bent, nog lang niet, en dat we dat pas zullen weten wanneer die eerste avond de spot op jou wordt gericht. Dat is het moment waar het op aankomt.'

'Ach, heb medelijden met mij. Ik wil me niet echt gek voelen, ik wil leven. Ik bedoel, ik wil een gewoon leven kunnen leiden. En ik moet eerlijk zeggen dat ik doodsbang ben om voor dit stuk zulke gevoelens te moeten hebben. Echt waar. Het gaat me allemaal veel te diep. Het is mijn stijl niet.'

'Hou je mond, wil je?'

De woorden werden gezegd op een toon die hij haar niet eerder had horen bezigen en die maakte dat de glimlach van zijn gezicht verdween. Hij keek haar aan en dacht: waarom doet ze dit alles? Waarom is ze er zo op gebrand me iets te laten bereiken? Afgezien van meneer David denk ik dat ik haar enige vriend ben, dus waarom doet ze het? Af en toe wou ik dat ik hier nooit terecht was gekomen. Echt waar. En als mijn moeder dit stuk ziet… Ach, ze kan de pot op. Allemachies, dat ik zoiets denk!

'Wat is er aan de hand?'

'Niets, juffrouw. Niets.'

'Maar je moest wel ergens aan denken, hè? En dat maakte je boos.'

Hij lachte kort en zei toen: 'Jawel, dat klopt. Ik dacht aan wat mijn moeder over dit stuk zou zeggen, en toen dacht ik: "Ma kan de pot op!"'

Ze lachte. 'Dat is een gezonde reactie.'

'Nee, dat is het niet, juffrouw Mason, dat is het niet. Ik kan andere mensen aan mijn laars lappen, maar mijn moeder niet. Ik verzeker u dat ik van dit stuk de zenuwen begin te krijgen.'

'Mooi. Dat is het beste wat ik je in dagen heb horen zeggen.'

Riley vroeg, met een nu weer uitgestreken gezicht: 'Maar waarom moet u deze eerste scènes steeds weer doornemen? Ik ken ieder gebaar dat ik moet maken en ik ken ieder woord dat ik moet zeggen. Maar u blijft het maar herhalen, dag in, dag uit.'

'In alle aspecten van mijn afwijkingen zit een methode, en dat is het woord: methode.'

'Ze doen veel volgens methode, daar op de toneelschool, hè?'

'Ja. Maar mijn methode betekent dat als die eerste twee scènes bij jou erin worden gestampt, je later niet snel zult stilvallen en als dat wel gebeurt, zul je ermee om weten te gaan. Maar als je in het begin al stilvalt… nou, dan kun je wel bedenken wat er gebeurt.'

'Maar ik ken ieder woord dat ik moet zeggen.'

'Ja, dat zeg je, en ik zeg dat je ieder woord, ieder gebaar kent. Maar dat is alsof je de verf zonder het doek hebt, en het doek is in dit geval het gevoel, het gevoel dat je niet alleen Riley bent die een rol speelt, maar dat je niet langer Riley bent. Je bent een jongen van zestien die "teruggaat" naar zeven, en je moet dat in die eerste vijftien minuten zien over te brengen. Maar die ketel moet zo langzamerhand wel bijna drooggekookt zijn. Ga maar thee zetten. Hoewel ik eerlijk gezegd niet zo'n zin in thee heb, maar meer in iets wat in een klein flesje zit.'

'Zal ik er eentje voor u gaan halen, juffrouw?'

'Nee, Riley, dank je. Ik moet sterk zijn, in elk geval tot dit stuk gaat draaien… en klaar is met draaien, of dat nou lang of kort is geweest.'

4

Het was de laatste avond van *Het Gouden Verstand*. Het stuk had vier weken op de planken gestaan, langer dan een stuk ooit in The Little Palace had gestaan. Het gordijn viel na een staande ovatie die de acteurs gedurende twintig minuten op het toneel hield voor ze allemaal naar beneden gingen om zich onder het publiek te begeven, en David Bernice had tranen in zijn ogen toen hij voortdurend herhaalde dat het theater nog nooit zoiets had meegemaakt.

De eerste week stonden er jubelende recensies in de plaatselijke krant, wat op zichzelf al ongewoon was. De tweede week kwamen er bezoekers uit Newcastle, Sunderland, Gateshead en allerlei plaatsen in de buurt. In de derde week stonden de vijftig leden van de Palace Club, die in de loop der jaren zo hard hadden gewerkt om het theater draaiende te houden, gewillig hun plaatsen af aan mensen die al uren in de rij hadden staan wachten. Aan het eind van de derde week kwam er een talentenjager uit Manchester, hij zag het stuk op de vrijdagavond en op de matinee van zaterdag, waarna hij een lang gesprek met meneer Bernice had, gevolgd door een verrassend gesprek met Riley. In ieder geval verrassend voor Riley, want hij kreeg een rol aangeboden in de pantomime van Kerstmis, met de mogelijkheid van een rol in een stuk dat eind februari op tournee zou gaan.

De reactie van David Bernice was: 'Nou, we zullen zien. We moeten het er maar eens over hebben.' En dit verbaasde Riley, want meneer Bernice had na de eerste week tegen hem gezegd: 'Je moet niet gek opkijken, jongen, als je aanbiedingen krijgt om over te stappen.'

In de vierde week kwam de talentenjager terug, vergezeld van wat Riley een echte heer zou noemen: goede manieren, welbespraakt en goed gekleed. Na het stuk te hebben gezien, kwam hij naar het kantoor van David Bernice om de mening van zijn agent te bevestigen: deze jongen had het in zich om het ver te brengen en hij was precies de acteur die ze zochten voor hun nieuwe stuk. Na verdere besprekingen erkende Bernice dat het voor de jongen een geweldige kans was en hij verzekerde Riley dat hij zijn contract van een jaar kon opzeggen. Tot grote verbazing van de vier betrokkenen greep Riley deze kans echter niet meteen met beide handen aan, maar vroeg hij een uurtje bedenktijd.

Gedurende de bedenktijd holde hij naar Fred Beardsley om het nieuws te vertellen en hij zei: 'Ik zou het zelf wel willen, maar het gaat om mijn moeder. Kijk maar hoe ze reageerde toen ze het stuk zag. Ze heeft sindsdien geen woord meer tegen me gezegd.'

'Hoe reageerde ze dan?'

'Nou, het was in die scène waar ik op het bed lag. Toen Lily zich over me heen boog om mijn haar te strelen, hoorde ik tumult in de stalles en ik wist dat zij het was. Ze liep naar buiten en niet zo zachtjes ook. En toen ik thuiskwam ging ze geweldig tekeer.

"Je doet niet meer mee aan dat soort smeerlapperij," zei ze. "Ze zouden die lui moeten opsluiten dat ze zoiets op het toneel brengen." En zo ging ze maar door. Ik legde haar uit dat dit de enige scène van dat soort in het stuk was en dat er toch zeker niets was gebeurd. Ze zei dat ook al werd het alleen maar gesuggereerd, ik net zo goed naakt op de planken had kunnen staan. En om dan de imbeciel te spelen en er zo uit te zien... Ze zei dat ik nooit meer dezelfde zou zijn. En weet u, misschien heeft ze daarin wel gelijk, want Larry, die jongen, is echt ín me gekropen.'

Hierop had Fred Beardsley hem bij de schouders gepakt en hem niet al te zachtzinnig door elkaar geschud. 'Doe niet zo verrekte stom! Je moeder is een kleinzielig mens en ze loopt vijftig jaar achter. Dus ga terug en zeg: "Heel graag, heren." En wees dankbaar. Dan is er nog iemand die je dankbaar moet zijn, en dat is juffrouw Mason. Je had al die emoties nooit op eigen kracht kunnen vertonen, niet zonder haar aanwijzingen. Dat heb ik vanaf het begin gezien. Ze is een geweldige actrice, die vrouw. Ik begrijp echt niet waarom ze daar blijft. Maar je moet nu je poot stijf houden tegenover je moeder. Ze is niet het soort vrouw dat haar enige zoon zijn gang wil laten gaan, zeker niet nu je vader zo slecht is. Ze ziet je als de man in haar leven en ze zal hemel en aarde bewegen om je thuis te houden. Waar is die pantomime? In Manchester?'

'Ja.'

'Nou, da's een goeie plek om te beginnen. De volgende stap zou Londen kunnen zijn. Hier speel je week in, week uit voor hetzelfde publiek, maar daar zul je voor een andere meute komen te staan en je zult zien dat je heel wisselend op hen zult moeten reageren. Je zult in dat circuit meer bereiken dan met naar de toneelschool te gaan en dat was zeer wel een mogelijkheid geweest, want Louise en ik waren van plan je dat voor te stellen.'

Riley schudde verbaasd zijn hoofd over de goedheid van deze twee mensen.

Aldus werd overeengekomen dat hij eerst drie weken in de pantomime zou spelen. Daarna zou hij op tournee gaan.

Hij kwam die avond laat thuis. Susie en Florrie lagen al in bed, maar voor zijn vader of moeder iets kon zeggen, holde Betty van zestien naar hem toe en riep: 'Heb je de avondkranten al gezien?'

'Nee, laat me eerst eens binnenkomen.'

'Er staat dat je een pantomime en een tournee zijn aangeboden en dat je dat hebt aangenomen.'

Gespannen keek hij naar zijn moeder en daarna naar zijn vader. Toen zei hij: 'Dat kan er vanavond echt nog niet in staan, ik heb pas net gezegd dat ik het wilde doen.'

'Nou, er staat dat je het aangeboden hebt gekregen en dat je wel gek zou zijn om het niet aan te nemen, net als pa zei. Ik ben toch zo blij voor je! Denk je dat ik ook bij het toneel zal komen als ik…'

'Hou je mond en ga meteen naar je bed!'

'Hè, toe nou, ma.'

'Niks "hè, toe nou"!'

'Zal ik eens wat zeggen? Als je zo doorgaat dan loop ik weg en kom ik nooit meer terug!'

Toen haar moeder haar hand hief, riep haar vader: 'Dat zou ik niet doen als ik jou was!'

Betty keek naar Riley, hij maakte even een gebaar met zijn hoofd en ze draaide zich om en liep snel de kamer uit.

Hij zag zijn moeder naar de haard lopen en de pook pakken om de gloeiende kolen op te rakelen. Hij zei zacht en verzoenend: 'Uiteindelijk zou ik toch eens iets anders gaan doen, ma.'

Ze draaide zich met een ruk om, met de pook nog in haar hand, terwijl ze tegen hem riep: 'Ja, misschien wel. Maar dan iets fatsoenlijks, niet om met dat stelletje smeerlappen het land door te trekken.'

'Welk stelletje smeerlappen?' Zijn stem klonk nu even luid als de hare. 'Ik ken hen niet. Het is een toneelgezelschap, net als de groep waar ik nu bij werk, denk ik. Over welk stelletje smeerlappen heb je het?'

'Het zijn allemaal smeerlappen, stuk voor stuk.'

'Ooo...!' Riley liet zijn stem dalen. 'Weet je, ma, ik wist weinig, ja, ik was zo stom als het achtereind van een varken toen ik nog op school zat. Maar ik heb heel veel geleerd sinds ik bij dat stelletje smeerlappen, zoals jij hen noemt, ben gekomen. Ik kan je verzekeren dat het bijzonder aardige mensen zijn en dat ik echt veel van hen heb geleerd. Ik ben blij dat ik hen heb ontmoet en ik zal hen blijven ontmoeten. Dus ga ik mee op tournee, wie die anderen ook mogen zijn, en ga ik pantomime doen, en ik hoop dat ik de mensen aan het lachen zal kunnen maken. En dan moet ik jou nog iets vertellen, ma, en dat is dat jij bent vergeten hoe je moet lachen, en daardoor heb jij ieder ander het leven zuur gemaakt.'

De pook hing slap in haar hand. Ze liep terug naar de haard, legde de pook neer, keek naar haar man en zei: 'Je hebt de hele tijd gelijk gehad, weet je dat wel? Je hebt altijd gezegd dat ik hem heb verpest, dat ik hem heb beschouwd als de enige hier in huis die van enig nut was. Nou, je hebt gelijk gehad, want ik had nooit durven dromen dat ik nog eens zou moeten aanhoren hoe mijn zoon me vertelt dat ik iedereen het leven zuur heb gemaakt.'

Riley zag hoe zijn ouders elkaar woest aankeken, maar wat hij ook had verwacht dat zijn vader zou zeggen, het was niet wat er uit zijn mond kwam: 'Dan heb je op beide punten gelijk. Ja, ik heb gezegd dat jij hem als de enige in de familie beschouwt die van nut is, en hij heeft zojuist gezegd dat jij iedereen het leven zuur hebt gemaakt, en het is inderdaad lang geleden dat ik een vriendelijk woord van je heb gehoord. Heus, ik weet dat ik mijn fouten heb, en jij hebt me meer dan duizend keer verteld dat ik te veel op bed lig vanwege mijn rug. Je hoeft echt niet raar op te kijken als je te horen krijgt dat jij mensen het leven zuur hebt gemaakt. Ja, je zoon is eerder volwassen geworden dan jij had gewild. Jij wilde dat hij altijd die ondeugende jongen zou blijven, zodat jij de zorgzame, sturende moeder kon zijn door naar school te gaan en samen te spannen met Beardsley, om hem vooral een pak slaag te laten krijgen. Niet dat hij dat niet verdiende, maar het was niet aan jou om erheen te gaan, dat was aan mij. Maar ik kreeg gewoon de kans niet. Nee.'

Toen zijn moeder hem aankeek zag Riley volslagen verbijstering op haar gezicht, maar ze keek snel weer naar haar man en zei: 'Ik kan het gewoon niet geloven, niet alleen jou niet, maar jullie allebei niet. Misschien wil je wel met hem mee.' Ze knikte naar Riley, waarop zijn vader zei: 'Ik zou er alles voor over hebben om zo'n kans te krijgen. Mijn rug zou gauw een stuk beter zijn.'

'Allemachtig! Is dit het uur van de waarheid?' Mona Riley wendde zich van hen af en liep langzaam naar de verste deur. Daar bleef ze even staan met de deurknop in haar hand, alsof ze iets wilde zeggen. Maar ze veranderde van gedachten en liep de kamer uit, zonder de deur achter zich dicht te gooien.

Riley keek zijn vader aan. Hij had hem nooit eerder zo gezien en zijn vader had zijn zoon nooit eerder zo meegemaakt. Hij zei tegen zijn zoon: 'Je doet hier goed aan, jongen. Maak dat je wegkomt nu het nog kan, want als je hier nog veel langer blijft, kom je nooit meer weg. En ik verzeker je dat vrouwen als je moeder als de duivel zelf zijn. Jawel.'

Ze bleven elkaar even aanstaren. Toen vroeg zijn vader zacht: 'Wanneer vertrek je?'

Riley was zo verbijsterd dat hij niet na kon denken. Zijn vader sprak tegen hem alsof hij een gewoon menselijk wezen was, en voor de eerste keer in zijn leven zag hij zijn vader als een gefrustreerde man. Gefrustreerd door wie? Door zijn vrouw. Sinds hij in dit stuk speelde leek de wereld op zijn kop te staan.

Ze schrokken beiden op toen de deur weer open werd geduwd en zijn moeder daar stond. Ze ging de kamer niet binnen maar bleef in de deuropening staan en gilde tegen hem: 'Ga jij maar op tournee met dat stelletje hoeren en speel je smerige rollen.'

Riley sprong op haar af, maar hij bleef op een armlengte afstand staan en schreeuwde tegen haar: 'Het was geen smerig stuk, het was een schitterend drama, dat zegt iedereen. Jij bent de enige die zegt dat het smerig is.'

'Niet smerig, als je met je zuster in bed ligt en op het punt staat om...?'

'Om niets te doen. Ik was geestelijk gehandicapt, ma. Ik was een kind dat niet in staat is dat te doen wat jij in gedachten hebt, en ze troostte mij op de enige manier die ze kende. Wat er in jouw gedachten zat, zat ook in de hare.'

'Mijn gedachten zijn rein, hoor je? En ik heb geprobeerd jouw gedachten ook rein te houden, ook al heb ik m'n handen af en toe moeten laten wapperen om dat voor elkaar te krijgen. Maar laat me je dit wel vertellen: de helft van de mensen met wie jij je inlaat zit soms jaren achter elkaar zonder werk, dus denk nou niet dat je hier met hangende pootjes terug kunt komen als je zogenaamd wilt uitrusten. Zoek daar maar een hoer voor om je een bed te geven om op te liggen, want ik wil jou hier niet meer in huis hebben. Ik heb drie opgroeiende meisjes en ik wil niet dat die door jou worden aangestoken.'

Ze draaide zich opnieuw met een ruk om en deze keer smeet ze de deur achter zich dicht.

Vader en zoon keken elkaar opnieuw aan. Toen zei Riley vol medelijden: 'Wat bezielt haar toch?' Waarop Alex antwoordde: 'Jij, jongen, jij bent de oorzaak, ze is je kwijt, je hebt haar verslagen en dat kan ze niet verdragen. Als ze het slim had aangepakt, had ze je altijd kunnen houden. Maar zo ziet ze het niet. Ze is je moeder, maar ze is een bekrompen kreng van een vrouw. Altijd al geweest. Mijn advies aan jou is dat je je spullen bij elkaar zoekt en naar die vrienden van je gaat, want het wordt een hel als je de komende dagen nog hier blijft. En ze heeft van die kunstjes dat ze in staat is opeens om te slaan om de bedroefde moeder te spelen, waarbij ze tranen met tuiten huilt. En uiteindelijk zou jij het er dan bij laten zitten, alleen maar om haar een plezier te doen. Ga nu maar gauw je spullen bij elkaar zoeken. Ze heeft nog niet in de gaten wat je doet en je zult een taxi vinden op de standplaats bij Bing's Corner. Daar staat er altijd een. Ik weet dat je vast een kamer zult kunnen krijgen bij meneer Beardsley, want dat is een geschikte kerel. Dat heb ik altijd al gevonden.'

'O, pa!' Het was een bijna kinderlijke jammerklacht. Hij verloor een moeder en hij vond na al die jaren een vader. Hij kon het gewoon niet geloven. Hij had het vreemde gevoel dat hij moest huilen. O, lieve help! Nee, hij mocht niet huilen. Dat zou zijn ondergang betekenen.

Hij draaide zich snel om en liep naar zijn slaapkamer, een klein kamertje vlak naast de voordeur. Hij had altijd beneden geslapen en de meisjes boven. Een kwartier later kwam hij weer te voorschijn met een koffer en twee plastic tassen, samen met een overjas.

Zijn vader zei op praktische toon: 'Trek je jas aan en doe je regenjas daaroverheen. Je hoeft hem niet dicht te knopen.'

Hij deed wat hem werd gezegd, bijna als een kleine jongen. En toen hij zag dat zijn vader zijn overjas van de haak op de deur pakte en zijn pet op zijn hoofd zette, zei hij: 'Nee, pa, het is buiten bitterkoud.'

'Nou, ik ben toch zeker wel eerder buiten geweest als het bitterkoud was, nietwaar? Kom mee. Pak de koffer, ik neem de tassen. Ik zal je uitzwaaien.'

Zijn vader deed zachtjes de voordeur open en toen Riley naar buiten wilde stappen, keerde hij zich nog één keer om en keek de kamer in. Hij kon het niet geloven, nee, hij kon het echt niet geloven. Het leek wel of hij nog steeds gestoord was of gek was geworden, want zijn geest wilde maar blijven ontkennen dat zijn moeder de vrouw was die hij zojuist had meegemaakt, de vrouw die hem min of meer had verstoten.

Toen de deur dicht was zei zijn vader: 'Het heeft geen zin achterom te kijken, jongen. Je begint een nieuw leven en je hebt een kans van één op een miljoen, dus maak er het beste van.'

Ze vonden een taxi en toen zijn vader het portier dichtdeed, zei hij: 'Je houdt contact, hè, knul? Laat me af en toe weten hoe het met je gaat. Als je meneer Beardsley een boodschap geeft, zal hij die vast wel aan me doorgeven.'

Hij kon niets uitbrengen en knikte alleen maar naar zijn vader. Hij leek heel anders. Het kwam niet alleen door de straatlantaarn of door de koplampen van de taxi dat zijn gezicht zachter leek, er was nog iets veranderd. Het gezicht vertoonde een bijna liefdevolle uitdrukking en leek niet zo klein en rimpelig.

Toen de taxi op het punt stond weg te rijden, riep hij tegen de chauffeur: 'Eén moment nog!' Hij sprong de straat op, stak zijn hand in zijn zak en haalde een envelop te voorschijn. Hij zei: 'Geef haar de helft en hou de rest voor jezelf. Het was voor mijn kost en inwoning en zo. Ik heb een bonus gekregen.'

Zijn vader zei niets, zelfs geen woord van dank, maar hij hield de envelop in zijn hand en zag zijn zoon weer in de taxi springen. 'Hou de helft voor jezelf, ik heb een bonus gekregen.'

Alex Riley staarde naar de envelop. Die betekende heel veel voor hem, de jongen had hem zijn zelfrespect teruggegeven.

5

Ze waren voor de laatste keer allemaal bij elkaar. Het publiek was met tegenzin naar huis gegaan en het hele gezelschap was bezig twee in de hal geplaatste lange tafels op schragen te dekken en er allerlei zelfgebakken pasteien en taarten op te zetten. Opvallend was het aantal flessen dat aan het eind van de tafels stond. Ieder lid had een vriend of vriendin en een paar flessen meegebracht. Naast de spelers en hun vrienden waren er buitenstaanders, onder wie Fred en Louise, de redacteur van de krant en de eigenaar en de barkeeper van The Globe, die het grootste deel van het theatergezelschap zes dagen per week van maaltijden had voorzien. Alles bij elkaar waren er meer dan veertig mensen die op het punt stonden aan tafel te gaan.

Toen Riley Fred had verteld wat zich tussen zijn vader en moeder en hemzelf had afgespeeld, verklaarde Fred verbaasd dat hij haar altijd voor zo'n verstandige vrouw had gehouden. Louise keek er niet raar van op. Zij had eerder ook de moeder willen ontmoeten van deze jongeman die zo geestig en kwajongensachtig was. Maar toen ze kennis met haar had gemaakt, was ze heel teleurgesteld geweest. Ze begreep vanaf het eerste moment dat mevrouw Riley het geen probleem vond dat haar zoon vrienden als Fred had, maar ze tolereerde het niet dat hij iets van vriendelijkheid of hartelijkheid jegens een andere vrouw toonde. Maar Fred en zij waren beiden verheugd dat Riley zijn vader had gevonden, ook al was het dan laat, zoals de jongen zelf had gezegd.

Fred had voorgesteld dat Riley zijn vader zou vragen hen op deze laatste avond gezelschap te houden, maar Alex Riley had de uitnodiging afgeslagen, dat zou zijn vrouw nog verder kwetsen.

Rond de piano stond een groepje liedjes te zingen, van 'The Blaydon Races' tot 'Keep Your Feet Still Geordie Hinny', afgewisseld met 'The Old Bull and Bush', 'Won't You Come Home Bill Bailey' en liedjes uit musicals uit de jaren twintig en daarvoor.

De vrolijkheid duurde voort tot David Bernice de aandacht van het hele gezelschap vroeg en staande aan het hoofdeind van de langste tafel zei: 'Schenk uw glazen nog eens vol, dames en heren, want ik wil een toast uitbrengen.' Toen de glazen gevuld waren ging hij verder: 'In de eerste plaats op een heel opmerkelijk stuk dat door alle betrokkenen op een opmerkelijke wijze is gespeeld, op *Het Gouden Verstand.*'

Iedereen hief het glas en riep: 'Op *Het Gouden Verstand.*'

'En nu, dames en heren, zou ik het glas opnieuw willen heffen op één bijzondere persoon, op iemand die hier zo te zeggen als snotjongen is gekomen, metaforisch gesproken, uiteraard!' zei hij onder luid gelach. 'Mijn omgeving weet wat ik bedoel, het was een ongeslepen diamant. Hij was op zoek, denk ik, naar de baan van directeur, maar de enige positie die ik hem op dat moment kon bieden was die van assistent-toneelmeester. Nou, we weten hoe belangrijk assistent-toneelmeesters zijn, want waar zouden we zijn zonder de thee? Waar zouden we zijn zonder sandwiches? Waar zouden we zijn als de bezem niet werd gehanteerd? Waar zouden we zijn zonder een stel spierballen om te helpen reusachtige decorstukken te verplaatsen, of gammele ladders te beklimmen naar een nog gammeler platform van nog geen halve meter breed, waar je overheen moet lopen om een gloeilamp te vervangen?' Het hele gezelschap lachte en Nyrene Mason, die naast Riley stond, sloeg een arm om zijn schouders en drukte hem tegen zich aan. Maar hij keek haar niet aan en hield zijn hoofd gebogen.

Toen hief David Bernice het glas en zei: 'Op Larry, de jongen die in een andere wereld leefde, een wereld vol gouden gedachten, vol muziek en dans, en die zo schitterend werd neergezet dat zijn spel mensen uit deze stad en uit de wijde omgeving heeft aangetrokken, mensen die nooit eerder hier waren geweest. Zijn spel heeft hem niet op de eerste trede van de ladder naar het succes gebracht, maar op de derde of vierde. We weten allemaal van de aanbiedingen die hem en ieder van ons zijn gedaan, en ik weet dat ik voor de hele groep spreek als ik herhaal dat *ieder van ons* blij voor hem is, want wij zijn allemaal, zonder uitzondering, bijzonder op hem gesteld

71

geraakt. En dat geldt vooral voor onze lieve Nyrene Mason. Hij heeft ons verteld dat zij degene was die hem bij iedere stap heeft geholpen, zij is zijn mentor geweest. Maar eerst op jou, beste Riley, veel succes bij alles wat je doet.'

Riley bleef omlaag kijken. Hij had een brok in zijn keel, zijn hoofd duizelde, niet alleen door alles wat er was gezegd, maar ook door de drie sherry's en de port met citroen die hij tot dusver tot zich had genomen. Hij kon niets uitbrengen. Hij had geen woorden voor zichzelf, hij was te lang Larry geweest. Was het vier weken? Vier maanden? Vier jaren? Hij trok zijn arm weg van Nyrene Mason, schoof bij Fred en Louise vandaan, en in de kleine ruimte die hij had werd hij opeens slap. Toen bewoog zijn hoofd langzaam heen en weer en begon hij te knikken, zoals hij dat de afgelopen maand bijna elke avond twee uur lang had gedaan. Zijn armen gingen als slappe vleugels omhoog en de uitdrukking op zijn gezicht werd zacht en droevig, en iedereen staarde hem vol ontzag aan. Het was één ding om een acteur op het toneel te zien, maar deze jongen werd voor hun ogen een geestelijk gehandicapte, en Riley begon met zachte stem te zingen:

'Ik wil mamma kronen
met bloemen van mei;
Pappa zegt ik heb een gouden verstand,
maar hij pakt mij met harde hand.
Droevig…
Niet lief. Niet lief.
Als de vogels en de vlinders en de bijen.
Alle vogels.
Ik heb nestjes in mijn hoofd.
Ze hebben gouden draden in de hand.
En knopen die aan mijn gouden verstand.
God is lief.
En heel groot.'

Toen hij klaar was, liet hij zijn handen vallen en boog hij zijn hoofd, en zo bleef hij even staan te midden van een volmaakte stilte van het hele gezelschap. Toen iedereen even later hevig applaudisseerde, stak hij zijn hand op en zei: 'Ik deed dat bij wijze van dank aan al diegenen die me in de afgelopen maand hebben geholpen Larry te zijn. Wanneer ik bij die passage kwam, had ik altijd het gevoel dat ik Larry wás, en dat ik door een grote God werd gestuurd. En dit heb ik aan mijn lieve vriendin te danken.' Hij stak een hand uit en pakte die van Nyrene. 'Zonder de manier waarop zij me wekenlang iedere dag op mijn huid heeft gezeten, had ik dit nooit kunnen bereiken. Er zijn tijden geweest dat ik haar háátte!' Dit veroorzaakte alom gelach en nog meer applaus, en hij besloot met te zeggen: 'Ik dank jullie allen uit de grond van mijn hart. Waar ik uiteindelijk ook terecht mag komen, ik zal nooit The Little Palace of de eigenaar ervan vergeten.' Hij knikte naar David en eindigde oprecht: 'Dank u, meneer.'

Toen het applaus was weggestorven en de drank begon te vloeien, liep Fred weer naar Riley toe en zei: 'Hoor eens, je hebt wel gedronken maar niet gegeten. Als je nog op de been wilt blijven moet je wel iets binnen zien te krijgen.'

En dus at hij en hij dronk nog wat en hij praatte en lachte, en degenen die om hem heen stonden, lachten met hem mee.

Op een gegeven moment stond hij naast David Bernice, die tegen hem zei: 'Ik zou je één ding willen vragen, Riley: blijf contact houden met juffrouw Mason. Ik weet dat ze erg op je gesteld is.'

'Ja, meneer, dat zal ik zeker doen. Ik zal juffrouw Mason nooit vergeten.'

Ja, hij zou altijd aan haar blijven denken, want zonder haar zou hij niet binnenkort op tournee gaan, of naar welk pantomimegezelschap dan ook. Zij had hem opgeleid en ze had hem door die eerste twee vreselijke avonden heen geholpen. Ja, hij zou altijd aan haar blijven denken. Hij zou haar nooit vergeten.

'Ze heeft het heel moeilijk gehad in haar leven, en daarna is ze een tijdje aan de drank geweest. Je zult daar vast wel diverse verhalen over hebben gehoord. En je zult het zelf ook maar al te goed weten, want jij hebt haar ook bevoorraad. Maar daar zullen we het vanavond niet over hebben. Verder kan ik je nog vertellen dat zij ook een aanbod heeft gehad, hoewel niet in Manchester maar dichter bij Londen, en ze heeft het afgewezen.'

'Afgewezen? Waarom?'

'Vraag me niet waarom, want ik kan je de reden niet geven. Ik kan alleen maar bedenken dat ze mij en dit theatertje niet in de steek wil laten. Zoals je weet zijn actrices mensen die komen en gaan terwijl ze hun vak leren. Zij kent haar vak, maar toch wil ze blijven. Bovendien wil ze haar huis niet verlaten, een aardig huis, dat ze van haar ouders heeft geërfd. Het is meer een grote cottage dan een huis, maar het is heel leuk, vooral in de zomer. Aan de achterkant heeft het een mooie tuin, het heeft een aantrekkelijke voorgevel en het staat in een heel goede wijk. Als je met dit vak je brood wilt verdienen moet je voortdurend op pad zijn en veel actrices zouden hun neus ophalen voor het karige loon dat ik haar sommige weken te bieden heb. Misschien wist je het niet, want jouw enórme loonzakje was stabiel, terwijl dat van haar fluctueert met de verkoop van kaartjes en we zitten er maar heel zelden warmpjes bij. Deze afgelopen maand is een uitzondering geweest en ik vertel je dit allemaal, jongeman, omdat dit je laatste avond in The Little Palace is en ik meer heb gedronken dan anders. We hebben feitelijk allemaal meer gedronken dan we gewend zijn en het is maar goed dat het morgen zondag is, want we zullen allemaal een duf hoofd hebben. Kijk,' – hij knikte naar het midden van de hal – 'ze beginnen aanstalten te maken om te vertrekken. Kom mee, dan kun je afscheid nemen.'

In het volgende halfuur was Riley bezig afscheid te nemen. Sommige leden van het gezelschap waren in tranen, en hij werd nooit eerder in zijn leven zo geknuffeld en gekust. Nu waren, afgezien van de conciërge en zijn vrouw en Billy Carstairs en zijn vrouw, die al bezig waren met opruimen, alleen David Bernice, Fred en Louise, en Nyrene en hijzelf over.

Fred en Louise hadden hun jas al aan om te vertrekken, toen ze Riley ter zijde namen. 'We vinden dat jij achter moet blijven om haar naar huis te brengen,' zei Fred, en hij knikte naar Nyrene, die in een van de pluchen stoelen langs de muur van de foyer zat. Zonder op antwoord te wachten voegde hij eraan toe: 'Ik zal je een sleutel geven zodat je jezelf kunt binnenlaten.' Hij haalde een sleutel van de sleutelring die hij uit zijn zak had gevist. En toen hij die aan Riley gaf, zei Louise: 'En kom niet zingend binnen.'

'Alsof ik dat zou doen, mevrouw,' zei Riley. 'Hoe laat is het nu, trouwens?'

'Kwart voor één,' zei Fred, 'en onze babysit zal haar vader en moeder al hebben gebeld en die zullen bij ons op de stoep staan om ons te vertellen wat ze van ons vinden.'

Ze namen afscheid van Nyrene terwijl Riley naar de vestiaire liep.

Toen hij terugkwam in de hal was Nyrene gaan staan en was David Bernice bezig de bovenste knoop van haar jas dicht te doen. Daarna trok hij de capuchon met bontrand over haar opgestoken kastanjebruine haar, bukte zich en kuste haar op iedere wang. 'Slaap morgen maar eens heel lang uit. Hoor je me?'

Nyrene gaf geen antwoord, maar ze glimlachte nogal dwaas. Toen ze wankelde, gebaarde hij Riley haar bij de arm te nemen en hij zei: 'Er staat een taxi klaar.'

'Waar zijn je sleutels?' vroeg Riley bij Nyrenes voordeur.

'Waar… waar denk je?' antwoordde ze lachend terwijl ze hem haar handtasje gaf.

Hij moest er even in rommelen voor zijn vingers de sleutelring vonden. Maar toen hij een sleutel in het slot probeerde te steken, rukte ze hem die uit zijn hand en zei: 'Geef maar hier, stommerd!'

Het was de eerste keer dat hij in haar huis kwam en hij verbaasde zich over de afmetingen van de hal en ook over wat erin stond. Er stonden dingen die veel leken op wat er bij de Beardsleys in huis stond.

Hij volgde haar wankele tred naar een deur links van hen. Zelf liep hij ook wat onvast. Toen het licht in de kamer aanging, was hij opnieuw verbaasd. De kamer werd verlicht door een kristallen kroonluchter, waardoor hij knipperde met zijn ogen, en toen hij aarzelend rondkeek, trok Nyrene hem naar een bank die haaks op de schouw stond met daarin een elektrische haard.

'Doe 'm eens aan!' zei ze, en ze wees naar de haard. 'Ik heb het ijskoud.'

Binnen een paar minuten begonnen de imitatieblokken te gloeien en verspreidde de ventilator warmte in de kamer. Ze zat op een hoek van de bank en zei: 'Iets te drinken. Ja?'

'O, nee! U hebt meer dan genoeg gehad, en ik ook.'

'Koffie, man! Koffie!'

'O, koffie. Dat is wat anders. Waar?'

'Ach.' Toen ze zuchtend naar de rand van de bank schoof, stond hij snel op om haar te helpen. Ze liep met hem de kamer uit, de hal weer door, naar de keuken.

Toen ze hier het licht aandeed, schudde hij zijn hoofd. Dit was een ouderwets huis, maar de keuken was heel modern. Een prachtige keuken.

Ze liep wankelend de keuken door en trok een koffiezetapparaat, dat al met koffie en water was gevuld, naar zich toe en zette het aan. Daarna keek ze hem lachend aan en zei: 'Vier minuten precies. Kopjes!' Ze wees naar een glazenkast en toen hij de deur opendeed en er twee porseleinen kopjes uit wilde halen, riep ze lachend: 'Nee! Geen theekoppen, twee bekers, hè?'

Hij pakte twee bekers van een andere plank, daarna hielp hij haar ze op een dienblad te zetten, met een suikerpot erbij.

Vijf minuten later zaten ze in de zitkamer de dampende koffie op te drinken.

Ze had de beker halfleeg toen ze zei: 'Ziezo, dat is beter! Dat is beter. Laat nog ruimte over voor iets stevigers.'

'O, nee, dame! Geen sterkedrank meer vannacht. Dat hebben we afgesproken!'

Ze leunden achterover in de zachte kussens van de bank, ze keek hem aan en zei: 'Riley…' En hij zei: 'Ja, juffrouw?'

'Je moet me geen juffrouw meer noemen.'

'O, nee? Wat moet ik dan zeggen?' Waarop zij stamelde: 'Ik heet Nyre…ne! Waarom noemt iedereen jou altijd Riley, nooit bij je voornaam?'

'Dat moet je mij niet vragen, Nyrene.' Hij lachte. 'Ik denk dat meneer Beardsley ermee is begonnen. Hij zei altijd Riley. En m'n vader noemt me Riley. Zal ik eens wat zeggen? Ik heb een pa gevonden. Vandaag heb ik een pa gevonden. Nee, niet vandaag, maar gisteren. Het is nu een andere dag. Kijk!' Hij wees naar een open pendule op de schoorsteenmantel. 'Twee uur.'

'Weet je, Riley, je moeder is een stomme vrouw… een kleinzielige, stomme… vrouw.'

'Nee, ik wil niet dat ze stom wordt genoemd. Wel kleinzielig, ja. Heel kleinzielig. Je hebt gelijk, kleinzielig, ja.'

'Mijn moeder is gestorven toen ik twintig was. Wist je dat ik in dit huis ben geboren? Ja, ik ben in dit huis geboren, boven. Maar ze is gestorven... ze is gestorven toen ik twintig was. Ik zat toen in Londen, weet je. Wist je dat, Riley?' Ze bracht haar gezicht vlak bij het zijne. 'In Londen. L-o-n-d-e-n. Londen. Drie jaar toneelschool, en ik had in een stuk meegespeeld. Het was een groot succes. Ik had geen hoofdrol. Nee, nee, nee, helemaal niet, maar ik werd opgemerkt door de pers. Jawel. En toen stierf mijn moeder en mijn vader was helemaal hulpeloos zonder haar. Weet je, Riley, sommige echtparen houden van elkaar, en als... nou ja, als de ene sterft, sterft de andere ook, terwijl die nog leef... leeft. "Vergeet niet de t aan het eind van een woord duidelijk uit te spreken, juffrouw." Dat zei mijn leraar altijd tegen me.' Haar stem stierf weg. '"Spreek alle woorden altijd helemaal uit." Maar,' zei ze min of meer in zichzelf, 'ik heb Londen opgegeven en ben naar huis gegaan om hem te verzorgen. Ik hield van hem. En toen kwam David Bernice, die me een kleine rol bezorgde. Daarna gaf hij me een grotere rol, en toen, na het komen en gaan van andere hoofdrolspeelsters, was ik de hoofdrolspeelster in The Palace. En er kwamen en gingen hoofdrolspelers, tot er een kwam en bleef. Hij was anders.'

Ze strekte haar benen uit, stak haar armen boven haar hoofd en geeuwde, en ze herhaalde, bijna als een kreet: 'Hij was anders.

Hij was geen goed acteur, nee, en ik wil mezelf geen onterechte lof toezwaaien, maar ik heb die man anderhalf jaar lang op het toneel weten te dragen. Hij leek ongeveer dertig. Ja, ongeveer dertig. Nee, iets ouder. Knap, heel knap, en dat wist hij ook, maar hij was dichter bij de veertig. Zijn probleem was dat hij steeds zichzelf speelde. Hij speelde zichzelf omdat hij zichzelf zo aardig vond. En o, wat was hij mij dankbaar, dat heeft hij zelf gezegd.' Ze keek Riley aan en vroeg: 'Heeft iemand ooit tegen jou gezegd, Riley: "Ik hou van je. Ik aanbid je. Je bent de geweldigste persoon die er op aarde rondloopt?"'

Hij antwoordde lachend: 'Nog niet. Nog niet... Nyrene.' Hij sprak haar naam met nadruk uit.

'Dat komt nog wel. Dat komt echt nog wel. En je zult het geloven. Ja, je zult het geloven.' Ze schreeuwde nu. 'Ja, je zult het geloven, want ik heb het ook geloofd. En je zult over trouwen praten, weet je, en je zult in dit huis komen... Nee, jij niet, maar hij wel. En hij werd verwend en verzorgd en aanbeden. Ja, jij onnozel uilskuiken, want je was geen klein meisje meer, hè?'

Ze ging rechtop zitten en knikte alsof er iemand voor haar stond. 'Nee, je was toen geen meisje meer. Je was zevenentwintig. Toen werd je op een morgen wakker.'

Ze keerde zich weer tot Riley, die nog steeds achterover in de kussens leunde maar haar aandachtig aanstaarde, en ze hief haar vinger naar hem op en zei: 'Er kwam een brief in die bus daar.' Ze wees naar de deur. 'Een brief om me te bedanken voor... voor onze vriendschap. Zo noemde hij het: vriendschap. Ja, zo noemde hij het. Maar waar ging hij naartoe? Australië? Zo ver als hij maar weg kon komen... Australië... op tournee met een gezelschap, net als jij. Hij zei dat tegen de tijd dat ik die brief zou lezen, hij al op de boot zou zitten. Op de boot!' Ze spuwde de laatste woorden bijna uit.

'Weet je, het was in de vrije week die we af en toe in The Palace hebben en hij was zoge... zogenaamd, ik moet dat beter uitspreken -- zogenaamd – dat is het, zogenaamd naar huis geweest om dingen te regelen zodat ik... wacht even, Riley... zijn ouders in Cornwall kon bezoeken.'

Ze zakte achterover in de hoek van de bank, en haar stem was zacht toen ze, opnieuw als tegen zichzelf, zei: 'Ja, ze werd bijna gek, Riley. Echt waar, ik werd bijna gek want niemand weet hoeveel ik voor die man had gedaan. Ik had hem overal doorheen geholpen. Hij kon zijn tekst maar niet onthouden. Als ik denk aan alle uren die ik in deze kamer heb doorgebracht om alles met hem door te nemen, en aan de keren op dat toneel dat hij zijn tekst kwijt was en ik moest improviseren om zijn gezicht te redden. Talloze... talloze keren. Hij had het uiteindelijk alleen aan zijn knappe gezicht te danken dat hij bij het toneel bleef, dat hij werk had. En aan zijn stem. Ja, zijn stem. Hij oefende die veel, hij vond het heerlijk om naar zijn eigen stem te luisteren.' Er klonk verbittering in haar stem, maar die verdween toen ze zei: 'Ik had hem bijna alles kunnen vergeven, behalve dat ik door die ervaring aan de drank raakte. Ja, ik werd een zuiplap. Als David niet de man was geweest die hij was en nog steeds is, dan had hij me ontslagen. Maar nee, hij accepteerde het van me tot hij dat niet meer kon verantwoorden tegenover de rest van de groep en toen stuurde hij me voor drie maanden weg. Drie lange maanden.'

Ze zweeg even. Toen richtte ze haar ogen op Riley en zei: 'Ik was niet genezen, maar ik had het tot op zekere hoogte onder controle. Maar toen zat ik hier in mijn eentje, en weet je, Riley, de snelste weg naar de hel is in je eentje gaan zitten drinken. Er kwamen al heel snel dagen dat ik ontdekte dat ik gewoon niet zonder kon. Ik ging dan ergens lunchen en nam maar een of twee glazen. Maar David begreep waar het weer toe zou leiden, en toen heeft hij me uitgelegd dat ik de drank moest laten staan, in elk geval als ik in het theater was, omdat ik er anders uitvloog. Hij heeft het niet met zoveel woorden gezegd, maar het kwam wel over, en daarom liet ik mijn sandwiches bezorgen. Toen kwam jij, Riley. Je betekende in meerdere opzichten een godsgeschenk voor me. Je hebt in zekere zin mijn leven gered. Dat kwam niet alleen doordat je af en toe een borrel voor me haalde, maar het was ook iets aan jou. Ik weet niet wat. Of ja, toch wel. Toch wel.' Ze stond snel van de bank op en zei: 'Hoor eens, volgens mij kunnen we maar beter naar bed gaan... Nog één glaasje en dan naar bed.'

'U kunt beter naar bed gaan, juffrouw, u bent degene die naar bed gaat.'

'Maar ik moet eerst een slaapmutsje hebben, ik... ik kan anders echt niet slapen. Blijf jij maar zitten.' Ze duwde hem terug toen hij overeind wilde komen, daarna liep ze de kamer uit met haar rug recht als altijd, maar haar stap was heel onzeker. Hij keek naar de gloeiende blokken en kreeg opnieuw het gevoel dat hij moest huilen, alleen wilde hij deze keer om haar huilen en om haar verspilde leven, want als ze terechtkwam op de plaats die haar toekwam, kon ze in Londen of in Amerika nog steeds aan de top staan. Ze was beeldschoon... en ze had iets wat hij niet onder woorden kon brengen. En net zoals ze die ondankbare vent had geholpen, zo had ze daarna vele anderen geholpen, en hijzelf was vast niet de laatste in de rij. Ja, zonder haar had hij die rol echt niet kunnen spelen, en had hij nooit dit nieuwe begin kunnen maken. Maar alles had zijn prijs, en in dit geval was zijn moeder de prijs geweest. Het vinden van een vader woog daar niet echt tegen op.

Toen hij haar de kamer binnen zag komen met een dienblad in haar handen, sprong hij op om dat van haar over te nemen. Op het dienblad stonden twee flessen en twee glazen, en terwijl hij het aanpakte zei hij luid: 'Nee, echt niet! Vannacht niet meer. Alsjeblieft.'

'Ik neem dit slaapmutsje altijd. Ik heb dit met onze beste Beardsley gemeen, we weten allebei dat port met cognac het beste opkikkertje én het beste slaapmutsje is. En het is ook een remedie tegen de kater van de volgende dag.'

'Niet voor mij, echt niet.'

'Nou, als jij niets neemt, Riley, neem ik ook niets. En dan zal ik niet kunnen slapen. Ik weet dat ik veel heb gedronken. Ja, dat weet ik. Maar ik zal toch niet kunnen slapen.'

Hij zag hoe ze in elk glas een hoeveelheid cognac deed en een gelijke hoeveelheid port. Daarna draaide ze de glazen rond en gaf er een aan hem. 'Vooruit, proef eens. Je hebt nog nooit zoiets geproefd, wed ik.'

Hij proefde het, en ze had gelijk, hij had nooit eerder zoiets geproefd. Hij had vanavond van alles en nog wat gedronken, maar dit was echt heel anders.

Ze zaten samen op de bank en grijnsden naar elkaar terwijl ze hun glas leegdronken. Daarna leunde ze achterover en ontspande zich, of leek zich te ontspannen. En toen Riley zijn glas leeg had, zei hij: 'Ik moet uitkijken, anders val ik hier nog in slaap.'

Ze wendde zich naar hem om en zei: 'Je zou hier kunnen slapen. Mooie slaapkamer boven, en warm. Ik laat boven altijd de verwarming aanstaan, dat is veel lekkerder. Je kunt vannacht hier blijven slapen.'

'Doe niet zo gek, ze verwachten dat ik daar kom slapen.'

'Wat! Verwachten ze dat?' Ze draaide zich om en wees naar de klok. 'Om twee uur 's nachts? Die liggen allang te slapen. Je zult ze wakker moeten maken. Of… heb je een sleutel?'

'Ja, ik heb een sleutel.'

'Nou, dan zullen ze het wel begrijpen.'

Ja, dat dacht hij ook, maar hij moest toch maar gaan. Hij moest gaan… echt. Wat mankeerde hem toch?

Ze zette haar glas op een bijzettafeltje en zei: 'Doe de haard uit en help me naar boven.'

Hij deed de elektrische haard uit en gaf haar een arm, waarna hij met haar de kamer uit liep.

Ze liepen naast elkaar de trap op en toen ze op de overloop stonden, wees ze naar een deur en zei: 'Badkamer.' Ze duwde hem naar binnen terwijl ze zelf door een deur aan de overkant verdween met de woorden: 'Wacht op me. Blijf op me wachten.'

Hij liep de badkamer in. Die was ook modern. Alles zag er blinkend uit. Misschien leek dat wel zo doordat hij zoveel had gedronken. Hij had zich nooit eerder zo gevoeld. Het was net alsof alles hem niets meer kon schelen. Hij was het liefst gaan zingen, zo'n gevoel had hij. Maar Fred had gezegd dat hij niet zingend thuis mocht komen. Moest hij daar echt naar terug? Hij waste zijn handen en zijn gezicht en toen hij zich voor een hoge spiegel met de handdoek stond af te drogen, herkende hij zichzelf nauwelijks. Er was iets anders aan hem. Hij was veranderd. Dat kwam door de drank. Dat deed drank bij je: het maakte dat je ouder leek. Hij was nog geen negentien, maar vanavond leek hij niet zo jong. Lieve help, nee! Zijn neus raakte bijna de spiegel toen hij zichzelf aandachtig bekeek. Hij leek net een man. Nou, had hij zich niet lange tijd al een man gevoeld? Maar niet op deze manier.

Hij schrok op door de klik van een deur. Hij haalde zijn handen door zijn haar voor hij naar de overloop terugging. Maar hij deed de badkamerdeur niet achter zich dicht, omdat hij aan de grond genageld stond door wat hij daar voor zich zag. Voor hem stond een vrouw. Ze was lang en slank. Het dikke haar hing los over haar schouders. Ze droeg een nachthemd, een dun geval, en erover heen een soort jas van al net zulk dun spul. Ze draaide zich om en liep naar een andere deur. Ze zei: 'Kom hier maar kijken. Dit is de beste logeerkamer.' Ze trok hem de kamer in en zei: 'Alsjeblieft. Je hebt hier alles. Ik hou deze kamer altijd in gereedheid voor wanneer mijn nicht en haar man uit Schotland komen. Een aardig stel. Zie ze niet vaak genoeg.'

Ze stond nu pal voor hem en hij kon zijn ogen niet van haar afhouden. Ze was niet langer juffrouw Mason, ze was niet langer zijn moeder op het toneel, ze was Nyrene, een jonge vrouw. Ze had tegen hem gezegd dat ze zevenendertig was. Nee, ze moest zich vergist hebben. Ze leek nauwelijks dertig, ze was knap, echt heel mooi. Ze was knap als juffrouw Mason, maar zoals ze nu hier voor hem stond was ze een meisje, geen vrouw. Maar ze was geen meisje, ze was een vrouw, een prachtige vrouw. Hij deed zijn ogen stijf dicht,

81

en knipperde toen met zijn ogen. En hierop legde ze haar hand tegen zijn wang en zei: 'Je valt om van de slaap.' Haar stem was bijna een kreun toen ze mompelde: 'O, Riley, Riley, ik kan de gedachte niet verdragen dat jij weggaat. Nog één dag, maandag, en dan vertrek je, dan verdwijn je uit mijn leven. Ik kan de gedachte niet verdragen dat ik jou zal verliezen.'

'O, juffrouw… juffrouw, Nyrene, je moet niet huilen. Lieve help! Je moet niet huilen.' Ze viel in zijn armen en legde haar hoofd op zijn schouder. Haar lichaam beefde en hij omhelsde haar. Ze was broos en warm en hij keek om zich heen op zoek naar een plek om te zitten. Er was maar één bed en de stoel voor de kaptafel. Hij leidde haar naar de rand van het bed en begon in zijn zak naar een zakdoek te zoeken en toen hij er geen kon vinden, veegde hij met zijn vingers de tranen van haar wangen en zei zacht: 'O, liefste, maak je alsjeblieft geen zorgen, we houden contact. Ik kom weer terug. Ja, ik kom weer terug. Ik zal wel moeten, want ik kan niet…' Hij schudde zijn hoofd en ze zei zacht: 'Het… het geeft niet. Het spijt me, Riley. O, het spijt me. Maar je bent zo lief voor me en… en…' Ze lag opnieuw in zijn armen en nu was zijn mond op de hare en wiegden ze samen heen en weer…

Veel later, al wist hij niet precies wanneer, trok hij haar kleren uit en lagen ze samen in bed. Hij wist alleen dat hij haar in zijn armen hield en dat ze geweldig was en dat hij haar liefhad en haar dit vertelde.

'Het kan nooit meer zijn dan ik van jou hou,' zei ze. 'Ze zullen allemaal zeggen dat het niet kan, ze zullen zeggen dat het verkeerd is, zevenendertig en achttien! Zeventien jaar, of hoeveel het ook mag zijn. Het leeftijdsverschil is groot, maar mijn liefde is ook groot, Riley. Ik had het je niet willen vertellen. Nooit! Nooit! Je had me als een vriendin moeten beschouwen, als een zuster of zelfs een moeder. Ik had je moeder kunnen zijn, weet je. Dat is vreselijk om te bedenken, maar mijn liefde voor jou is niet vreselijk.'

Wanneer was hij haar eigenlijk gaan liefhebben? Hij wist het niet. Hij wist alleen dat hij haar nu liefhad, dat hij zich een man voelde en dat hij, ook al werd hij honderd, zich nooit méér man zou voelen dan op deze momenten dat hij haar liefhad, en die momenten duurden maar voort.

Toen hij haar had bemind en zij hem had bemind, waarbij hij werd binnengevoerd in een rijk van hartstocht waarvan hij tijdens zijn puberjaren nimmer had kunnen dromen, vielen ze allebei in slaap...

Hij kwam langzaam weer tot zichzelf door een stem die iets heel gewoons riep. Maar hij voelde zich niet gewoon. Hij voelde zich anders, geweldig... echt geweldig! Hij strekte zijn lichaam in het bed. Het was een lang lichaam, het lichaam van een man, en het was stevig en het tintelde nog. Hij herinnerde zich haar aanraking, haar geur. Geen geur van cognac of port of wijn, maar haar lichaamsgeur. Geur was niet het juiste woord en ook niet lucht of parfum, en evenmin aroma. Het was iets ongrijpbaars, maar toch iets substantieels. Hij wist dat die geur hem altijd bij zou blijven. En hij kon nu echt niet weggaan. Nee! Meneer Bernice zou hem aanhouden, en hij zou daar maar al te blij mee zijn. Hij had bij die anderen tenslotte nog niets getekend. Dat zou dinsdag gebeuren. Nee, hij kon haar nu echt niet verlaten.

'Ga je die kop thee nog opdrinken, of slaap je het klokje rond?'

Hij wierp het beddengoed van zich af en ging rechtop zitten, waarbij hij naakt was tot aan zijn middel. Toen keerde er een golf jeugdige gêne terug en hij trok het beddengoed weer hoog om zich heen toen hij Nyrene aankeek.

Ze gaf hem een kop thee. Ze leek heel anders. Ze was aangekleed, volledig gekleed, in een grijze wollen jurk met een zachtrode suède ceintuur om haar middel. Ze leek heel slank. Ze wás heel slank. Hij wist er alles van. Hij bleef naar haar glimlachen tot ze zei: 'Fred heeft gebeld. Ik heb hem verteld dat je nog sliep. Hij komt om een uur of twaalf langs.'

Er was iets vreemds aan haar stem. Hij zei zacht: 'Nyrene', en hierop antwoordde ze snel: 'Hoor eens, je morst je thee. Drink die op. Heb je geen duf hoofd? Ik dacht dat ik de enige was die de volgende morgen nooit een kater heeft, en toch moet ik gisteravond extra veel hebben gedronken. Hoe laat zijn we thuisgekomen?'

Hij hees zich verder in bed omhoog, met de lakens om zich heen, en kneep zijn ogen een eindje dicht. 'Ik denk... ongeveer om een uur of een, ik kan het me niet goed meer herinneren. Hoe laat is het nu?'

'Tien voor halftwaalf.'

'Wát?'

'Nou, jij had ook heel wat op en je bent het niet gewend, hè? Dus moest je lang uitslapen. Neem nu maar gauw een bad, er is genoeg warm water. Ik heb geen uitgebreid ontbijt klaargemaakt, ik dacht niet dat je daar vanmorgen zin in zou hebben. Alleen maar wat fruit en toast. Drink je thee nou maar op, nu die nog warm is.'

Opeens was de vrouw die voor hem stond niet Nyrene maar juffrouw Mason. Wat mankeerde hem? Had hij gedroomd? Was dít een droom?

Toen de deur achter haar was dichtgevallen zette hij het kopje op het nachtkastje en staarde naar het voeteneind van het bed. Hij hád niet gedroomd, het was écht gebeurd. Ze had dáár gestaan – hij draaide zich om en wees naar het midden van de kamer – in haar dunne nachthemd en ochtendjas, en ze had gehuild en hij had haar omhelsd. Hij herinnerde zich dat heel duidelijk. Hij was dronken geweest, ja, maar dat kon hij zich nog goed herinneren. Wat hij zich echter nog beter kon herinneren was... Hij boog zijn hoofd naar zijn borst en even was het stil om hem heen. Het was net of zijn hoofd helemaal leeg was geworden, of net als dat van Larry was geworden. Lieve hemel! Hij ging rechtop zitten. Had hij zich zó in die jongen ingeleefd dat hij nu net zo was geworden, waardoor hij zich alles had verbeeld? Want de vrouw die zojuist de kamer was uitgegaan was niet de vrouw die vannacht naast hem had gelegen – dat was Nyrene geweest, die beeldschone vrouw die over haar liefde had verteld en die hem had bemind. Ja, ze had hem echt bemind, en hij haar. Nou, als deze gedachte krankzinnig was, dan moest hij maar krankzinnig zijn.

Hij dacht diep na, om zich de verdere gebeurtenissen van die nacht voor de geest te halen. Hij herinnerde zich dat hij Larry's monoloog over de vogels had gebracht – een heel droevige passage. Als de drank dat kon hebben gedaan, kon zijn geest dan ook zover zijn beïnvloed dat hij dacht dat zijn heimelijke begeerte werkelijkheid was geworden? Want hij wist nu dat wat hij zich herinnerde, of het nu hallucinatie, droom of fantasie was geweest, hetzelfde betekende: hij hield van haar. Ja, ja, hij hield van haar. Hij had al van haar gehouden vóór hij haar gisteravond in zijn armen had genomen. Hij had het toen pas beseft.

Hij wierp het beddengoed van zich af en bleef naakt op het vloerkleed staan terwijl hij mompelde: 'Ik heb níét gedroomd. Dat kan echt niet, maar óf zij herinnert het zich niet, óf ze wil het zich niet herinneren.' Maar gisteravond had ze het zich wel willen herinneren. Hij had gehoord dat ze had geroepen dat ze hem liefhad, en dat haar liefde voor hem was gegroeid en dat het leeftijdsverschil niets uitmaakte.

Hij liet zich opeens op de rand van het bed vallen. Dat leeftijdsverschil. Hij was nog geen negentien en er zat bijna twintig jaar tussen hen. Hoe kon hun liefde bestaan? Ja, hoe kon hun liefde bestaan? Ze was bijna net zo oud als zijn moeder. Zijn moeder was pas veertig. Het kon niet zijn gebeurd. Nee, het kon echt niet zijn gebeurd. En als het echt niet kon zijn gebeurd, dan had hij die ervaring gekregen door alle drank, en dan had hij er dankbaar voor moeten zijn.

Hij trok zijn broek aan en raapte de rest van zijn kleren bij elkaar. Toen stak hij de gang over om, zoals hem was opgedragen, een bad te nemen. Ze hadden thuis een badkuip, maar dat was een armoedige badkuip, in een armoedige badkamer, een badkamer die niets met deze badkamer gemeen had. Hij had niet gedacht dat ze zo zou wonen. Het was een veel mooier huis, beter ingericht en beter afgewerkt dan het nieuwe huis van Fred en Louise en hij kon best begrijpen waarom ze hier niet weg wilde. En dit moest de reden zijn dat ze dat aanbod niet had aangenomen.

Hij lag in het met schuim bedekte water van het bad toen hij opeens rechtop ging zitten. Nee, het was echt geen hallucinatie, hij wist nog dat meneer Bernice met hem had gesproken en daarna al het handenschudden en hij kon zelfs het gevoel van gemis oproepen dat hij had gehad bij het afscheid van de groep. En hij kon zich de verbazing herinneren die hij had gevoeld toen hij de hal van dit huis had betreden. Maar hij herinnerde zich niet veel van wat er daarna was gebeurd tot ze in de slaapkamer waren. Hij dacht dat ze koffie hadden gedronken en hij wist nog net dat hij naar boven was gegaan. Ja, hij herinnerde zich dat hij haar op de overloop had gezien. En daarna zat ze op het bed en had hij zijn armen om haar heen geslagen. Het was geen droom of hallucinatie. Hij spetterde met zijn handen in het water, zodat de schuimvlokken in het rond vlogen, en hij keek naar de deur alsof hij verwachtte dat zijn moeder binnen zou komen om te vragen: 'Wat zit jij daar te spelen, jongen?' Maar hij was geen jongen, hij was geen kind meer, en de ervaringen van die nacht hadden hem verder gebracht dan hij zich ooit had voorgesteld... Allemachtig! Zeg dat wel. Maar nu deed ze opeens heel afstandelijk en koel. Ze was nu weer de juffrouw Mason uit het theater, en haar hele houding vormde een ontkenning van alles wat hij had meegemaakt... wat zij hem had laten meemaken.

Hij droogde zich af, kleedde zich gedeeltelijk aan, spoelde uit gewoonte het bad uit en liet de badkamer achter zoals hij deze had aangetroffen. Dat had zijn moeder hem zo bijgebracht. Tja, zijn moeder. Als die dit te weten kwam! Maar hoe zou ze het te weten kunnen komen? Tenzij hij zijn mond opendeed. Als ze die scène uit het stuk al smerig had gevonden, wat zou ze dan in hemelsnaam wel niet hiervan zeggen, met een vrouw die net zo oud was als zij?

In de slaapkamer kleedde hij zich verder aan en maakte, net als in de badkamer, alles weer netjes. Toen hij ten slotte het beddengoed rechttrok, wist hij zeker dat hij zich niets van de incidenten van de afgelopen nacht had verbeeld.

In de keuken draaide Nyrene zich bij het broodrooster om, glimlachte en zei: 'Hebben we gisteravond nog cognac met port gedronken?'

Hij zwéeg even, alsof hij nadacht, en zei toen: 'Ik kan het me niet herinneren.' Als dit een spelletje was, moest hij het meespelen. Als het geen spelletje was, moest hij het nog steeds meespelen.

'Nou, dat moet haast wel, want ik ben vanmorgen best helder.'

'Hoe laat ben jij opgestaan?'

'O,' – ze draaide zich om en keek op de klok – 'ongeveer om halfnegen. En toen Fred opbelde, zei hij dat hij een duf hoofd had, net als Louise, en dat toen ze thuiskwamen de oppas diep lag te slapen en dat haar ouders niet hadden opgebeld om te vragen waar ze bleef. "En dat zijn nou zorgzame ouders," zei hij. En toen had hij haar dus naar huis moeten brengen... Lust je een paar sneetjes toast?'

'Nee, ik hoef alleen een kop thee.'

'Jij krijgt niet alleen een kop thee, je moet er ook iets bij eten. Eet eerst die grapefruit maar eens op.'

Hij at de helft van een verse grapefruit, gevolgd door een snee toast. Toen hij zijn tweede kop thee zat te drinken ging ze tegenover hem aan tafel zitten met haar hoofd in haar handen, en ze keek hem aan en zei: 'Riley, ik zal je missen.'

Het was een opmerking zoals vrienden onder elkaar die maakten en als hij enig bewijs wilde dat ze zich niets herinnerde van wat er eerder was gebeurd, dan was het dit wel. Hij had een willekeurig lid van de groep kunnen zijn.

Er welde een diepe gekwetstheid in hem op en hij voelde een knagende pijn in zijn ribben. Hij legde zijn hand op zijn borst en wreef over de pijnlijke plek. Ze zag dit en merkte op: 'Wat is er? Heb je daar pijn?'

'Een beetje. Net indigestie. Te veel gedronken. Krijg jij daar geen indigestie van?'

'Ach, van drank kun je van alles krijgen.'

Ze gleed met haar hand over de tafel, pakte zijn hand en zei, nu niet met de stem van juffrouw Mason: 'Zul je me missen, Riley?'

Hij kon het gewoon niet verdragen. Hij greep haar handen zo stevig vast dat ze ineenkromp en hij zei: 'O, liefste. Het spijt me, het spijt me.' Maar zijn keel was zo droog dat hij niet verder kon gaan, en toen hij zijn hoofd boog, zei ze: 'Riley, ik weet dat je je verplicht voelt jegens mij, maar dat is echt niet nodig. Je hebt zoveel talent dat dat er vroeg of laat toch uit was gekomen. Je zou het ook zelf hebben ontdekt, zonder de hulp van iemand anders.'

'Je... je weet niet hoe ik me voel. Ik...' Hij schudde langzaam zijn hoofd en keek haar aan toen ze antwoordde: 'Dat weet ik wel, Riley. Maar jij bent nog zo jong. Besef je dat? Je bent nog zo jong.'

'Ik ben niet jong.' Zijn stem was nu net zo laag als die van een volwassen man en hij ging verder: 'Ik heb me in mijn hoofd nooit jong gevoeld, ik gebruikte mijn hoofd alleen voor de verkeerde dingen, zoals meneer Beardsley... Fred me zo vaak heeft uitgelegd. En sinds ik in The Palace zit, heb ik me een volwassen man gevoeld. En ik kan dit wel zeggen, alleen een volwassen man had die rol in *Het Gouden Verstand* kunnen spelen en alleen een volwassen man had jouw aanwijzingen kunnen opvolgen. Ik weet dat ik nog veel moet leren, en ik blijf leren, maar ik leer het als man, niet als jongen of als boerenpummel.' Hij stond op, want de pijn was in woede veranderd en hij blafte haar zo ongeveer toe: 'Ik laat me in de toekomst door niemand meer als jongen of als groentje behandelen. Dat kan ik je wel verzekeren.' Hierop liep hij met grote stappen de deur uit, terwijl zij haar gebalde vuisten tegen haar lippen drukte en inwendig kreunde: 'O, mijn lieveling. Mijn lieveling.'

Pas toen ze zijn voetstappen de trap af hoorde komen liep ze de hal in. Hij stond al klaar met zijn jas aan. Ze liep haastig naar hem toe en zei smekend: 'O, Riley! Ga alsjeblieft niet zo weg!'

'Stil maar, stil maar. Ik kom voor dinsdag nog even langs. Ik ga nu naar Fred.'

Ze pakte hem bij de schouders en keek hem in de ogen. Ze zei op smekende toon: 'Alsjeblieft... alsjeblieft! Ik smeek je, laat me niet op deze manier alleen. Dit is de laatste keer dat ik je hier zal hebben. Blijf alsjeblieft tot Fred je komt halen. Alsjeblieft! Doe dit voor mij. Laten we nog even rustig met elkaar praten. Alsjeblieft, Riley! Alsjeblieft.'

Zijn hele lichaam leek dubbel te worden gevouwen. Hij liet haar zijn jas uittrekken en zijn sjaal afdoen. Hij smeet zijn hoed op een stoel en daarna liepen ze samen naar de zitkamer.

Het vuur in de haard brandde al. Dat was de bank waar ze gisteravond op hadden gezeten, en nu gingen ze er weer op zitten. Ze pakte zijn hand en zei smekend: 'Geef me een herinnering om op terug te kunnen vallen, alsjeblieft. Alsjeblieft, Riley!' Ze hield zijn hand in haar schoot, en toen hij een diepe zucht slaakte, bleef ze bijna een minuut zwijgen. Toen zei ze: 'Je moet contact blijven houden. Wanneer je op tournee bent, zul je niet veel tijd hebben om te schrijven. Maar waar je ook bent, stuur me alsjeblieft een kaartje, dan weet ik dat jij me niet bent vergeten.'

Toen ze zijn hele lichaam voelde huiveren en schijnbaar bij haar vandaan voelde bewegen, zei ze: 'Je weet natuurlijk nog niet hoelang die tournee zal duren of waar je naartoe gaat, maar hou me op de hoogte. Dat doe je toch wel, hè?'

Hij knikte langzaam, net als een kind, en toen ze verderging met praten luisterde hij net zo naar haar als hij naar zijn moeder zou hebben geluisterd als die niet zo'n kleinzielige vrouw was geweest. De man in hem was weer verdwenen en hij was de jongen die hij niet wilde zijn, de jongen wiens enige wens op dat moment was zijn armen om deze vrouw heen te slaan en zich in haar te begraven.

6

Zijn eerste week in Manchester bestond uit repetities voor de pantomime. Toen die voorstelling achter de rug was, drie weken later, begonnen de repetities voor het toneelstuk dat tot eind februari zou rondreizen. Hij genoot met volle teugen van de repetities voor de pantomime en van de uitvoering zelf, en daardoor was hij in staat zijn verdriet om Nyrene een beetje weg te stoppen. Maar het toneelstuk vond hij minder boeiend. Hij las het twee keer en nam zijn rol tientallen keren door. Deze keer was er geen juffrouw Mason om hem bij de hand te nemen. Zijn rol was niet groot, maar wel belangrijk. De helft van de tijd speelde hij een dronkaard, de andere helft was hij de jongste zoon van een vooraanstaande familie, die thuis werd gehouden omdat hij te veel achter de vrouwen aan zat. Hij was een klaploper, en het feit dat hij geld nodig had, vormde de clou van het stuk. Er kwamen familie-intriges en een echtscheiding in voor en er was een sterfgeval dat moest worden onderzocht. Er zaten een paar lekkere ruzies in en een van de hoogtepunten was een Ierse *Ceilidh* met dans en muziek, die door de bedienden en de jongste zoon werd gegeven toen de rest van de familie afwezig was.

Hij wist dat hij in staat was al deze rollen te spelen, maar er was één probleem en daarom had hij het script steeds opnieuw moeten lezen. Het probleem zat hem in zijn stem en zijn noordelijke accent. Hij sprak misschien niet echt plat, maar hij gebruikte wel het noordelijke idioom en het accent was soms heel sterk. Daarom had hij twee weken lang twee uur per dag bij een spraaklerares doorgebracht, waarna hij zijn rol las met een zeldzaam bekakte stem, zoals hij het zelf noemde. De enige keer dat hij zich had kunnen laten gaan was bij de Ceilidh, waar hij het accent en de hebbelijkheden van het personeel kon nadoen. Hij had weldra ontdekt dat dit gezelschap heel anders was dan dat in The Palace. De samenwerking was niet altijd even hartelijk, maar dat alles zou ongetwijfeld veranderen als ze eenmaal op tournee waren.

Hij had nog drie dagen voor hij zou vertrekken voor de onderneming die hem zou onthullen wat een echte tournee inhield en hij belde Fred om te vragen of hij een paar nachten kon komen logeren. Fred had teruggeblaft, zonder een poging beleefd te doen: 'Waar heb je het over? Je hebt toch zeker een huissleutel?'

Riley arriveerde om drie uur 's middags, tijdens een zware sneeuwstorm. Vanwege het weer was de school gesloten, dus Fred was thuis. Hij begroette Riley met open armen. Toen hij hem uit de zware grijze, met schapenvacht gevoerde jas hielp, zei hij: 'Allemachtig! De zaken gaan erop vooruit.'

'Tweedehands. Daar moet je voor in Manchester zijn. Vier pond, inclusief voering.'

'Je méént het!'

'Jawel. Hij zal wel gepikt zijn, maar wat doet het ertoe.'

'Hallo, lieverd.' Louise kwam met uitgestrekte armen op hem afgelopen, en na haar op beide wangen te hebben gekust, zei hij: 'De Franse manier, dat is de mode.'

'Maak het een beetje! Dat is in Frankrijk sinds de jongensjaren van Napoleon al de mode geweest.'

'Wat een weer! In Manchester en elders sneeuwt het niet.'

'Nou, dan klopt het weerbericht weer van geen kanten. Maar kom mee naar de keuken, dan drinken we eerst een kop thee. Heb je honger? Ik heb een stoofschotel in de oven staan.'

'Heerlijk. Ik ben dol op stoofschotels, met veel jus.'

'Ga zitten.' Fred wilde hem in een stoel duwen, maar toen hield hij hem tegen door hem bij de schouder te grijpen, hem op een armlengte afstand te houden en hem van top tot teen te bekijken terwijl hij uitriep: 'Heb je hoge hakken of dikke zolen onder je schoenen?'

'Niet toen ik vanmorgen op weg ging, nee.'

'Je lijkt centimeters langer sinds we je voor het laatst hebben gezien.'

'Dat is mijn volwassen manier van doen. En hebben jullie mijn deftige accent niet opgemerkt? Ik heb moeten leren hoe ik… correct moet articuleren sinds ik bij jullie ben weggegaan. Ik heb mijn spraaklerares verteld dat ik mijn afschuwelijke manier van spreken aan mijn schoolleraar te danken had, die sprak nogal plat.'

'Hoe dúrf je! Ik heb mijn hele leven in het noorden niet plat gesproken.'

'Hou es op, jullie allebei. Hou op.' Louise gaf haar man een por, toen keek ze Riley aan en zei: 'Vooruit, vertel eens hoe alles gaat.'

Dus vertelde hij hun over de pantomime, de cast en de beroemde spelers die erin meededen en hij besloot: 'Ik vind het heel opmerkelijk, weet je, dat deze topspelers – als ze al succes hebben gehad – in pantomimes willen spelen. Ze vechten zo ongeveer om een rol. Hemel! Als ik een van hen was geweest, hadden ze die pantomime van me mogen houden.'

'Nou, wacht maar eens tot die tijd en kijk hoe je je dan voelt. Ga verder, hoe zit het met dat toneelstuk? Vind je het goed?'

'Jawel, het is goed. Maar het is geen *Gouden Verstand*. In zekere zin spijt het me dat ik daar ooit in heb gespeeld. Ik heb nu steeds de neiging naar fouten te zoeken en de zwakke plekken in het werk van anderen aan te wijzen.'

'Ach, daar is op zichzelf niets op tegen, maar hou het wel voor je.'

Al die tijd dat hij had zitten vertellen had hij één vraag willen stellen en nu kon hij zich niet langer inhouden. 'Hoe gaat het met Nyrene?' vroeg hij op effen toon.

'Met Nyrene gaat het prima, beter dan ooit. Maar toen jij net weg was, wisten we een paar dagen lang niet of ze zich in huis had opgesloten of dat ze was vertrokken. Het theater was die week dicht, zoals je weet, maar ze was nergens te vinden. Ik had toen zo'n vermoeden dat ze weer aan de drank was, maar we ontdekten later dat we het mis hadden.' Hij keek even naar Louise en zij knikte en zei op overdreven fluistertoon tegen Riley: 'Ze heeft een vriend. Dat heeft ze me gisteren verteld. Zoals je weet heeft ze een getrouwde nicht in Schotland, en hoewel die vaak met haar man komt, heb ik hen nog nooit ontmoet, maar Fred wel.'

Fred knikte en zei: 'Ja, en het zijn aardige mensen, heel aardig. Het schijnt dat die vriend een bekende van hen is. Hij is vertegenwoordiger in plastic. De twee dagen waarvan ik dacht dat ze het op een drinken had gezet, moet ze bij hem hebben doorgebracht. Ja!' Hij knikte naar Riley, met een brede grijns op zijn gezicht. Maar toen verdween de grijns en zei hij serieus: 'Ik ben blij voor haar. Ze is al die jaren alleen geweest. Ik weet niet hoe ze het al die tijd heeft volgehouden, want ze is een knappe vrouw. Ze heeft waarschijnlijk nog steeds verdriet om die rotzak.'

Riley voelde een steek in zijn maag. Hij onderging iets wat leek op wat hij had meegemaakt toen hij die ochtend wakker was geworden en had ontdekt dat zij van een geweldige, liefhebbende vrouw weer in juffrouw Mason was veranderd.

In de afgelopen weken had hij op alle manieren geprobeerd haar uit zijn gedachten te zetten. De dagen waren draaglijk geweest omdat er zoveel te doen was, zoveel om over na te denken, zoveel om te leren, en met zoveel mensen die om hem heen bewogen, maar vanaf het moment dat hij in het pension van mevrouw Wear in bed plofte en wilde slapen, begon de kwelling van voren af aan.

Het was echt gebeurd.

Het kon niet zijn gebeurd, gezien haar blik toen ze hem een kop thee gaf.

Maar het was wel gebeurd, het was echt gebeurd.

Nou, als dat zo was, dan was het gebeurd met een dronken vrouw die alles vergeten was – een gedachte die hem nog onpasselijker maakte en die hem een beeld bezorgde van haar op zo'n laag niveau dat hij onwillekeurig zijn ogen dichtkneep. En nu zeiden ze dat ze een vriend had.

'Wat is er aan de hand?' Fred keek hem onderzoekend aan en hij antwoordde: 'Aan de hand? Niets. Niets.'

'Je bent geschokt door de gedachte dat ze een vriend zou hebben.'

'Geschokt?' Het antwoord kwam er met een schreeuw uit. 'En dat in deze tijd? Waar denken jullie dat ik de afgelopen weken heb gezeten? Geschokt, man? Je weet er niets van.'

Louise kwam snel tussenbeide. 'Hoe zijn de meisjes in de cast?' Daarop antwoordde hij: 'Twee van hen zijn heel knap en aantrekkelijk, een andere is stokoud onder haar make-up, en een van hen is getrouwd met de hoofdrolspeler.'

'Nou, als er nog twee knappe meiden over zijn...'

'Ze zijn niet echt over, Fred...' Hij had nog steeds moeite deze man bij zijn voornaam te noemen, omdat hij 'meneer Beardsley' gewend was, maar hij ging verder: 'Ze hebben allebei een verhouding met iemand uit de groep. Misschien moet ik moderner doen en vriendjes zeggen. Maar het gekke is dat tegenwoordig de meeste meisjes op oudere mannen vallen. Daar begrijp je toch niets van?'

'Nou, dat begrijp ik best,' zei Louise en ze tikte haar man zacht op de arm. 'Maar hij is ook heel slim,' zei ze vol liefde.

'Volgens mij moet je wel heel wanhopig zijn geweest om hem te willen nemen.' Ze lachte met hem mee en zei: 'Dat was ik ook. Ik zat echt om een man te springen, en hij was het beste wat ik krijgen kon en daarom greep ik die kans.'

Louise woelde met haar vingers door Freds haar en zei: 'Een man moet nu eenmaal tot een bepaalde leeftijd wachten voor hij echt aantrekkelijk wordt en weet waar Abraham de mosterd haalt.'

'O, lieve help,' zuchtte Riley, en Louise antwoordde: 'Maak je maar geen zorgen, Riley, het enige waar ze zeker van zijn, mannen van dit type,' – ze klopte haar man op het hoofd – 'is dat ze er snel bij moeten zijn, anders is het te laat. We gaan in elk geval vanavond bij Nyrene eten om deze heer in kwestie te ontmoeten, als hij tenminste in dit hopeloze weer bijtijds uit Frankrijk hier kan zijn. Ik zal Nyrene bellen om haar te zeggen dat jij er bent. Ik weet zeker dat ze je graag weer wil zien.'

Hij stond abrupt van tafel op en zei: 'Ik zou graag even in bad willen gaan, Louise. Daarna ga ik bij de kleine kijken. Is hij boven in de kinderkamer?'

'Ja, maar je kunt beter eerst naar de kinderkamer gaan. Meneer is op dit moment in de verffase, dus kijk uit voor je pak. Ik zou dat jasje maar uitdoen.'

Fred en Louise keken elkaar aan en Fred zei: 'En, wat zeg jij ervan?' Waarop ze antwoordde: 'Ik weet het niet. Ik weet het echt niet, maar ik vind wel dat hij is veranderd.'

'Dat vind ik ook. Toen hij vertrok had hij nog iets jongensachtigs, maar dat is nu helemaal verdwenen.'

'Denk je dat hij zich zorgen maakt over zijn moeder en over dat hij hier is in plaats van thuis en wat zij daarvan zal vinden?'

'Ik weet het niet, liefste, ik weet het echt niet. Het zou kunnen, maar ik zag een verandering in zijn blik toen er sprake was van een vriendje.'

'Ach, ik kan zijn reactie wel een beetje begrijpen, want weet je, ze heeft de afgelopen twee jaar veel werk van hem gemaakt. Hij had haar zoon kunnen zijn, hoewel ze zich nooit als een moeder tegenover hem heeft gedragen, eerder als een…' Ze keken elkaar weer aan, op zoek naar een verklaring, en toen die niet kwam, zei Fred: 'Ja, eerder als wat? Ze was in het stuk inderdaad zijn moeder, maar daarbuiten niet, nee. Ondanks alle drank leek ze nooit zo oud als ze was. En de laatste tijd… Ik heb haar vorige week nog gezien en toen stráálde ze echt.'

'Nou, alles wat ik kan zeggen, liefste,' zei Louise lachend, 'is dat als die man haar niet laat stralen, hij ervan zal lusten!'

'Ja hoor…'

'We zullen vanavond wel zien wat voor iemand hij is en dan moeten we vooral op de reactie van onze vriend letten,' – ze keek omhoog – 'dat geeft ons misschien enig idee.'

'Ik hoop dat het jou niet het idee geeft dat jij in je hoofd hebt.'

'Waarom niet?'

'Doe niet zo gek. Het leeftijdsverschil tussen mensen van dertig en vijftig maakt misschien niet zoveel uit, maar hij is negentien en Nyrene moet toch tegen de veertig lopen.'

'Maar hij is oud voor iemand van negentien. Hij was al oud op zijn zestiende, toen ik hem voor het eerst heb ontmoet. Er gebeuren wel gekkere dingen.'

'Nou, het enige wat ik op dit moment kan zeggen,' zei Fred, 'is dat ik hoop dat hem niet zoiets geks is overkomen.'

Ze waren in de zitkamer. Het imitatiehoutvuur brandde vrolijk. De kroonluchter was niet aan maar het licht van de twee staande lampen met goudkleurige kap en de zes wandlampen mengde de kleuren van het tapijt, de gordijnen en de losse hoezen op het Chesterfield-bankstel tot een harmonieus geheel.

Louise en Fred zaten aan weerskanten van de bank, Riley zat in een fauteuil aan de andere kant van de haard.

De kamer leek anders dan hij zich herinnerde. Het hele huis leek feitelijk anders. Maar hij had de vorige keer alles gezien door een wit licht van liefde, dat werd teweeggebracht door de nevels van de drank.

De verste deur ging open en hij zag haar de kamer binnenkomen, terwijl ze haar witte schort afdeed en een geheel blauwe wollen jurk onthulde. Ze droeg opnieuw de rode suède ceintuur om haar middel. Haar haar zat niet in de gebruikelijke wrong in haar nek maar hing los, bijeengehouden door een blauw lint, waardoor ze van achteren een tiener leek. Van voren had ze echter niet het uiterlijk van een tiener maar van een vrouw, een heel knappe vrouw. Haar huid was gaaf, haar ogen stonden helder. Hij had niet eerder opgemerkt dat ze grijs waren. Hij dacht eigenlijk dat ze groen waren. Maar nee, ze waren beslist grijs. En haar mond was breed en lachend. Had die mond hem ooit gekust, niet alleen zijn lippen gekust maar zijn hele lichaam? Allemachtig, man, hou eens op!

'Ik denk dat een mens op culinair gebied niet dieper kan dalen dan vrienden te eten vragen en hun een vleespudding voor te zetten,' zei Nyrene.

'Geloof daar maar niets van.' Fred knikte vanaf zijn hoek van de bank. 'Als ik moet geloven wat ik laatst las, hebben alle smulpapen genoeg van kip, wild en kalkoen en vragen ze weer om *steak and kidneypie*, net zoals oma die maakte,' zei hij lachend. 'Maar lang niet iedereen kan een goede vleespudding maken. Ik ben dol op wat ik het geleiachtige gedeelte noem, waar de korst zacht is geworden door de damp.'

'Nou, ik zal je een flinke portie van dat gedeelte geven, Fred. Welk deel wil jij, Riley?' Ze stond naast zijn stoel en keek op hem neer.

'Ach.' Hij keek zonder te glimlachen naar haar op en zei: 'Maakt niet uit, als het maar vult.'

'Nou, ik kan je verzekeren dat er genoeg is, want ik heb twee levensgrote puddingen gemaakt.'

'Kom toch even zitten, liefje.' Louise klopte op het kussen naast zich. 'Je bent zo bedrijvig als een bij. Het is nog geen zeven uur' – ze wees naar de klok – 'en je zei dat hij om ongeveer zeven uur zou komen.'

'Wanneer heeft hij dat gezegd?' vroeg Fred, en Nyrene antwoordde: 'Gistermorgen.'

'Gistermorgen?' herhaalde hij. 'Moet je eens zien hoe het weer sinds gistermorgen is omgeslagen. Het is echt beestenweer en het mag een wonder heten als dat vliegtuig op tijd zal kunnen opstijgen, laat staan zal kunnen landen.'

Op dat moment ging de bel. Nyrene had op het punt gestaan te gaan zitten, maar nu richtte ze zich weer snel op en keek verbaasd van de een naar de ander, en terwijl ze naar de deur liep mompelde ze: 'Daar… daar heb je hem misschien.'

Fred en Louise keken naar de deur, maar Riley draaide zich er maar voor de helft naartoe, en hoewel hij dit niet wilde keek hij toch meteen naar haar toen ze terugkwam met een enorm boeket bloemen in haar hand.

'Hij heeft bloemen gestuurd,' zei ze, 'ook al is hij er zelf niet. Ik heb net het vorige boeket weggegooid.' Er klonk een verlegen toon in haar stem. 'Willen jullie me één moment excuseren, dan zet ik ze even in het water.'

Toen ze haastig de kamer uit liep, wisselden ze alle drie een blik, maar Fred merkte op: 'Attente kerel. Pakt het groots aan, in ieder geval met een heel boeket.' Hij keek naar Louise en voegde eraan toe: 'In mijn tijd was het alleen maar één rode roos.'

'Maar dat is dan ook al heel lang geleden, liefste.'

'Wil jij wel eens uitkijken met wat je zegt!'

Riley keek hoe die twee met elkaar kibbelden, waarbij hun liefde nauwelijks verborgen bleef.

Om halfacht keek Nyrene op de klok en zei: 'Ik geef hem nog een kwartier. Als hij er dan nog niet is, gaan we eten, anders wordt alles slap en kledderig.'

De volgende vijftien minuten werden voornamelijk in beslag genomen door vragen en antwoorden tussen Fred en Riley, waarbij Fred de vragen stelde en juist op het moment dat Nyrene van de bank overeind kwam en zei: 'Nou, dat is dat! We wachten niet langer, we kunnen iets voor hem opwarmen of hij krijgt sandwiches of zo. Kom mee,' ging de telefoon. Het leek alsof ze dat niet hoorde, want ze reageerde niet. Louise zei: 'Dat is de telefoon, Nyrene.'

'De telefoon? Ja, natuurlijk. Wat mankeert me toch?'

Ze holde de kamer uit en de hal in en ze luisterden alle drie toen ze zei: 'Hallo, lieverd.' Daarna volgde een stilte waarin ze hun blik allemaal op de open deur naar de hal richtten. Toen klonk Nyrenes stem weer: 'O, wat jammer. Maar er is niets aan te doen. Tot morgen dan, als dat mogelijk is. Ja, lieverd… Jazeker… Maak je alsjeblieft geen zorgen… Probeer dat niet, als de wegen slecht zijn. Ik begrijp het. Natuurlijk begrijp ik het… Ach, wat maakt dat eten nu uit. Ja lieverd, ja, goed. Welterusten. Welterusten.'

Ze kwam met een ernstig gezicht de kamer weer in en zei op vlakke toon: 'Hij zit in Manchester vast. Hij is net geland. Ze hebben tijden rondgecirkeld. Ze waren een uur te laat opgestegen. Het spijt me.'

'Wat spijt je? Er zullen andere keren komen. Waar ik me op dit moment meer zorgen over maak is dat die pudding steeds slapper en kleffer wordt.'

'Ach, jij!' Louise gaf Fred een duw, zodat hij achterover op de bank viel, en hij bleef hen even aankijken en zei toen: 'En maar één glaasje port. Dat is alles wat ik heb gehad, maar één armzalig glaasje port.'

'Maak het een beetje! Jij denkt ook alleen maar aan eten en drinken!'

'Leuk is dat!' Fred hees zich van de bank overeind en knikte naar Riley. 'Een man wil toch zeker wat stevigs in zijn maag hebben?'

'Jawel. En als jij niet snel wat krijgt, moeten we je naar de tafel dragen!' En op deze luchthartige toon liepen ze lachend naar de eetkamer.

Er was geen voorgerecht, ze begonnen meteen aan de vleespudding, samen met spruitjes, geglaceerde worteltjes en aardappelpuree, en de kwaliteit van deze gang oogstte veel waardering.

Maar het toetje was veel uitvoeriger: fruit in gelei, in een rand van bladerdeeg, gegarneerd met slagroom en puntjes engelwortel. Dit gerecht had eveneens veel succes, en Fred merkte op: 'Het enige wat ik kan zeggen, Nyrene, is dat jij nog eens een goede vrouw zult zijn voor een man.' Waarop Nyrene op dezelfde toon, maar misschien nog luchthartiger, antwoordde: 'Nou, dat hoop ik dan maar.' Op die manier werd een tactloze opmerking snel afgedaan, terwijl Fred zichzelf verwenste om zijn stommiteit en Riley dacht: ze wil getrouwd zijn, dat kun je aan haar gezicht zien. Ze stráált gewoon. Ja, dat is het woord, ze stráált…

Het was tien uur toen ze vertrokken. Fred baande een pad door de sneeuw naar het portier van de auto. Het was een heldere avond. Overal heerste stilte en toen Fred naar Louise riep dat ze kon komen, terwijl hij over het tuinpad terugliep om haar op te halen, galmde zijn stem als die van een nachtwaker door de straat.

Riley stond in de deuropening en keek Nyrene aan. Haar gezicht, dat tot nu toe zo vrolijk had geleken, had een bijna treurige uitdrukking en toen ze een hand tegen zijn wang legde, had hij die hand bijna gegrepen om haar naar zich toe te trekken, terwijl hij zich afvroeg wat ze nu weer in haar schild voerde. Die kerel van haar was niet komen opdagen en ze was teleurgesteld, en toch had ze de hele avond de gastvrouw gespeeld. Maar nu…

'Riley, wat was het fijn om jou vanavond weer te zien. Je vergeet me niet, hè? Je vergeet me niet. En denk alsjeblieft niet slecht over me.'

Hij stond op het punt te zeggen: 'Slecht over jou denken, hoe dat zo?' Maar Freds stem bulderde weer: 'Hela, komt er nog wat van? Laat haar eens gauw naar binnen gaan. Ze bevriest daar nog.'

Ze duwde hem zachtjes tegen de borst, maar zijn ogen bleven strak op haar gericht tot hij niet bepaald zachtzinnig bij de arm werd gegrepen door Fred, die zei: 'Wat mankeert je toch? Louise bevriest. Kom op, man! Kom mee!'

Hij ging achter in de auto zitten en keek uit het raam. Ze stond er nog steeds… 'Vergeet me niet,' had ze gezegd. 'Denk niet slecht over me.' Die uitdrukking op haar gezicht. Die was zo anders, in elk geval anders dan zoals ze de hele avond naar hem had gekeken. Maar tot dat moment had ze hem niet recht in de ogen gekeken.

'Vergeet me niet.' Waarom zei ze dat? Waarom moest ze dat zeggen, terwijl ze helemaal vol was van die andere vent? Telefoontjes uit het buitenland, bloemen, en de hele avond als een tiener lopen huppelen. Maar de vrouw die hij had bemind was geen tiener geweest en tijdens haar liefkozingen had ze hem aangekeken met dezelfde blik in haar ogen als enkele minuten geleden.

Hou op! Laat zitten! Je maakt jezelf nog horendol, man. Oké! Oké. Misschien heb je het niet gedroomd. Misschien is het wel gebeurd. Nou, als het wel is gebeurd, zoals je eerder zei, dan was het met een dronken vrouw die alles straal vergeten is.

Of was ze het niet vergeten?

Hou toch op! Allemachtig!

7

Toen Louise Nyrene op het trottoir zag lopen, zette ze de auto langs de stoeprand stil, draaide het raampje omlaag en riep: 'Waar ga jij heen, om deze tijd van de dag?'

'Hallo, dag, Louise.' Nyrene bukte zich naar het gezicht dat naar haar omhooggekeerd was en ze zei: 'Ik heb de repetitie afgezegd, ik voelde me niet lekker.'

'En dan wil je naar huis lópen?'

'Nee, dat niet. Ik was op weg naar de taxistandplaats, aan het eind daar.'

'Nou, stap maar in, dame, dan bereken ik u de halve prijs.'

'Dank u zeer, mevrouw. Wilt u misschien binnenkomen voor een kopje thee?'

'Ja, graag. Ik heb boodschappen gedaan. Die jonge aap van ons groeit zo ongeveer elke week uit zijn broeken, uit zijn jas, uit alles.'

'Tja, Fred zegt altijd dat het een kereltje met pit is.'

'Zeg dat wel.'

Vijf minuten later zaten ze in Nyrenes keuken en Louise zei: 'Ik zal wel even thee zetten. Ga jij maar zitten, je ziet helemaal groen. Heb je iets verkeerds gegeten?'

'Zou kunnen. Ik eet tegenwoordig veel te veel.'

'Misschien wel.' Louise keek Nyrene onderzoekend aan en zei toen: 'Ik dacht dat je wat was aangekomen. Maar Fred zei van niet, volgens hem ben je jarenlang een slanke den geweest.'

Er kwam geen reactie van Nyrene, tot ze haar hoofd boog, haar blik op de tafel richtte en zei: 'Ach, zwangere vrouwen komen nu eenmaal vaak wat aan, hè?'

Louise liet haar kopje bijna vallen. Toen zei ze: 'Wat zeg je?'

'Je hebt best gehoord wat ik zei: zwangere vrouwen...'

'Ben je zwanger, Nyrene?' De vraag klonk zacht, vol ontzag.

Nyrene antwoordde op dezelfde toon, bijna gefluisterd: 'Ja, Louise, ik ben zwanger.'

'Tjonge!' Het was alsof Louise wakker werd uit een droom. Ze knipperde met haar ogen, ging met haar tong langs haar lippen en zei: 'Hoe ver ben je?'

'Eh…' Het leek of Nyrene even moest nadenken. Toen zei ze: 'Een goeie twee maanden.'

'Zo, zo! Twee maanden.'

'Ja, Louise, twee maanden. Probeer het nou maar niet uit te rekenen. Ik weet dat ik een weekend naar Schotland ben geweest in de tijd dat Charles er was.'

'Heet hij Charles? Dat is de eerste keer dat ik je zijn naam hoor noemen.'

'Nou, het is écht zijn naam, en ik ben nog vaker naar Schotland geweest.'

'Weet hij het?'

'Nee, nog niet.'

'Zal hij er blij mee zijn?'

'Daar ben ik niet helemaal zeker van. Ik maak me een beetje ongerust.'

'O, Nyrene!'

'Zeg nou niet op die toon "O, Nyrene", want het maakt niets uit.'

'Hoe bedoel je? Kan het je niet schelen of hij er blij mee is?'

'Jawel, dat wel. Maar het is echt niet zo belangrijk. Wat wel belangrijk is…' Ze zweeg en er verscheen een glimlach op haar bleke gezicht. 'Wat wel belangrijk is, is dat ik een baby ga krijgen, het wonder van een baby. Iets van mezelf, iets wat bij me hoort, iets om te koesteren. Het maakt me echt niet uit of het een jongen of een meisje wordt, of desnoods een tweeling, maar het is een baby, iets van mezelf.'

'O, liefje toch!' Er verschenen tranen in de ogen van Louise en ze rolden over haar wangen toen ze om de tafel heen snelde en haar armen om Nyrene heen sloeg. Nyrene stond op en ze omhelsden elkaar stevig. Louise zei tussen haar tranen door: 'Ik weet wat je bedoelt. Ja, ik weet wat je bedoelt. Toen ik de bons had gekregen – jij weet toch alles over hoe ik ooit de bons heb gekregen, hè? Ik weet zeker dat je dat is verteld. Hoe dan ook, ik was wanhopig. Ik moest echt een tijdje weg, weet je. En het was vreemd, maar ik dacht in mijn slechte perioden maar één ding: ik zal nooit een kind krijgen. Ik zal nooit een kind krijgen. Die gedachte ging steeds door me heen en toen Jason op komst was en ik wist dat hij daar in me zat,' – ze klopte even op haar buik – 'was het alsof... nou ja, alsof God me had bezocht.'

'Ja, zo is het inderdaad, Louise, net wat je zegt, het is een wonder. Ik kan je verzekeren dat het het mooiste is wat mij ooit is overkomen, en als hij het ook wil, dan is het geweldig, maar als hij het niet wil, dan... dan is het nog steeds van mij.'

'O, liefje, liefje.' Ze omhelsden elkaar opnieuw, en nu was Nyrenes gezicht nat. Maar toen Nyrene zei: 'De beste manier om uitdrukking aan geluk te geven is huilen,' schoten ze allebei in de lach en ze voegde eraan toe: 'Een oude acteur heeft me dat ooit verteld want, weet je, ik huil zelden wanneer ik niet op het toneel sta, maar als ik wel op het toneel sta, kan ik huilen op bevel. Ik heb zelfs dankzij het feit dat ik op bevel op het toneel kan huilen ooit een aanbod gekregen om naar Londen te gaan.'

'En dat heb je afgewezen. O, ik weet er alles van. Ik vraag me af wat Fred zal zeggen.'

'Ik denk dat hij blij voor me zal zijn.'

'Nou, hij zal vast heel blij voor je zijn. Ja. Hij is erg op je gesteld, weet je. Ik heb ooit tegen hem gezegd dat als hij verstandig was geweest, hij jaren geleden een poging bij je had moeten wagen.'

'Je méént het!'

'Ja, echt. Ik hou heel veel van hem, maar hij kan buitengewoon irritant zijn, onze meneer Beardsley, als hem iets dwarszit. Af en toe word ik gewoon stapelgek van hem. Kom, laten we nog een kopje thee nemen.'

Later, bij de voordeur, keek Louise Nyrene opeens aan en zei: 'Hoe moet het met The Palace en met meneer David?'

'Ik heb het hem verteld.'

'Heb je het verteld?'

'Ja.'

'Hoe vatte hij het op?'

'Hij was blij voor me en hij zei dat ik net zolang vrij kon nemen als ik wilde, dat er in The Palace altijd een plek voor me zou zijn om naar terug te keren. Het is een goede man, die David. Altijd al geweest. Hij is in elk geval altijd goed geweest voor mij.'

'Ik vraag me af wat Riley zal zeggen. Ik heb vanmorgen een kaart van hem gehad.'

Het bleef even stil voordat Nyrene zei: 'Ja, ik ook, uit Eastbourne. Ze zijn naar Wimbledon, Bournemouth en Worthing geweest. Ik weet niet precies waar ze daarna naartoe gaan.'

'Ik denk dat het Reading is, daarna Oxford, Birmingham, Coventry, enzovoort. Fred heeft het allemaal opgeschreven. Hij is erg op Riley gesteld, weet je, en hij verbeeldt zich nu dat hij degene is die hem op weg heeft geholpen met zijn carrière.'

'Dat geloof ik direct. Heeft Fred onlangs een brief van hem gehad?'

'Ja, ongeveer veertien dagen geleden.'

'Heeft hij nog gezegd wanneer hij hier weer in de buurt komt?'

'Misschien tegen het eind van de volgende maand, of begin mei, de tournee eindigt volgens mij in Newcastle. Ik geloof dat ze ook voor Schotland zijn geboekt, en misschien ook Ierland. Het is geen controversieel stuk, dus misschien slaat het daar aan. En weet je wel dat zijn vader af en toe komt kijken of er een brief voor hem is? En meestal is dat zo. Ik weet zeker dat er wat papiergeld bij zit, maar ik geloof niet dat hij alleen daarvoor komt, hij schijnt zich oprecht om hem te bekommeren. Fred heeft hem één keer naar zijn vrouw gevraagd, of ze misschien wat anders over Riley was gaan denken. Maar zijn vader zei van niet. Ze was eerder nog harder geworden. En hun dochter Betty scheen nu de volle laag te krijgen. Als Riley aan de drugs was gegaan of meisjes in moeilijkheden had gebracht, dan had hij het nog kunnen begrijpen, maar hij is zo brandschoon, om met mijn man te spreken. Heeft hij je niet geschreven, ik bedoel buiten die kaarten?'

Nyrene lachte even en zei: 'Nee, alleen maar wat kaarten en altijd met dezelfde boodschap: hij hoopt dat alles goed met me gaat. Hoewel er soms een kleine afwisseling is, wanneer hij zegt dat hij zich vroeger op de weekends verheugde maar dat zondag nu betekent dat het toneel wordt afgebroken, gevolgd door een treinreis naar een andere plaats in de rimboe. De kaart die ik vanmorgen kreeg zei dat hij een boek over pensions aan de kust ging schrijven en dan vooral over de theatrale pensionhoudsters.'

Louise lachte. 'Op Freds kaart van vanmorgen schreef hij: "Waarom hebt u mij niet opgevoed, meneer Beardsley, toen u daar de kans toe had, in plaats van mij zomaar de wrede wereld in te sturen, waar de mensen netjes praten?" Hij is nog steeds een geboren komiek. Nou, ik moet nu weg, en ik sta te popelen hem dit nieuws te vertellen.' Maar Nyrene stak snel haar hand uit, greep die van Louise en zei: 'Nee, doe dat alsjeblieft niet. Vertel hem dat niet. Ik heb echt liever dat je dat niet doet.'

'Fred? Mag ik het niet aan Fred vertellen?'

'Jawel. Ja, je mag het wel aan Fred vertellen. Ik dacht dat je Riley bedoelde.'

'Nee, dat laat ik aan jou over.'

Nyrene knikte. 'Ja, laat dat maar aan mij over.'

Toen ze de deur achter Louise had dichtgedaan leunde Nyrene er nog even tegenaan en ze haalde beverig adem voor ze haar handen op haar buik legde en herhaalde: 'Laat dat maar aan mij over.'

8

Om ongeveer vier uur 's middags op een dag halverwege mei belde Riley bij haar aan. Hij verwachtte dat ze rond deze tijd thuis zou zijn. De lucht om hem heen rook zwaar naar meidoorn en er streek een zwoel windje door de grote meidoorn in de naastgelegen tuin, die zijn takken over de erfscheiding strekte.

Toen er niet meteen werd opengedaan, drukte hij weer op de bel, en ditmaal zwaaide de deur open voor zijn hand omlaag was gevallen en daar stond een vreemde vrouw. Ze had kennelijk net een schort omgedaan: ze was gekleed in een vormloze blauwkatoenen jurk, ze had geen kousen aan en haar tenen waren te zien door opengewerkte sandalen. Haar mond viel wijdopen toen ze zijn naam fluisterde: 'Riley.'

Hij zei niet: 'Hallo, Nyrene' of: 'Vraag je me niet binnen?' Hij bleef haar maar aankijken. De laatste keer dat hij haar had gezien was ze zo slank als een den geweest. Nu was haar gezicht mollig. Ze was eigenlijk helemaal dik.

Zijn ogen bleven rusten op een buik die haar jurk naar voren leek te duwen, en de aanblik hiervan maakte dat hij bij zichzelf zei: 'Nee, nee.' En daarna: 'Grote goden!' Het was alsof hij een luide kreet in zijn hoofd hoorde: 'Grote god, dat niet! Op haar leeftijd!' Hoe oud was ze nu? Achtendertig, bijna negenendertig? Tegenwoordig kregen vrouwen kinderen op hun vijfenveertigste en nog later. Maar… maar zij!

'Kom je niet binnen?'

'Jawel, ja.' Hij draaide zich om, keek naar de meidoorntak en merkte op: 'Lekker ruikt dat, die meidoorn.'

Ze knikte. 'Ja, een heerlijke geur. Niemand heeft die ooit na kunnen maken. Wanneer ben je thuisgekomen?'

'Ongeveer een uur geleden. Maar er was daar niemand' – hij gebaarde met zijn hoofd opzij, alsof hij naar de Beardsleys wees – 'behalve de hulp, aan wie ik mijn papieren moest laten zien.' Hij leek heel anders, een stuk ouder. Ja, veel ouder. En hij zag er zo goed uit. Hij was knap... Een knappe jongeman.

'Het huis ziet er nog hetzelfde uit.' Hij liep de zitkamer in. 'Het is niet veranderd, maar...' – hij bleef abrupt staan, draaide zich om en keek haar aan – 'maar jij wel, hè?'

'Ja, Riley, ik wel. Een blinde kan zien dat ik ben veranderd. Schrik je ervan?'

'Ik weet het niet. Om je de waarheid te zeggen, weet ik niet goed wat ik ervan moet vinden. Ik kan me jou niet voorstellen met een...' Hij kon niet kind zeggen, en hij dwong zich 'baby' te zeggen.

'Dat kon ik eerst ook niet, maar... maar nu wel.'

'Dus je wilt het graag?'

'Willen? Ja, Riley, ik wil het heel graag. Ik heb nog nooit van m'n leven iets zo graag gewild als deze baby.'

Hij kreeg weer dat onpasselijke gevoel. Hij had het liefst tegen haar geschreeuwd: 'Waarom? Waarom?' Maar moest hij nog vragen waarom? Die verdomde nachtmerrie stond hem nog altijd voor de geest. Hij had haar op dat moment het liefst bij de schouders gepakt om te zeggen: 'Zeg op, herinner jij je het niet meer? Zeg me alsjeblieft dat jij je nog iets van die avond herinnert, gewoon iets', en hij zou daarna zeggen: 'want die nacht heeft mijn leven volledig op zijn kop gezet. Ik hoor me te amuseren zoals een jongen van mijn leeftijd dat doet, maar wat doe ik? Ik haal m'n neus op. In het gezelschap zit een meisje dat heel graag met me naar bed wil. Maar ze denkt nu dat ik homo ben, ze heeft dat zelfs bijna met zoveel woorden gezegd. En getrouwde vrouwen, degenen die een vriendje hebben, nou, je zou toch denken dat één genoeg moest zijn, maar nee. En ik kan me gewoon niet laten gaan, hoor je? Ik kan me gewoon niet laten gaan. Allemaal vanwege die verdomde nachtmerrie. Was het wel een nachtmerrie? Jij bent de enige die dat weet.' In plaats daarvan stelde hij zomaar een vraag: 'Wil hij het?'

Ze wendde haar hoofd van hem af en zei: 'Eigenlijk niet.'

'Wat?'

'Ik sta nog steeds vlak naast je, Riley, dus schreeuw nou niet zo. Er zijn veel mannen die niet met kinderen willen worden opgezadeld, maar hij vindt het wel goed dat ik het laat komen. Hij wilde niet dat ik het liet weghalen. Maar dat zou ik ook nooit gewild hebben. Nooit! Heb je trouwens zin in een kopje thee?'

Er viel een lange stilte voor hij zei: 'Ja, ik wil graag een kopje thee.'

'Waarom staan we dan in de zitkamer? Kom mee naar de keuken. En kijk niet zo verbaasd, Riley. Zulke dingen gebeuren nu eenmaal. Heb je dan niets geleerd van je ervaringen op het toneel?'

'Nee, helemaal niets waar ik wat aan heb.'

'Nou,' – ze lachte even toen ze door de hal naar de keuken liep – 'dat is dan niet te zien, je ziet eruit als een welgesteld acteur. David vertelt me dat er goede berichten kwamen uit Manchester over de manier waarop jij je ontwikkelt.'

'Echt? Nou, dan kan ik alleen maar zeggen dat jij dingen hoort die ik niet hoor. En wat het ook mag zijn, ik hoop dat de rest van de cast het niet zal horen, want ze zijn heel gevoelig waar het hun positie betreft en als die snotaap uit het noorden zich uitslooft, dan moeten zij uitkijken.'

'Zijn ze echt zo?'

'Misschien overdrijf ik een beetje, maar je weet zelf wat voor veldslagen er kunnen woeden op het toneel als het om prestige gaat. Dat weet je uit eigen ervaring.'

'Maar ik heb gehoord dat jij geen hoofdrol hebt, dat je zelfs niet de vervanger bent.'

'Nee, maar het zwarte schaap in de familie vormt in dit stuk een belangrijke spaak in het ingewikkelde wiel. Dat vertelde m'n baas in Manchester me, ik moet er alles in stoppen wat ik heb, net als in de rol van Larry, dus dat doe ik.'

'Nou, dat verklaart veel… Maar bevalt het je om op tournee te zijn?'

'Die vraag zou ik met ja en nee kunnen beantwoorden. Ik vind het leuk om steeds in een nieuw theater te staan met nieuw publiek, maar ik vind het niet leuk om op zaterdagavond op te moeten houden en dan op zondag te moeten reizen om maandagmorgen vroeg weer ergens anders aan de slag te gaan. En ik vind het ook niet lekker om steeds van slaapplaats te moeten veranderen. Hoewel ik moet zeggen dat sommige hotels heel goed waren, maar andere…

verre van dat. Weet je, als je geen plek kunt vinden waar ze reizende gezelschappen gewend zijn en je komt in plaats daarvan in een gewoon kosthuis, en ze ontdekken dat je bij het toneel bent, nou, dan denken ze dat je vast een hoop geld verdient en dan laten ze je daarnaar betalen.'

Ze zaten nu tegenover elkaar aan de tafel, met een kop thee tussen hen in en het enige wat hij kon doen was haar aanstaren. Er was zoveel dat hij haar wilde zeggen, er waren zoveel vragen die hij haar wilde stellen. Een daarvan was: wanneer zal het kind komen? Hij werkte ernaartoe door te zeggen: 'Hoelang blijf je nog werken?'

'O, ik ben pas' – ze zweeg even – 'halverwege. Ik denk dat ik nog minstens twee maanden kan blijven werken. In de volgende twee toneelstukken ben ik twee keer een grootmoeder en één keer een zwangere... dame. Dat komt dus mooi uit. Daarna ga ik weg, denk ik.'

'Waarom ga je niet trouwen?'

'Omdat ik dat niet wil.'

'Maar het kind is dan wel onwettig.'

'Ja, het is onwettig, net als duizenden andere kinderen. Maar dat is tegenwoordig geen schande meer.'

'Nee, maar het kind, of het nou een jongen of een meisje is, zal weten dat het geen wettige vader heeft en hoe mooi je dat ook mag oppoetsen, dat kind zal net als duizenden andere kinderen vinden dat het iets mist... het blijft onwettig. Het zal altijd worden nagewezen.'

Ze kwamen gelijktijdig overeind en dat wat hij wilde zeggen bij wijze van verontschuldiging werd afgesneden toen ze met opeengeklemde kaken zei: 'Riley, ik heb veel van jou gepikt, maar dit accepteer ik niet. Hoor je me? Nee, want wat dit kind ook mag zijn...' – haar stem werd schel – 'het heeft niets met jou te maken! Is dat begrepen? Helemaal niets. Wil je nu alsjeblieft gaan?'

Ze beefde over haar hele lichaam. Het was alsof ze hem had geslagen. Diep vanbinnen riep hij uit: 'Het spijt me. Het spijt me echt. Dat had ik niet willen zeggen. Echt niet.'

Maar toen hij sprak was zijn stem hees. 'Nyrene, geloof me, alsjeblieft! Geloof me, ik bedoelde het niet zo. Ik weet niet wat me bezielde.' Hij boog zijn hoofd en deed zijn ogen dicht, maar haar stem klonk niet vergevensgezind toen ze antwoordde: 'Je dacht het wél, anders had je het niet gezegd. Ga nu alsjeblieft. Ik wil je niet meer zien.'

Zijn hoofd ging met een ruk omhoog en hij zei: 'Zeg dat niet. Wat ik ook mag hebben gedaan, hoezeer ik je ook mag hebben gekwetst, zeg dat alsjeblieft niet. Weet je, ik...' Hij zweeg, draaide zich van de tafel af en schoof de stoel zo woest naar achteren dat deze omviel. Toen hij hem weer rechtop had gezet, greep hij hem bij de rugleuning vast, boog zich eroverheen en zei bijna jammerend: 'Zeg niet dat je me niet meer wilt zien, alsjeblieft, alsjeblieft, Nyrene, want ik móét je zien. Ik moet jou op de een of andere manier zien.'

Ze slaakte een diepe zucht, bijna een kreet, en haar stem was zacht toen ze zei: 'Laat me dan nu alleen, alsjeblieft.'

'Ik heb drie dagen. Mag ik terugkomen?'

'Dat weet ik niet. Ik... ik moet werken.'

'O, Nyrene!' Toen hij om de tafel heen naar haar toe wilde lopen, deinsde ze achteruit en zei: 'Niet doen, Riley. Raak me alsjeblieft niet aan, niet nu. Het spijt me, maar ik moet je vragen te gaan. Ik wil nu alleen zijn.'

Hij keek haar hulpeloos aan voor hij zich omdraaide en langzaam de keuken uit liep, het huis uit.

'Wát heb je gezegd?'

'Ik bedoelde het niet zo.'

'Je moet het wel hebben bedoeld, jij stomme idioot! Het moet in je hoofd hebben gezeten.'

'Hoe kon dat nou in mijn hoofd zitten? Ik wist niet dat ze zwanger was, tot ik haar een kwartier geleden zag. Nee, daar dacht ik echt niet aan.'

'Het enige wat ik kan zeggen is dat je er een hele klus aan zult hebben haar ervan te overtuigen dat dat niet het geval was. Bovendien is ze zo goed als met hem getrouwd, net als duizenden anderen tegenwoordig. Ze is vorig weekend weer naar Schotland geweest. Riley, je had dat echt niet moeten zeggen.'

Hij keek haar aan en riep uit: 'Dat weet ik ook wel, Louise! Dat weet ik, maar uiteindelijk is het wel een feit. Kinderen die buiten een huwelijk worden geboren zijn nog steeds onwettig, of er nu wel of niet een nieuw geboortebewijs is gekomen. En een andere naam voor zulke kinderen is bastaard. Voor onze volgende tournee overweegt de directeur een controversieel stuk dat over onwettigheid gaat. De groep is er niet zo voor te porren, te riskant. Achteraf bekeken moest ik daar waarschijnlijk aan denken toen zij het vertelde. Trouwens...' Hij keek van de een naar de ander en vroeg: 'Waarom kan hij niet met haar trouwen? Is hij al getrouwd?'

'Nee, ik heb behoord dat hij niet getrouwd is.'

Riley keek Fred aan en zei: 'Heb jij hem ontmoet?'

'Nee, ik heb hem niet ontmoet.'

'En jij?' Hij keek naar Louise, die antwoordde: 'Ik heb hem niet ontmoet, maar ik heb hem aan de telefoon gehad.'

'Hoe heet hij?'

'Charles Kingston.'

'Is hij een Schot?'

'Ja. Of hij klonk in elk geval als een Schot in de korte tijd dat ik hem sprak. Ik nam de telefoon op toen Nyrene boven was. Hij zei: "Nyrene?" Hij klonk wat verbaasd, en ik zei dat ik haar vriendin Louise was. Ik vroeg of ik met Charles sprak, en hij lachte en zei: "Ja, zeer zeker." Op dat moment nam zij de telefoon van me over en ze lachten, ik denk omdat hij begreep dat ik haar niet was. Maar laat dit verder maar zitten, het eten is klaar en mevrouw Roberts wil afwassen en naar huis. Dus laten we aan tafel gaan.'

Tegen het eind van de maaltijd keek Fred over tafel naar Riley en zei: 'Hoe is het nu met je vader?'

'Met mijn vader? Hoe bedoel je?'

'Ben je niet naar het ziekenhuis geweest?'

'Ik weet niet waar je het over hebt. Ligt hij in het ziekenhuis? Dat wist ik helemaal niet. Sinds wanneer?'

'Stil maar, rustig maar. Eet eerst je toetje op.'

'Nee, nee, ik weet niet waar je het over hebt, Fred. Wat is er met hem gebeurd, dat hij in het ziekenhuis ligt?'

'Nou, ik heb gehoord dat het zijn rug is. En zo te horen heeft hij zich al die jaren echt niet aangesteld. Ik geloof dat ze iets vast hebben gezet en dat was niet zo plezierig. Ze hebben iets aan zijn wervelkolom of aan zijn rug gedaan. Hij was daar zelf niet zo duidelijk over. Hij is drie weken thuis geweest en had toen vreselijk veel pijn, dus hebben ze hem weer opgenomen en hem geopereerd. Dat was ongeveer een week geleden. Dus je bent nog helemaal niet thuis geweest?'

'Nee, ik had geen zin om me weer de deur te laten wijzen en ik wilde mijn vader een bericht sturen waar we elkaar konden ontmoeten.'

'Heeft niemand jou dan geschreven?'

'Ach, wat had dat voor zin? Nou vraag ik je. Als je elke week verhuist, is er geen vast adres.'

'Je had tegen hen hetzelfde kunnen zeggen als tegen ons, dat ze een brief naar Manchester moesten sturen en dat die dan naar jou werd doorgestuurd, waar je ook was.'

Riley keek naar de grond en zei: 'Pa is geen brievenschrijver.'

'Maar je hebt toch ook nog een zus?'

'Ja, dat is waar. Betty had het kunnen doen. Maar ik heb er helemaal niet aan gedacht. Hoe laat is het?' Hij keek op zijn horloge.

'Het is nu te laat. Het bezoekuur is van zeven tot halfnegen. Dat haal je niet meer, maar je hebt morgen nog. Je hoeft je toch pas zondag weer bij het gezelschap te melden, in Leeds, is het niet?'

'Ja, ja, in Leeds.' Hij knikte afwezig. Toen keek hij Louise aan en zei: 'Het is toch eigenlijk te gek voor woorden als je niet naar huis durft te gaan, dat je je eigen moeder niet onder ogen durft te komen? Heel laf.'

'Nou, dat kan ik niet zeggen.' Fred knikte naar hem. 'Ik denk aan sommige moeders die ik heb meegemaakt. Als ik mag kiezen, heb ik soms liever de voorhoede van een legerpatrouille op een donkere nacht in het bos.'

Toen ze van de eetkamer naar de hal liepen sloeg Fred een arm om Rileys schouders en zei: 'Het is je dag niet, hè, knul? En het heeft geen zin tegen jou te zeggen wat ieder ander zegt, dat je je niet moet opwinden omdat het vanzelf overgaat. Maar dat kost tijd en het gaat nu om de ellende van dit moment.'

'Als jij wilt gaan citeren en preken, meneer Beardsley, zet dat dan maar uit je hoofd en breng het dienblad met drank naar de zitkamer. En jij, Riley, wil jij iets voor me doen?'

'Wat je maar wilt, Louise.' Hij glimlachte naar haar.

'Ga naar de keuken om een praatje met mevrouw Roberts te maken, wil je? Want je bent voor haar een plaatselijke held. Je bent een acteur en je hebt in de krant gestaan. Heb je een pen bij je?'

'Ja, ja, ik heb een pen bij me.'

'Nou, geef haar dan een handtekening op een papieren servet... of wat dan ook. Ga nu maar. Ik wed dat dit niet de eerste keer is dat je dat moet doen.'

Hij keek haar even aan en zei toen: 'Weet je, Louise, de meeste vrouwen zijn gek. Ze zijn écht gek, en ze horen achter slot en grendel te worden gezet.'

'Dat ben ik met je eens, Riley. En ik zou het niet erg vinden te worden opgesloten, zolang ik maar een man bij me had. En trouwens, als je bij mevrouw Roberts bent geweest, wil je dan alsjeblieft even naar boven gaan om mijn zoon gedag te zeggen. Hij zal nog wel wakker zijn en op jou liggen wachten. Het is een wonder dat hij nog niet om je heeft liggen schreeuwen.'

'Maak het een beetje!' Hij gaf haar een duwtje en liep toen naar de keuken.

Toen Fred met het dienblad naar de zitkamer liep, zei Louise tegen hem: 'Ik zou hem maar een stevig glas inschenken, liefste, want hij zit erg in de put. Nyrene moet wel erg overstuur zijn geweest als ze tegen hem heeft gezegd dat hij moest ophoepelen! Er is daar iets waar ik me zorgen over maak.'

'Hoe bedoel je, daar? Waar?'

'In die situatie.'

'Over welke situatie heb je het?'

'Ik bedoel tussen Nyrene en hem.' Ze gebaarde met haar hoofd naar de deur.

Hij legde een hand op haar schouder en zei heel kalm: 'Daarin ben je niet de enige, mevrouw Beardsley. En we moeten er snel met hem over praten. Ik probeer nog altijd het ene feit met het andere te combineren... en dan speelt die Charles ook zo'n vreemde rol.'

Hij stond in de deuropening van de ziekenzaal. Het was een kleine ruimte, met maar drie bedden aan iedere kant. De patiënten aan de linkerkant hadden ieder een bezoeker, de drie aan de rechterkant hadden geen bezoek, en van hen leunde de man in het middelste bed opzij om te praten met de man die plat op zijn rug in het lin-

111

kerbed lag, en ze lachten allebei. De derde man lag ook plat op zijn rug, met zijn gezicht naar het raam, zodat hij de toppen van de bomen kon zien bewegen.

Toen Riley aan het voeteneind van het bed stond, draaide de man zijn hoofd naar hem toe, en hij zag het gezicht van zijn vader oplichten toen hij uitriep: 'Peter!' Het was op de een of andere manier vreemd zijn voornaam te horen. Dat gebeurde zelden. Zelfs toen hij naar Manchester ging werd hij aan het gezelschap voorgesteld als: 'Peter Riley, door iedereen Riley genoemd.'

'Hallo, pa. Hoe gaat het ermee?'

'Prima, jongen. Prima. Ga zitten. Ga zitten. Allemensen! Wat ben jij lang geworden, ik herken je nauwelijks.'

Riley schoof een stoel bij het bed en keek naar het gezicht op het kussen. Het leek anders, wat smaller maar vrolijker.

'Wanneer ben je teruggekomen?'

'Gisteren, maar ik wist niet dat jij hier was.'

Ze keken elkaar aan en glimlachten. Toen vroeg Riley zacht: 'Wanneer is het gebeurd?'

'Ach, dat ziekenhuisgedoe is begonnen vlak nadat jij was vertrokken, jongen. Maar wanneer alles echt is begonnen, dat weet ik niet meer. Ik heb zo ongeveer altijd pijn in m'n rug gehad. Maar iedereen dacht dat ik de kantjes ervan afliep. En ik denk dat iedereen dat was blijven geloven als dat nieuwe doktertje er niet was geweest. Allemensen!' Hij begon te grinniken. 'Degene die me elke week pillen voor de pijn gaf was weg. Dit was een nieuwe. Ze zitten daar met z'n vijven in de praktijk, weet je. Maar goed, de eerste keer dat ik bij haar kwam zei ze: "Kleed je uit en ga op de tafel liggen." Op die toon,' – hij knikte – '"Uitkleden en gaan liggen". En dat deed ik en toen begon zij m'n rug helemaal te betasten. Daarna moest ik opstaan en in m'n blootje heen en weer lopen. Ik voelde me een ongelofelijke sukkel. Toen zei ze: "U moet morgen foto's laten maken." Meteen. Normaal moet je weken of maanden wachten. Nou, ze hebben toen foto's van me gemaakt, en drie dagen later lag ik hier, plat op m'n buik, terwijl m'n rug werd vastgezet of zoiets. Nou, ik kan je verzekeren dat dat geen pretje was, jongen. Maar dat kon me niets schelen, want nu werd er tenminste iets aan gedaan. En ik moet je zeggen' – hij liet zijn stem dalen en er klonk iets van droefheid in door toen hij vervolgde – 'dat ik nog nooit zoveel vriendelijkheid heb meegemaakt en zoveel zorgzaamheid. Ze zijn allemaal geweldig. Echt, jongen, ze zijn allemaal geweldig. Maar dat gedoe scheen toch niet te helpen. De pijn was... nou ja, vrij erg, zodat ze me drie weken geleden weer hebben opgenomen en toen hebben ze van alles en nog wat onderzocht. Daarna hebben ze me tien dagen geleden geopereerd. Ik weet niet precies wat ze hebben gedaan, maar ik weet wel dat ik me nog nooit zo goed heb gevoeld als daarna. Maar ik moet wel braaf doen wat ze zeggen en dat is hier stilliggen. Gisteren hebben ze me even naast mijn bed gezet. Het was heel raar om weer op de been te zijn. Maar over langer worden gesproken, het is net of ik ook langer ben geworden. En zal ik je nog eens wat zeggen, Peter?'

Toen hij niet verderging zei Riley: 'Zeg het maar, pa.' Hij had deze man nog nooit zoveel horen praten.

En Alex Riley ging verder: 'De buitenwereld is ook veranderd. Iedereen lijkt anders. Je moeder, weet je, die heeft al die jaren altijd gedacht dat ik te lui was om wat uit te voeren. Er waren dagen dat ik nauwelijks mijn bed uit kon komen, maar dat werd allemaal aan luiheid toegeschreven, dat ik lui was geboren. Nou, ik ben inderdaad met een afwijking geboren' – hij knikte – 'en die afwijking zat in m'n wervelkolom. Die heeft zenuwen afgekneld. En ik heb ook artritis gekregen. Maar op een bepaalde manier heb ik het gevoel dat dit het beste is wat me had kunnen overkomen. Ik bedoel, dat ze hebben bewezen dat ik daar een afwijking heb.'

Riley keek naar zijn vader en zag in gedachten hoe die in de loop der jaren was gekleineerd, was afgeschilderd als iemand die nergens voor deugde en niet wilde werken.

Hij stak een hand uit en greep de magere hand die daarop leek te wachten en er blonken tranen in de ogen van zijn vader toen hij zei: 'En dan hebben we Betty nog. Betty is een beste meid, vol pit. Zij staat haar mannetje en zegt wat ze op haar hart heeft. Je moeder zal haar nooit onder de duim kunnen houden. Op een avond heeft ze de kaarten meegenomen die jij via meneer Beardsley had gestuurd en aan de kleintjes laten zien.'

'Dat heeft vast een hoop herrie gegeven.'

'Niet voordat de kleintjes naar bed waren. Maar toen heeft je moeder Betty in de kraag gevat en tegen haar gezegd dat zij eruit zou vliegen als ze dat nog één keer deed.'

Toen zijn vader begon te lachen zei Riley: 'En, wat is er toen gebeurd?'

'Gerechtigheid, jongen. Betty heeft helemaal niets gezegd maar ze is naar boven gegaan en heeft een koffer gepakt en is beneden gekomen met haar jas aan en hoed op en ze zei: "Ik ga zelf wel, ma. Dat scheelt een hoop tijd." Gewoon, op die manier. "Ik ga zelf wel, dat scheelt een hoop tijd."'

Ze lachten. Toen kwam er een verpleegster met een grote vaas bloemen. Ze zette die op de tafel en Alex Riley keek naar haar op en zei: 'Zijn die bloemen voor mij? Wie heeft die gestuurd?' De zuster knikte naar Riley en zei: 'Dat is uw zoon toch Nou, hij was te verlegen om ze mee naar binnen te nemen en hij duwde ze me in de hand en zei: "Die zijn voor meneer Riley."'

Riley, die met een rood hoofd bij het bed stond, zei: 'Het was een idee van mevrouw Beardsley. Ze zei dat mannen in het ziekenhuis nooit bloemen krijgen.'

'Daar heeft ze gelijk in.' De zuster knikte hem toe. Ze keek hem recht aan en zei: 'U bent toch de acteur?'

'Ik ben bij het toneel, van acteren weet ik niets,' antwoordde hij lachend.

'In de kranten stond anders het tegenovergestelde. Ik weet dat het alweer een tijdje geleden is, maar uw naam werd overal genoemd. Ik heb u in dat stuk gezien. Dat was toch uw laatste stuk hier?' En ze knikte, wachtend tot hij iets zei, maar hij kon alleen naar haar glimlachen. Daarom keek ze naar de man in het bed en zei: 'Ik vond het echt geweldig. Het moet heel moeilijk zijn te doen alsof je niet goed snik bent, ik bedoel, wanneer je dat niet van jezelf bent.'

Riley kon zijn lachen niet langer bedwingen en de zuster lachte met hem mee. 'Op wie lijkt u? Van wie hebt u dat?' Riley keek naar zijn vader en zei: 'Waarschijnlijk van hem. Hij is zo gek als een deur.'

De zuster giechelde en sloeg een hand voor haar mond, boog zich over het bed en klopte Alex op de wang terwijl ze Riley aankeek en zei: 'Hij is een slimme kerel en de beste patiënt die we ooit hebben gehad.'

'Máák het een beetje!'

Riley zag het stralende gezicht van zijn vader, die met zijn hand naar de zuster gebaarde. Hij had deze man nog nooit zo gelukkig gezien: het beeld dat hij door de jaren heen van hem had gehad was dat van een ongelukkige man. En toch kon hij zich herinneren dat hij ooit met deze man over de heidevelden had gewandeld. Dat was meestal op een zondag, en er kwam altijd een verrassing uit de zak van zijn vaders jas: een chocoladereep, een Mars, of een paar pepermuntballetjes, altijd iets. Maar de wandelingen waren opgehouden toen hij naar de middelbare school was gegaan. 'Bent u getrouwd?' onderbrak de zuster zijn overpeinzingen.

'Ik getrouwd? Nou, nee.'

'Dan is er dus nog hoop, ik ben pas achtendertig. Of... nou ja, vroeg of laat komt u natuurlijk achter de waarheid, drieënveertig. Maar als ik geen dienst heb, en met een beetje oorlogsbeschildering op, kan ik voor een tiener doorgaan.' De lach verdween plotseling van haar gezicht en ze draaide zich snel om naar het bed. 'Hebt u nog iets nodig, meneer Riley?' Hierna liet ze haar stem dalen en voegde eraan toe: 'De hoofdzuster heeft nu weer dienst. Aan de slag!'

Toen ze langs Riley liep stond haar gezicht heel effen, maar ze knipoogde naar hem.

Riley ging weer naast het bed zitten en zei tegen zijn vader: 'Wat een grappenmaakster.'

'Ja, jongen, ze is een echte grappenmaakster en ze is een bovenstebeste goeie ziel. Heel lief. Wat haar leeftijd betreft: ze is vierenveertig, ze is getrouwd geweest en weduwe geworden, en ze heeft drie kinderen grootgebracht. Af en toe maken we een praatje. De vorige keer dat ik hier lag had ze nachtdienst en als ik het heel moeilijk had, kwam ze bij me zitten om mijn gezicht met een washandje af te vegen. Weet je, Peter, voor de eerste keer in mijn leven was ik in staat met een vrouw te praten, ik bedoel echt te praten, over het leven en zo. Ik ben trouwens maar één jaar ouder dan zij, vijfenveertig. En ze heeft me doen inzien dat er meer vrouwen op de wereld zijn. En het is ook gek hoeveel vrouwen zich aangetrokken voelen tot kleine mannen. Weet je, ik heb er meer dan genoeg van steeds te worden gepest en getreiterd. D'r is me nou al jarenlang te verstaan gegeven dat ik een nietsnut ben.' Hij greep Rileys hand. 'Kun je morgen ook komen?'

'Jazeker, ik ga zondag pas terug.'

Een poosje later, toen het tijd werd om weg te gaan, zei Riley: 'Is er iets wat ik voor je mee kan brengen, pa? Meneer Beardsley zei dat je hier niet mag roken.'

'Nee, dat klopt. Het is gek, maar sinds de operatie ben ik van het roken af en dat wil ik zo houden. Maar weet je waar ik nu dol op ben, jongen? Op van die chocolade-walnootkrullen.'

'Ja, die ken ik, pa. Goed, daar krijg je morgen een doos van. Nog iets anders?'

'Nee, nee, niets anders, jongen. Laat me je alleen dit zeggen: ik ben erg trots op je en ik ben blij dat we kunnen praten, jij en ik. Snap je wat ik bedoel? En ik wil je bedanken voor die bankbiljetten die je tussen je brieven hebt gestopt, ze waren een geschenk uit de hemel.'

'Het is wel goed, pa.' Riley boog zich over zijn vader heen en ze grepen elkaars handen.

Hij glimlachte nog toen hij de poort van het ziekenhuis uit liep.

Het was nu zeven uur. Hij had het twijfelachtige genoegen gehad Jason in bad te mogen doen en zoals Louise opmerkte, was het de vraag wie na afloop het natste was.

Hij had voorts het genoegen een verhaaltje voor het slapengaan te mogen voorlezen aan de jongeman, waarbij hij voortdurend in de rede werd gevallen met vragen als: waarom was Jaap de Reuzendoder zo groot en Klein Duimpje zo klein?

'Omdat dat verschillende verhalen zijn.'

'Waarom?'

Een tijdje later, in de zitkamer, keek hij Fred ernstig aan en zei: 'Niemand hoeft te vragen op wie dat knulletje' – hij gebaarde met zijn hoofd naar boven – 'lijkt. Hij hóúdt maar niet op met praten.'

Juist toen Fred dit op zijn gebruikelijke kernachtige manier wilde beantwoorden, ging de telefoon. Hij prikte een vinger in Rileys borst en zei: 'Ik zal die opmerking uitvoerig van een weerwoord voorzien zodra ik terug ben.' Louise glimlachte. 'Ik heb al gezegd, Riley, dat zelfs een blinde de gelijkenis onmiddellijk zou zien.'

Ze keerden zich beiden naar de deur toen Fred haastig de kamer

weer in kwam en zei: 'Dat was Ivy, mevrouw Wakefield, het nichtje van Nyrene. Sinds het eind van de middag probeert ze Nyrene te
pakken te krijgen. Het schijnt dat Charles nogal ziek is, erg ziek, zo
te horen, want hij heeft een hartaanval gehad.'

'Waar kan ze toch zijn?' Louise keek van de een naar de ander.
'Ik weet dat ze deze week niet hoeft te werken, maar dat ze de hele
dag weg is...'

'Als ze weg is. Misschien zit ze thuis en wil ze de telefoon niet
opnemen.'

'Waarom zou ze dat niet willen?'

'Doe niet zo gek, mens! Na wat er gisteren is gebeurd tussen
hem' – hij gebaarde met zijn hoofd naar Riley – 'en haar, zal ze be-
hoorlijk van slag zijn.'

'Doe jij ook niet zo gek. Ze is geen kind meer. Ze is op dat moment waarschijnlijk woest geweest, maar daar is ze nu wel overheen. We moeten ons allemaal over zulke dingen heen zetten,
meneer Beardsley.'

'O, lieve help.' Hij schudde zijn hoofd. 'Maar wat moeten we
doen?'

'Ik ga wel even kijken of ze echt thuis is.'

'Jij?'

'Ja, ik!' Riley schreeuwde zo ongeveer. 'En als ze thuis is, zal ik
haar mijn excuses aanbieden.'

'Als ze hoort wat er is gebeurd zal ze geen tijd hebben om je aan
te horen. Maar ik ga wel even mee,' zei Fred.

'Nou, dat lijkt me verstandig.' Fred keek zijn vrouw aan, glimlachte en zei: 'En met jou praat ik nog wel als ik terug ben.'

Riley zag dat het pad nu met meidoornbloesem was bezaaid
doordat het 's nachts hard had gewaaid. De geur was bijna bedwel-
mend. Hij keek toe toen Fred aanbelde. Het was een geur die hij
nooit zou vergeten, de geur van meidoorn zou altijd verbonden
blijven met een zwangere vrouw.

Toen Fred voor de derde keer had gebeld, keek hij Riley aan en
zei: 'Misschien moeten we achterom gaan om door de ramen naar
binnen te kijken. De gordijnen zijn hier dicht.' Hij wees naar de zijkant.

Ze stonden juist bij het hek toen er een taxi stopte en tot hun ver-

117

bazing stapte Nyrene eruit, met twee lichtpaarse tassen met zwarte opdruk. Ze zagen hoe ze de tassen op het trottoir zette, de taxichauffeur betaalde, hem goedenavond wenste en zich toen naar hen omdraaide. Ze wierp een blik op hen en zei: 'Is dit een erewacht of een deputatie?'

'We maakten ons ongerust. Niemand kon je bereiken. Je nicht heeft gebeld.'

Fred pakte de tassen van haar aan en ze zei: 'Waarom? Waarover? Over Charles?'

'Ja, dat zei ze, over Charles. Kom mee, eerst naar binnen.' Hij duwde haar door het hek en toen ze in de hal stonden keek ze hem aan en vroeg scherp: 'Wat heeft ze over hem gezegd?'

'Dat het niet goed gaat met hem. Hij heeft een hartaanval gehad. Ik... ik geloof dat ze vindt dat je meteen moet komen.'

'Lieve help. Wanneer is dit gebeurd?'

'Ik weet het niet. Vandaag ergens, denk ik. Ze heeft sinds het eind van de middag geprobeerd je te bereiken.'

Nyrene legde haar hand tegen haar wang en beet op haar lip. Ze keek opnieuw van de een naar de ander en zei toen, min of meer tegen zichzelf: 'O, lieve help.' Ze wendde zich van hen af en liep naar de trap, maar daar bleef ze staan, ze keek weer naar Fred en zei: 'Ik geloof dat er rond negen uur een trein naar Aberdeen gaat. Zou jij alsjeblieft het station willen bellen om dat uit te zoeken, Fred? Dan pak ik snel wat spullen.'

'Haast je niet. Als die trein pas om negen uur gaat, heb je nog tijd genoeg. Doe maar kalm aan.'

Nyrene sloeg weinig acht op deze woorden en holde de trap op alsof ze alleen het gewicht van haar eigen lichaam te dragen had.

'Vraag haar of ze wil dat we een kop thee voor haar zetten.'

'Wat?'

Riley bracht zijn gezicht dichter bij dat van Fred en herhaalde: 'Vraag haar of ze wil dat we thee voor haar zetten. Van jou zal ze het eerder aannemen dan van mij.'

Fred gaf Riley een por. Daarna liep hij naar de trap en riep: 'Nyrene, kun je me horen? Wil je een kop thee?'

Na een korte stilte antwoordde ze: 'Ja, graag, Fred.'

Toen Riley dit hoorde liep hij naar de keuken om een pot thee te zetten. Die stond op tafel tegen de tijd dat Nyrene de kamer weer binnenkwam, gekleed in een andere jas en schoenen. Fred begroette haar en zei: 'Er gaat om kwart voor negen een intercity naar Aberdeen. Dus je hebt nog bijna een uur, en het is maar tien minuten rijden naar het station, dus ga zitten en drink wat. Wil je nog iets eten?'

'Nee, dank je. Ik heb net iets in de stad gegeten.' Ze glimlachte vermoeid en ging verder: 'Winkelen is vermoeiender dan acteren. Ik zal blij zijn als ik in de trein zit.'

'Moet je nog ver als je in Aberdeen bent?'

'Zo'n twaalf kilometer in de richting van Banchory. Ik kan een taxi nemen.'

'Heeft hij al eerder een hartaanval gehad?'

Ze nam een slokje thee en gaf even geen antwoord. Toen zei ze: 'Nee, niet dat ik weet.'

'Wist je dat hij in Schotland zat?'

Ze aarzelde even. 'Ja, ik wist dat hij daar was. O.' Ze stond opeens van tafel op, klopte met haar hand tegen haar kin en zei: 'Ik kan beter David even bellen… Hoe laat is het?' Ze keek op haar horloge. 'O, hij zit nu midden in een voorstelling.'

'Ik ga wel even langs om het hem te vertellen,' zei Fred.

'Zou je dat willen doen, Fred?'

'Ja, natuurlijk.'

'Dank je. Wil je tegen hem zeggen dat ik morgen daarvandaan wel even bel? Zeg maar dat ik niet weet hoelang ik moet blijven.'

'Moet je volgende week spelen?' vroeg Fred.

'Ja, maar het is maar een kleine rol. Daar kunnen ze wel iemand anders voor vinden. De week erop zal moeilijker zijn, omdat ik dan mezelf speel: een zwangere vrouw.'

Riley draaide zich om naar het fornuis om de theepot opnieuw te vullen, en hij vroeg zich af waarom hij toch elke keer zo'n steen in zijn maag voelde wanneer hij haar naar haar toestand hoorde verwijzen. Hij hoorde haar nu uitroepen: 'O, ik moet de politie nog bellen. Dat doe ik altijd als ik een poosje wegga. Dat willen ze graag, zie je.'

'Ga jij nou maar zitten en laat dat aan mij over, ik doe het nu meteen,' zei Fred.

Riley draaide zich pas om toen hij wist dat Fred de keuken uit was. Toen liep hij snel naar de tafel, keek naar waar zij zat, met haar elleboog op de tafel en haar gezicht in haar hand, en hij zei haastig: 'Ik... ik moet dit nog even zeggen, Nyrene. Het spijt me echt geweldig dat ik jou zo van streek heb gemaakt. Dat is echt wel het allerlaatste wat ik had willen doen. Dat weet je. Vergeef het me alsjeblieft. Het zit me vreselijk dwars.'

Ze haalde haar hand van haar gezicht en stak hem naar hem uit, en toen hij hem stevig vastgreep, zei ze: 'Maak je maar geen zorgen, we zeggen allemaal wel eens dingen die we niet hadden moeten zeggen. We worden allemaal wel eens kwaad om niets. Het spijt mij ook en ik beschouw het als afgedaan.'

'Nyrene...'

'Stil nu maar. Laten we aan onze rol denken,' – ze glimlachte breed naar hem – 'het aanstormende talent en zijn mentor.'

Hij schudde hevig zijn hoofd, alsof hij het niet eens was met deze omschrijving van hun relatie. Toen vroeg hij zacht: 'Mag ik je schrijven?'

'Ja, als je dat wilt. Maar ach, je weet hoe de omstandigheden zijn.'

'Ja, ik besef terdege hoe de omstandigheden zijn,' zei hij. 'Daar ben ik me maar al te zeer van bewust.' Hij liet haar hand snel weer los toen hij Fred hoorde zeggen: 'Dank u. Dank u.'

Fred kwam lachend de keuken weer in en zei: 'Je moet ze nageven dat ze aan de telefoon altijd beleefd doen, dus waarom zijn ze dat niet wanneer ze je aanhouden voor te hard rijden of parkeren waar het niet mag?'

Nyrene keek naar hem op. 'Je zou ze natuurlijk ook beleefd antwoord kunnen geven, hè, Fred?' zei ze.

'Laat maar, Nyrene, ik heb thuis al iemand die zulke dingen zegt. Heb medelij. Maar de tijd staat niet stil. Is alles op slot, ik bedoel alle ramen en deuren?'

'Ja, en ik doe de gordijnen altijd dicht.'

'Ik weet eigenlijk niet of dat nou wel zo verstandig is.'

De trein stond al in het station en de tijd ging verder op aan het zoeken van een goede plaats bij het raam voor Nyrene. Toen dit was gelukt hadden ze nog tijd voor een praatje, maar ze waren allemaal opgelucht toen het fluitje ging. Toen de trein in beweging kwam, liet Riley Fred staan om naast het raampje mee te lopen, en Fred trok verbaasd zijn wenkbrauwen op toen hij Rileys hand naar het raampje zag reiken, alsof hij haar wilde aanraken.

Riley liep langzaam terug naar Fred, en toen ze elkaar bereikten werd er niets gezegd, maar hun blikken kruisten elkaar even.

Die avond, in de slaapkamer, begon Fred weer over het gedrag van Riley. Hij zei tegen Louise: 'Waarom moest Riley naast de trein meelopen?' Het was niet langer een kwajongen. Hij had altijd gezegd dat hij nooit kind was geweest, maar nu gedroeg hij zich als een volwassen kerel, niet als een brutale jongeman die een oogje had op een lerares of op een oudere vrouw.

'Dat is het punt, hè?' zei hij tegen Louise.

Ze zat in bed te lezen, met het boek op haar knieën, en ze keek naar hem zoals hij daar in zijn pyjamabroek stond.

Toen hij zijn pantoffels uitschopte, stapte hij niet meteen in bed maar ging op de rand zitten en leunde voorover, met zijn handen tussen zijn knieën, en zei, meer tegen zichzelf dan tegen haar: 'Iedere beweging, iedere blik, was als de handeling van een minnaar. En daar was zij zich van bewust, dat weet ik zeker. En de manier waarop ze "Tot ziens, Riley" zei, vlak voordat de trein vertrok... iets in haar stem leek toch op een diepere relatie te wijzen. Maar ze krijgt een kind van die andere kerel. En dat is ook zoiets: niemand van ons heeft hem ooit gezien. We weten zelfs niet of hij bestaat.'

'Doe niet zo dwaas, lieverd, ik heb je gezegd dat hij echt bestaat, ik heb hem zelf aan de lijn gehad.'

'O ja.' Hij draaide zich naar haar om, zuchtte diep en stapte in bed. En toen hij zich dicht tegen haar aan nestelde, sloeg ze een arm om zijn schouders en zei: 'Wat zou er tussen hen kunnen zijn, liefste? Ze moet bijna twintig jaar ouder zijn.'

'Ik ben ook een stuk ouder dan jij.'

'Daar hebben we het toch al eens eerder over gehad? Voor een man is dat anders.'

Hij zuchtte opnieuw diep en zei: 'Ik wou dat ik wist wat hier aan de hand is. Ik heb een hekel aan geheimzinnig gedoe en er is hier iets geheimzinnigs aan de hand, iets raars, iets wat niet klopt. Er zit een luchtje aan.'

'Lieverd, ik heb geen zin in vieze luchtjes. Dat weet jij ook.'

'Het spijt me, liefje, het spijt me.' Hij nam haar in zijn armen en zei: 'Ik lijk wel niet wijs. Waarom lig ik me hier op te winden over iets of iemand anders dan jij, want voor mij bestaan alleen jij en ons kind, en verder niemand anders.'

Terwijl hij dicht tegen haar aan kroop, dacht ze in een opwelling: alleen jij en het kind en alle kinderen op school en natuurlijk Riley. En hij bekommerde zich zo om Riley dat hij wilde weten hoe het tussen die twee zat. Maar zij wilde dat ook weten. In zekere zin hield het haar nog meer bezig dan hem, omdat ze zo haar eigen ideeën had over wat er tussen Nyrene en Riley gaande was, ideeën die ze zelf toch steeds weer verwierp. Hoe dan ook, het zou allemaal vanzelf wel goed komen, net zoals het in haar eigen leven goed was gekomen.

Het was zondagmiddag kwart voor vier toen de telefoon ging. Het was Ken, de man van Ivy. Hij zei dat hij hun tot zijn verdriet moest meedelen dat ze Charles hadden verloren. Zo bracht hij het: ze hadden Charles verloren. Hij was die morgen om tien uur gestorven. Nyrene had de hele nacht bij hem gewaakt en was bij hem geweest toen hij overleed. Hij zei dat ze erg dol op elkaar waren geweest en dat Charles bovendien jarenlang de beste vriend van zijn vrouw en hem was geweest. Hij zei dat Nyrene uitgeput in slaap was gevallen en dat ze haar niet wakker wilden maken, maar ze had aangegeven dat zij vast graag wilden weten wat er aan de hand was. Ze zou morgen zelf nog wel bellen, maar ze zou tot na de begrafenis blijven.

Toen zei hij iets wat in hun ogen vanzelfsprekend was: het scheen dat Charles het vreselijk jammer vond dat hij de baby niet zou zien. Maar hij had tot slot de wonderlijke opmerking gemaakt dat ze nu in elk geval nooit meer zou hoeven werken. Charles had altijd gezegd dat het huis van haar was en dat alles wat erin stond ook van haar was, omdat hij wist dat ze nooit zou trouwen.

Fred had geprobeerd het gesprek zo goed mogelijk voor Louise en Riley te herhalen.

Ze hadden allemaal gezwegen tot Louise zei: 'Ik… ik denk dat ze elkaar al lang kennen en dat ze pas kort geleden samen iets hebben gekregen.'

'Heeft ze ooit gezegd hoe oud hij was?'

Louise keek naar Fred en schudde haar hoofd. 'Nee, niet echt,' zei ze, 'maar ik kreeg de indruk dat hij een stuk ouder was dan zij, misschien in de vijftig, en ik kreeg ook de indruk dat ze hem al langere tijd kende, dat hij een vriend van de familie was. Maar ik had aangenomen dat hij getrouwd was en zijn vrouw had verloren en dat ze daarna… samen iets kregen.'

Riley had geen antwoord gegeven en Fred zei: 'En, Riley, wat vind jij ervan? Wat denk jij?'

Als Riley hun zou vertellen wat zijn werkelijke gedachten op dit moment waren, zou hij hebben gezegd: ik ben blij dat die kerel dood is. En daar had hij geen gewetenswroeging over. Hij boog echter zijn hoofd en mompelde: 'Ik weet niet wat ik daarvan moet vinden.' Hij moest zich beheersen om er niet aan toe te voegen: ze gaat dan wel een kind krijgen, maar ze is weer vrij.

Hij liep bij hen vandaan naar de haard en keek omlaag in het imitatiehaardvuur.

Fred zei: 'Je trein gaat om zes uur, zei je?'

Hij draaide zich om. 'Ja, vijf over zes.'

'Dan kunnen we nu beter een hapje gaan eten.'

'Ach, ik heb bij de lunch veel gehad, ik zou nu echt niets door mijn keel kunnen krijgen, dat kan ik je verzekeren.'

'Je krijgt ook niet veel, dus maak je maar geen zorgen.' Louise knikte naar hem. 'Je krijgt een kopje thee met een broodje.'

'Uitstekend, mevrouw. Uitstekend.' En toen Riley naar haar glimlachte, schudde ze haar hoofd en draaide zich om als iemand die hevig gepikeerd is. 'Ik heb genoeg van het me uitsloven voor kerels die niets weten te waarderen.'

'Kerels die niets weten te waarderen, welja!' Fred begon weer een toneelstukje over beledigd doen op te voeren, maar Riley liet zich niet misleiden, want hij besefte maar al te goed dat ze hem maar al te graag de vraag hadden willen stellen: wat is er tussen jullie beiden gaande? Hij vroeg zich af hoe ze zouden reageren als hij zou zeggen: ik heb al maandenlang de indruk dat ik met een vrouw naar bed ben geweest en urenlang hartstochtelijk de liefde met haar heb bedreven, en zij met mij. Maar toen ik op een stralende dag wakker werd, ontdekte ik dat zij zich er niets meer van wist te herinneren, ze was de hele tijd dronken geweest, of had in elk geval gedaan of ze dronken was. Wat zouden ze daarvan vinden? Van één ding was hij zeker: ze zouden niets geloven van die schitterende liefdesdaad, want wat kon hij nou van zulke dingen weten? Hij had het gevoel dat hij in hun ogen nog steeds een knulletje was. Ze zouden het aan zijn fantasie toeschrijven. Maar hoe zat het met haar fantasie? Want in ongeveer dezelfde tijd moest ze ook met hem samen zijn geweest... met die Charles, die zojuist was gestorven.

Hij wilde zich niet door Fred naar het station laten brengen, onder het voorwendsel dat hij nog even bij zijn vader langs wilde gaan. Hij was eerder die dag ook bij hem geweest, en hoewel het geen bezoekuur was, zouden de zusters wel een oogje toeknijpen. Als acteur, had hij ontdekt, had hij een streepje voor.

Hij had gedacht dat hij, als hij eenmaal bij het huis en bij zijn goede vrienden vandaan was, even zijn gedachten op een rijtje kon zetten en de brief die hij Nyrene wilde sturen, kon opstellen. Geen condoleance, nee. Hij wilde niet schijnheilig doen.

Maar in het ziekenhuis kwam het punt weer ter sprake. Hij had tegen zijn vader gezegd: 'Ik heb maar vijf minuten, ik moet hollen om de trein te halen. Maar ik wilde dit bij je achterlaten.' Hij duwde de envelop in zijn vaders hand en voegde eraan toe: 'Hou dat voor jezelf, hoor je?' Waarop zijn vader antwoordde: 'Dank je, jongen. Dank je, dat zal ik doen.' Maar hij had vervolgd met: 'Ik krijg niets anders dan kritiek. Je moeder is vanmiddag geweest – ze doet heel anders sinds ik hier ben – en ze ging weer tekeer. Het schijnt dat die toneelspeelster-vriendin van jou – juffrouw Mason? – zwanger is. Dat had ze gehoord. Ik heb haar het zwijgen op moeten leggen, want ze denkt dat jij daar logeert, weet je, en niet bij meneer Beardsley. Maar is ze zwanger?'

'Ja, pa, ze is zwanger.'

'Gaat ze trouwen?'

'Ik dacht van wel, maar hij is vanmorgen gestorven.'

'Lieve help!' Zijn vader schokte in het bed en beet op zijn lip.

Riley zei: 'Rustig, man. Rustig.'

'Nou ja, je zei het ook wel een beetje plompverloren: "Hij is vanmorgen gestorven." Het arme kind. Maar ze heeft in elk geval goede vrienden, en daar ben jij er één van.'

'Jawel, pa, daar ben ik er één van.'

Ze glimlachten naar elkaar. Toen zei Riley: 'Ik moet nu gaan. Pas goed op jezelf. Ik heb een adres achtergelaten in die brief. Het is een adres in Manchester, Betty kan me daar schrijven als er iets is.'

Zijn vader zei niets maar beet op zijn lip, knikte, en stak een hand op ten afscheid...

Gaat ze trouwen? Nee, hij is vanmorgen gestorven. Gaat ze trouwen? Nee, hij is vanmorgen gestorven. De wielen van de trein namen het ritme in zijn hoofd over en de woorden werden bijna een lied.

Hij zou zich moeten vermannen. Wat maakte het uit dat ze vrij was? Ze was ook vrij geweest op die zondagmorgen voor Kerstmis, toen ze weer juffrouw Mason werd en hem een kop thee gaf.

Hij wenste dat hij weer in The Palace was, hij had de pest aan dit reizen.

Hij had de pest aan dit gesleep van de ene stad naar de andere.

Hij had de pest aan al die verschillende gezichten die hem avond aan avond aanstaarden.

Hij had de pest aan wat zich tussen andere paren afspeelde en waar hij deel aan had kunnen hebben als hij niet zo'n stomme dwaas was geweest.

Hij ademde diep, deed zijn ogen open en staarde uit het raam naar het voorbijflitsende duister dat nergens heen snelde. En zo was het ook met hem gesteld: hij snelde voort, nergens heen.

Toen er een verlangen in hem opwelde om weer op school te zitten en Beardsleys stem te horen brullen, zei hij tegen zichzelf: kom op! Nu is het wel genoeg geweest. Wat je ook mag willen, wat er ook met jou mag gebeuren, je moet die tournee afmaken.

Het leek bijna of Beardsley hem weer de les las, dus deed hij zijn ogen dicht en deed alsof hij sliep, net als de drie andere passagiers.

9

Tegen het eind van de eerste week van september zag Riley Nyrene weer, maar er waren geen woorden om uitdrukking te geven aan zijn gevoelens toen hij haar die dag voor het eerst weer zag. Zijn gedachten drukten het grof uit: ze leek net een vrouw die achter haar buik stond, want die was enorm. Hij had de uitdrukking 'hoog dragen' wel eens gehoord met betrekking tot zwangere vrouwen. Nou, juffrouw Mason droeg haar kind op dit moment zeer zeker hoog.

Hij zag dat ze verbaasd was hem te zien en niet al te blij, want ze bleef hem stokstijf staan aankijken en zei: 'Dus je bent weer terug.'

Hij dwong zich tot een glimlach en zei: 'Ik geloof van wel.'

'Kom binnen.' Ze maakte een ongeduldig gebaar met haar hoofd en liep toen voor hem uit, zodat hij de deur dicht moest doen. Hij liep achter haar aan naar de zitkamer, waar hij kon zien dat ze kennelijk op de bank had gelegen, want er lag een verkreukelde plaid op de vloer. Hij keek ernaar en zei: 'Het spijt me als ik je heb gestoord. Lag je te rusten?'

'Ik schijn tegenwoordig steeds te moeten rusten, Riley. Ga zitten. Ik ben zo weer bijgetrokken. Ik lag te dommelen.'

Hij schoof een stoel naar de bank, maar niet te dichtbij, en toen ze de plaid opraapte en over haar voeten trok, zag hij dat haar benen bijna onherkenbaar waren opgezwollen. Daarna schenen zijn ogen de welving van haar buik over te slaan en keek hij naar haar gezicht. Dat was ook opgezwollen en het zag er zo bleek en gespannen uit dat hij vroeg: 'Hoelang heb je nog te gaan?'

'Vier weken.' Ze klonk aarzelend. 'Misschien vijf.' Hij zag hoe ze haar ogen dichtdeed.

Nog vijf weken met die enorme buik. Ze zou beslist uit elkaar ploffen.

Hij vroeg: 'Ga je vaak naar de dokter, of naar de kliniek?'

Er viel opnieuw een stilte voor ze antwoordde: 'Nee, ik ga niet naar de kliniek. Maar ja, ik ga vaak naar de dokter. Hij is heel aardig. Hij doet zijn naam Fox eer aan: hij heeft bakkebaarden en een baard.' Ze deed haar ogen open en hij zag dat er een glimlach in lag toen ze zei: 'Hij lijkt veel op Fred: spreekwoorden, wijsheden en poëzie, dit alles vermengd om een heel gevoelig en zorgzaam karakter te verbergen. Kom je net van de Beardsleys?'

'Ja. Ik ben sinds eind vorige week terug. We hadden zaterdag in Sunderland onze laatste voorstelling.'

'Is de tournee afgelopen?' Ze klonk belangstellend en hees zich een eindje omhoog op de bank.

'Ja, voordat het weer begint. Maar ik denk dat dat pas over een paar weken is. Er is in Manchester een hoop gedoe omdat er in Schotland niet genoeg boekingen zijn. Maar we hebben er wel een paar in Ierland en we hebben er hier ook nog een paar die we kunnen gebruiken. Het is echter de vraag hoe we alles in elkaar kunnen passen. Je weet hoe dat gaat: de ene wil het deze week, de andere wil het dezelfde week, en een derde zegt dat als ze het niet in die week kunnen krijgen, ze het helemaal niet willen. Maar het maakt me allemaal niet zoveel uit, want ik weet nog niet of ik wel met hen verder wil.'

'Nee? Waarom niet?' Ze had haar lichaam een eindje naar hem toe gedraaid.

'Nou, ik heb een aanbod gehad, of misschien moet ik zeggen: de belofte van een aanbod, een grote rol in een stuk dat in december in première gaat. Ik zou dan eind volgende week voor een auditie naar Londen moeten, net als de rest, maar ze lieten doorschemeren dat ik een goede kans maakte. Toch weet ik het nog niet, want als er niets van komt, en ik heb niet voor de tournee getekend, dan zal ik net als tweederde van mijn vakgenoten een lange vakantie hebben. Maar ik moet er nog eens goed over nadenken.'

'Ja,' zei ze knikkend. 'Het is je eigen beslissing.'

Ze lag hem aan te kijken en hij beantwoordde haar blik en zei ten slotte: 'Heb je mijn brieven gekregen?'

'Ja, Riley, ik heb je brieven gekregen.'

'Maar je hebt er nooit een beantwoord.'

Ze hees zich nog een eindje omhoog, slaakte een diepe zucht en zei: 'Nee, ik heb geen antwoord gegeven, want... nou ja, ik had gewoon niets te zeggen. Alles was al eens gezegd.'

Er viel opnieuw een stilte voordat Riley zei: 'Ik heb van Fred gehoord dat hij het kind goed verzorgd heeft achtergelaten.'

Ze gebaarde met haar hoofd naar hem en zei: 'Ja, ik denk dat je dat zou kunnen zeggen, maar ík ben degene die hij goedv erzorgd heeft achtergelaten. Ik weet dat dat altijd zijn bedoeling is geweest, lang voordat het kind op het toneel verscheen.'

'Dus je kende hem al een tijdje?'

Ze knikte en zei: 'Ja, je zou kunnen zeggen dat ik hem al een tijdje kende.'

Hij keek eens om zich heen. De kamer was net zo netjes en gezellig als hij zich herinnerde, en omdat hij zich niet kon voorstellen dat ze dat zelf deed, stelde hij de voor de hand liggende vraag: 'Heb je hulp in huis?'

'Ja, ik heb een zekere mevrouw Mary Atkins. Ze is heel lief, heel moederlijk. Ze verwent me. Ze is nu boodschappen aan het doen.'

'Naar welk ziekenhuis ga je straks?'

'Ik ga niet naar een ziekenhuis, ik ga thuis bevallen.'

'Is dat tegenwoordig wel verstandig?'

'Verstandig? Ik weet niet wat je bedoelt, maar waar kregen vrouwen vroeger meestal hun kind anders dan in hun eigen huis? En ze hadden het kind vanaf het moment dat het was geboren bij zich en het werd niet meteen meegenomen en in een glazen bakje gelegd. Waar heeft je moeder jullie allemaal gekregen?'

'Voorzover ik weet in een ziekenhuis. In het plaatselijke ziekenhuis.'

'Nou, ieder zijn meug. Hoe is het tegenwoordig met haar?'

'Ik weet het niet, ik zie haar nooit.'

'Je moet een grote teleurstelling voor haar zijn. Maar uit wat ik heb gehoord ben je een bron van troost voor je vader.'

'Je hebt wel wat gehoord, maar ik zou mezelf geen bron van troost willen noemen.'

'Fred zegt dat hij een ander mens is geworden.'

'Ja, dat vind ik ook, maar dat komt door die operaties, hij heeft eindelijk geen pijn meer, in elk geval het grootste deel van de tijd.'

Hij hoorde iemand door de hal lopen en keek naar de deur. En toen de vrouw de kamer binnenkwam, keek die van de een naar de ander en zei: 'Ik ben weer terug. O, u hebt bezoek.' Ze liep naar Riley toe en riep verbaasd: 'Maar dat is meneer Riley, de toneelspeler! Wat leuk u te ontmoeten.' Ze gaf hem een hand en hij zei: 'Leuk ú te ontmoeten, mevrouw Atkins.'

'O, kent u mijn naam?' Hierop draaide ze zich om en keek naar Nyrene. 'U ziet eruit alsof u wel een kop thee zou lusten. Hoe voelt u zich?'

'Goed, goed.'

'Nee, niet goed. Ga nou niet zitten jokken.' Mevrouw Atkins keek Riley weer aan en zei: 'Ze houdt iedereen altijd voor de gek. Ze moet zich ellendig voelen, je zou denken dat ze een olifantje meezeult.' Ze draaide zich lachend om. 'En u zult vast ook wel een kopje thee lusten,' zei ze tegen Riley.

'Ja, mevrouw Atkins, ik lust ook wel een kopje thee. Dank u.'

Toen de deur weer dicht was, zuchtte Nyrene en ze zei: 'Wie zou ooit treurig, eenzaam of ongelukkig kunnen zijn met mevrouw Atkins om zich heen? Ze is geweldig. Ze kan alles, behalve ophouden met praten.' Ze glimlachte en voegde eraan toe: 'Ik vind dat ik geweldig heb geboft met haar om me heen. Ze is weduwe en heeft geen familie, dus ik denk dat ze mij heeft geadopteerd om maar iets om handen te hebben.'

Hij keek haar zwijgend aan, met zijn handen stevig over zijn knie geslagen om ervoor te zorgen dat zijn armen, ondanks die dikke buik, niet om haar heen werden geslagen en hij zijn lippen op de hare zou drukken. Hij wilde de vermoeidheid van haar gezicht kussen, het zweet dat nu op haar voorhoofd verscheen wegvegen. Dit laatste maakte dat hij bezorgd vroeg: 'Wat is er? Gaat het een beetje?'

Ze gaf geen antwoord maar drukte de vingers van één hand stijf tegen haar mond, alsof ze zich wilde bedwingen iets te zeggen, of, besefte hij, een kreet te slaken.

'Heb je pijn?'

Hij sprong overeind en keek op haar neer, en zij keek naar hem op en stamelde: 'Roep mevrouw Atkins, alsjeblieft.'

Hij bleef staan en zei zacht: 'Volgens mij heb je mevrouw Atkins niet nodig, maar een dokter.'

'Haal mevrouw Atkins.'

Hij holde de kamer uit, de hal door en de keuken in: 'Mevrouw Atkins!'

De dwingende klank in zijn stem maakte dat zij zich van het aanrecht afwendde en zei: 'Jawel? Wat is er?'

'Ze heeft u nodig! Ze heeft pijn.'

'Pijn. Nou, dat verbaast me niets.' Ze trok een handdoek van de koperen stang boven de haard, droogde snel haar handen af en liep toen haastig de keuken uit, met Riley in haar kielzog.

Toen ze bij de bank bleef staan, klonk haar stem echter heel gewoon. 'Wat is er nu aan de hand, mevrouwtje? Wat is het deze keer?'

'Help me naar boven, mevrouw Atkins.'

Mevrouw Atkins liep snel naar de andere kant van de bank om de opgezette benen op te tillen. Toen keerde ze zich tot Riley en zei: 'Wilt u even aan haar andere kant gaan staan?'

Nyrene sputterde niet tegen toen hij zijn arm om haar heen sloeg, en ze leunde zwaar op hem toen ze de kamer uit liepen, de hal door.

Hij hielp haar de trap op, en mevrouw Atkins snelde op de overloop voor hen uit naar de slaapkamer om het beddengoed open te slaan en de kussens omhoog te duwen.

Hij had haar naar het bed gebracht en hielp haar te gaan liggen, en toen gebeurde er iets wat hij zich altijd als het begin van een nieuw leven, zijn nieuwe leven, zou herinneren, want ze slaakte een gesmoorde kreet, kreunde en boog zich opzij terwijl ze zwaar tegen hem aan leunde en haar vingers om de zijne klemde.

Mevrouw Atkins stond aan zijn andere kant en zei haastig: 'Bel dokter Fox, het nummer staat in het boek. En bel ook haar vriendin, mevrouw Beardsley. En zuster Boston, hoewel ik niet denk dat u die vanmorgen te pakken kunt krijgen, want ze heeft spreekuur in de kliniek. Maar bel in elk geval de dokter en haar vriendin.'

Nyrene zat op de rand van het bed en keek Riley aan terwijl ze naar adem snakte en moeizaam zei: 'Het... het spijt me.'

'Doe niet zo gek, mens.'

Toen zei ze zacht: 'Bel eerst de dokter, hij moet nu zo ongeveer klaar zijn met zijn spreekuur.'

Met een laatste blik op haar liep hij haastig de kamer uit en hij hoefde niet in het boekje naast de telefoon te zoeken naar de nummers van de dokter, de verpleegster of mevrouw Beardsley, want die stonden met koeienletters op een notitieblokje geschreven.

Ja, de dokter was aanwezig, hij was juist klaar met zijn spreekuur. Even later hoorde hij een mannenstem zeggen: 'Ja, wat is er?'

'Ik bel voor juffrouw Mason, ze heeft weeën en veel pijn.'

'Goed, ik kom meteen. Hebt u haar in bed gekregen?'

'Ja.'

'Wie is er bij haar? Is de zuster er?'

'Nee, alleen mevrouw Atkins.'

'Belt u de zuster dan meteen.' De verbinding werd verbroken en hij stond even naar de telefoon te kijken voor hij het nummer van de zuster belde.

Nee, ze was er niet. Ze zou pas om ongeveer halfeen terug zijn, dus liet hij een boodschap achter dat ze direct naar het huis van juffrouw Mason moest komen.

Toen hij ten slotte Louise belde en de situatie uitlegde, zei ze: 'Dat kan nog niet. Ze is pas halverwege de volgende maand uitgerekend.'

Hierop zei hij: 'Ze is enorm, ik kan me niet voorstellen dat het nog zo lang zou kunnen duren. Ik weet er niet veel van, maar... Hoe dan ook, kom je?'

'Ik ben al onderweg, Riley.' Louises stem klonk scherp, en toen de verbinding werd verbroken bleef hij even met gebogen hoofd staan. Iedereen deed zo kortaf, net of ze hem niet geloofden. Het was als een slechte repetitie, waarbij iedereen prikkelbaar was. Allemachtig! Zeg dat wel, want hij zat hier wel op de laatste plek waar hij wilde zijn, bij haar in de buurt terwijl haar kind elk moment kon worden geboren. Zodra de dokter er was ging hij weg.

Hij stond nog verdwaasd te kijken toen mevrouw Atkins als een meisje de trap af huppelde en riep: 'Hebt u ze allemaal kunnen bereiken?'

'Ja, maar de zuster was er niet.'

'Dat dacht ik al, maar als de dokter maar komt, en haar vriendin. Luister, maak uzelf eens even nuttig, want volgens mij gaat het vandaag echt gebeuren. Halverwege de volgende maand, had ze gezegd. Onzin! Dat heb ik steeds gezegd: onzin. Hoor eens, er moet thee worden gezet en zo, de dokter wil koffie. En zij zal tussen de weeën door toch iets willen drinken, dus zet een grote pot thee. De spullen staan daar.' Ze wees naar een tafeltje. 'De dienbladen liggen eronder. Kijk zelf maar.'

Ze wilde de keuken alweer uit hollen maar bleef even staan, draaide zich om en zei met een brede glimlach: 'Is het niet gek, hoe alles nu loopt? De vader is overleden, ik bedoel de vader van haar kind, en op het moment dat het kind komt, bent u in het huis. Het is altijd fijn om een man in huis te hebben als er een kind wordt geboren. Dan lijkt het net alsof het op de een of andere manier toch klopt.' Ze knikte naar hem en verdween. Hij klampte zich aan het eind van de tafel vast, in het besef dat hij niet langer de acteur was die ze met eerbied had behandeld. Voor haar was hij nu gewoon een jonge vent die toevallig in huis was op een moment dat dat handig uitkwam.

Hij dacht aan Larry en *Het Gouden Verstand* en op dat moment wenste hij dat hij in hem weg kon glippen en alles wat er in dit zogenaamd normale leven gebeurde kon vergeten.

Het was laat in de middag. De dokter was gekomen en gegaan, en was nu weer terug. De zuster was er sinds één uur geweest. Mevrouw Atkins was er de hele tijd bij geweest, net als Louise, en hij was er ook nog steeds. Hoelang nu al? Om elf uur was hij gekomen, dus ongeveer vijf uur. Het leken wel vijf dagen, vijf jaren. Hij was helemaal niet naar buiten geweest, maar elke keer dat hij haar hoorde kreunen of gillen had hij naar de deur willen rennen. Toen Louise zijn bleke gezicht zag, had ze geglimlacht. 'Het is heel natuurlijk. Ik heb de hele boel bij elkaar geschreeuwd. Fred hield het niet uit, hij is een eindje gaan wandelen.'

Toen hij had gezegd: 'Ik zou ook wel een eindje willen gaan wandelen, Louise,' had ze een hand tegen zijn hoofd gelegd en hem aangekeken. 'Nee, niet echt. Want op de een of andere manier was het voorbestemd dat jij hier zou zijn.'

'Nee, nee!' Hij sputterde hevig tegen. 'Het is nooit de bedoeling geweest dat ik hier zou zijn en dat zij er zo aan toe was.'

'Nou, jij hebt jouw ideeën en ik de mijne. En er moet meer thee komen. Ik denk dat ik even naar de winkel hol voordat die dicht is.'

'Denk je… denk je dat er gevaar is dat ze dood zal gaan?'

'Toe, Riley, doe niet zo gek, wees een beetje volwassen. Dood-gaan? Natuurlijk niet!'

'Maar zo kan het toch niet veel langer doorgaan?'

'Jawel hoor. Het lukt heus wel. Het kan wel middernacht of mor-genochtend worden.'

'Dat zou ik echt niet vol kunnen houden. Echt niet.'

'Ach, arme kerel. Arme kerel.' Ze lachte.

'Je moet hier niet om lachen, Louise. Je hebt geen idee hoe ik me voel. En dan nog iets: ze is niet de eerste zwangere vrouw die ik meemaak. Ik heb ook zusjes, weet je, en hoewel ik er niet bij was toen die werden geboren, heb ik mijn moeder gezien vlak voordat de ambulance kwam. Ze had het best moeilijk, maar niet zoals Ny-rene vandaag.'

'Hoe weet jij dat nou? Ik heb gehoord dat je zusjes allemaal in het ziekenhuis zijn geboren, dus dan kun je niet precies weten hoe je moeder eraan toe was. Misschien heeft ze wel een keizersnede of een tangbevalling gehad... O, lieve help!' Ze duwde hem in een stoel en zei: 'Het spijt me, Riley, het spijt me. Blijf maar even rustig zitten, dan haal ik iets voor je.'

Ze realiseerde zich meer dan ooit wat hen ertoe had gebracht Nyrene niet te vertellen dat hij terug was, en ook om hem ervan te weerhouden bij haar op bezoek te gaan, onder het excuus dat zij, in haar vergevorderde staat, liever geen bezoek ontving. Hij had hun echter niet laten weten dat hij vandaag bij haar langs zou gaan.

Binnen een paar minuten was ze terug met een wijnglas en ze zei tegen hem: 'Drink dat op. Vooruit, drink het op.'

Hij nam een slokje cognac en dronk toen het hele glas leeg. Na een tijdje boog hij zijn hoofd en zei: 'Grote hemel! Ik ging bijna van m'n stokje.'

'Je zou niet de eerste zijn die dat overkwam, en ook niet de laat-ste.'

Toen ze was uitgesproken ging de deur open en stond de dokter daar. 'Ik moet een uurtje weg, maar ik kom weer terug. Ze heeft nog een tijdje te gaan.'

Louise liep naar hem toe en zei: 'Ze hoeft toch niet naar het zie-kenhuis, hè?'

'Ja, natuurlijk wel, natuurlijk had ze naar het ziekenhuis gemoeten! Maar net als de meeste vrouwen denkt zij dat ze het beter weet.'

Ze liepen door de hal toen ze vroeg: 'Maar dreigt er echt gevaar, dokter, nu de baby zoveel te vroeg wordt geboren?'

Er viel een lange stilte. Toen hoorde Riley de dokter zeggen: 'Het enige wat ik tegen u kan zeggen, mevrouw Beardsley, is: te vroeg? M'n neus!' Toen was hij weg en de deur viel met een klap achter hem dicht. Louise draaide zich om en zag Riley in de deuropening staan. 'Wat bedoelde hij met "Te vroeg? M'n neus!"?' wilde hij weten.

Ze knipperde even met haar ogen, likte langs haar lippen en zei toen: 'Ik weet het niet. En ik ga een kopje thee voor haar zetten.' Ze drong langs hem heen om naar de keuken te gaan, terwijl hij naar de trap bleef staan kijken.

Te vroeg? M'n neus!

Om kwart voor twaalf stond hij met Fred op de overloop toen hij de eerste kreet van het kind hoorde. Ze keken naar de slaapkamerdeur waarachter allerlei geluiden te horen waren. Fred keek Riley glimlachend aan, maar Riley glimlachte niet en zijn gevoelens vielen op dit moment met geen pen te beschrijven, zo'n mengelmoes vormden ze. Hij wist alleen dat hij blij was dat ze... het... kwijt was en dat ze nu weer zichzelf zou zijn. Dat dacht hij tenminste.

'Ik vraag me af wat het is.'

Hij keek Fred aan. 'Wat?'

'Ik zei dat ik me afvroeg wat het is geworden, ze heeft de kinderkamer' – hij knikte naar de verste deur – 'klaar voor blauw óf roze.'

Bij het geluid van de hoge lach van mevrouw Atkins ging de deur van de slaapkamer open en kwam ze naar buiten met iets in haar armen. Ze keek hen aan en zei: 'Daar zijn we dan! Heb je ooit zoiets moois gezien? Kijk eens hoe groot hij is!' Ze sloeg het dekentje open en ze zagen het stevige, compacte lijfje van een jongetje.

'En kijk eens naar zijn haar! We zullen de kapper morgen moeten laten komen. Heb je ooit zoiets gezien? Wat een lief hoopje mens!' Ze sloeg het dekentje weer terug zodat de baby helemaal bedekt was. Toen keek ze Riley aan en zei: 'Wil je hem even vasthouden? Je hebt vast wel eens vaker baby's vastgehouden, met al die jongere zusjes.'

Hij kon zich niet herinneren dat hij zijn armen had uitgestoken, hij wist wel zeker van niet, maar hij moest ze wel uitsteken om het kind niet te laten vallen. Toen keek hij in een rond, rimpelig gezichtje.

'Zeg, sta hem daar niet aan te gapen, neem hem mee. Hij moet eerst in bad en daarna wil hij geheid gevoed worden.'

Toen hij in de kinderkamer het kind weer aan mevrouw Atkins had gegeven, had hij een wonderlijk vermoeid gevoel in zijn armen, alsof hij iets zwaars had gedragen. Maar toch was het geen onaangenaam gevoel.

Ze keken toe hoe mevrouw Atkins het kind waste, tot ze zei: 'In plaats van daar met z'n tweeën te staan gapen, zouden jullie de dokter en de zuster iets te drinken kunnen aanbieden en ik denk niet dat het alleen maar koffie of thee moet zijn, want ze zijn allebei uitgeput. Iedereen is uitgeput, zijzelf incluis. Ik denk dat ze vierentwintig uur aan één stuk zal willen slapen.'

Toen Fred naar de deur liep, keek hij achterom naar waar Riley nog steeds bij de commode stond. Daarna schudde hij zijn hoofd. Hij had er in de afgelopen weken genoeg van gekregen de stukjes van de puzzel in elkaar te passen, en het steeds opnieuw te moeten proberen. Hij had het er nog even met Louise over gehad, en die had de opmerking van de dokter herhaald: 'Te vroeg? M'n neus!'

'Tja, dan is het nu wel duidelijk,' zei Fred, en zij had geantwoord: 'Ja, dat vrees ik ook. Maar wat zal de uitkomst wezen? En wat is de rol van Charles in dit geheel?'

'En er wás een Charles, hè?'

'Jazeker, ik heb hem zelf aan de lijn gehad, dat heb ik je verteld, en hij leek me een heel aardige kerel.'

'En hij is gestorven.'

'Ja, hij is gestorven.'

'Ik geef het op.'

Riley zag Nyrene pas de volgende dag toen ze rechtop in bed zat met het kind naast zich. De eerste indruk die hij van haar kreeg was dat ze er stralend uitzag. Hij had haar nog nooit zo gelukkig gezien. Ze begroette hem zoals ze hem lange tijd niet had begroet.

'Hallo, Riley!' zei ze. 'Nou, hij kan brullen als de beste en daar hebben we ons deel van gehad. Hij heeft longen als een kolensjouwer. Is hij niet prachtig?' Ze sloeg de dekentjes opzij, pakte hem op en zei: 'Hou hem maar even vast.'

Het kind opnieuw vasthouden was wel het laatste wat hij wilde, want hij was nog steeds niet in staat geweest alle gevoelens van die eerste keer te analyseren. Hij dacht dat het gedeeltelijk wrok jegens haar was, want ze was niet langer alleen en ze leek niemand meer nodig te hebben. Het enige wat hij nu wilde doen was haar hand pakken, haar gezicht strelen, en haar zeggen dat ze mooi was.

Nyrene leunde achterover in de kussens en keek naar de lange jongeman die het kind vasthield. Ze zei zacht: 'Jij moet zijn peetvader zijn, Riley.' Waarop hij haar bijna luchthartig had geantwoord: ik schijn niet oud genoeg te zijn om vader te zijn, laat staan peetvader. Maar je had waarschijnlijk peetvaders in alle leeftijden.

'Hoe voel je je?'

'Geweldig.'

'Je ziet er ook geweldig uit.'

Haar antwoord, dat eigenlijk een vraag was, klonk absoluut niet bescheiden: 'Vind je?'

'Ja. Je lijkt jaren jonger.' Hij glimlachte. 'Minstens negen maanden.'

Haar blik veranderde, net als haar stem. 'Het was te vroeg, bijna vijf weken, of meer.'

Vijf weken of meer. Hij sloot zich af voor de vraag die in hem opkwam, een belachelijke, stomme vraag, een vraag die hem steeds weer overviel wanneer hij die bewuste droom opnieuw beleefde, nu misschien niet meer zo vaak, maar hij was er nog wel.

Riley hield de baby nog steeds in zijn armen en toen het kind een jengelend geluid maakte, wiegde hij het kindje, net zoals hij zijn vader dat met zijn zusjes had zien doen. Toen gaf hij hem weer aan haar terug en zij legde hem naast zich neer. Hij zei: 'Het is jammer dat zijn vader hem nooit zal zien.'

Ze keek hem ernstig aan. 'Ja, dat is heel erg jammer, maar zulke dingen gebeuren nu eenmaal en ik zal er altijd voor hem zijn.' Ze wendde haar hoofd weer af en keek naar het kind, terwijl ze met haar vingers door zijn kuifje woelde.

Daarna vroeg ze: 'Dus je gaat volgende week auditie doen?'

'Ja, maar ik zal er wel een van de honderd zijn en dan is het resultaat: "We zullen u bellen. Bel ons niet."'

'Maar uit wat je zei dacht ik dat het al bijna zeker was.'

Hij glimlachte naar haar en zei: 'Zeker jij moet weten wat in het theater "bijna zeker" betekent. Niets is zeker tot je op de stippeltjeslijn hebt getekend – en zelfs dan nog niet. Maar we zullen zien. Het maakt trouwens allemaal niet zoveel uit. Als dat niet doorgaat kan ik altijd weer op tournee gaan. Die mogelijkheid ligt nog open.'

'Je klinkt alsof je nog niet zeker weet wat je wilt.'

'Inderdaad. Maar als ik het niet doe, wat moet ik dan? Er moet toch brood op de plank komen. Helaas wel.'

'Wat zou je anders kunnen doen? Waar ben je anders geschikt voor?'

Hij keek haar aan. Ze was weer juffrouw Mason, zoals die was als ze een slecht humeur had, en hij antwoordde even afgemeten: 'Ik zou net als ieder ander ober kunnen worden, of busconducteur, in de bijstand gaan, of misschien een avondopleiding gaan volgen. Ach, er zijn mogelijkheden te over.'

'Riley!' Ze was nog steeds juffrouw Mason. 'Ik zou je het liefst een draai om je oren geven als je zo praat. Je bent voor het toneel geboren, dat weet je zelf ook, en daar ligt je toekomst, dus prent dat maar in dat koppige hoofd van je en stel me niet teleur. Ik heb alles bij elkaar meer dan twee jaar aan jou besteed om dat erin te pompen.'

Hij voelde zijn kaak verstrakken, hij had haar het liefst op dezelfde toon geantwoord: 'Ja, dat heb je er bij mij ingepompt, maar wel als dekmantel voor je kleine flesjes drank.' Maar ze was nog steeds zwak en dan was er het kind en hij zou dat hoe dan ook nooit tegen haar durven zeggen. Dus zei hij: 'Hoe ga je hem noemen?'

'Charles.'

'Waarom Charles?'

'Omdat dat de naam van zijn vader was: Charles Geoffrey Kingston.'

Ze keken elkaar zwijgend aan. Toen ging de deur open en zei mevrouw Atkins: 'Er is bezoek, juffrouw Mason, helemaal uit Schotland: mevrouw en meneer Wakefield, en meneer en mevrouw Beardsley zijn erbij.'

'O... Nee! Nee!'

'Wat is er?' Hij boog zich over haar heen. Haar gezicht was bleek geworden en ze beet op haar lip. Hij vroeg: 'De Wakefields? Mevrouw Wakefield is toch je nicht?' Ze knikte en zei: 'Ja, ze is mijn nicht.'

'En je wilt haar niet zien?'

'O, jawel, maar… Ach, wil je iets voor me doen, Riley?'

'Wat je maar wilt.' Zijn stem was zacht.

'Ga naar beneden en neem Fred meteen mee naar huis. Maar stuur hen eerst omhoog voordat je dit doet. Wil je dat doen, hem meteen meenemen?'

'Natuurlijk.' Hij schudde verbaasd zijn hoofd, maar hij herhaalde: 'Dat zal ik doen. Tot morgen dan maar?'

'Ja, Riley, tot morgen.'

In de zitkamer zei hij tegen het oudere echtpaar: 'Goedenavond. Ik ben Peter Riley.'

'Hoe maakt u het?' De man knikte naar hem. 'We hebben veel over u gehoord, meneer Riley.'

Voor er nog meer gezegd kon worden keek Riley naar Fred en zei: 'Kan ik je even spreken?' Toen vroeg hij aan Louise: 'Wil jij Nyrenes vrienden alsjeblieft naar boven brengen?' Tegen hen zei hij: 'Ze ligt vol ongeduld op u te wachten.'

'En, waar moest jij zo nodig met mij over praten?'

'Eigenlijk nergens over. Het enige wat ik kan zeggen is dat ze ons kennelijk om de een of andere reden weg wil hebben, daarom heeft ze me gevraagd nu met jou naar huis te gaan.'

'Heb je helemaal geen idee?'

'Nee, ik snap er niets van.'

'Waar onwetendheid een zegen is, is het dwaas om wijs te willen zijn. Dus laten we het voor dit moment maar hierbij laten, meneer Riley. En ik ga nu zonder dwang naar huis en ik vermoed dat jij met me mee moet.'

'Ik heb geen keus, hè?'

'Jawel, meneer, u hebt wel keus. U hebt tal van keuzes. Maar aan het feit dat we naar huis worden gestuurd valt weinig te veranderen.'

'Ga nou alsjeblieft niet op de meneer Beardsley-toer, Fred. Ik ben helemaal van slag. Maar ik heb geen idee waarom.'

Hierop lachte Fred, hij sloeg een arm om Rileys schouders en liep met hem naar de deur.

10

Riley was zojuist uit Londen van de auditie teruggekeerd en vanwege het resultaat wist hij precies wat hij ging doen zodra hij het huis van de Beardsleys had bereikt, waar nu al dagenlang een gespannen sfeer heerste, en dat was nog voorzichtig uitgedrukt. Zelfs Fred was niet in staat geweest zijn geforceerde vrolijkheid te handhaven.

Dan had je Nyrene nog. Haar blijdschap over het kind leek te worden overschaduwd door... door angst? In elk geval maakte ze zich ergens zorgen over.

Voor hij twee dagen geleden naar Londen was vertrokken had ze tegen hem gezegd: 'Ik hoop echt dat je wordt aangenomen. En als je een aanbod krijgt, laat je dan door niets weerhouden om het aan te nemen, ook al willen ze dat je naar Brazilië of Hongkong gaat.' Daarop had hij geantwoord: 'Zo ver mogelijk hiervandaan, bedoel je dat?'

Ze had zacht gezegd: 'Riley, je moet de dingen niet zo verdraaien.'

Maar zijn besluit stond vast, hij wist wat hem te doen stond.

Hij ging via de keuken het huis in, waar mevrouw Roberts hem oprecht hartelijk begroette: 'Wat leuk dat u weer terug bent, meneer Riley. Hoe was Londen?'

'Een heksenketel. Nog duizend keer erger dan Newcastle.'

'Nou, dat zegt wel iets. U komt precies op tijd voor de thee, mevrouw Beardsley is net thuis.'

Toen hij de keuken uit kwam en de hal in liep, zag hij Louise de trap af komen. Ze zei: 'Hallo, ben je terug?' Daarna riep ze onder aan de trap: 'Fred! Onze kostganger is teruggekomen.'

Riley zei niets maar dwong zich tot een glimlach: de vrolijkheid begon weer.

'Ha, die Riley. Dus je bent weer terug.'

Riley staarde naar deze grote, forse man en met een jongensstem zei hij: 'Weet u, meneer Beardsley, dat is het gekste wat u tegen iemand kunt zeggen... dus je bent weer terug. Wie denkt u, meneer Beardsley, dat er voor u staat?'

Fred stak zijn hand uit, gaf hem een por en zei: 'Slimmerik! En je bent nog steeds niet te groot om een draai om je oren van me te kunnen krijgen, hoor!' Waarop Riley met zijn gewone stem zei: 'En u bent niet groot genoeg, meneer Beardsley, om dat te doen.'

Ze keken elkaar aan en schoten toen in de lach.

Louise zei gespannen: 'Ik breng de thee wel binnen.'

Toen ze eenmaal op hun vertrouwde plaatsen zaten, keek Fred naar Riley en zei rustig: 'Je hebt een besluit genomen?'

'Hoe raad je het zo? Maar je hebt gelijk, ja, ik heb een besluit genomen.'

'Nou, het zal je misschien verbazen, maar wij hebben ook een besluit genomen. De stemming is de laatste tijd wat gespannen geweest, hè?'

Riley zat even met zijn mond vol tanden bij deze openlijke verklaring. Toen zei hij: 'Dus dat is je opgevallen.'

'We zullen het komende halfuur proberen elkaar geen vliegen af te vangen, Riley.'

Iets in de stem van zijn vriend en de blik in zijn ogen weerhield Riley van verder commentaar. Toen Louise de kamer binnenkwam met het dienblad, stond hij snel op om dit van haar aan te pakken en op een tafeltje te zetten, waarna zij de thee inschonk terwijl ze over de belevenissen van Jason die morgen in de peuterspeelzaal vertelde.

Fred zette zijn kop en schotel niet al te zachtzinnig op een tafeltje en zei tegen Riley: 'Nou, vertel op, hoe is het gegaan?'

'Ik heb de rol niet gekregen.'

Man en vrouw wisselden even een blik. Toen zei Fred: 'Waarom niet? Ik had gedacht dat ze je die op een presenteerblaadje zouden aanbieden.'

Riley lachte even en zei: 'In dit beroep kun je de obers nooit vertrouwen. Maar ik heb het in elk geval tot de laatste drie gebracht en de beste van ons heeft de rol gekregen. Hij was ouder dan de rest en had een andere presentatie doordat hij veel meer ervaring had, denk ik. Die andere kerel was ongeveer van mijn leeftijd, bijna twintig.'

'Jij bent zeker niet bijna twintig.'

'Dat is ook niet meer zover weg. Maar wat doet het ertoe?'

'Volgens mij moet dat er in dit geval wel toe hebben gedaan. Ze vonden je waarschijnlijk te jong.'

'Ze vonden me niet te jong. Ze wisten helemaal niets van me.'

'Hoe zat het met die man, meneer... hoe heet-ie ook alweer? Die gezegd had dat je daarheen moest gaan?'

'Hij was een van de vier en een roepende in de woestijn. Ik wist dat op het moment dat ik het theater binnenkwam. Hij ging af op mijn optreden in *Het Gouden Verstand* en dat was alles wat hij over mij wist. Het was niet genoeg tegenover wat de anderen hadden gedaan, of in elk geval tegenover dat wat de man die hem kreeg had gedaan. Maar ik heb mijn besluit genomen, ik neem dat aanbod van de tournee aan, ik heb een hekel aan stilzitten.'

Fred en Louise wisselden opnieuw een blik, en toen Louise naar haar man knikte, zei hij: 'Wij hebben ook een besluit genomen. We hebben je iets te zeggen, Riley, en het hing allemaal af van het resultaat van je tocht naar Londen. Als je die rol had gekregen, hadden we het daarbij gelaten, want als je eenmaal in Londen zat, was dat het opstapje naar iets groters geweest. We vonden dat allebei, en daarom wilden we je geen dingen vertellen die een belemmering voor je carrière hadden kunnen vormen. En wij waren niet de enigen die er zo over dachten, o, nee. Ik ga je een vraag stellen.'

Toen hij dit zei, ging Louise staan en zei: 'Ik ga nog even water opzetten.'

Fred keek haar aan, glimlachte, en zei toen: 'Goed, lieve. Als jij hem een pijnlijke situatie wilt besparen, moet je maar even thee gaan zetten.'

'O, Fred!'

Toen ze snel de kamer uit liep, vroeg Riley scherp: 'Wat heeft dit te betekenen? Wat voor pijnlijke situatie wil jij me besparen?'

'Ik ga je een vraag stellen. Herinner je je nog iets van het feest met Kerstmis en je afscheid, vorig jaar?'

Riley gaf geen antwoord, maar hij voelde zijn hele lichaam verstrakken.

'Je had gedronken en zij had gedronken. Dat weet ik wel, dus stel ik je de vraag zonder verdere omhaal: zijn jullie met elkaar naar bed geweest?'

Rileys lichaam was verstijfd. Hij voelde hoe hij van top tot teen rood werd. Fred had gezegd dat ze allebei dronken waren geweest en daarna had hij gevraagd of ze met elkaar naar bed waren geweest. Het klonk grof, zelfs smerig.

'Ik stel je een vraag en daar moet je een antwoord op hebben: ben je met Nyrene naar bed geweest?'

Riley ging staan. Hij had het liefst geschreeuwd: ja, ik ben met haar naar bed geweest en ik kan niet vergeten dat ik met haar naar bed ben geweest, maar zij is het wel vergeten. Maar hij zei niets.

'Ga zitten. Ga zitten, man, ik heb mijn antwoord al. Hoor eens, ik neem jou of haar echt niets kwalijk, nee, en Louise denkt er net zo over. Maar Nyrene maakt zich alleen maar zorgen over jouw toekomst. Ze vindt dat jij vrij moet zijn om je carrière voort te zetten zonder dat je je ergens verantwoordelijk voor hoeft te voelen. Je bent nog zo jong vergeleken…'

'Ik ben helemaal niet jong, Fred, vergeleken bij haar. Dat heb ik je al eerder verteld en dat heb je zelf ook gezegd. Ik ben nooit echt jong geweest. En wat bedoel je met dat zij niet wil dat ik me ergens verantwoordelijk voor voel?'

'Wil je nu echt even gaan zitten?'

Riley ging zitten en ze keken elkaar zwijgend aan terwijl het woord verantwoordelijkheid door Rileys hoofd ging. Verantwoordelijkheid voor wat? Dat kon toch niet? Maar het was wel zo. Hij had gehoopt en gehoopt, maar toen was die Charles erbij gekomen. Ja, die Charles speelde nog steeds een rol en hij zei: 'Wat voor verantwoordelijkheid zou ik moeten hebben?'

'Als jij niet kunt rekenen, dan zal ik wel voor je rekenen. Je weet wanneer jullie met elkaar naar bed zijn geweest en je weet wanneer het kind is geboren.'

Riley wilde weer gaan staan, maar Fred gebaarde hem te blijven zitten.

'Maar het kind kwam te vroeg.'

'Te vroeg? Lariekoek!'

'Wat… Wat zeg je nou? Maar hoe zit het dan met die Charles,

haar vriend? Ga me nou niet vertellen dat die verzonnen was, want Louise zei dat ze hem had gesproken.'

'Nee, nee, hij was niet verzonnen, Riley. Er was inderdaad een Charles, voluit Charles Kingston. En ze was dol op hem, want hij was toevallig haar peetvader.'

'Wat?' Het woord was zacht maar doordringend.

'Ja,' – Fred knikte langzaam – 'haar peetvader. Haar vader en Charles Kingston hadden samen in de oorlog gevochten, ze waren dikke vrienden. Hij is zijn hele leven vrijgezel gebleven en hij zat er warmpjes bij, met een mooi huis in een buitenwijk van Peterculter, in de buurt van Aberdeen. Ik heb begrepen dat dat het familiehuis was, maar hij was de laatste die overbleef. Ivy, de nicht van Nyrene, en haar man Ken waren ook goede vrienden van hem, ze waren zijn naaste buren, heb ik gehoord. Dat was het tweetal bij wie jij me onlangs in opdracht van Nyrene vandaan moest houden. Maar ze was Louise vergeten, en die kreeg later bij de koffie het hele verhaal te horen. Niet dat zij dachten dat er een verhaal te vertellen was, want ze hadden niets te verbergen, niet zoals onze lieve Nyrene. En op die manier ontdekte Louise dat Nyrene iedere mogelijke vakantie bij haar peetvader had doorgebracht en dat toen haar ouders waren gestorven zij een nog hechtere band met hem kreeg en ze alle weekends daar bij hem zat… zelfs toen ze aan de drank was. Hij was feitelijk degene die haar weer op de been hielp toen ze aan de kant was gezet door dat mispunt. Je vroeg je toch wel eens af waar ze in het weekend naartoe ging? Wij ook, maar we dachten dat ze daarheen ging om bij haar nicht te logeren. Hoe dan ook, onze Nyrene bezit niet alleen haar eigen huis maar ze heeft nu ook een veel mooier huis in Schotland, voorzover ik dat op de foto's heb gezien. En ze heeft voldoende geld om de rest van haar leven comfortabel te kunnen doorbrengen, zelfs als ze nooit meer een voet op de planken wil zetten. En ze heeft haar nicht niet vergeten, wat ze heel aardig van haar vonden.'

'Hoe oud was hij?' Rileys stem klonk dof.

'Een jaar of tachtig, geloof ik. Eén- of tweeëntachtig, ik weet het niet precies, maar in de tachtig.'

'Tachtig!'

'Ja, tachtig. Maar daar gaat het nu niet om. De vraag is, wat ga je eraan doen? Van onze kant kan ik zeggen dat ze ons in vertrouwen heeft genomen, maar onder de voorwaarde dat we niets zouden vertellen. Alles moest hetzelfde blijven. We vonden echter vanaf het begin dat het een loze belofte was, omdat we meenden dat je recht had op de waarheid. Maar dit zou afhangen van de weg die jouw carrière zou nemen. Trouwens, voel je iets voor het kind?'

'Nee, het slaat in als een bom. De enige persoon voor wie ik iets voel is zij. Ze is voortdurend in mijn gedachten geweest. En de afgelopen maanden waren een hel. Je hoort wel eens over mensen die worden verteerd door hun gevoelens, door hun emoties. Nou, ik weet hoe dat is, en geloof me,' – hij bewoog zijn hoofd langzaam heen en weer – 'het is geen kalverliefde. Ik ken haar vanaf mijn zestiende en vanaf het begin, helemaal vanaf het begin, toen zij een ster op dat toneel was en ik, als alle assistent-toneelknechten, niet meer dan een loopjongen was, een veredelde krullenjongen, hield ik van haar. En er is nog iets anders dat ik me de laatste tijd heb gerealiseerd.' Hij zweeg even en keek naar zijn handen. 'Ik had nog nooit echte verliefdheid meegemaakt. Ik voelde me nooit opgewonden of geraakt door de meisjes die ik kende. Mijn rol in dit leven leek altijd die van clown of stoere jongen te zijn. Maar wat ik vanaf het begin voor haar heb gevoeld en wat met de dag is gegroeid, zal me bijblijven tot… nou ja, nu klink ik als m'n pa of m'n ma, maar het zal me de rest van mijn leven bijblijven. Zo zit dat. Ik zweer het je.'

Fred leunde achterover in zijn stoel en zuchtte. 'Dat zou ik niet doen, Riley, daar zou ik niet op zweren. Maar ik geloof dat de zee van je emoties hoog gaat waar het haar betreft en daar heb ik begrip voor. Het is een heel knappe vrouw en je kunt haar haar leeftijd niet aanzien. Ik ga echter niet zeggen dat ik je moet waarschuwen, maar de jaren kunnen een grote rol spelen in emoties, ze veranderen ondanks al je goede bedoelingen. En als ze niet echt veranderen, dan bekoelen ze, gaan over in iets anders: tederheid, vriendschap, vriendelijkheid, begrip, een mengeling die uiteindelijk – en ik spreek nu vanuit mijn leeftijd – veel meer voldoening geeft dan de elementen die je kunnen verteren. Aan de andere kant: wie ben ik om zo te praten? Je zult je leven moeten leven voordat het zover is, en ze zal je daarbij helpen, dat wil zeggen, als ze je wil hebben.'

'Hoe bedoel je: als ze me wil hebben?'

'Je zult haar van een aantal dingen moeten overtuigen. In de eerste plaats dat je niet alleen van haar houdt, maar dat je het kind ook wilt, want ik kan je verzekeren dat het kind op dit moment het allerbelangrijkste in haar leven is, waarschijnlijk omdat het ook jouw kind is, maar misschien nog wel meer omdat het iets is wat ze nooit had gedacht te zullen hebben. Zou je met haar willen trouwen?'

'Ja, natuurlijk! Wat dacht je dan? Waar hebben we het anders over?'

Rileys stem was luid geworden, net als die van Fred toen hij antwoordde: 'Ik weet heel goed waar we het over hebben, kerel. Ik weet waar we het over hebben en ik kan je wel verzekeren dat als je echt met haar gaat trouwen, je een hoop kritiek zult krijgen, niet alleen van die kattenkop van een moeder van je, maar van de hele plaatselijke bevolking. Het is een klein stadje. Je woont er niet, maar iedereen kent je door je acteerwerk. Een mens heeft geen privé-leven meer als hij op de planken staat. Alles wat je doet wordt in de kranten onder de loep genomen.' Hij schreef met zijn wijsvinger denkbeeldige woorden in de lucht: 'De jongeman die in The Little Palace Theatre met zoveel succes de rol van de zwakzinnige jongen in *Het Gouden Verstand* speelde, en die nog geen twintig is,' – met veel nadruk – 'gaat binnenkort trouwen met juffrouw Mason, die de veertig al gepasseerd is...'

'Ze is nog geen veertig.'

De vinger bleef schrijven: 'Hij ontkent dat ze veertig is, dus dat laten we zitten. Juffrouw Mason is echter al vijftien jaar lang een van de sterren van het theater en ze heeft onlangs een zoon ter wereld gebracht.'

Riley wilde weer overeind komen, maar Fred liet zijn hand op de armleuning van de stoel vallen, hij leunde achterover en zei: 'En dan is het nog vriendelijk tegenover jou, kerel. Maar als je je moeder over de vloer krijgt die eens even gaat vertellen wat haar mening is over deze oude vrouw die haar zoon heeft verleid, dan heb je de poppen pas goed aan het dansen. Nyrene is zich dit alles terdege bewust, nog veel meer dan ik, en dat is iets wat jij zult moeten overwinnen.'

'Met jouw hulp?' Er klonk bitterheid in Rileys stem en Fred antwoordde rustig: 'Ja, met mijn hulp. Ik praat nu, net als de afgelopen tien minuten, met jou als de beste vriend die je hebt. Je zult nooit een betere krijgen, dat kan ik je wel verzekeren.'

Toen de deur openging draaide Riley zich met een ruk om en keek Louise aan. Ze had niet een nieuwe pot thee in haar hand en ze liep rechtstreeks, met uitgestrekte armen, op hem af. Ze omhelsde hem en voelde hoe zijn hele lichaam slap werd. Hij stamelde: 'Louise. O, Louise, wat moet ik doen?'

Ze legde haar handen om zijn gezicht, kuste hem en zei: 'Kom nu even tussen ons in zitten, dan zullen we iets bedenken. Want hoewel ik weet dat hij je het hele verhaal al voor de voeten heeft geworpen, heeft hij dat voor je eigen bestwil gedaan.' Ze duwde hem op de bank omlaag en voegde eraan toe: 'Ze is niet de enige die van je houdt, bedenk dat wel. En vergeet jij ook niet, meneer Beardsley, dat ik slechts dankzij Riley iets in jou ben gaan zien.'

'Hou je mond, mens, voordat ik je een draai om je oren geef!' Fred trok haar voorzichtig tussen hen in. Daarna zei hij, nu op ernstiger toon, tegen Riley: 'Luister eens even. Verplaats je eens in Nyrene. Je zit daar in dat huis, je hebt dat kind, je bent verliefd op een kerel die half zo oud is als jij. Zoals jij het ziet heeft hij zijn hele leven nog voor zich, maar je houdt te veel van hem om dat helemaal op te eisen. Stel dat hij nou eens naar je toe zou komen om te zeggen dat hij zich geen barst van dat leeftijdsverschil aantrekt en dat de toekomst van later zorg is, wat zou jij dan doen?'

Zonder te aarzelen draaide Louise zich om, keek Riley aan en zei: 'Ik zou hem om de hals vallen.'

'Ach, Louise.' Riley hield haar handen vast en met gebogen hoofd mompelde hij: 'Denk je echt dat ze dat zou doen?'

'Waarom probeer je het niet gewoon in plaats van zo te twijfelen? Vooruit! Kom daarna weer hier terug om te zeggen dat je meteen je spullen meeneemt. En je zou kunnen vragen: "Vind je het goed, Louise?" Vooruit!' Toen ze hem omhoog wilde duwen draaide hij zich naar haar om en nam haar in zijn armen. Maar toen keek hij naar zijn weldoener, vroeger meneer Beardsley en nu Fred, en hij vroeg: 'Mag ik?'

'Vooruit, ga je gang. Wie ben ik om je tegen te houden?'

Hierop boog Riley zich naar voren en kuste Louise, waarna hij snel overeind kwam en de kamer uit liep.

'Waarom huil je nou?' Fred trok Louise stevig naar zich toe en ging verder: 'Ik wist dat er een heer in Riley school en dat laatste bewees het. Iemand anders van zijn soort had jou zonder iets te vragen gekust, maar niet Peter Riley.'

Mevrouw Atkins begroette hem op dezelfde manier als mevrouw Roberts. 'Dus u bent weer terug?' En zonder op enig antwoord te wachten ging ze verder: 'Juffrouw Mason is boven. Allemachtig, de jongeheer is vandaag wel bezig, hij heeft de hele boel bij elkaar geschreeuwd. Ik heb tegen haar gezegd dat ze zich geen zorgen hoeft te maken, dat het alleen maar lucht is en dat ze hem ook niet iedere minuut moet oppakken. Ja, het is allemaal prima met hem wanneer je met hem heen en weer loopt. Ik wed dat u wel een kopje thee lust.'

'Nee, dank u, mevrouw Atkins. Ik heb net thee gedronken bij meneer Beardsley.' Hij holde de trap op.

Bij de deur van de kinderkamer aarzelde hij even voor hij hem voorzichtig openduwde, waarna hij ontdekte dat Nyrene er niet was. Hij bleef even staan voor hij langzaam naar de wieg liep om neer te kijken op wat hij zeker wist dat zijn zoon was.

Hij kreeg een brok in zijn keel en er kwamen tranen in zijn ogen, zodat hij in zijn zak naar een zakdoek tastte.

Dit was zijn zoon. Zíjn zoon. Hij had deze baby geschapen, dit kind, dit was zijn zoon. Hij werd overweldigd door de enormiteit ervan: dit kind was verwekt in een opwelling van zeldzame hartstocht, ook al was het met door drank benevelde zinnen. Toch had de drank de essentie van wat er had plaatsgevonden niet weggewist en er was ook geen dag voorbijgegaan zonder dat hij eraan dacht. Hij had het moeten weten. Hij had het moeten raden. Maakte het nu nog wat uit? Maakte het wat uit?

Er klonk een gesmoorde kreet achter hem en daar stond ze in de deuropening. Ze liep niet naar hem toe, maar hij wel naar haar. Hij liep op zijn tenen naar haar toe, greep haar bij de arm en trok haar de gang in, naar haar slaapkamer.

Eenmaal binnen bleef hij met zijn rug tegen de deur staan en sloeg zijn armen om haar heen.

Ze had geen woord gesproken, zelfs niet toen hij had gezegd:

'Hij is van mij, hè? Ik had het moeten weten. O, Nyrene, Nyrene.'
Hij kuste haar zoals hij haar die eerste avond had gekust en daarna
nooit meer.

Toen ze zich ten slotte van hem los wist te maken, zei ze: 'Ze hadden het nog zó beloofd.'

'Ja, dat weet ik, en als ik die rol in Londen had gekregen, hadden
zij hun belofte gehouden.'

'Heb... heb je 'm dan niet gekregen? Ik dacht dat het zo goed als
zeker was.'

'Tja, liefste.' Hij nam haar gezicht in zijn handen en legde zijn
mond weer op de hare. Daarna zei hij: 'Zeker jij moet weten dat
niets in deze business zeker is voordat je uit de coulissen het toneel
op komt om je eerste regels te zeggen.'

'O, lieve Riley.'

'Ik ben niet zomaar je lieve Riley, van nu af aan ben ik alleen
maar je liefste Riley.'

'Goed, goed, je bent mijn liefste Riley. Ja, echt. Zeker. Maar hoor
eens, er is niets veranderd. We moeten heel verstandig blijven. We
moeten aan het publiek denken.'

'Het publiek kan me gestolen worden!' Zijn stem benadrukte de
uitdrukking van zijn gezicht. 'En dat meen ik, het publiek kan me
gestolen worden! Ja, ik weet best wat ze zullen zeggen: "Hij is nog
geen twintig en zij bijna veertig." Dat is me daar al heel grondig in-
gepeperd.' Hij gebaarde met zijn hoofd. 'Maar jij bent nog geen
veertig, je lijkt geen dertig en ik lijk echt niet iemand van bijna twintig. Beardsley wilde me zelfs dat niet geven, hij hield het op negentien, maar ik ben nooit negentien geweest, ik ben nooit achttien geweest, noch zeventien, noch zestien. Ik voelde me al een man voor
ik van school ging en de twijfelachtige bescherming van mijn leer-
meester achter me liet. Als iemand me via mijn verstand tot volwassene heeft gemaakt, dan was het Fred zelf wel. Dus laten we
ons niets van leeftijd aantrekken.'

'Misschien lukt ons dat, liefste, misschien,' – haar stem was heel
ernstig – 'maar David lukt dat niet. En The Little Palace Theatre ook
niet, noch de bevolking van Fellburn. En dan is jouw familie er
nog.'

'Mijn familie kan me gestolen worden! Trouwens, wat heb ik

nou nog voor familie? Ik heb daar echt geen thuis.'

'Jij misschien niet, maar uit wat ik heb gehoord zal je moeder daar heel wat commentaar op hebben.'

'Ze doet maar. Pa zal aan onze kant staan, net als Betty. En daar gaat het om.'

'We moeten praten, liefste, we moeten echt praten, er staat zoveel op het spel.'

'Voor wie?'

'Voor jou natuurlijk. Het is allemaal leuk en aardig dat jij zegt dat je van me zult blijven houden tot je laatste snik, maar over tien jaar ben jij dertig en ik vijftig. Dat moeten we wel onder ogen zien.'

'En dan ben je nog het kritieke punt na zeven jaar vergeten te noemen.'

Ze schoot in de lach.

'Er is nog één ander ding dat ik je wil vragen, Nyrene, en geef me alsjeblieft een eerlijk antwoord. Hou je van me? Ik bedoel, hou je echt van me?'

'O, Riley! Mijn liefste, liefste Riley! Ook al word ik vijftig' – ze glimlachte even – 'toch zal ik je nooit kunnen zeggen hoeveel ik van je hou. Maar wacht... Wacht...' Hij stond op het punt haar opnieuw te kussen. 'Luister goed. Wat mijn gevoelens voor jou ook mogen zijn, dat leeftijdsverschil zal er altijd zijn en we moeten in deze wereld leven en de wereld is wreed. Een mens kan wel zeggen: "Het kan me allemaal niks schelen!" maar zo werkt het niet. Niet dat ik me er iets van zal aantrekken als ze flauwe grapjes over "ontucht met minderjarigen" maken – en die zullen ze echt maken – maar het feit dat jij kans hebt op een carrière en dat ik een blok aan je been zal zijn, zal steeds een rol blijven spelen. En dat zou ik niet kunnen verdragen.'

'Ga hier zitten.' Hij trok haar op de rand van het bed. 'Luister goed. Ik wil met je trouwen. En dat niet alleen, ik gá met je trouwen en jij gaat met mij trouwen. Vroeg of laat ga je met mij trouwen. Tot die tijd ben ik jouw kostganger, want ik neem hier morgen mijn intrek, met mijn hele hebben en houden. Fred en Louise willen dat ook, ze willen me kwijt. Maar ze willen vooral dat wij gelukkig zijn en zonder jou kan ik niet gelukkig zijn, liefste, en jij kunt niet gelukkig zijn zonder mij. Dat weet ik. Je bent een heel goede actrice en je hebt me af en toe voor de gek gehouden, maar nu zul je me nooit meer voor de gek kunnen houden. Ik zie je nog met die kop thee naast mijn bed staan, die morgen dat ik wakker werd met zo'n geweldig gevoel, en toen veranderde jij zomaar weer in juffrouw Mason, en je was zo overtuigend dat ik je wel moest geloven. Wat was ik een idioot. Zo zit het. Ik heb het allemaal op een rijtje gezet. Ik zal de tournee afmaken en dat zal David de tijd geven om te wennen aan de gedachte dat de heer en mevrouw Riley ooit samen weer op het toneel zullen staan.'

'O, nee, liefste! Nee, echt niet. Dat zou ik niet kunnen verdragen. Niet hier.'

'Maar het is wel de enige manier waarop wij de hele tijd bij elkaar kunnen zijn en dat is de enige manier waarop ik wil leven... de hele tijd bij elkaar zijn. En ik wil ook mijn zoon leren kennen. Echt.'

'Ik moet je iets zeggen.' Nyrene pakte zijn hand en drukte die tegen haar borst. 'Er is niets wat ik zo graag zou willen als met jou op het toneel staan, maar na de dood van Charles heb ik de gedachte aan het toneel al opgegeven.' Ze glimlachte. 'Die lieve Charles. Je had hem vast heel aardig gevonden. Je zult inmiddels wel weten wie hij werkelijk was. Je zult bovendien ongetwijfeld ook weten dat hij me veel heeft nagelaten, onder andere een heel aardig huis in de buurt van Aberdeen. Het is een leuk dorpje, heel klein. Fred en Louise weten nog niet dat ik dit huis al te koop heb gezet en dat ik daar ga wonen.'

'Geweldig! Geweldig! Ik heb er geen enkel probleem mee om van het geld van mijn vrouw te leven.'

Ze schudde hem door elkaar en zei: 'Voor mij is het als een script van een nieuw leven, maar heb je er geen bezwaar tegen om daar te gaan wonen?'

'Uit wat jij gezegd hebt klinkt het schitterend, gewoon schitterend. En er zijn vast theaters in Aberdeen... Maar ik dacht dat jij zoveel van dit huis hield.'

'Dat is ook zo, maar ik ken het huis van Charles ook. Ik heb mijn halve jeugd op The Little Grange doorgebracht. Het is daar heel mooi, en helemaal niet ver van de echte Hooglanden.'

'Maar wat ga jij de hele dag doen, als ik aan het werk ben?'

'Er zijn allerlei dingen die ik graag wil doen. Om te beginnen wil ik het huis graag net zo mooi onderhouden als Charles dat altijd heeft gedaan, of in elk geval zoals de oude Sally Nolan het jarenlang voor hem heeft onderhouden tot ze stierf. Voorts zal ik de vreugde hebben mijn' – ze knikte naar hem – 'onze zoon op te voeden. En ten slotte zal er veel tijd in de tuin gestoken moeten worden. Er ligt zo'n twee hectare land rond het huis. Voor de helft is het een prachtige tuin, de andere helft bestaat uit wat bos en weilanden, waar Hamish voor zorgt. Charles heeft in zijn jonge jaren veel paardgereden, dus is er een stal voor een paard en weidegrond om te grazen. Kun je je ons leven daar voorstellen?'

'Het klinkt te mooi om waar te zijn. Veel te mooi, liefste.'

'Het zou kunnen, maar afgezien van Ken en Ivy en de andere drie huizen die binnen een paar kilometer afstand liggen, zullen we op onszelf zijn aangewezen en op degenen die wij als vrienden kiezen.'

'Maar luister, Peter – ik ben niet van plan je Riley te blijven noemen – luister. Er is één voorwaarde die ik wil stellen en dat is dat jij onder geen beding je carrière mag opgeven. Ik weet dat je daardoor af en toe ver bij mij vandaan zult zijn, maar ik zal op je wachten. En we zullen dan geen Fred en Louise hebben, geen David, niemand van het toneelgezelschap. En bedenk wel dat al die mensen jouw bekenden zijn, mensen met wie je dingen gemeen hebt. Hoe lijkt het leven je zonder hen?'

Ze keek hem doordringend aan en ze zei zonder iets van zachtheid in haar gezicht: 'Je zit aan mijn zwakheden te denken, hè? Nou, laat me je dit wel vertellen: vanaf de dag dat ik wist dat ik een kind verwachtte, heb ik gezworen dat ik het nimmer schade zou berokkenen. Ik heb nooit gerookt, dus dat was geen obstakel, maar ik heb wel gedronken en, dat moet ik bekennen, meer dan goed voor me was. De eventuele schade die ik mijn lichaam heb aangericht en die bij mijn kind terecht is gekomen, daar kan ik nu niets meer aan doen. Ik heb beloofd dat ik alleen met mezelf zou kunnen leven als ik het drinken volledig opgaf, en dat heb ik tot dusver weten vol te houden. Ik heb Louise en Fred zelfs geen gezelschap gehouden toen er een toast op de nieuwe wereldburger werd uitgebracht. Ik bekijk het op deze manier: als ik de fles heb kunnen laten staan gedurende de tijd dat ik me zo eenzaam en ellendig voelde, om niet te zeggen ziek, dan zie ik mezelf ook niet voor de drank zwichten als ons zoveel geluk te wachten staat, zelfs als jij weg moet.' Ze liep naar hem toe, sloeg haar armen om hem heen en keek hem aan terwijl ze verderging: 'Ik zal iedere avond je stem aan de telefoon horen, ik zal elke morgen je brief bij de post krijgen. Ja,' – ze knikte naar hem en glimlachte – 'ik eis dat ik iedere morgen een brief krijg. Dus je ziet dat je carrière vastligt, net als de mijne. Het enige wat ons te doen staat is hier weggaan en een nieuw leven op The Little Grange beginnen.'

'Maar eerst gaan we trouwen.'

'Ja, eerst gaan we trouwen.'

Hij sloeg zijn armen om haar middel en legde zijn hoofd tegen haar wang. Hij mompelde: 'Ik kan het niet geloven. Ik kan het gewoon niet geloven.'

De volgende dag zette Fred Riley bij het huis af, samen met zijn bagage.

Hij werd door mevrouw Atkins begroet met: 'Komt u hier logeren, meneer Riley?' En hij antwoordde: 'Inderdaad, mevrouw Atkins, inderdaad.' Waarna hij zijn koffers in de hal zette.

Toen hij weer naar het trottoir liep om de rest van zijn bagage te pakken, keek hij naar de man die hem toegrijnsde en hij zei: 'Bedankt, Fred, ik kom morgen nog langs.' Fred keek langs hem heen naar Nyrene en zei: 'Hallo! Ik heb nu een taxibedrijf, mevrouw. Mocht u ooit een auto nodig hebben, dan sta ik geheel tot uw dienst, wanneer u maar wilt.'

'Dank u, meneer Beardsley, ik heb uw nummer.'

Hierop lachte Fred en hij riep naar haar: 'Als die schoolbel gaat voordat ik er ben, raak ik echt mijn baan kwijt. Tot ziens, Nyrene.'

'Ja, Fred, tot ziens.'

De auto reed weg en ze stond op het punt de deur dicht te doen toen ze bleef staan en zei: 'Die man aan de overkant, Peter, is dat niet je vader?'

Riley liep weer naar de deuropening en riep uit: 'Allemachtig, ja! Het is m'n pa. Wacht even, ik moet hem spreken.'

Maar ze hield hem tegen door hem bij de arm te grijpen en te zeggen: 'Waarom vraag je hem niet binnen?'

Ze wisselden even een blik en hij zei: 'Bedankt, liefste. Dat zal ik doen.'

Hij liep naar de overkant van de straat op zijn vader af. 'Hallo pa! Wat doe jij hier? Is er iets aan de hand?'

'Nee, jongen, niets. Ik kwam net terug uit het ziekenhuis en liep door deze straat en... nou ja, toen zag ik jou.' Hij lachte even. 'En omdat ik je nu eenmaal ken, bleef ik onwillekeurig staan, hè?'

'Kom even binnen.'

'Nee, jongen, nee. Ga... ga je daar wonen?'

'Ja, het was mijn bagage die daar naar binnen ging. Meneer Beardsley gooit me eruit.'

'Dat kan ik me niet voorstellen.'

'Kom mee. Blijf daar niet staan. Kom mee.'

'Nee, jongen. Ik weet echt niet waar ik over zou moeten praten.'

'Je zegt maar wat er in je opkomt, pa, en je zult een hoop te zeggen hebben als je eenmaal binnen bent geweest. Kom mee.' Riley pakte zijn vader bij de arm en trok hem de straat over de hal in, waar Nyrene haar hand naar hem uitstak en zei: 'Hallo, meneer Riley! Wat leuk u te ontmoeten.' Ze wees naar de zitkamer. 'Komt u verder.'

Intussen gooide Riley zijn jas neer, keek mevrouw Atkins aan en zei: 'Laat alles maar even staan. Ik breng dit zo naar boven.'

'Ja, dat is goed. Ik zal echt niets aanraken.'

'Sta niet te liegen, mens.' Toen hield hij in en zei rustig: 'Dit is mijn vader.'

'Ik ben niet doof.' Ze glimlachte hartelijk en zei toen: 'Wat zal het zijn: thee of koffie?'

'Nou, ik denk een kop thee.' En toen Riley de zitkamer binnenging zei Nyrene juist: 'Trek uw jas toch uit, meneer Riley, anders hebt u het buiten straks koud. Ik weet dat het pas oktober is, maar het is verbluffend hoe koud het de hele dag is geweest.'

Riley keek naar zijn vader. Hij had hem nooit eerder in een overjas gezien, niet zolang hij zich kon herinneren. Hij moest hem uit een tweedehandswinkel hebben gehaald en dat betekende dat hij er zelf naartoe was gegaan. Zijn moeder was al jaren klant bij Oxfam, maar voorzover hij wist had ze nog nooit iets voor zijn vader meegebracht. Hij leek heel anders. Zijn haar was wat korter geknipt, zijn gezicht was glad geschoren, hij zag er, zoals ze zeggen, 'welgesteld' uit. Hij was nooit het soort man geweest dat er goed uitzag, maar dit was toch een heel andere man dan vroeger. Zijn uiterlijk leek te passen bij de persoon die in het ziekenhuis te voorschijn was gekomen.

'Wilt u een kopje thee?'

'Dat heb ik net tegen mevrouw Atkins gezegd, liefste.'

Alex Riley keek van de een naar de ander. Hij was verbijsterd over wat hij dacht. Het was een knappe vrouw, zonder meer, maar ze was in de dertig, ongeveer vijfendertig zou hij zeggen, en Peter was nog geen twintig. Hij had wel eens gehoord dat zulke dingen gebeurden, maar niet met zo'n groot verschil in leeftijd. Toch was die jongen veranderd sinds de vorige keer dat hij hem had gezien. Hij was echt een man. Misschien kwam het door zijn lengte: hij was bijna een meter tachtig. Hij bedacht dat het vreemd was dat hij niet veel meer dan een goeie één meter zestig was, met dan zo'n zoon, die zich kennelijk ook nog in de beste kringen wist te bewegen. En het leek nog maar zo kort geleden dat hij een straatjongen was geweest die altijd in de problemen zat. Kijk maar naar dat gedoe met die auto. Maar sinds hij die wedstrijd had gewonnen en onder de hoede van meneer en mevrouw Beardsley was gekomen was hij echt veranderd. Zie hem nou eens in deze prachtige kamer zich gedragen alsof hij zijn hele leven niet anders gewend was – en het zag ernaar uit dat het voorlopig wel zo zou blijven ook. Allemachtig! Alles bij elkaar genomen mocht hij van geluk spreken dat hij zo'n vrouw had gevonden. Ze was knap, heel knap. Toch waren er geruchten geweest dat ze als actrice een drankprobleem had gehad. Maar de mensen zeiden wel meer. De mensen waren slecht, vooral de vrouwen. Daar kon hij van meepraten. Wacht maar eens tot zijn vrouw hier lucht van kreeg. Hij hoopte maar dat hij daar niet bij zou zijn, of liever gezegd, dat zij er niet bij zouden zijn.

'Pa, ga je even mee naar boven?'

'Wat? Naar boven, bedoel je hier?'

Riley schoot in de lach, net als Nyrene, en ze zei: 'Hij wil u iets laten zien, meneer Riley. Het is een opschepper, dat weet u toch.'

Toen de oudere man overeind kwam zei ze tegen Peter: 'Blijf niet te lang weg, mevrouw Atkins komt zo met de thee.'

Eenmaal op de overloop aangekomen bleef meneer Riley staan, keek om zich heen en zei: 'Wat een mooi huis, hè?'

'Ja, pa, het is een prachtig huis, maar we gaan hier weg.'

Alex Riley merkte dat 'we' op, maar hij zei alleen maar: 'O, ja? Wat dan? Ik bedoel, waar gaan jullie dan naartoe?'

'Naar Schotland. Nyrene heeft daar ook een mooi huis.'

Zijn jongen ging dus zomaar naar Schotland, met deze vrouw die daar nog een huis had, Nyrene had hij haar genoemd.

'Een prachtige naam is dat, Nyrene,' zei hij.

Ze waren nu in de kinderkamer en stonden naast de wieg. Het kind was wakker en er liep een klein straaltje speeksel over zijn kin.

Toen Riley het mondje van de baby met een zachte tissue afveegde, zei hij zacht en tegen niemand in het bijzonder: 'Hij is van mij.'

Alex Riley keek naar de baby, daarna keek hij naar zijn zoon en zei: 'Wat zei je daar, jongen?'

'Ik zei, pa, dat het kind van mij is.'

'Grote hemel! Meen je dat echt?'

'Ja, ik meen het.'

'Jongen toch! Hoe heeft dat kunnen gebeuren...?' Alex Riley kneep gegeneerd zijn ogen dicht, en Riley antwoordde zacht: 'Op de bekende manier, pa. En we houden van elkaar, we hebben altijd van elkaar gehouden. Vanaf het eerste moment dat ik haar zag, denk ik. Ik weet dat er een groot leeftijdsverschil is, maar ze is vanbinnen niet oud en ze ziet er lang niet zo oud uit als ze is. Ik lijk ook niet zo oud als ik ben. Niemand geeft me pas negentien, bijna twintig.' Hij schoot in de lach. 'Als Beardsley erbij was geweest, had hij dat negentien benadrukt en het bijna twintig weggelaten. Mijn goede vriend is sterk in duidelijke feiten, maar ik word binnenkort twintig en voel me minstens dertig.'

Alex Riley keek naar het kind en mompelde: 'Ik kan het niet geloven. Dus dan ben ik opa.' Hij keek op en er glinsterden tranen in zijn ogen. 'Dat ís toch wel iets, hè? Dat ís toch wel iets. Jongen,' – hij stak zijn hand uit over de wieg – 'ik moet dit zeggen, ik heb het vroeger niet vaak gezegd, maar ik heb het de laatste tijd wel vaak gedacht: ik ben trots op je.'

Toen veranderde zijn hele blik en hij zei: 'Lieve help, jongen, lieve help! Wat gaat er gebeuren als zij dit hoort?'

Hij hoefde niet uit te leggen wie 'zij' was en Riley antwoordde: 'Zij heeft er niets mee te maken. Ze kan doen of zeggen wat ze wil.'

'Dat is het, jongen, maar wat ze zegt en waar ze het zegt zal toch wat uitmaken. Ze zal meteen hierheen komen. Je weet dat ze geen enkel besef van fatsoen heeft, in elk geval niet waar het jou betreft. Ik kan wat haar betreft naar de hel lopen, maar jij... jij zou haar oogappel en haar geweldige jongen worden. Nou, je bent inderdaad een geweldige jongen geworden, maar niet de hare, je zit niet bij haar onder de plak. Ze had zich voorgesteld dat jij nog jaren thuis zou blijven wonen, en ik zag al voor me hoe zij het ene meisje na het andere zou dwarsbomen. Niemand zou haar goedkeuring krijgen. Sommige moeders zijn nu eenmaal zo. Er worden maar al te veel echtscheidingen door schoonmoeders veroorzaakt. Het heeft niets met rangen en standen te maken, dit soort problemen kom je overal tegen. Hoogstens reageren die moeders iets anders. Jawel. Zij vindt het maar al te leuk om op straat een potje te staan schelden. Ze heeft het meer dan eens tegen mij gedaan, tot ik helemaal murw was en haar haar zin gaf omdat ik er niet meer tegen kon zo te worden uitgekafferd. Het is maar al te vaak gebeurd dat ze buiten de was ophing en ondertussen de hele buurt bij elkaar schreeuwde. Alle buren wisten precies wat ik allemaal fout deed. Maar hoe dan ook... ik ben blij voor jou, jongen, heel erg blij. En ik weet dat Betty ook blij zal zijn. Ze mist je heel erg, weet je, jullie konden het altijd goed vinden samen en haar moeder heeft haar het leven knap zuur gemaakt. Nu krijgt zij de volle laag.'

Toen ze weg wilden gaan boog de oudere man zich over de wieg, raakte het knuistje aan en lachte naar het kind dat hem met grote ogen aankeek. 'Ik ben je opa. Wat vind je daar wel van? Ach, niet veel, hè?'

'Schiet op, jij!' Riley trok zijn vader mee naar de deur, maar op de overloop hield Alex Riley hem tegen, hij keek hem recht aan en zei: 'Ik overweeg bij je moeder weg te gaan.'

'Wát zeg je, pa?'

'Je hebt gehoord wat ik zei, en kun je het me kwalijk nemen?'

'Nee, dat niet. Maar hoe komt dat zo opeens? Ik bedoel, waar wil je dan naartoe? Wat moet je dan doen?'

'Nou, hetzelfde wat jij hebt gedaan. Ik ga mijn leven heel anders aanpakken, ik heb een... een vrouw ergens.'

156

Zijn vader had een ander! Nou, nou! Je stond ervan te kijken wat er allemaal gebeurde.

'Ze is een weduwe met drie dochters, maar die zijn allemaal onder de pannen. Twee zijn er getrouwd en er is er één naar college. Jawel,' – hij schudde zijn hoofd – 'ze is niet zomaar iemand. Herinner je je nog die zuster die in het ziekenhuis zo aardig deed toen jij op bezoek kwam, die grapjes met je maakte?'

'Jawel, pa. Is zij het?'

'Ja, zij is het, jongen. Ze is acht centimeter langer dan ik en de hemel mag weten wat ze in me ziet, maar ze schijnt iets te zien, en wel zo veel dat ze er zelf over begon. Ik kan het gewoon niet geloven. Ik heb er wel aan gedacht, maar ik had het nooit durven zeggen. Maar zij zei zomaar dat ik iets voor haar betekende. Ze heeft een leuk huis en een goeie baan, en ze is een volledig gediplomeerd verpleegster.'

'Heeft ma hier enig idee van?'

'Nee, geen flauw idee, jongen, hoewel ze zich wel afvraagt waarom ik er tegenwoordig een stuk netter bij loop. Toen ze in het ziekenhuis kwam, toen ik er slecht aan toe was, dacht ik dat alles misschien een beetje veranderd was. Maar nee, dat was maar een fase, ze moest de mensen laten zien dat ze een heel zorgzame vrouw was. Zodra ik thuis was kon ik weer al die klusjes voor haar doen: stofzuigen, afwassen, alles. Toch was ik degene die nooit iets uitvoerde. Ze ging 's ochtends weg, deed haar werk, en dat was dat. De rest van de dag was haar vrije tijd, behalve misschien het opscheppen van het eten dat ik had gekookt. Nee, ik deed helemaal niets, ik deed nooit iets. Dat beweerde ze altijd. En iedereen geloofde haar, behalve misschien een paar buren die altijd aardig voor me zijn geweest.'

'Pa, wat jij nu verder met je leven doet, zul je zelf moeten bepalen, maar je zult altijd welkom bij me zijn, waar ik ook woon. En Betty ook. Zeg dat maar tegen haar.'

'Ik zal het zeggen, jongen.'

En toen gebeurde er iets heel vreemds. Zijn vader spreidde opeens zijn armen uit en omhelsde hem. En toen Riley die omhelzing beantwoordde, bedacht hij dat de wereld toch zo slecht nog niet was.

Sinds de operatie had hij zich gedwongen zijn rug recht te houden als hij liep en vandaag was die rug rechter dan ooit, en zijn stap was snel en veerkrachtig. Hij kwam juist bij Peter vandaan en morgen zouden hij en Nyrene gaan trouwen. Ze wilden dat hij ook naar het gemeentehuis kwam, samen met hun vrienden meneer en mevrouw Beardsley. Ze wilden het verder stilhouden, de enige andere persoon die het verder wist was mevrouw Atkins. Ze zou een maand met hen meegaan om te zien of het leven in Schotland haar zou bevallen. Ze had in Fellburn niets wat haar bond en ze woonde in een klein flatje en ze hadden tegen haar gezegd dat ze graag wilden dat ze permanent bij hen zou blijven.

Het leek wel of alles tegelijk gebeurde, want ook hijzelf had een besluit genomen over zijn toekomstige leven. Omdat hij pas vijfenveertig was, hoewel hij wist dat hij vijftig leek, dacht hij dat hij nog wel een aantal jaren voor zich had, waarin hij een vredig en gelukkig leven kon leiden. Hij dacht dat hij daar bij Maggie van verzekerd kon zijn. Alles was geregeld. Eerst wilde hij Peter getrouwd zien, daarna zou hij tegen Mona zeggen dat hij vertrok. Hij voelde geen wroeging omdat hij zijn twee andere kinderen achterliet, en Betty kon voor zichzelf zorgen. Ze waren nu toch allemaal tieners en de jongste twee gedroegen zich tegenover hem al net als hun moeder. Ze zou ongetwijfeld het punt van de kosten van hun onderhoud ter sprake brengen. Nou, volgens haar was het lang geleden sinds hij iets aan hun onderhoud had bijgedragen. Het enige wat hij jarenlang had binnengebracht was zijn ziektegeld, en zij zou beweren dat hij dat niet zou missen omdat hij het nooit had gehad. Daar had zij wel voor gezorgd.

Hij had een gevoel van opgetogenheid, dat hij eindelijk tot leven was gekomen, maar toen hij het hekje van de achtertuin openduwde en haar stem uit de keuken hoorde, zonk de moed hem in de schoenen. Betty had kennelijk een vrije middag en hij hoorde zijn vrouw tegen haar tekeergaan.

Toen hij de keukendeur opendeed, draaiden ze zich beiden om en keken hem aan. Betty's gezicht was bleek en ze leek op het punt te staan in huilen uit te barsten, maar het gezicht van zijn vrouw was vuurrood en hij zag onmiddellijk dat ze zich opmaakte om weg te gaan: haar hoed en jas lagen over de rugleuning van de bank, en ze had een kam in haar hand. Ze kamde haar zwarte haar altijd naar achteren voordat ze haar hoed opzette. Hij had altijd het idee gehad dat zij de enige vrouw in Fellburn was die nog een hoed droeg, zelfs als ze boodschappen ging doen. Zoals ze ooit tegen hem had gezegd beschouwde ze dit als een teken van beschaving, alleen volksvrouwen droegen een hoofddoek. Hij had haar bij die gelegenheid eraan herinnerd dat ze zich op lastig terrein begaf: hoe zat het dan met de koningin?

De toon van haar begroeting was als gewoonlijk: 'Waar heb jij de hele tijd gezeten?'

'Ergens anders.'

'Probeer niet lollig te zijn. Nou, terwijl jij ergens anders zat, heb je misschien het laatste nieuws over je zoon gehoord?'

Het was hem de laatste tijd ook opgevallen dat het nu zíjn zoon, niet meer háár zoon was. 'Zij heeft zich laten ontvallen dat hij niet meer bij Beardsley zit, dus waar denk je dat hij dan uithangt?'

'Zeg het maar.'

'Ja, ik zal het je zeggen: hij is ingetrokken bij die hoer van een toneelspeelster, die net een kind heeft gekregen, een bastaard.'

'Hou je mond, mens!' Hierop viel haar mond open, want die toon was ze niet gewend van haar man. Hij liep naar haar toe in plaats van bij haar vandaan, en toen duwde hij zijn vinger niet bepaald zachtzinnig tegen haar in korset gestoken borst en zei: 'Zeg dat nooit meer over dat kind of over wie dan ook!'

Ze herstelde zich enigszins en gaf een gemene klap tegen zijn pols. 'Ik zeg wat ik wil. Ik heb het over je zoon.'

'Jawel, míjn zoon. Hij is niet langer jóúw zoon, hè? Maar als hij nu míjn zoon is, waarom laat je hem dan niet aan mij over? Wat heb jij met zijn doen en laten te maken?'

'Ik heb ermee te maken als hij ons voor de hele stad voor gek zet met die...!'

'Ik waarschuw je!'

'Jij... wát?' Ze stak haar hoofd naar voren en toen hij, zonder zich te bewegen, herhaalde: 'Ik waarschuw je, je houdt je smerige praatjes voor je, anders krijg je er spijt van,' was het duidelijk dat zijn vrouw nu echt verbijsterd was. Ze keek naar Betty, die er ook verbaasd, maar wel vol leedvermaak bij stond. Ze glimlachte, tot haar moeder brulde: 'Haal die grijns van je gezicht, anders sla ik hem eraf!'

'Nee ma, dat doe je niet. Niets daarvan. Je moet nog even naar pa luisteren, want dan kom je nog meer te weten.'

'Wat heeft dit te betekenen?' Ze keek van de een naar de ander. 'Twee handen op één buik, hè? Nou, je doet maar, voor mij maakt het allemaal niets uit. Een kind nog, in de klauwen van zo'n...' Ze zweeg en haalde diep adem, en hierop zei hij: 'Precies, denk jij maar eens goed na voordat je het eruit spuugt. En als ik jou was, zou ik dat in de toekomst blíjven doen.'

'Ik weet niet wat jou bezielt, maar ik kan je dit wel vertellen: je moet niet denken dat je mij de mond kunt snoeren als het over hem gaat, en ook niet als het over haar gaat. Niets daarvan. Hij is nog steeds een kind.'

'Hij is bijna twintig.'

'Hij is nog steeds een kind en hij heeft ons een slechte naam bezorgd.'

Hij moest nu lachen. 'Ons een slechte naam bezorgd? Als iemand ons een slechte naam heeft bezorgd... Ik bedoel hier in de buurt van het huis, dan ben jij het wel, dame. Voor de rest van de stad ben je... Ach, wat ben je? Je bent de werkster van mevrouw Charlton, maar hier in de buurt hebben ze andere namen voor je. Wist je dat?'

'Nou, misschien hebben ze dan een reeks namen voor mij, maar ik heb een reeks namen voor hen, en in mijn woorden schuilt een hoop waarheid, want de mensen die aan jouw kant staan, zijn ordinaire, dronken, vloekende lieden... en hoerenlopers, ja.'

'Misschien heb je gelijk, maar ze doen één ding dat jij nooit hebt gedaan, en dat is leven. Zij genieten in elk geval van een deel van het leven, en het zou allemaal niet zo erg zijn als jij niet van een deel van jouw leven kan genieten, maar je maakt dat een aantal andere mensen ook nergens van kunnen genieten, tot en met je eigen ouders. Ik ben een tijdje geleden gaan inzien dat ze blij waren je kwijt te raken, ook al trouwde jij, zoals je vond, ver beneden je stand. Wat jammer dat je de koster van de St. Bride's niet kon krijgen. Je hebt toch hard genoeg achter hem aan gelopen. Maar hij was verstandig.' Toen haar ogen snel heen en weer gingen, begreep hij dat ze iets zocht om beet te pakken. Ze had haar kaken opeengeklemd, haar ogen schoten vuur, en toen ze mompelde: 'Daar zul je voor boeten' blafte hij terug: 'Ja, misschien wel, maar niet door jou, nooit meer door jou, mijn lieve vrouw.'

Hij zag hoe ze opnieuw naar Betty keek, alsof haar dochter misschien in staat was uit te leggen wat deze man bezielde, deze slome, muisachtige sukkel, zoals ze hem altijd had beschouwd. Toen begon hij te vertellen.

Het eerste wat hij zei was: 'Ik was van plan dit bericht te bewaren tot overmorgen, omdat het morgen een speciale dag is. Mijn zoon... Hoor je wat ik zeg? Mijn zoon gaat morgen trouwen en ik zal daarbij zijn. Daarna, de volgende dag, wilde ik je iets anders vertellen en dat is wat ik je nu ga zeggen. Ik ga bij je weg. Weet je, ik heb een ander. Ik zal later een verzoek tot echtscheiding indienen, maar tot het zover is gaan we samenwonen en wel in deze stad, in een buitenwijk, maar toch in Fellburn.'

Hij zag haar mond openvallen, ze kneep haar ogen halfdicht. Toen werd haar gezicht weer strak en zei ze: 'Ach, kom nou! Denk nou niet dat je me daarmee bang kunt maken, jij met een andere vrouw! Laat me niet lachen!'

'Ik ben bloedserieus, hè, Betty?' Hij draaide zich om naar zijn dochter en zij keek haar moeder aan en zei: 'Ja, hij heeft een ander, ma.'

Hij zag hoe ze tegen het aanrecht leunde, alsof ze daar steun zocht en tijd wilde vinden om te verwerken wat hij zei. Dat dit misbaksel van plan was haar te laten zitten en dat hij een ander had. Dat was waarom hij de laatste tijd zo anders was, dat had ze toch door moeten hebben. Hij had belangstelling voor zichzelf gekregen en voor hoe hij eruitzag en ze had gedacht dat dit kwam doordat hij in het ziekenhuis had gelegen en ze daar zoveel heisa om hem hadden gemaakt, want zijn rug was echt heel slecht geweest. Maar het was een vrouw. Wie? Ach, wat deed het ertoe? Wie het ook mocht zijn, het was een vrouw en hij wilde zomaar bij haar weggaan, terwijl zij nog twee kinderen moest grootbrengen. Dat wierp ze hem voor de voeten: 'Je kunt niet zomaar bij me weglopen, dat kun je niet doen als ik nog twee kinderen moet grootbrengen.'

'De twee die jij nog moet grootbrengen, zoals je het noemt, zijn

161

nu in hun tienerjaren en ik heb ze op geen enkele manier grootge-bracht, daar heb jij wel voor gezorgd. Een kale kip valt niet te pluk-ken, dus je krijgt mijn ziektegeld, maar dat is dan ook alles. Ik kan je echter verzekeren dat je daarvoor zult moeten vechten, want ik moet ook nog kunnen leven en dat weten de autoriteiten ook wel. Je hebt trouwens altijd de kinderbijslag nog en je bent in staat al het andere op te eisen wat jij van de regering kunt krijgen. Nou, je zult je wel weten te redden. En ik kan je één ding wel verzekeren: als jij Betty' – hij gebaarde met zijn hoofd – 'op deze manier het leven zuur blijft maken, dan neem ik haar gewoon mee, en ze zal graag meegaan, want ze heeft die vrouw ontmoet en ze kunnen het goed met elkaar vinden.'

Hij zag hoe ze haar ogen nu op haar dochter richtte en ze woe-dend stamelde: 'God in de hemel! Ik kan gewoon niet geloven dat dit gebeurt. Dat heb ik echt niet verdiend.' haar stem brak even. Maar toen zei hij scherp, bijna schreeuwend: 'Ja, dat heb je wel ver-diend! Je komt er nog gemakkelijk van af, want ons hele huwelijks-leven heb jij niets anders gedaan dan tegen mij schelden en tieren, vanaf die keer dat je me uit bed kieperde en ik de hele dag op de vloer lag en me niet kon verroeren en daar ook de hele nacht had moeten liggen als m'n broer niet was binnengekomen en te horen had gekregen dat ik de hele dag boven lag te nietsnutten. Hij vond me en haalde de dokter erbij. Maar jij wilde het nog steeds niet ge-loven, o, nee. Zelfs niet toen ik voor een medische commissie moest komen en jouw slogan werd: "Je kunt best werken, als je maar wilt. Andere mannen moeten ook werken." Maar nu zeg ik niets meer, want alles wat ik te zeggen heb is al gezegd.'

Het bleef even heel stil in de keuken voor ze zichzelf hernam, zich overeind hees en hem woest aankeek. 'Misschien heb jij niets meer te zeggen, maar ik ben nog niet eens begonnen, want ik ga naar die twee toe en wat ik ze te zeggen heb, is nog maar het begin, en dan ben jij aan de beurt.'

Ze greep haar hoed van de bank, zette die op haar hoofd zonder in de spiegel te kijken, zoals ze dat anders deed, ze duwde haar ar-men in haar jas en bleef hem woest aankijken terwijl ze de jas dicht-knoopte. Maar toen ze naar de deur wilde lopen, was hij haar voor en hij ging er met gespreide armen tegenaan staan.

'Voor ik jou daarheen laat gaan om die twee met je valse tong en je smerige ideeën kapot te maken, ga ik eerst met jou de straat op om je buiten de huid vol te schelden en een pak slaag te geven. Voor de eerste keer in mijn leven zal ik je slaan, en ik besef nu dat dat hoog tijd werd. Dus ga terug naar de keuken en zet die uniformpet af.' Hij maakte een gebaar alsof hij de hoed van haar hoofd wilde rukken, maar ze gaf hem een harde klap op zijn pols en dit maakte dat hij rechtop ging staan en bij de deur vandaan liep. Ze maakte geen aanstalten die open te doen maar liep achteruit bij hem vandaan.

Eenmaal terug in de keuken keek ze hem aan en riep: 'Je kunt me nu wel tegenhouden, maar er komt een moment dat ik mijn gang kan gaan.'

Hij keek haar woest aan, maar besefte dat dit waar was. Als hij eenmaal het huis uit was, kon ze meteen daarheen hollen, op de deur bonzen en die arme vrouw de huid vol schelden. En die scheldpartij zou de glans van zelfs de stralendste liefde doen verbleken, want als het leeftijdsverschil tussen Nyrene en haar jonge aanstaande man haar nu geen zorgen baarde, dan zou het dat wel doen nadat Mona haar mond had opengedaan. Hij wist dat je je niets moest aantrekken van de dingen die andere mensen over je zeiden, maar het kwaad was dan al geschied en de twijfel was gezaaid.

Hij had zich tot deze afgelopen weken nooit gerealiseerd hoeveel hij van zijn zoon hield, van zijn enige zoon, want tot nu toe had zij steeds een wig tussen hen gedreven. Ze had dat gedaan vanaf het eerste moment dat ze gezien had dat zij een band kregen, door samen te gaan wandelen of naar voetbalwedstrijden te gaan, en hij moest er niet aan denken wat er zou gebeuren nu ze hem niet meer met handen en voeten aan zich kon binden. Ze zou hem vernietigen, op de enige manier die ze kende. Hij wist dat zijn zoon iets had gevonden wat zeldzaam was. Als jonge kerel had hij ooit zelf van zo'n liefde gedroomd, maar was daarvan teruggekomen, want hij kwam er al snel achter dat dat slechts nachtelijke fantasieën waren. In het echte leven was geen plaats voor zulke gevoelens. Toch had zijn zoon de ware liefde gevonden. Zijn hele gezicht straalde. Hij was altijd al een knappe jongen geweest om te zien, maar nu lag er nog iets meer in zijn gezicht, iets wat hij vooral uitstraalde als hij bij haar was of het kind in zijn armen hield. Hij mocht dit gevoel niet kwijtraken, dat mocht niet, en er mocht niets gebeuren wat zijn geluk kon bezoedelen. De jaren zouden hun tol eisen, maar dat hadden ze zelf in de hand. Hij… hij zou met haar moeten onderhandelen. Jawel, dat was het, onderhandelen. Hij draaide zich om, liep naar een stoel, ging zitten en zei: 'Ik wil iets met je afspreken.'

'Wat?'

'Je hebt gehoord wat ik zei. Ga zitten.'

'Ik ga niet zitten, en ik ga niets met je afspreken.'

'Goed, zoals je wilt. Als jij daarheen gaat, dan ben ik weg. Maar als jij je gedeisd houdt en de dingen op hun beloop laat en…' Hij keek naar Betty, die hem met grote ogen aanstaarde, en daarna mompelde hij, alsof hij zich een beetje schaamde voor wat hij ging zeggen: 'Dan zal ik bij je blijven. En dat moet voor jou je gezicht redden, want jij zou niet in staat zijn het geklets van de buren te verdragen als die weten dat jouw verachtelijke man je voor een andere vrouw had verlaten. In deze buurt bestaan nog altijd regels waaraan mensen geacht worden zich te houden. Je hoort bij elkaar te blijven, samen de hel en al het andere te verdragen. Maar je kunt kiezen: ik blijf als jij hem met rust laat, dus wat vind je?'

Hij zag de spieren in haar gezicht krampachtig bewegen. Ze beet op haar lip. Toen ging haar mond open en dicht, ze wendde zich van hem af en liep naar het raam, waar de vitrages de nieuwsgierige blikken buiten hielden. Ze stond ernaar te staren alsof ze erdoorheen in de toekomst kon kijken. Ze wist dat alles wat hij had gezegd waar was, en ze voelde nu al de minachting van haar buren. Ze wist precies hoe het oordeel zou luiden: ze had alles meer dan verdiend; hij had al jaren geleden bij haar weg moeten gaan. Nee, dat zou ze niet kunnen verdragen.

Ze wendde zich af van het raam en keek naar hem zoals hij daar nog steeds bij de tafel zat. En zelfs in haar nederlaag moest ze nog roepen: 'Denk niet dat je me hebt waar je me hebben wilt, nog lang niet. Er zullen andere gelegenheden komen.' Maar ze zei niet: ik stem in met je voorstel, en ze zei het ook niet met andere woorden. Bij wijze van antwoord deed ze haar hoed af en trok ze haar jas uit en daarna liep ze naar de deur, de gang in, en hoorden ze haar met veel misbaar de trap op lopen.

Toen meteen daarop boven een deur werd dichtgesmeten greep Betty over de tafel heen haar vader bij de arm en zei: 'O, pa! Wat moet je nu doen? Maggie rekent op je.'

'Dat weet ik, meisje, maar ze zal er begrip voor moeten hebben. En jij hebt er ook begrip voor, hè? Ik kon je moeder daar toch zeker niet naartoe laten hollen? Het zou hun ondergang betekenen, zelfs na hun trouwerij. Maar maak je geen zorgen...' Hij stond op en fluisterde: 'Ze vertrekken vrijdag naar Schotland. Ze hebben het huis aan de dochter van de buren verkocht en Nyrene heeft me veel spullen gegeven.'

'Weet je, pa, ik heb toch een beetje met ma te doen.' Ze keek op en voegde eraan toe: 'Ze is heel ongelukkig. Diep in haar hart is ze heel ongelukkig.'

'Vertel mij wat, meisje. Ze is haar hele leven ongelukkig geweest.'

'Weet ik, pa. Weet ik. Maar wat zal er gebeuren als ze van het bestaan van het kind hoort?'

'Dat mag Joost weten. Ik denk dat ik dat maar voor later bewaar, ik bedoel, als ze hoog en droog in Schotland zitten en zij niet weet waar ze naartoe zijn. Want jij weet het niet, hè? Ik ben de enige die het weet en meneer en mevrouw Beardsley.'

'Jij zult Maggie nog steeds blijven zien, pa?'

'Ja, natuurlijk. Natuurlijk. Op dat punt zal er niets veranderen. En ze zal er begrip voor hebben, dat weet ik. Ze zal begrijpen dat het slechts een kwestie van tijd is.'

Betty richtte zich op en er lag een glimlach op haar gezicht toen ze zei: 'Ik voel me niet oud genoeg om tante te zijn, maar dat ben ik wel, hè?'

Alex Riley ging staan en zei: 'Jawel, meisje, je bent tante. En ik ben opa. En het is een heerlijk gevoel om opa te zijn.'

11

Er was een stapel koffers in de bagagecoupé gezet. Mevrouw At-kins, die de baby droeg, had haar gereserveerde plaats in de eerste klas ingenomen en zat nu naar Peter en Nyrene te kijken die op het perron met meneer en mevrouw Beardsley en meneer Riley ston-den te praten.

'Ik zal jullie beiden missen,' zei Alex Riley tegen Nyrene, 'en het kind ook. Jawel, ik zal hem missen. Ik heb het gevoel dat ik hem al jaren ken.' Hij lachte beschaamd en Louise zei: 'Dan bent u niet de enige, meneer Riley. We zullen hem allemaal missen.' Het viel op dat Fred niets zei.

'Jullie weten allemaal dat jullie ons zo vaak als je maar wilt mo-gen komen bezoeken.' Nyrene keek vertederd van de een naar de ander.

Op het geluid van deuren die werden dichtgeslagen volgde het schudden van handen en de vrouwen begonnen elkaar te kussen. Riley greep opeens de handen van zijn vader, maar hij was niet in staat iets uit te brengen. Zijn vader bleef het meest beheerst. 'Stil maar, jongen,' zei hij. 'Alles zal goed komen. Maak je over ons hier geen zorgen, pas goed op haar.' Hij knikte glimlachend naar Nyre-ne en hij voegde eraan toe: 'Denk af en toe eens aan mij, want ik zal veel aan jou denken.' Hij duwde Riley naar Fred toe.

Fred was vreemd stil gebleven bij het afscheid nemen. Zelfs nu verbrak hij die stilte niet. In plaats daarvan stak hij zijn armen uit en omhelsde Riley kort. Toen wees hij naar de conducteur die in de deuropening van het rijtuig stond.

Riley had op het punt gestaan iets te zeggen, maar hij wendde zich haastig af en sprong in het rijtuig. De deur werd met een klap dichtgesmeten en even later kwam de trein in beweging. Toen Fred hem met zijn ogen volgde, had hij het gevoel alsof hij een zoon uitzwaaide, of op zijn minst een vriend die hij nooit zou kunnen vervangen...

Vijfentwintig minuten later kwam Alex Riley zijn huis weer binnen en trof daar Betty in een staat van grote consternatie aan. Het was voor haar heel ongewoon om tijdens de lunchpauze naar huis te komen.

'Wat is er, meisje. Wat is er?'

In antwoord op zijn vraag vroeg ze: 'Zijn ze weg? Ik bedoel de trein, zitten ze in de trein?'

'Jawel, meisje, ze zijn net vertrokken.'

Ze slaakte een diepe zucht. 'Ze is erheen, naar het huis.'

'Hoe is dat zo gekomen?'

'Ze kwam onderweg mevrouw Naylor tegen. Je weet wel, ze maakt schoon in het theater. En zij feliciteerde ma omdat ze grootmoeder was geworden.'

'Grote goden!'

'Ik ben snel naar huis gegaan omdat ik toch wel een beetje met haar te doen heb. Maar ze was helemaal door het dolle heen en stond klaar om weg te gaan. Ze gaf Peter alle smerige namen die ze maar kon bedenken. Ik heb nog nooit zoiets gehoord. Ze zei dat hij nog maar achttien moest zijn geweest toen hij met dat dronken wijf aanpapte en ze zei dat jij haar de mond niet kon snoeren, waar je ook mee mocht dreigen. En dat is het laatste wat ik van haar heb gezien. Ze ging weg. Pa, ik denk dat ze doorgedraaid is.'

'Nee meisje, ze is niet doorgedraaid, ze is kwaad, en ze weet wat ze doet. Je kunt mensen opsluiten als ze krankzinnig zijn, maar als ze alleen maar kwaad zijn uit bezitsdrang en jaloezie, afgunst en dat soort zaken, zoals zij, dan kunnen ze heel lang normaal lijken. Ze weet heel goed wat ze doet. Maar kijk nou maar niet zo bezorgd, meisje. Ik heb tegen je gezegd dat als het hier ondragelijk wordt, jij alleen maar je spullen hoeft te pakken, want nu hoef ik me ook niet meer aan mijn deel van de overeenkomst te houden. Ik had gezegd dat ik zou blijven als ze er niet naartoe ging. Maar dat heeft ze nu wel gedaan.'

Hierop liep hij bij haar vandaan en holde de trap op.

Het was bijna één uur toen Mona Riley het huis weer binnenstormde. Er was geen andere manier om haar binnenkomst te beschrijven en toen ze haar man met zijn jas aan zag staan met een koffer en een weekendtas naast zich, zei ze niets. Hij was degene die sprak. 'Nou, de overeenkomst was dat als jij daar niet naartoe zou gaan, ik zou blijven. Maar je bent erheen geweest, dus ga ik weg.'

Ze zei nog steeds niets, en haar zwijgen was bedreigender dan alles wat ze had kunnen zeggen. Toen sprong ze zo ongeveer naar het buffet uit Wales en greep de glazen deegroller die Peter ooit als jochie van veertien op een kermis had gewonnen. Op het moment dat ze zich half omdraaide en met haar hand uithaalde, zag hij wat ze van plan was, maar hij was niet snel genoeg om haar te ontwijken, en toen de deegroller zijn voorhoofd schampte, leek het wel of hij door een hamer werd geraakt. Hij wankelde achteruit en hij had het aan een fauteuil te danken dat hij niet viel. Toen hij het warme bloed tussen zijn vingers door voelde sijpelen, dacht hij dat hij moest overgeven. Haar gekrijs leek van een afstand te komen. Maar toen zijn blik helder werd zag hij Betty, die haar moeder tegen het buffet drukte en hem toeriep: 'Ga weg, pa! Ga weg!'

Langzaam, als in een droom, pakte hij de tas en de koffer en liep door de achterdeur naar het schuurtje in de tuin. Daar veegde hij met een zakdoek het bloed van zijn gezicht voor hij het huis verliet dat jarenlang als een gevangenis voor hem was geweest.

Betty keek naar haar moeder, die aan de tafel zat. Ze had haar hoed afgedaan en haar jas lag op een hoop op een stoel. Ze zat met haar ellebogen op de tafel en liet haar hoofd tussen haar onderarmen en haar gebalde vuisten hangen. Ze had een tijdlang zo gezeten, en ze verroerde zich nog steeds niet toen Betty zei: 'Ik zal een kopje thee voor je zetten, ma.'

Betty zette de thee en bracht het kopje naar de tafel. Ze keek een beetje gespannen naar de stille gestalte, want haar moeder had zich niet bewogen.

'Ik heb hier een kopje thee, ma.'

Toen haar moeder langzaam opkeek, werd Betty even door medelijden overmand en had ze de neiging om haar armen om haar heen te slaan en haar te verzekeren dat alles goed zou komen. Maar ze wist dat voor haar moeder niets ooit goed kon of zou komen, en het was meteen gedaan met haar medelijden toen haar moeder begon te spreken. Haar woorden kwamen van diep uit haar binnenste en ze zei: 'Ik blijf leven. Ik zal heel erg lang blijven leven en ik zal hem dat betaald zetten. Wacht maar eens af. Ik verafschuw de gedachte dat ik hem ooit ter wereld heb gebracht. Hij is smerig! Net als zij. Achttien jaar en dan met een dronken slet naar bed gaan en haar een kind bezorgen. Godallemachtig! Ik zal hem wel krijgen. En wat die andere betreft, die net is vertrokken, zijn beurt komt ook nog wel. Er zal een tijd komen dat ik op hun graf zal dansen. Dat zweer ik bij God. Ik zwéér het.'

O, lieve hemel! Betty sloeg een hand voor haar mond, ze draaide zich snel om en liep naar de bijkeuken. Ze was nooit eerder bang geweest voor haar moeder, maar nu was ze echt bang. Ze had gezegd dat ze op hun graf zou dansen, en ze meende het, ze meende ieder woord dat ze zei. Nou, één ding was duidelijk, zij hield dit leven niet langer vol. Zodra ze de kans kreeg maakte ze dat ze wegkwam. Ja, dan maakte ze dat ze wegkwam en dan ging ze naar haar vader.

Deel 2

1

Ze stond binnen het hek. Het was bijna anderhalve meter hoog, maar ze had er niet op geleund, hoewel ze daar meer dan een uur had gestaan. Haar lichaam was nog steeds recht en gespannen, haar blik gericht op het landelijke tafereel voor haar, maar haar gekwelde geest voerde haar terug naar de jaren die achter haar lagen. Jaren vervuld van geestelijke kwelling, haat en tragedie, maar al die tijd gedragen door een allesverterende liefde. Liefde, liefde die altijd pijn had bevat door de angst deze te verliezen, maar die ten slotte een kwelling was geworden.

Nyrene Riley was nu een vrouw van midden vijftig, zo zag ze er ook uit en daar was ze zich terdege van bewust. Maar op de dag van hun komst hier, toen Peter en zij op deze zelfde plek hadden gestaan en over ditzelfde tafereel naar de rivier hadden gekeken, had ze zich verbeeld dat ze weer jong was, een gevoel dat weken, maanden, ja, zelfs de eerste drie jaren had aangehouden. Er was een gevoel geweest van jeugd en vrolijkheid in haar binnenste.

Als Peter genoodzaakt was geweest haar alleen te laten, had ze haar dagen gevuld met de zorg voor haar geliefde kind, hierin bijgestaan door mevrouw Atkins en met steun van hun unieke tuinman alias klusjesman Hamish McIntyre, afkomstig uit Peterculter, een eindje in de richting van Banchory.

Eens per week ging ze met Ivy en Ken naar Aberdeen of Banchory om boodschappen te doen. Vooral Aberdeen was heel interessant en af en toe gingen ze naar een toneelstuk. Verder waren er avonden dat Claire en Mick Brown, de buren van Ivy, langskwamen, evenals een amusante vrijgezel van middelbare leeftijd, Angus Clarke.

Misschien had de verandering na de derde verjaardag van hun kind ingezet, hoewel hun liefde daar niet door werd aangetast.

In die tijd had ze niet aan de komende jaren gedacht. En nu voerden haar gekwelde lichaam en geest haar weer terug.

2

Ze had hem opgehaald van het station in Peterculter en ze had zich moeten beheersen om niet naar hem toe te hollen toen ze hem uit het rijtuig zag springen. Maar hij holde naar haar toe, en holde meteen verder terwijl hij riep: 'Ik heb een kist in de bagagewagen staan.'

Toen ze een minuut later naast zijn volgepropte weekendtas, zijn gebruikelijke reiskoffers en een houten kist stond, zei ze: 'Wat heeft dit in hemelsnaam allemaal te betekenen?'

'Bemoei je met je eigen zaken, mens. Kom, laat me je eerst een knuffel geven.'

'Nee, nee! Kijk, daar heb je de mevrouw van de...'

'De mevrouw van de dinges kan de pot op!'

Hij kuste haar en zei toen: 'Denk je dat jij mijn weekendtas kunt dragen?'

Ze tilde hem op en zei: 'Wat heb je hier in hemelsnaam in gestopt? Bakstenen?'

Hij gaf geen antwoord maar pakte de koffers, wees naar de houten kist en zei: 'Ik zal die zo meteen ophalen. Staat de auto op de parkeerplaats?'

'Ja, natuurlijk.'

Tien minuten later reden ze op de hoofdweg en hij slaakte een diepe zucht, leunde met zijn hoofd achterover, stak zijn voeten zo ver mogelijk voor zich uit en riep met een hoge falsetstem: 'Wat is het leven toch geweldig!' Ze schoot in de lach en zei toen: 'Wat is er gebeurd dat het leven zo geweldig is?'

'Doe niet zo stom, mens...' – hij imiteerde nu de stem van Fred Beardsley – 'ik ben toch zeker thuis? En jij bent slechts centimeters bij me vandaan. Wat heb je nog meer voor verklaring nodig?'

'O, Peter!'

De klank van haar stem maakte dat hij rechtop ging zitten, hij boog zich naar haar toe en kuste haar in de hals, waardoor ze bijna tegen een tegemoetkomende auto botsten. 'Doe niet zo… Doe niet zo dwaas! Zie je nou wat ervan komt? Ik wed dat die man me verwenst.'

'Hij zou niet durven.' Hij leunde weer achterover en keek uit het raampje terwijl hij rustig zei: 'Ik hou van dit landschap. En ik denk dat ik er de komende tien weken of langer veel van kan genieten.'

'Echt?'

De auto zwenkte opnieuw.

'Hoe moet het dan met de pantomime?'

'Die heb ik afgewezen.'

'Nee toch zeker! Je bent dol op pantomime.'

'Ja, dat weet ik wel, maar als ik die had aangenomen, had ik een zekere vrouw achter wie ik al een tijdje aan zit, niet veel kunnen zien.'

'O, Peter, Peter, niet doen.' En toen hij weer naar haar toe wilde schuiven, zei ze: 'Nee, niet bewegen! Ik wil een beetje doorrijden zodat we snel thuis zijn. Geen capriolen meer, anders eindigen we nog in de sloot.'

Toen ze van de hoofdweg afdraaiden naar een smal weggetje door het bos, ging hij rechtop zitten en citeerde, opzettelijk fout: "En staat het huis op het land boven de Die, en serveert men thee om klokkie drie?"'

Toen ze langs een bosje met grove dennen, links van het pad, reden, was er rechts een hoge, groene haag die abrupt werd onderbroken door een enorm houten hek dat toegang gaf tot een oprijlaan die Nyrene nu insloeg, terwijl ze lachend opmerkte: 'Arme Rupert Brooke. Dat heeft hij niet verdiend.'

De oprit was breed en ongeveer dertig meter lang, voordat hij uitkwam op een binnenplaats die aan één zijde door het huis werd begrensd. Aan de overkant stond een rij bijgebouwen: drie stallen, een tuighuis, en een houtopslag, en aan de verste zijde stond iets wat op een grote schuur leek, vanaf het eind van de bijgebouwen tot aan een poort tegen het huis, die naar een moestuin erachter leidde.

Het stenen gebouw met gedeeltelijk vakwerk werd nu als garage gebruikt, en toen de auto naderde, kwam er uit de wijdopen deuren een lange, magere man met een wollen muts met een grote pompon op de kruin te voorschijn. De huid van het smalle gezicht was dusdanig verweerd dat het rood bijna net zo fel was als dat van de muts.

Vlak voor de auto tot stilstand was gekomen trok hij het portier open, keek Peter aan en zei: 'Zo, dat is dus weer gelukt.'

'Ja, Mac, dat is weer gelukt en het werd hoog tijd.'

'Net wat u zegt, het werd hoog tijd. Vier weken is heel lang om weg te zijn.'

Toen Riley buiten stond rekte hij zich uit en zei: 'O, deze lucht hier! Is alles goed, Mac?'

'Meneer, had u dan anders verwacht? Met uw vrouw is alles prima, beter dan ooit; de kleine jongen is net zo tierig als altijd, hij is op dit moment bij zijn tante Ivy; en wat mevrouw Tommy Atkins betreft... had u gedacht dat zij zou veranderen?'

Riley tilde de koffers uit de bagageruimte van de auto en zei lachend: 'Ze zal je nog eens een "mevrouw Tommy Atkins" om je oren geven als ze je hoort.'

'Maar ze hoort me heus niet. Als er mensen bij zijn is zij mevrouw Atkins voor mij, net zoals ik voor haar meneer McIntyre ben, maar weet u, zoals ik al eerder heb gezegd is ze het meest bangelijke wezen dat hier tot ver in de omtrek te vinden is.'

'En wiens schuld is dat dan wel?' zei Nyrene lachend. 'Jij met je verhalen over kobolden en boskabouters. Het is een wonder dat Charles niet ook doodsbang is, met alle verhalen die jij hem steeds vertelt.'

'Nou, het is heel grappig, maar...' Mac wilde de houten kist uit de kofferruimte tillen, maar hij verbaasde zich over het gewicht en zei: 'Allemachtig! Zo te voelen hebt u een partij schroot meegenomen. Waar moet ik dit laten?'

'In de hoek van de schuur, en laat de kleine jongen er niet bij in de buurt komen, want het is een echte modeltrein met toebehoren, voor Kerstmis.'

'Dat is leuk! Daar zal hij blij mee zijn.' Mac tilde de kist op en liep ermee naar de schuur.

Toen hij terug was, zei hij tegen Riley, die de koffers al uit de auto had gehaald: 'Geef die maar aan mij.' Hij keerde terug naar zijn gespreksonderwerp en zei tegen Nyrene: 'Wat ik u net wilde vragen: hebt u de kleine jongen ooit bleek zien worden door mijn verhalen? Hij danst gewoon om me heen, alsof hij bij het volkje uit het bos hoort. Trouwens, ik kom daar net vandaan,' – hij knikte naar het huis – 'en ik heb de haard aangemaakt. Die brandt nu lekker. Die vrouw! Ze zou hem uit laten gaan waar ze bij zit. Maar ze had in elk geval het benul de koffietafel er vlakbij te zetten. Dat zag er gezellig uit. Ja, heel gezellig.'

Nyrene en Riley schoten in de lach toen ze hem met de koffers naar de keuken zagen lopen. Daarna liepen ze met hun armen om elkaar heen geslagen langs de zijkant van het huis naar de voordeur.

Riley deed net als altijd een stap achteruit om omhoog te kijken naar de gevel van deze bovenmaatse cottage die hij vanaf het eerste begin zo mooi had gevonden. Het was een natuurstenen huis met een houten bovenbouw, het had met houtsnijwerk versierde eiken balken die omhoogliepen tot aan de dakspanten die de diepliggende ramen overschaduwden.

Het dak was heel fraai, met grote dakpannen waarvan de nok naar twee fraai versierde schoorstenen liep, aan weerszijden van het langwerpige huis.

Ze stapten over de drempel. Hij trok haar tegen zich aan en zei: 'Zal ik jou eens wat zeggen? Ik denk dat ik nog meer van dit huis hou dan dat ik van jou hou.'

'Ja, dat weet ik. Dat is de reden waarom je met mij bent getrouwd.'

Ze slaakte een gesmoorde kreet toen ze tegen hem aan werd gedrukt en ze beantwoordde zijn kus. Toen duwde ze hem van zich af en zei: 'Laten we naar binnen gaan.'

Ze holde bij hem vandaan de lange kamer door en ging toen door een deur naar de keuken, hij bleef staan om zijn jas uit te doen. Net als buiten was het alsof alles hier nieuw voor hem was.

De kamer – een grote ruimte die zowel zitkamer als eetkamer was – was zo'n vijftien meter lang en bijna acht meter breed, en was, net als de aangrenzende keuken, die ooit als koeienstal had gediend, met een hoog dakgewelf uitgerust. De grote balken die het dak steunden, werden op hun plaats gehouden door al even indrukwekkende spanten. Links van hem leidde een royale eiken trap naar een smalle galerij waar diverse deuren op uitkwamen. De trap werd door vier eiken palen gesteund, zodat er een bruikbare open ruimte overbleef.

Hij liep langzaam door de kamer naar het houtvuur dat in een korf in de natuurstenen haard brandde, met ernaast twee grote ijzeren honden waartegen wat ijzers, een pook, een vork en een vuurtang lagen om de brandende blokken te kunnen opstapelen. De ingebouwde bankjes naast de ijzeren honden waren te dicht bij het vuur om aangenaam op te kunnen zitten.

De stenen schoorsteenmantel bevatte slechts een stel koperen kandelaars, met ertussen een uitstalling van tinnen bekers. Aan de muur, aan weerskanten van de haard, hingen grote schilderijen, het ene met een afbeelding van een landschap bij avond, met een mooi boerenmeisje met een korenschoof op de arm, het andere schilderij was warmer van tint en beeldde een Franse dame aan het hof af met een boezem die deels was bedekt met kant dat zo echt leek dat je de indruk kreeg het van het doek te kunnen plukken. Er werden discussies gevoerd over de vraag of het een echte Boucher was. In dat geval moest het nu een fortuin waard zijn.

De hele kamer had een natuurstenen vloer die slechts hier en daar te zien was, want het grootste deel ervan was bedekt met drie grote en schitterend gekleurde Chinese tapijten. Voor de haard lag een lang wit kleed en erachter stond een lage bank met aan weerszijden bijpassende fauteuils. In de kamer stonden diverse antieke meubelstukken.

Het bankstel was bekleed met een lichte tint blauw velours die paste bij de gordijnen van de twee hoge ramen aan weerszijden van de deur. Er was een derde raam aan het verste einde van de kamer waar hij nu naar keek, want voor dat raam stond de lange eetkamertafel met hoge stoelen waarvan de rugleuningen met leer waren bekleed.

Er hingen aan deze kant geen schilderijen aan de muren omdat het licht uit het raam, dat op de glimmend gewreven meubels werd weerkaatst, voor voldoende variatie zorgde.

Rileys gezicht stond ernstig toen hij in de kamer om zich heen keek. Toen hij voor het eerst in dit huis was gekomen had hij ook zo staan kijken, verbijsterd over het unieke en de schoonheid van dit alles. De kamer leek nog precies zo, er was niets veranderd, en hij wist nog dat hij had gedacht: god, wat ben ik een geluksvogel. Die woorden waren bijna als een gebed uitgesproken, en in gedachten sprak hij ze steeds weer uit. Hij had haar, die geweldige, geweldige vrouw, en zij had dit huis. Hij had dit huis nu ook en hij was meneer Riley. Hamish McIntyre had hem als eerste zo aangesproken, zonder met zijn ogen te knipperen om zijn jeugdige uiterlijk. Hij mocht Hamish graag, het was een goeie vent. Hij had een aangeboren gevoel voor humor en hij wekte de indruk dat hij zich van God of gebod niets aantrok, maar op zondag zat hij altijd in de kerk. En als de rondtrekkende dominee toevallig op een bepaalde zondag kwam preken en hij maakte wat grapjes – heel verbazingwekkend voor een dominee – dan kwam Hamish naar hem toe om ze door te vertellen. Er was nooit iets akeligs of zelfs maar pikants aan deze mopjes, maar zoals hij altijd zei begrepen maar weinig vrouwen waar een man om moest lachen.

Ja, hij mocht Hamish graag en hij hield van dit huis en hij aanbad zijn vrouw. Hoe meer hij haar zag, hoe groter zijn liefde werd. Maar zo'n liefde had een hongerige zijde. Wanneer hij op tournee was, miste hij haar vreselijk. Af en toe voelde hij een opwelling om alles eraan te geven en naar huis te snellen en te zeggen: 'Ik blijf in de buurt, ik zoek een gezelschap in Edinburgh, zodat ik minstens één dag per week naar huis kan.' Maar als dit gevoel hem te machtig werd, maakte hij zichzelf altijd duidelijk dat hij zich niet moest gedragen als een verliefde puber. Hij had een vrouw en een kind die hij te eten moest geven. Goed, ze had dan wel geld van zichzelf, maar daar wilde hij geen penny van aanraken. Nee! Dat was het enige waarover ze het oneens waren, het gebruik van haar geld. Ze kon ermee kopen wat ze wilde, maar hij zou voor het brood op de plank zorgen. Ze had wel eens tegengesputterd en hem voor de voeten geworpen dat er zelfs voor de beste acteurs zoiets als rustperioden bestond, en hij had gezegd dat hij zich daar terdege van bewust was en dat hij in zulke tijden wel losse klusjes zou nemen.

Het innemen van dit standpunt had hem mentaal geholpen om jaren te winnen. Hij kon zichzelf nu als man beschouwen. Maar had hij zich niet altijd al een man gevoeld?

'Wat is er aan de hand, liefste?'

Hij draaide zich om, knipperde met zijn ogen en zei: 'Aan de hand? Niets. Wat zou er aan de hand kunnen zijn? Ik ben thuis… Ik ben thuis… Ik ben thuis.' Hij nam haar opnieuw in zijn armen, maar nu duwde ze hem voorzichtig een eindje van zich af. 'Je ziet er bezorgd uit.'

'Bezorgd? Waar zou ik me nou bezorgd over moeten maken?'

Hij liet haar los, draaide zich om en viel op de bank neer. Daarna trok hij haar op een knie en zei: 'Nyrene… Nyrene. Wat moet ik toch met jou?'

'Hetzelfde als altijd, namelijk, mij m'n zin geven, en tegen me liegen zodra je dit huis binnenkomt, tot het weer tijd is om te gaan.'

Hij staarde haar even aan. Toen stak hij een hand uit, streelde haar zacht over de wang en zei: 'Ik aanbid je en ik heb je nodig. Ik begeer je. Ik heb je zo vreselijk hard nodig dat ik af en toe wou dat ik je nooit had gezien. Echt waar… Ik had vroeger altijd de pest aan al die sentimentele liedjes op de radio en de televisie over de liefde. Ik zette het ding altijd vol weerzin uit. Maar nu ben ik er zo vol van dat het af en toe ondraaglijk wordt. Ik kijk naar de meisjes in de cast. Ze lopen niet goed, ze hebben geen houding, ze praten niet goed. Je hebt geen idee dat jij in een stilte meer kunt leggen dan zij in een zin, ze zijn zo stuntelig.'

Er lag geen glimlach op haar gezicht toen ze zei: 'Ze zijn alleen maar stuntelig, lieverd, omdat ze nog jong zijn. En ik kan alleen maar recht lopen, goed praten, en mijn stiltes beheersen omdat ik een vrouw van middelbare leeftijd ben.'

Hij lachte en kuste haar. Toen zei hij: 'En, wat zou deze vrouw van middelbare leeftijd ervan zeggen om nu meteen naar bed te gaan, ter plekke? Ik moet direct uitzoeken of ze al begint te verleppen.'

'Zeer zeker niet! Ik wil een kop thee en ze kunnen elk moment binnenkomen, en het zou me niets verbazen als Ken hen brengt. Laat me los.'

Frustratie. Frustratie. Toen hij haar losliet knikte hij naar haar en zei: 'Ik denk dat ik vanavond hoofdpijn heb.'

'U denkt maar, meneer Riley. Hebt u vanavond gerust hoofdpijn. Mij best.'

In de keuken zette Nyrene de ketel op de plaat van het Aga-fornuis, daarna deed ze de thee in de pot en stond te wachten. Het zou maar een minuut duren voor het water begon te koken. Het was nu drie uur. Het duurde minstens vijf uur voor ze naar boven konden gaan, maar ze wist niet of haar lichaam zo lang nog kon wachten. Hij had gezegd dat hij haar aanbad. Hoe moest ze onder woorden brengen hoeveel ze van hem hield? Door liefde verteerd was een beter begrip. Zijn afwezigheid was iedere keer een marteling voor haar en ze kon hem niets van haar verdriet laten merken, want ook al had ze hem het liefst de hele tijd naast zich, toch wist ze dat acteren zijn leven was, en dat hij verloren zou zijn als hij dat niet kon doen. Ze had gedacht dat haar gevoelens in de loop der jaren minder zouden worden, in een patroon zouden passen, misschien zelfs moederlijk zouden worden. Maar nee, ze waren hoogstens nog sterker en vuriger geworden. En ze merkte nu dat ze zich voortdurend afvroeg wat er zou gebeuren als er iemand tussen hen zou komen, en dat kon gebeuren. Die stuntelige meisjes over wie hij het had waren allemaal heel aantrekkelijk. En hoe onhandig ze ook waren, ze waren in elk geval nog jong en dat woog nog altijd op tegen haar leeftijd.

Aan de andere kant kon hij ook omkomen bij een ongeluk met de trein of met een auto. Nou, dat kon ze verdragen. Ja, dat zou ze kunnen verdragen, maar niet een andere vrouw. Ze hoopte dat het op die manier zou gebeuren, liever dan dat hij lang genoeg zou leven om te zien hoe ze werkelijk was, want dan zou hij vriendelijk doen en niet langer verliefd. Ach, wat bezielde haar toch? Hij was nu thuis en hij zou weken thuisblijven. En ze moest hem vertellen wat Fred had verteld over wat er met The Little Palace gebeurde. Maar daar was een oplossing voor, dat wil zeggen, als die plannen ooit verder kwamen dan de tekentafel. Jawel, dat kon de oplossing zijn. Doe niet zo gek! Wat maakte het uit? Ze werd uit haar neerslachtige overpeinzingen opgeschrikt door het geluid van tumult buiten. Er vloog een deur open, en er holde een kleine, verbluffend blonde en mooie jongen de kamer binnen. Hij liep Nyrene bijna ondersteboven toen hij zich tegen haar aan wierp en hij riep: 'Mamma! Mamma! Bruce is er. Bruce.'

'Rustig, rustig. Is Bruce er?' Nyrene keek naar mevrouw Atkins, die zich van haar jas en haar wollen muts ontdeed, en zei: 'Meneer Wakefield komt morgen met hem langs.' Maar Hamish McIntyre onderbrak haar: 'Onzin! Die hond weet de weg veel beter dan zijn baas. Dat beest staat morgenvroeg aan de deur te snuffelen. Meneer Wakefield zoekt gewoon een excuus om op bezoek te komen.' Toen ging hij, na een korte stilte, verder: 'Ik moet weer weg, mevrouw. Ik ga weer. Ik hoef u geen goedenavond te wensen, u hebt uw man terug en de kleine jongen is ook weer thuis. Allemachtig, hij weet een kudde paarden nog moe te krijgen, die vlaskop! Goedenavond allemaal. Goedenavond.'

Nyrene glimlachte, en haar stem was zacht toen ze zei: 'Goedenavond, Mac.' En alles wat ze verder nog had willen zeggen bij wijze van dank voor het naar huis vergezellen van dit groepje, werd door haar zoon overstemd toen hij riep: 'Tot morgen, meneer Mac, tot morgen, pret... pret.'

'Jawel, vlaskopje, dat wordt morgen dolle pret. Maar mondje dicht, knul. Mondje dicht.'

Toen de deur achter de Schot was dichtgevallen nam Nyrene, die nu met het kind op haar knie op de bank zat, zijn gezicht in haar handen en fluisterde: 'Wat is er morgen voor dolle pret? Wat zijn jullie tweeën van plan?'

Het kind schaterde het uit, maar mevrouw Atkins zei: 'Die man, mevrouw, ik kríjg er wat van. We wisten heus zelf de weg wel, maar hij stond daar aan het begin van het bos als een hert dat over zijn kudde waakt. Weet u, hij was net een schilderij in het huis van mijn oma, en daarop stond een grote eland boven op een heuvel de wereld te overzien, en zo was hij ook: als je hem een gewei had gegeven, mevrouw, en nog een paar benen erbij, dan had je een echte hertenbok gehad, en een bronstige ook! De dingen die je over die man hoort!'

Nyrene lachte inwendig. 'Wat is het laatste nieuws deze keer?'

'O, hij heeft achter de een of andere vrouw uit Peterculter of zo aan gezeten, heeft haar verleid.'

'Ach, mevrouw Atkins, dat zijn vast allemaal praatjes. Wanneer heeft Mac nou tijd om achter iemand aan te zitten? Hij is hier bijna ieder uur van de dag, behalve op zondag. En zelfs op die kostbare dag komt hij nog wel eens langs. Het zijn allemaal praatjes.'

'Waar rook is, is vuur, mevrouw. Waar is meneer Peter trouwens?'

'Ik ben hier,' zei een stem vanaf de andere kant van de kamer, 'maar er is niemand die belangstelling voor mij heeft. Niet als de liefdesrelaties van de grote Schot worden besproken.'

Het kind sprong van Nyrenes knieën, holde de kamer door en landde met een sprong in Rileys armen, zodat deze achterover tegen de paal van de trap tuimelde en riep: 'Kalm aan, zeg! Kalm aan, jij woesteling!'

'Pappie-man.'

Het kind greep Riley bij de neus en herhaalde: 'Pappie-man, thuis.'

'Ja, je pappie-man is thuis.'

Het woord 'man' achter 'pappie' was ontstaan uit het feit dat het kind, dat Riley in zijn eerste en tweede levensjaar slechts af en toe had gezien, hem iedere keer als man aansprak en het had zowel Riley als Nyrene tijd en veel herhaling gekost voordat hij had begrepen dat die man zijn vader was. Het leek echter of de naam van zijn vader niet compleet was tenzij hij er dat 'man' aan toevoegde. De man. Eerst had hij de woorden afzonderlijk gezegd: 'Pappie man.' Maar na verloop van tijd waren ze samengesmolten. Waarop Hamish scheen te hebben gezegd dat het eerder 'papiermand' leek en dat zijn vader toch zeker geen prullenbak was.

Riley werd door zijn zoon de kamer in getrokken en al gaande maakte hij kleine sprongetjes.

Aan het eind van de kamer liet de jongen de hand van zijn vader los, holde naar mevrouw Atkins, trok haar aan haar rok en riep: 'Pie-ano!'

'Hij wil pianospelen,' zei mevrouw Atkins.

'Wil hij pianospelen?' zei Riley. 'Maar we hebben helemaal geen piano.'

'Nee, maar zijn oom Ken heeft er wel een, en hij heeft hem met twee vingers "Altijd is Kortjakje ziek" leren spelen. En dat vond hij prachtig. We konden hem er gewoon niet vandaan krijgen.'

'Wat?' Peter en Nyrene lachten nu allebei.

'Ach, het is heel makkelijk te spelen.'

Ze begon te zingen en het kind zong vrolijk mee. Toen begon hij opeens rondjes om de bank te hollen en op de stoelen te springen, tot Riley hem greep en zei: 'Zo, nu is het wel genoeg! Hou op. Je weet wat mamma heeft gezegd: binnen loop je en springen doe je buiten. In huis moet je lopen, als je wilt springen ga je naar buiten.' Het jochie zei niets. Hij stond Riley aan te kijken, met zijn armen uitgestrekt naar de schouders van zijn vader en zijn stem werd vreemd rustig toen hij smekend zei: 'Pappie-man.'

Riley pakte hem snel op en liep haastig naar de bank om hem in de armen van zijn moeder te leggen. De lachende blik van het kind was veranderd in een treurige en het vreemde was dat zijn hele lichaam tot rust leek te zijn gekomen. Het was niet echt slap, maar wel heel stil. Het was een toestand die Riley onrustbarend vond, maar Nyrene was er meer aan gewend. De dokter had hun niet kunnen vertellen wat er aan het kind mankeerde, behalve dat het een soort ontspanning was die volgde op uitputting die door extreme activiteit was veroorzaakt.

Riley keek naar Nyrene en vroeg zacht: 'Hoe vaak, de laatste tijd?'

'Sinds de laatste keer dat jij hier was niet éénmaal.'

'Echt niet? Denk je dat het komt doordat hij mij ziet?'

'Doe niet zo gek. De vorige maand was het vier keer raak, waarvan één keer een paar uur duurde, zoals ik je heb verteld. Die keer heb ik de dokter weer gebeld.' Ze tikte haar zoon op de wang en zei: 'Kom op, liefje. Denk je dat je zelf naar boven, naar bed, kunt lopen? Je bent nu een grote jongen, toch?'

'Mamma.' De stem klonk helder, maar hij voegde er zonder iets van een kinderlijke toon aan toe: 'Ik ben moe.'

Er was nog iets anders aan deze aanvallen dat ze vreemd vonden. Als hij zoiets had, sprak hij zonder aarzeling. Meestal duurden deze perioden kort, misschien een paar uur, maar soms was het een hele dag.

In de langere perioden was het opvallend dat hij altijd een hand wilde vasthouden. Meestal was het de hand van Nyrene, maar soms die van mevrouw Atkins, die er vaak bezwaar tegen maakte dat Hamish McIntyre zich bij zo'n gelegenheid over de jongen ontfermde, want volgens haar deed het het kind geen goed al dat geklets te moeten aanhoren over de beste plaatsen om in de rivier te vissen en hoe jonge herten worden grootgebracht. Wat haar het meeste stoorde was zijn beschrijving van de kabouters in het bos en van alles wat die uitspookten. Haar haren rezen ervan te berge, hij met zijn praatjes. Maar bij mevrouw kon McIntyre geen kwaad doen, dus had het geen zin erover te praten.

'Ik draag hem wel naar boven.' Riley nam het kind van Nyrene over en ze liep achter hem aan de trap op.

Toen het kind was uitgekleed en in bed was gestopt, ging Riley naast hem zitten met de kleine hand in zijn hand en hij zei zacht: 'Zal ik je een verhaaltje vertellen?'

Het antwoord was al even zacht maar beslist: 'Nee, pappie-man, nee.'

Riley keek in de ogen die hem aankeken. Ze waren vervuld van iets wat hij niet kon definiëren, hij kon feitelijk de uitdrukking op het gezichtje niet onder woorden brengen. Het was niet engelachtig, nee. De wangen waren rond en licht roomkleurig, en de mond was bij wijze van contrast zachtroze, lippen als twee bloemblaadjes met dauw, die een eindje openstonden zodat er iets van de tandjes te zien was.

Als Riley enigszins uit het veld geslagen was door dit korte antwoord van zijn zoon, werd dit gevoel weggevaagd toen het kind zei: 'Pappie-man?'

'Ja, lieverd, ja?'

'Ga niet weg.'

Hij keek in de ogen van het kind en zag daarin een diepe smeekbede. Zijn kind had gezegd: 'Pappa, ga niet weg.' Niet op de toon van een kind, maar op een toon die een volwassene had kunnen gebruiken.

Hij slikte moeizaam en zei toen: 'Ik ga voorlopig niet weg, heel veel weken niet, en dan gaan we pret maken. En zal ik jou eens wat zeggen?' Hij boog zich naar het gezicht en zei op fluistertoon: 'We gaan een piano kopen en dan kun jij zelf liedjes leren spelen. Wat dacht je daarvan?'

Er verscheen geen glimlach op het gezicht van het kind, eigenlijk was zijn hele uitdrukking opnieuw veranderd, en Riley, die langzaam overeind kwam, begreep dat de jongen opnieuw in een van zijn stiltes was vervallen.

186

Even later kwam Nyrene de kamer binnen met een blad met een gekookt ei in een porseleinen eierdopje en een bordje smalle reepjes brood met boter. Na het blad op het nachtkastje te hebben gezet kwam ze naast Riley staan en hij zei zacht, zonder naar haar op te kijken: 'Dat zal hij nu wel niet meer willen, hij is in slaap gevallen.' Maar toen hij zijn hand voorzichtig uit die van het kind wilde wegtrekken, bewoog de jongen even onrustig voor hij weer stil ging liggen. Zijn ogen waren dicht, zijn ademhaling was gelijkmatig, zijn hele lichaam was ontspannen en hij had het uiterlijk van een kind in diepe slaap. Ze stonden ernaar te kijken, terwijl ze beseften dat dit geen natuurlijke slaap was.

De deur ging weer open en mevrouw Atkins kwam bij hen staan en zei: 'Gaan jullie tweeën maar naar beneden. De thee staat klaar. Ik blijf wel bij hem. Ik heb jullie eieren klaargezet. Dat moet tot etenstijd voldoende zijn. Hij ziet eruit alsof het deze keer een diepe is, en het verbaast me niets, want hij heeft veel energie verdaan met rondhollen sinds we vanmorgen de deur uit zijn gegaan.'

Een kwartier later hadden ze thee gedronken en zaten ze naast elkaar op de bank. Riley was ongewoon stil en Nyrene pakte zijn hand, bracht deze naar haar borst, drukte hem daar stevig tegenaan en zei: 'Maak je over hem maar geen zorgen, ik ben hieraan gewend. Het is helemaal goed met hem. Zoals mevrouw Atkins zegt, hij spant zich te veel in. De energie die hij buiten en in het bos aan rondhollen spendeert zou een volwassen man nog binnen de kortste keren uitputten.' Ze zuchtte diep en voegde eraan toe: 'Maar ik denk toch dat we eens met hem naar een specialist moeten. Wat vind jij?'

Riley staarde haar even aan en zei toen: 'Ja, lieverd, dat ben ik met je eens.'

'Zullen we het tot na de feestdagen uitstellen? Ik betwijfel of we nu nog een afspraak kunnen maken.'

Riley aarzelde even en stemde toen in: 'Ja, liefste. Ja.' Maar hij dacht: ze is er in haar hart niet echt voor. Hij voegde er bij zichzelf echter niet aan toe: ze is bang voor het oordeel, net als ik.

Even bleef het stil tussen hen. Toen leunde Nyrene achterover en zei: 'Ik moet je al het nieuws vertellen. Om te beginnen wordt The Little Palace neergehaald.'

'Neergehaald? Je bedoelt dat het wordt afgebroken?'

'Ja. De hele straat wordt afgebroken. Er werd al jaren geleden over gesproken. Ze willen de markt verbreden. Maar het schijnt ook zijn goede kanten te hebben. Heb je ooit van een familie Pickman-Blyth gehoord?'

'Jawel. Die hadden een enorm huis boven op Brampton Hill. Ze zeggen zelfs dat Brampton Hill ooit helemaal van hen is geweest, net als de helft van de stad.'

'Nou, wist je dat er alleen nog maar een juffrouw Pickman-Blyth over is en dat zij een vriendin van David is?'

'Van meneer Bernice? David Bernice?'

'Ja, meneer Bernice. David Bernice en zij zijn vrienden, oude vrienden heb ik gehoord. Het schijnt dat ze de handen ineen hebben geslagen. Het staat in de krant en Louise zal ons een exemplaar opsturen. Voorzover ik heb gehoord stond het oude stadhuis te koop en wilde David het kopen, maar toen verscheen zij opeens op het toneel en deed een bod op het hele gebouw, dat voornamelijk uit kantoren bestaat. Zoals je weet is het oude stadhuis in geen jaren gebruikt. Het is dichtgetimmerd kort nadat ik in The Little Palace ging spelen en in de kantoren die eraan grenzen hebben een tijdje krakers gezeten. Volgens Louise kon David niet tegen haar bod op, maar hij moet haar dat van het stadhuis wel duidelijk hebben gemaakt. Ik ken alle details niet, maar ze schijnen een soort partnerschap te hebben gesloten: zij is geïnteresseerd in kunst en hij gaat van het stadhuis een theater maken en dat wordt vast geweldig, want het heeft een prachtig plafond en een galerij, als ik het me goed herinner. Maar de kantoren zullen tot restaurant verbouwd worden en het eind van het blok tot appartementen, twee afdelingen van vier. Louise zei dat de eerste planningsfase al achter de rug was, maar dat er nog wat details moesten worden geregeld. Maar stel je eens voor: The Little Palace komt weer tot leven, Assepoester wordt een prinses. David zal wel opgetogen zijn.'

'Allemensen! Ik kan het gewoon niet geloven.' Riley schudde zijn hoofd en zei toen: 'Ik hoop dat ze het nog steeds The Little Palace noemen.'

'Uit alles wat ik me herinner zou dit wel eens tweeënhalf keer zo groot kunnen zijn als The Palace en denk eens aan die galerij. Allemensen!'

Ze kwam op de bank overeind en zei enthousiast: 'Het zou voor jou misschien de moeite waard zijn een tijdje terug te gaan, denk je niet?'

Toen hij niets zei, draaide ze zich naar hem om en zei: 'Ach, ik weet ook wel dat dat niet gaat.'

'Het had gekund als ik geen moeder had gehad. Maar om zoiets van de grond te krijgen heb je jaren nodig.'

'Ze hopen alles binnen tweeënhalf jaar klaar en draaiende te hebben.'

Hij schoof nu zelf ook op de bank naar voren en zei: 'In tweeënhalf jaar kan er veel gebeuren. Misschien is mijn moeder tegen die tijd wel de pijp uit.'

'Dat moet je niet zeggen, Peter, zulke dingen moet je niet zeggen. Dat is niets voor jou.'

'Een jaar geleden had ik zulke dingen misschien niet gezegd, maar ze speelt weer haar oude spelletjes en ze maakt pa het leven zuur. Ze stuurt die vrouw smerige briefjes en er is een keer op een avond een brandende dot poetskatoen met petroleum door de brievenbus geduwd.'

'Nee toch zeker!'

'Jawel. Maar ze konden niet bewijzen dat zij erachter zat. Er hangen daar altijd wat straatjongens rond en die krijgen er dan de schuld van. Maar aan de andere kant, zoals Betty zei, hebben die knullen niets tegen Maggie of pa. Maar ze moesten wel de brandweer bellen en het hele huis stond vol rook. Betty heeft het ook moeilijk. Ma heeft haar een tijdje 's avonds om zes uur bij de kapsalon op staan wachten om er een stokje voor te steken dat ze met Harry Wilton omging, die een oogje op haar heeft. Op een avond begon ze hem zelfs uit te schelden, maar hij gaf haar gewoon een grote mond terug. Hij zei tegen haar dat hij een flat kon krijgen en dan zou hij Betty meenemen. Het schijnt dat Betty die avond bij pa is gebleven en dat hij toen de volgende morgen naar ma is gegaan om haar te waarschuwen dat als ze nog één keer een vinger naar Betty durfde uit te steken, hij naar de politie zou gaan. Hierna is ze naar Harrogate gegaan, naar haar broer Frank. Weet je, hij zit pas een halfjaar op dat nieuwe landgoed en hij was kennelijk niet blij haar te zien. Ze stond te dreinen dat hij alles was wat ze had en dat ze wilde dat hij met Betty ging praten. Hij zei tegen pa dat hij haar de kous op de kop had gegeven. Pa zegt dat hij zijn handen ervan aftrekt en dan zie ik mezelf daar niet naar teruggaan, jij? Bovendien zou jij toch zeker niet hier weg willen?'

'Nee, ik zou hier nooit voorgoed weg willen. Maar af en toe wordt het wel heel eenzaam. Iedere dag lijkt wel een jaar als jij er niet bent en ik verlang naar iets om mijn tijd mee te vullen. Goed, ik weet dat ik een kind heb om me om te bekommeren, en aan mijn nieuwe hobby, tuinieren, onder het toeziend oog van onze goede Mac, heb ik ook mijn handen vol. En dan is er mevrouw Atkins. Maar dat alles kan mijn leven niet vullen,' – ze keek hem even aan – 'zelfs het kind niet. Peter, er zijn momenten dat ik naar een glimp van jou verlang, dat ik je stem wil horen.'

Ze lag nu in zijn armen en hij kuste haar hartstochtelijk. Toen hield hij haar op een armlengte afstand en zei: 'Bij mij is het hetzelfde, liefste, exact hetzelfde. Wanneer vrouwen zich voor me beginnen uit te sloven, zou ik ze het liefst van me af sláán.'

Ze zette grote ogen op. 'Sloven ze zich voor je uit? Jonge of oude vrouwen?'

'Ach, je weet hoe het is. Sommige oude vrouwen zijn nog erger dan de jonge. En dan heb je nog die krankzinnige jonge meiden die 's avonds bij de uitgang staan te wachten. Nee, echt! Ben ik ooit jong geweest?'

'Het is lang geleden dat ik jong was, liefste, maar het is nog niet zo lang geleden dat jij jong was.'

'Hou op! Ik ben nooit echt jong geweest, zoals ik je al heb gezegd. Weet je,' – hij veegde haar haar van haar voorhoofd – 'je bent de geweldigste lerares die dit vak ooit heeft gehad. Kijk me eens aan. Wat was ik voordat jij me in de wereld van *Het Gouden Verstand* opnam en me liet zien hoe ik moest acteren, niet alleen maar een vreemde kerel spelen? Ik was gaan denken dat dat mijn sterke punt was, het enige waar ik voor diende. Het is me steeds bijgebleven, weet je, het gevoel van dat stuk. Je hebt echt een ander mens van me gemaakt. Maar kijk nu eens naar jou: jouw talenten worden volledig verspild. Laatst dacht ik nog aan de schuur, hier buiten, hoe die nergens voor wordt gebruikt en wat we er in de toekomst mee zouden kunnen doen. En weet je wat ik nu denk – gewoon, nu we het er toch over hebben – dat die schuur een bezigheid voor jou zou kunnen zijn, dat jij er een toneelschool zou kunnen beginnen.'

'Doe niet zo gek. Bedenk om te beginnen eens hoe ver we hier van de stad zitten. Bovendien moet je daar een opleiding voor hebben.'

'Je hébt toch zeker een opleiding gehad, je hebt in Londen op de toneelschool gezeten.'

'Ik heb daar geen diploma's van of zo…'

'Diploma's kunnen de pot op! Wat heb jij nou voor diploma's nodig? Goed, neem iemand met een diploma in dienst en dan neem jij de leiding. Het is een idee en het is een goed idee. En het zou mij een gerust gevoel geven als ik wist dat je zoiets deed, iets op je eigen gebied, want het is anders gewoon zonde, weet je. Ja, echt. Schud je hoofd nou maar niet, het is echt zonde. Grant Forbes is bezig een nieuw stuk met ons door te nemen, en ik kijk vaak op hem neer en denk: je weet er gewoon geen bal van en ik ben zo verwaand om te vinden, sinds ik van jou zoveel heb geleerd, dat ik zijn plaats zou kunnen innemen en het fluitend, met mijn handen op mijn rug, zou kunnen doen.'

'Ja, natuurlijk zou jij dat kunnen.' Ze haalde lachend haar vingers door zijn haar en zei: 'Jij krijgt ook steeds meer praatjes.'

Toen hij haar weer in zijn armen wilde nemen zei ze: 'Nee. Ik ga even boven kijken hoe het met hem is. Ga jij intussen even naar de keuken om thee te zetten. Ik ben zo weer terug.'

Toen ze de deur van de kinderkamer opendeed, stak mevrouw Atkins een vinger naar haar op en toen ze op haar tenen naar het bedje liep en op haar zoon neerkeek, zag ze dat hij in een normale slaap was gevallen. Ze fluisterde: 'U kunt nu wel gaan, mevrouw Atkins. Kom maar mee, het is nu wel goed met hem.'

Toen ze eenmaal op de overloop stonden zei mevrouw Atkins: 'Het is gewoon gebrek aan energie, mevrouw. U had hem daar eens moeten zien. Het is een wonder dat hij niet eerder een aanval heeft gehad. Die grote kolos van een man jut hem steeds weer op. Ik heb het u niet eerder verteld, maar hij liet het kind in een boom op een tak zitten en daar zaten ze met hun benen te zwaaien en hadden ze zomaar achterover kunnen vallen. Ik heb tegen hem geschreeuwd om hem te waarschuwen, en weet u wat hij zei, mevrouw? Hij zei dat als ze zouden vallen, hij ervoor zou zorgen dat ze op iets zachters dan ik vielen. Ik word echt doodziek van die man!' Daarna zei ze, toen ze Nyrene voorging naar beneden: 'En dan nog iets, mevrouw. Af en toe zou je denken dat hij hier de baas was, echt waar. Hij zei dat ik verdraaid had geboft dat ik dat mooie appartement boven de stallen had en ik zei toen dat ik degene was die er een mooie woonruimte van had gemaakt, dat ik die drie vieze oude kamers in een mooi appartement had veranderd. En toen schreeuwde hij weer dat het zonde was dat ik in die kamers zat, want dat erboven stalknechten hoorden te wonen en paarden in de stallen, net als vroeger. Echt, mevrouw, als ik ooit aan iemand ter wereld een hekel heb gehad, dan is het wel aan hem!'

Nyrene probeerde haar glimlach te verbergen en zei: 'Ik geloof daar niets van, mevrouw Atkins. Diep vanbinnen bent u erg op hem gesteld. Kijk maar naar wat u vorig jaar voor hem heeft gedaan, toen hij die kou had gevat. U wilde er niet van horen dat hij naar huis ging, naar zijn kale krot, zoals u het noemde, zonder een goed maal in zijn buik en een aardig pakket lekkernijen voor het geval hij de volgende dag niet in staat zou zijn terug te komen.'

'Dat zou ik voor een zieke hond nog doen, mevrouw.'

'Maak het nou! U kunt mij geen rad voor ogen draaien.' Nyrene duwde de oudere vrouw bij de schouders naar de keukendeur voor ze naar Riley liep, die nu met gesloten ogen op de bank lag en ze ging naast hem zitten en zei: 'Slaap je?'

'Nee.'

'Je hebt geen thee gezet?'

'Nee. Ging ze weer over Mac tekeer?'

'Ja, ze had het weer over Mac. Ze heeft een oogje op hem, volgens mij.'

'Nou, zover zou ik nog niet durven gaan.'

'Ik durf nog verder te gaan. Ik zou durven zeggen dat hij ook een oogje op haar heeft.'

'Wat! Mac een oogje op haar? Nee!'

'Jawel. Echt waar.'

'Mevrouw, u weet niets van de menselijke natuur.'

'Nee, natuurlijk niet, meneer, ik heb niet zoveel van de wereld gezien als u.'

Hij had zijn ogen nog steeds dicht toen hij zei: 'Wat voor kleinig-

heidje wilde je me ook alweer over Louise en Fred vertellen?'
'O, dat. Het is meer dan een kleinigheidje. Je weet dat ik schreef om te vertellen dat Louise had gevraagd of ze een dag kon komen en 's nachts met de kleine jongen kon blijven logeren, en ik had gezegd dat ik het leuk zou vinden hen allebei te zien. Fred moest weer even naar Londen, meestal gaat hij alleen maar van vrijdagavond tot zaterdag, maar ditmaal zou hij pas zondag terugkomen. Hij gaat dan bij Gwendoline, die zuster van hem, op bezoek. Buiten hem is zij de enige van de hele familie die nog hier woont, want de rest is over de hele wereld verspreid. En hij is nu eenmaal erg op haar gesteld. Toch verbaasde het me te horen dat Louise haar nog nooit heeft gezien. Ik zei dat ik het natuurlijk enig vond, dus is ze met Jason gekomen. Hij is niet zo'n wildebras als onze spring in 't veld. Het was in elk geval een heel interessant weekend en ik kwam een paar heel vreemde dingen te weten, allemaal over die geweldige Gwendoline. Louise zei dat ze voor het eerst over haar had gehoord op de dag dat jij van school kwam. Fred had een preek tegen je afgestoken en daarna had zij wat zitten praten met Fred. Hij had zijn hart uitgestort over zijn familie. Het bleek dat de enige met wie hij het een beetje kon vinden Gwendoline was. Maar het geval wilde... Luister je?'
'Mijn ogen zijn open. Ik kijk je aan, liefste, en ik luister.'
'Nou, die lieve Gwendoline heeft carrière gemaakt als prostituee, maar wel eentje van stand, natuurlijk.'
'Wát?'
'Ik zei: Freds lieve zusje Gwendoline is prostituee geweest.'
'Je méént het!'
'Ja, ik meen het meneer, en u weet het nog maar half.' En vervolgens gaf Nyrene hem een gedetailleerde beschrijving van wat Louise haar had verteld over de scène in de eetkamer met Gwendoline en haar schijnheilige vader, waarna zij naar Londen was gegaan om de maîtresse te worden van niet slechts één maar van een reeks zeer welgestelde, zeer belangrijke mannen. De laatste, met wie ze enkele jaren als zijn vrouw had samengewoond, was gestorven en had haar een schitterend huis en een klein fortuin nagelaten. Maar ze vervolgde met: 'Wat Gwendoline haar lieve broer niet had verteld tijdens al zijn bezoekjes aan haar, was dat ze een dochter heeft die

nu twintig is. Ze woont op dit moment bij haar in Londen en ze wilde dat Fred haar ontmoette. Ze zei tegen mij dat ze Fred nog nooit zo geschokt of zo gepikeerd had gezien. Hij had gedacht dat hij alles over zijn lieve Gwendoline wist, hij was bij al haar escapades haar vertrouweling en vriend gebleven. De vader van dit kind was een Amerikaanse zakenman die met zijn Franse vrouw in Parijs woont. Hun relatie was kort maar had wel een kind tot gevolg. En het opmerkelijke van dit alles is dat hij, toen hij dit hoorde, besloot het kind te adopteren. Zijn vrouw, die kinderloos was, was het daarmee eens, als Française accepteerde ze dit slippertje van haar man. In de loop der jaren had Gwendoline zelfs haar dochter mogen ontmoeten en ze had een tijdje bij haar gelogeerd. En nu is die jongedame wat losgeslagen. Haar vader is een paar jaar geleden gestorven en vorig jaar is die pleegmoeder ook gestorven en Gwendoline vond dat haar dochter, hoewel ze geen klein kind meer is, toch een thuis en een sturende hand behoefde. En als Louise de verhalen van Fred goed begrepen heeft, zal ze die zeker nodig hebben. Hoe dan ook, ze schijnen het geweldig met elkaar te kunnen vinden.'

'Lieve help!' zei Riley. 'Wat een verhaal. Ik kan me voorstellen dat Fred raar opkeek. Maar wat vond hij van de jonge *mademoiselle*?'

'Dat is een ander punt. Louise zei dat hij het moeilijk vond haar te beschrijven. Hij leek nog nooit zo iemand te hebben gezien. Knap was niet het goede woord ervoor, ze leek een speciale aantrekkingskracht te bezitten... een en al benen, boezem en billen, zei hij.'

'Wat?' Riley schoot in de lach. 'Benen, boezem en billen?'

'Ja. Louise begreep het niet helemaal en ze dacht dat Fred misschien bedoelde dat hij dacht dat ze in haar moeders voetsporen zou treden. Maar o, lieve help, meneer Fred werd woest en ze kregen ruzie.'

'Allemensen! Ik kan me niet voorstellen dat Fred ooit iets lelijks tegen Louise zou zeggen.'

'Ik ook niet, maar wij hebben Gwendoline of haar dochter nooit ontmoet. Verder werd Fred op de hoogte gebracht van de opleiding van zijn nichtje: tien jaar in een Frans klooster, gevolgd door een jaar kostschool in Zwitserland, en nu is ze klaar. Of liever gezegd, dat is ze al ruim een jaar en ze zit nog steeds te dubben over de vraag of ze met een graaf, wiens titel buitenlands en wiens bezit onzichtbaar is, gaat trouwen of met een industrieel magnaat. Uit Louises opmerkingen over de telefoon maak ik op dat ze zich niet op hun bezoek verheugt. Ze komen aan het begin van het nieuwe jaar twee nachten logeren. Daarna gaan ze de winter in Oostenrijk doorbrengen. Ze schijnen allebei goed te kunnen skiën.'

'Arme Fred... Dit alles moet echt een schok voor hem zijn geweest.'

'Ik weet niet precies hoe het met arme Fred is, ik zeg eerder arme Louise, want ik geloof dat ze in de loop der jaren een beetje genoeg heeft gekregen van alle verhalen over Gwendoline. Ze vond het altijd weer vervelend als Fred naar Londen ging om haar te bezoeken en hoewel hij af en toe vroeg of ze zin had om mee te gaan, had ze altijd geweigerd omdat ze het gevoel had dat hij zijn zus tot een romantisch wezen had opgeblazen en zij geen zin had haar te ontmoeten. Toch zal ze hen binnenkort allebei te zien krijgen en dan zal ik bij de telefoon zitten om te horen wat haar indruk van die benen, boezem en billen is.' Nyrene wierp een schuine blik op Peter. 'Dat wijst toch wel in een bepaalde richting.'

'Ach, het ging hem waarschijnlijk alleen maar om de alliteratie. Je weet hoe hij is. Hij kan geen zin construeren zonder iets van een toespeling erin. Hoe dan ook, lieverd, genoeg over de grote Fred, de lieve Louise, de verleidelijke Gwendoline en haar langbenige dochter. Wat dacht je ervan als wij eens even naar bed gingen? Kom hier.'

'Ik kom echt niet dichter bij jou.' Nyrene schoof resoluut bij hem vandaan. 'Mevrouw Atkins heeft gekookt. Jij gaat nu eerst even in bad en daarna zullen we ons als beschaafde mensen gedragen. Als mevrouw Atkins klaar is met haar werk en zij naar haar onderkomen aan de overkant is verdwenen, pas dan, meneer Riley, kunnen wij ons terugtrekken.'

'Ach toe nou, meisje, heb medelijden. Toe nou.' Hij was een eindje dichter naar haar toe geschoven en omhelsde haar nu stevig. 'Tien minuutjes maar, toe nou. Ik verlang zo naar je.'

Ze keek in zijn knappe gezicht en ze zag dat hij de hare was, en dat hij haar op dit moment even hevig begeerde als zij hem. Ze zei tegen zichzelf dat ze eens op moest houden met zich als de jonge, uitdagende vrouw te gedragen en dat ze eens moest denken aan wat Mac gisteren zomaar had geciteerd, zonder dat het enig verband hield met het gesprek dat was gevoerd.

'Houd het voorjaar vast
Omarm de geboorte ervan vóór de zomer sterft
En de herfst weent
En de winter van ouderdom verschrompelt.'

3

Kerstmis was een vrolijke en gezellige gebeurtenis. Het begon eigenlijk op de dag voor kerstavond, toen Riley en Mac en het kind armen vol hulst binnenhaalden en de boom in een kuip onder aan de trap zetten. Daarna werden er ballonnen aan de balken gehangen met snoeren gekleurde lichtjes ertussen, en tot slot werd er met sneeuw van watten 'Vrolijk Kerstfeest' op het onderste deel van de ramen geschreven.

Nyrene zei tegen Charles dat kerstavond een geheime dag was omdat zijn vader en meneer Mac in de schuur bezig waren en hij daar weg moest blijven omdat ze een plekje voor de kerstman, met zijn slee en rendier, moesten maken. Hij zou langskomen om cadeautjes af te geven en om een glas punch te drinken voor hij weer verderging.

Toen mevrouw Atkins hoorde hoe dit verhaal werd herhaald en uitgebreid en verfraaid, zei ze tegen Nyrene: 'U wordt al net zo erg als die ouwe baas, mevrouw.'

Toen het later begon te sneeuwen, vormde dit een lijst rond het schilderij van hun Kerstmis.

Het hoeft geen betoog dat Riley en Hamish McIntyre en het kind het grootste deel van de morgen van eerste kerstdag in de schuur doorbrachten. De verbazing en vreugde van Charles bij het zien van de voortrollende locomotief die een trein achter zich aan trok waren een lust voor het oog geweest. Hij slaakte enkele keren een kreet van vreugde en omhelsde dan zijn vader. En toen Nyrene en mevrouw Atkins de schuur binnenkwamen, riep hij hen enthousiast toe, en zij slaakten bijna net zulke kreten van verrassing, want het was de eerste keer dat ze de trein in werking zagen.

Een tijdje later gaf Mac zijn eigen kerstcadeau aan de jongen, die

197

het papier eraf rukte en toen een wiebelend voorwerp uit de kartonnen doos haalde. Hij keek op, eerst naar Mac en daarna naar de anderen, en riep uit: 'Wat… is dit?'

Hierop klonk er gelach. Toen pakte Mac de touwtjes die vastzaten aan wat losse stokjes leken en hij trok eraan, waarna een prachtig beschilderde en aangeklede miniatuurreplica van een Schotse soldaat te voorschijn kwam. De schoenen en geruite sokken waren geschilderd, evenals de rood met gouden tuniek, maar de kilt was van een felle ruitstof gemaakt, evenals de Glendarry-pet waar een felrode pompon op zat. Mac bukte zich opnieuw en haalde nog een stel touwtjes met toebehoren te voorschijn, met aan het eind een hond met een geruit jasje, en toen Mac de hond en de soldaat naar Charles toe liet dansen, riep het kind: 'Bruce! Bruce!'

'Ze zijn prachtig!' Dit kwam van Nyrene, en ze voegde er zacht aan toe: 'Heb je die zelf gemaakt, Mac?'

'Jawel, mevrouw. De handen van deze knappe kerel die Hamish McIntyre heet, kunnen alles maken wat zijn ogen zien.' Aan het eind van deze lofzang op zichzelf wierp hij een verlegen blik op mevrouw Atkins, en zij schudde haar hoofd, hoewel ze glimlachte.

'Kun jij ermee werken, Mac?'

'Nou, meneer Riley, ik kan het een beetje, maar het gaat beter als ik ergens op kan leunen.' Hij ging op een kist staan en stak zijn armen over een lage balk heen, waarna hij de soldaat liet dansen en de hond hem liet volgen, tot grote verrukking van iedereen.

'Ik wil! Ik wil, meneer Mac. Ik wil!'

'Ja, natuurlijk. Kom maar, knul, hij is van jou. Maar ik moet je wel zeggen dat je ze eerst een naam moet geven voor je ze gebruikt. De soldaat is meneer Jock en de hond is meneer Jig. Nou, hoe heten ze?'

Het kind keek op naar het smalle, rode gezicht en zijn eigen gezicht straalde toen hij zei: 'J-J-Jock en Jig.'

'Meneer Jock en meneer Jig.'

'Meneer Jock en meneer Jig.'

Bij deze duidelijke uitspraak wisselden Riley en Nyrene een goedkeurende blik. Daarna zagen ze hoe de grote Schot de handen van het kind bewoog om de soldaat en de hond op de kist aan hun voeten te laten dansen…

Alles bij elkaar was het een heerlijke dag, vooral, vond iedereen, dankzij het diner van mevrouw Atkins. Deze dame was in een uitstekend humeur, want ze had een prachtige lange, met schapenvacht gevoerde jas van Nyrene gekregen en kniehoge laarzen van Riley, met daarnaast handschoenen en een baret van het kind. Maar wat gaf die Schot haar? Een gebreide trui, en ze kon het niet geloven, en Nyrene evenmin, toen hij vertelde dat hij hem zelf had gebreid. De trui was van prachtige wol gemaakt, met een patroon in allerlei tinten. Toen Nyrene later vol verbazing uitriep: 'Die man kan ook alles,' sprak mevrouw Atkins haar voor deze ene keer niet tegen, maar zei, min of meer tegen zichzelf: 'Het is verbazingwekkend dat hij de dag niet bij zijn vrienden doorbrengt. Hij heeft het altijd over jan en alleman.' Hierop keek Nyrene haar recht aan en zei: 'Misschien vindt hij dat zijn beste vrienden hier zitten.' Waarop mevrouw Atkins scherp reageerde met: 'Natuurlijk vindt hij dat, want meneer en u zijn veel te aardig voor hem. Hij denkt dat hij hier over alles de baas kan spelen, om over de jongen nog maar te zwijgen.'

Deze laatste woorden deden Nyrene beseffen dat ze af en toe niet wist wat ze zonder de zorg en aandacht van de grote, ruwe Schot voor de jongen zou moeten beginnen, want diep in haar hart moest ze bekennen dat de voortdurende activiteit van haar zoon haar af en toe doodmoe maakte.

Na het kerstdiner, dat ze 's avonds met zijn allen nuttigden, werden ze vermaakt door Mac met de marionetten en ook door Riley, die hen allen liet zingen. Daarna zorgde hij voor nog meer gelach toen hij de rol ten beste gaf die hij het afgelopen halfjaar op tournee had gespeeld, waarbij hij in halfbeschonken staat een dansje moest maken. Maar tegen middernacht was alles stil in huis.

Mac sliep op de hooizolder, omringd door balen stro en volgens hem was het daar warmer dan in zijn eigen bed in zijn cottage. Hij had er eerder geslapen toen er plotseling veel sneeuw was gevallen en de opgewaaide sneeuwhopen hem hadden verhinderd naar huis terug te gaan.

Nyrene en Riley hadden elkaar bemind en nog eens bemind en nu zei hij zacht: 'Weet je, ik geloof dat dit de gelukkigste kerstdagen zijn die ik ooit heb meegemaakt. Vorig jaar had jij met Kerstmis griep en het jaar daarvoor zat ik in Ierland vast. Weet je nog dat de boot niet kon varen vanwege de storm?'

Wíst ze het nog? Elke keer dat ze van elkaar waren gescheiden moest ze weer aan die bewuste kwelling denken. Er kon een vrouw zijn die hem daar hield, iemand van de cast. Hij was zo jong, zo aantrekkelijk. Dat maakte haar zo bang, zijn aantrekkelijkheid. Naast zijn knappe gezicht bezat hij nog een speciale aantrekkingskracht waarvoor zij niet als enige gevoelig was.

Ze was zich ervan bewust dat hun liefde ongewoon was. Meestal nam het vuur van de eerste liefde binnen een paar jaar af om via gloeiende sintels in smeulende warmte te veranderen. Maar hun liefde was op een hoogtepunt gebleven en af en toe werd ze er bang van, in de wetenschap dat dit te mooi was om blijvend te zijn. Maar nu was het leven geweldig, behalve... behalve waar het hun kind betrof. De liefde die ze voor haar kind voelde was iets heel bijzonders, maar ze voelde ook een diepe zorg in haar binnenste. Ze kon niet goed zeggen waar die bezorgdheid op was gebaseerd. Ze zag alleen dat hij heel anders leek dan de andere kinderen van zijn leeftijd. Hij speelde anders, hij praatte anders. Ja, hij praatte anders, soms heel onsamenhangend, maar in zijn rustige perioden sprak hij heel duidelijk, alsof hij opeens een stuk ouder was. Ze moest er met Peter over praten, ze moest eigenlijk meer doen dan erover praten, ze moest openlijk haar angst op dit punt met hem bespreken. Maar ze moest het wel behoedzaam aanpakken.

'Waar denk je aan?' zei Riley, terwijl hij haar gedachtegang onderbrak.

'Aan jou,' loog ze glad. 'En aan het feit dat ik jou nog bijna vier weken hier heb.'

Toen zijn lippen langzaam over haar gezicht waren gegleden mompelde hij: 'Dat ik steeds onderweg ben is niet goed voor ons beiden, liefste. Ik zeg steeds tegen mezelf dat ik ergens een permanente aanstelling moet hebben. Maar aan de andere kant mag ik van geluk spreken dat ik hoe dan ook een baan heb. De mensen die nu net van de toneelschool komen, lopen om kleine rolletjes te smeken. Ik bof echt.' Hij boog zich over haar heen, nam haar gezicht tussen zijn handen en zei: 'Als je dan kijkt hoe ik ervoor sta: om te

200

beginnen heb ik jou. Ja, ja, dat is het belangrijkste, ik heb jou. En de jongen. En dit prachtige huis. En een baan die op me wacht. Dat is het grote verschil: een baan die op me wacht. Dat realiseer ik me maar al te goed op elke plaats waar we stoppen. Er staat altijd een rij te wachten in de hoop dat we nog mensen nodig hebben. We hoeven voor de volgende plaats maar voor twee mannen en één vrouw als figuranten te adverteren of er staat een enorme rij en dan denk ik vaak: dankzij Fred Beardsley en jou heb ik dit bereikt… Maar zou het niet geweldig zijn als David iets met dat oude stadhuis gaat doen? Ach nee, waar heb ik het over? Ik vergeet mijn moeder weer.'

Ja, die moeder van hem. Die valse, vreselijke vrouw.

'Liefste.' Nyrenes stem was zacht. 'We hebben het hier al eens over gehad. Laten we gaan slapen. Morgen is er weer een dag… en morgen is vandaag en ik hou van je.'

Kerstmis was een reuze gezellige tijd geweest en daarna kwam oudejaarsavond met alle bijbehorende feestelijkheden.

Het kind lag boven te slapen, maar Nyrene en mevrouw Atkins waren bezig de lange tafel vol te zetten met allerlei soorten lekkernijen, van kalfspasteien tot *mince pies*, en Riley draafde heen en weer om flesjes bier en sterkedrank uit de kleine kelder te halen, die hij via een luik om de hoek van de keukendeur kon bereiken. Toen hij ten slotte klaar was, sprong hij zo ongeveer de keuken in en riep luid: 'Oef! Het begint te ijzelen!' Daarna riep hij: 'Nyrene! Kom eens kijken, is dit genoeg?'

Toen ze haastig naar hem toe liep zei hij: 'Zo'n achttien flesjes bier, vier whisky, één rum, één gin en twee cognac.'

'Ik hoop het. Als ze dat allemaal op krijgen, zullen ze vannacht hier moeten blijven. Er is beneden vast niet veel meer over.'

'Een paar flessen.'

'Hoeveel denk je dat Ken zal meebrengen?'

'Ach, bij Ken weet je het nooit. Ivy is er natuurlijk bij en Claire en Mike Brown, en Angus beslist ook, Angus Clarke, en hij zal wel een vrouw meenemen. Verder hebben we de Fitzsimmons. Met z'n hoevelen zijn we dan?'

'Met zijn achten, maar wie weet wie ze onderweg nog tegenkomen en meenemen. Ik vraag me af waar Mac vannacht naartoe gaat.'

Hierop mompelde mevrouw Atkins smalend, vanaf het andere uiteinde van de tafel: 'Hij zal wel naar een van zijn vriendinnetjes gaan – dat zou me niets verbazen.' Riley en Nyrene keken elkaar lachend aan en trokken een scheef gezicht. Riley zei: 'Dat denk ik niet, mevrouw Atkins. Hij leek vanmorgen nogal verkouden te zijn en het lijkt me waarschijnlijker dat hij bij een van zijn oude trawanten uit The Stag zit.'

'Zegt u dat wel, meneer Peter, bij een van zijn oude trawanten. Ja, zegt u dat wel. Maar weest u maar blij dat uw whisky nu wat langer mee zal gaan.' En daarop snelde ze de kamer uit.

Riley fluisterde: 'Ik geloof dat iemand die kerel eens een hint moet geven.' Maar Nyrene fluisterde terug: 'Doe jij dat maar niet. Uiteindelijk zal alles wel op zijn pootjes terechtkomen. Bemoei jij je nou maar met je eigen zaken, meneer Riley. Mac zou op dat gebied echt geen hulp van je willen accepteren.'

Het was bijna vijf voor twaalf toen Nyrene de lamswollen kraag van Rileys jas opsloeg, maar toen ze de wollen oorkleppen omlaag wilde trekken, zei hij: 'Blijf eens van mijn oren af, anders kan ik niets horen.'

'U hebt geen oren meer over als u blootshoofds naar buiten gaat, meneer Peter.'

'Ach, dat maakt geen verschil,' zei Nyrene snel. 'Hij loopt altijd blootshoofds... Ik hoor iemand buiten. Er komt iemand naar de voordeur.'

Ze werden stil en luisterden. En toen de voetstappen buiten voor de deur stilhielden, wachtten ze tot er werd aangeklopt. De klop kwam niet, maar ze hoorden een stem die zei: 'Ik weet dat jullie daar allemaal staan te wachten, meneer Riley, dus kom maar naar buiten.'

Ze wisselden een snelle blik, en mevrouw Atkins mompelde: 'Niet te geloven!' Maar de stem zei weer: 'Jullie kunnen gerust naar buiten komen, maar ik weet dat als jullie dat zouden doen, jullie heel verbaasd op zouden kijken.'

Nyrene sloot haar ogen en sloeg haar hand voor haar mond terwijl Riley even op zijn lip beet. Toen riep hij, in een goede imitatie van Macs stem: 'Waar heb jij het nou over, man? Ik hoef helemaal niet verbaasd op te kijken, dus ik wacht nog maar even, zodat jij nog een tijdje kunt staan blauwbekken.'

'Stil nou toch! Hoor eens, daar heb je het nieuwe jaar. Het nieuwe jaar.'

Op deze afstand van de stad waren er geen kerkklokken of scheepstoeters te horen, behalve op de televisie achter hen, en ze lachten niet en glimlachten zelfs niet. Je kon zeggen dat er een droevige en vragende uitdrukking op hun gezicht lag, dat wil zeggen, tot er op de deur werd geklopt en Riley die snel opendeed, om de lange, imposante gestalte van Hamish McIntyre binnen te laten. Hij hield in de ene hand een stuk steenkool en in de andere een fles whisky, als in een zegening, en hij zei: 'Moge er in dit komende jaar niets dan vrede en geluk in dit huis zijn.' Hierop volgde een reeks begroetingen: 'Gelukkig nieuwjaar. Een heel gelukkig nieuwjaar.' Toen nam Riley Nyrene in zijn armen en kuste haar; daarna hield hij haar even op een afstand om haar diep in de ogen te kijken. Zij beantwoordde zijn blik voor hij zich naar mevrouw Atkins omdraaide, zijn armen om haar mollige lichaam sloeg en haar kuste, wat haar deed giechelen: 'O, meneer Peter! Meneer Peter toch. Gelukkig nieuwjaar. Een heel gelukkig nieuwjaar.' Daarna draaide ze zich om naar de grote, ruige Schot, maar hij zei: 'Ik zal me niet zulke vrijheden veroorloven, mevrouw, want u zou die vast niet op prijs stellen. Maar ik zal uw hand nemen en mijn lippen erop drukken, waarbij ik u alles toewens wat u zichzelf toewenst.' En hierop greep hij haar hand en voerde zijn voornemen uit.

'Jij grote dronkelap!'

De woorden van mevrouw Atkins waren nauwelijks te horen door het gelach van Nyrene en Riley, en Mac hief zijn vinger naar haar op en antwoordde: 'Voorzichtig, mevrouw! Voorzichtig. Want ik ben nog lang niet dronken. Wie weet of ik over een uur of wat, als de drank blijft vloeien, zal kunnen beweren dat ik een beetje aangeschoten ben, zoals jullie Engelse sukkels dat noemen. Maar momenteel zou ik op één been kunnen staan en de gedichten van Robert Burns kunnen voordragen zonder ook maar één keer te wankelen.'

De smalende blik van mevrouw Atkins en het daaropvolgende gelach zetten voor het volgende uur de toon en alles werd nog vrolijker toen Hamish een fluit te voorschijn haalde uit zijn overjas, die nu aan de binnenkant van de keukendeur hing, om daar, zelfs tot verbazing van mevrouw Atkins, bedreven op te spelen.

'Ik wist niet dat jij een instrument bespeelde,' zei Riley, waarop Hamish antwoordde: 'Je weet nog niet de helft van mij of van dit.' Hij tikte op de fluit. 'Bridie hier heeft me zeven dagen in de gevangenis gekost, alleen maar omdat ik probeerde er de strot van een politieagent mee op te meten. Ze kwam niet erg ver en ze kon niet voor zichzelf opkomen, dus gaven ze mij een week cel om haar een lesje te leren. En ze heeft voor haar kost en inwoning betaald door heel mooi voor de jongens te spelen.' Hij keek snel naar mevrouw Atkins en voegde eraan toe: 'Ik ben maar een arme, kleine Schot.' Waarop zij snel antwoordde: 'Je bent volgens mij een grote, domme malloot.'

Het was net één uur toen de gasten arriveerden. Het waren er bij elkaar een stuk of tien en Ken vertelde waarom Angus een vioolkist bij zich had: ze wisten dat er geen piano in huis was en ze moesten toch iets hebben om de *jig* op te dansen, je kon nu eenmaal niet op de malle televisie rekenen.

Nyrene zou zich deze avond herinneren als een van de gezelligste die ze ooit had meegemaakt, want ze dansten tot vier uur in de nacht, op muziek van fluit en viool, *reels* en *jigs*, *Gay Gordons*, Spaanse tango's en zelfs een *Knees-Up Mother Brown*, tot ze uitgeput op de bank of op een stoel of languit op het vloerkleed neervielen. Maar onder aanvoering van Hamish zongen ze nog steeds het ene lied na het andere. Die man leek alle liedjes te kennen die er ooit waren geschreven.

Na het nuttigen van een aantal bekers zwarte koffie, nu zonder drank erin, vertrok het gezelschap om vijf uur, luid zingend, in polonaise.

Toen de stemmen ten slotte waren weggestorven en de deur dicht was, leunde Riley ertegenaan en huiverde van de kou. Mevrouw Atkins, die onnatuurlijk schitterende ogen had, wees naar waar Hamish languit in een grote stoel naast de haard lag, terwijl hij de laatste regel van een liedje mompelde. Zijn hoofd zakte scheef en mevrouw Atkins zei: 'Zo! Wat moeten we nu met hem?'

'Laat hem daar maar liggen,' zei Nyrene. 'We zullen een scherm rond de haard zetten, hij redt zich wel. En nu' – ze duwde mevrouw Atkins de kamer door – 'pakt u zich goed in om over te steken en u denkt pas aan eten koken tegen de tijd dat het avond wordt.'

'Ik breng je wel even naar de overkant.'

De stem kwam van diep uit de stoel en hierop zei mevrouw Atkins: 'Ik heb niet de minste behoefte om naar de overkant te worden gebracht, ik kan nog steeds recht lopen.' Waarop Riley verklaarde: 'Blijf waar je bent, Mac, ik zorg wel voor haar!' Hij duwde de man weer terug in de stoel. 'Blijf waar je bent en doe voor deze ene keer nou eens wat je gezegd wordt: ga slapen. Wij gaan zo naar boven.'

Tien minuten later waren ze boven en in bed en toen Riley Nyrene in zijn armen nam, zei hij: 'Het spijt me, mevrouw Riley, maar ik heb hoofdpijn.'

'Blij toe, meneer Riley,' antwoordde ze, 'want ik heb ook hoofdpijn. En niet zo'n beetje…'

'Gelukkig nieuwjaar, liefste.'

'Gelukkig nieuwjaar, lieverd.'

'Het was een geweldige avond, hè?'

'Geweldig. Geweldig. Het leven is geweldig. Alles is geweldig.'

4

Ze hadden de rest van de dag nodig om alle feestelijkheden van die nacht te verwerken. Er werd weinig gegeten en nog minder gedronken. Er waren diverse telefoontjes geweest: één lang van Fred en Louise, andere van gasten van die nacht, allen met een zwaar hoofd.

Ze waren het erover eens dat ze maar eens vroeg naar bed moesten. Het kind sliep. Mevrouw Atkins had hun zojuist goedenacht gewenst en was naar haar onderkomen vertrokken. Hamish had hun die dag een kort bezoek gebracht, lang genoeg om een flinke voorraad hout bij de keukendeur achter te laten en om de kleine jongen voor een tochtje over het terrein mee te nemen. Ze waren vandaag meer dan ooit vermoeid geraakt door alle energie die hij had. De regel 'buiten hollen maar binnen lopen' leek hij te zijn vergeten, maar Riley voerde aan dat het nu vakantie was.

Hij stond op het punt naar de voordeur te lopen om de ouderwetse balk in de sleuven te schuiven, toen de telefoon ging. Hij nam op en zei een beetje ongeduldig: 'Ja, met Peter.'

'Met Betty.'

'Betty? O, hallo, Betty! Gelukkig nieuwjaar. Hoe is het ermee?'

'Peter, ik bel je om te zeggen dat pa erg ziek is.'

'Wat?'

'Ik zei dat pa erg ziek is. Hij is vanmorgen in het ziekenhuis opgenomen en hij wordt morgenmiddag geopereerd.'

'Pa? Wat mankeert hem?'

'Hij heeft darmkanker.'

'Allemachtig! Hoelang weet hij dit al?'

'Ik denk een tijdje, maar hij wilde niet dat ernaar werd gekeken. Hij zei dat het alleen maar wat darmkrampen waren en zo. Maar hier heb je de zuster.'

Het was vreemd, maar niemand had het over de vriendin of de nieuwe partner of wat dan ook van Alex Riley, iedereen zei 'de zuster' en Riley antwoordde onmiddellijk: 'Hallo, zuster. Dit is vreselijk. Hoe erg is het met hem?'

'Ik denk dat het vrij ernstig is, Peter. Maar ze weten het pas precies als ze hem open hebben gemaakt. Hij heeft al lange tijd pijn gehad, maar je weet hoe hij is, hij is koppig en hij wil geen ziekenhuis of dokters. Toen ik gisteravond thuiskwam na mijn dienst, trof ik hem op de vloer aan, krimpend van de pijn. Hij hield vol dat het alleen maar krampen waren. Toch heb ik vanmorgen meteen de dokter gebeld en hij lag binnen een uur in het ziekenhuis, en na een onderzoek zeiden ze dat hij morgenmiddag moet worden geopereerd. Peter, ik wil je iets vragen. Hij heeft nooit openlijk gezegd dat hij je wil spreken, maar hij heeft het steeds over jou... Ik denk dat hij het heel fijn zou vinden als jij er bent als hij bijkomt, al is het maar voor even.'

'Ja. Goed, zuster. Ik vertrek morgenochtend meteen. Ik weet nog niet hoe laat de treinen gaan, nu met de feestdagen, maar als ik eenmaal in Edinburgh ben, moet ik daar een rechtstreekse verbinding kunnen krijgen.'

'Dank je, Peter. Je kunt hier zo lang logeren als je wilt, er is ruimte genoeg.'

'Dank u, zuster. Tot morgenochtend.'

'Ik geef je Betty nog even.'

Betty's stem klonk huilerig. 'Ik vind het allemaal zo vreselijk voor hem. Hij heeft eigenlijk nooit een kans gehad. Hij zou heel gelukkig kunnen zijn met de zuster, want ze is een lieve vrouw en ze geeft veel om hem, maar ma stuurt haar steeds smerige brieven. Je weet nog hoe ze een keer heeft geprobeerd brand te stichten?'

'Ja.'

'Pa wilde niet dat ik jou over die brieven vertelde, maar ze zijn zo schandalig, dat de zuster nu een advocaat in de arm heeft genomen.'

'Lieve help! Niet te geloven!'

'Ach, je zou het maar al te grif geloven als je haar zag, Peter. En sinds ik het huis uit ben stuurt ze de meisjes steeds hierheen, zogenaamd om hun vader te zien. Susie is oké, ze is geen kletskous, maar Florrie wel, dus die vertelt alles. Susie zou vreselijk graag hier komen wonen, maar ik denk dat ma haar zou vermoorden als ze dat zelfs maar opnoemt. Dan zouden de rapen pas goed gaar zijn. Ik ga trouwen, Peter, met Harry, op mijn eenentwintigste verjaardag, maar we durven niets tegen haar te zeggen, want god weet wat ze dan doet. We hebben een flat, maar ze loopt daar zo ongeveer de hele avond te patrouilleren om te zien of ik bij hem zit. Ik zal blij zijn je te zien, Peter, en met je te praten.'

'Ik ook, Betty, ik ook. Ik wist niet dat dit alles speelde. Ik vind het heel akelig.'

'Hoeveel vakantie heb je nog?'

'O, ik heb nog drie weken voor ik weer op tournee moet.'

'Hoe is het met Nyrene?'

'Uitstekend. Echt uitstekend.'

'Komt ze met je mee?'

'Dat moeten we nog even bekijken. We zitten met de kleine jongen, weet je, en die geeft nogal wat werk. Hij kan nooit stilzitten en hij houdt van ruimte. Maar we zullen wel zien. Ik kom in elk geval morgen naar jullie toe. Welterusten.'

'Welterusten, Peter. En dank je wel. O,' zei ze, 'nog één ding. Ik zal morgenochtend naar pa toe gaan om het hem te vertellen. Dan gaat hij vast met een heel ander gevoel de operatiekamer in.'

'Doe dat. Welterusten.'

'Welterusten, Peter.'

Hij draaide zich om en keek naar Nyrene, die onder aan de trap stond. 'Is er iets met je vader?'

'Ja. Hij moet morgen geopereerd worden: darmkanker.'

'Grote hemel! Wat akelig.'

'En zo te horen terroriseert mijn moeder de hele familie, ze stuurt de zuster nu smerige briefjes.'

'Nee toch zeker!'

'Tja, dat vertelt Betty net.'

Hij liep naar haar toe, sloeg zijn armen om haar heen en zei: 'Het was ook te mooi om waar te zijn: drie weken thuis. Maar ik moet er toch heen.'

'Natuurlijk.'

'Ga je met me mee?'

Ze aarzelde even. 'Dat lijkt me heerlijk. Ja, dat lijkt me heerlijk, als je denkt dat we de kleine jongen een paar dagen alleen kunnen laten.'

'Ik zie niet in waarom niet. Mac en mevrouw Atkins zijn er en dan zijn Ivy en Ken er ook nog. Hij zal goed worden verzorgd. Kom, laten we naar bed gaan, morgenochtend kunnen we de dienstregelingen bekijken.'

Hoe vaak had ze er niet over gedacht naar een ver oord te snellen om zaterdagavond en een paar uur op zondag bij hem te kunnen zijn. Maar ze had zich altijd laten weerhouden door het kind. Maar deze keer voelde ze een sterke drang met hem mee te gaan en ze probeerde niet te denken aan die keren dat ze het kind een dag had achtergelaten om met Ivy en Ken in Aberdeen te kunnen winkelen, om bij haar thuiskomst te horen dat het kind weer in een van zijn stiltes was vervallen en door hem te worden begroet met: 'Niet weggaan, mammie. Niet weggaan.'

Ze had hem steeds weer moeten verzekeren dat ze nooit weg zou gaan, dat ze alleen maar was gaan winkelen. Hij kon de hele dag met Mac naar het bos zijn of met mevrouw Atkins naar Ivy zonder dat hij enige vorm van agitatie vertoonde, want hij wist dat zij thuis op hem zou zitten wachten. Maar deze keer was het anders. Ze had verlangd naar deze weken waarin Peter thuis zou zijn. Niet omdat hij dan de zorg van het kind van haar zou overnemen, maar omdat ze samen zouden zijn. Ze besefte dat als ze zich niet schrap zette – waartegen kon ze niet onder woorden brengen – zij voor eeuwig vast zou zitten. En dus moest ze deze keer met hem mee gaan. Ze verlangde zo hevig naar hem, niet alleen om de hartstochtelijke manier waarop ze de liefde bedreven, maar ook om hem overdag om zich heen te hebben. Zijn aanblik, de klank van zijn stem. Ze vond het heerlijk hem te zien lopen of hollen, zijn lichaam was zo soepel, zo vol van vitaliteit en jeugd. Ja, jeugd, die angstaanjagende eigenschap, jeugd. Hij werd met het jaar knapper om te zien en hij begon ook anders te praten. Hij had een natuurlijk lage stem en ze hoefde hem niet langer lachend terecht te wijzen over zijn fouten in de uitspraak. Ze had hem nooit openlijk gecorrigeerd, als hij iets verkeerd uitsprak, bracht ze het even later tactvol ter sprake, en hij was intelligent genoeg om het op te pikken. Hij kon het verschil tussen doceren en doseren duidelijk horen. Hij was nu drieëntwintig, maar hij leek ouder. Ach, als hij nou maar dertig was geweest, of ouder. Zij was nu bijna tweeënveertig en de middelbare leeftijd maakte dat haar lichaam begon uit te dijen, hoezeer ze ook probeerde dit tegen te gaan. Ze at weinig, dronk nog minder, was altijd actief en in de weer, maar kennelijk met weinig effect. Ooit waren haar borsten als schelpen geweest, nu waren ze vol in de hand, maar ze hingen nog niet. Dat zou nog komen.

'Weet je zeker dat je het niet erg vindt om mee te gaan?'

'Lieverd, doe niet zo raar. Je wílt toch zeker dat ik meega?'

'Dat weet je zelf ook wel.' Ze lag in zijn armen. 'Te bedenken dat ik een paar dagen in mijn eentje naar Fellburn zou moeten. Ja, ik wil pa natuurlijk zien. Ik ben erg op hem gesteld geraakt. Maar aan de andere kant ben ik doodsbang bij de gedachte mijn moeder te zullen tegenkomen.'

'Nou, als ze ook maar één vinger naar ons uitsteekt, zit er niets anders op dan naar de politie te gaan. Zo te horen wordt het hoog tijd dat iemand haar eens flink op haar nummer zet.'

'Het is haast niet te geloven dat ze het huis van de zuster in brand heeft willen steken.'

'Maar ze heeft het wel gedaan.'

Zijn gedachten gingen een andere kant op. 'Ik moet meteen contact opnemen met Mac, hij is hier nooit voor acht uur. Hij zal op de zolder moeten slapen terwijl mevrouw Atkins boven bij het kind slaapt. Kijk nou maar niet zo bezorgd, het komt wel goed. Hij moet eens een keertje alleen worden gelaten.'

'Ik ben niet bezorgd, lieverd. Echt niet.'

'Je gezicht vertelt me iets heel anders.'

Geen van beiden opperde de mogelijkheid het kind mee te nemen, en ze vroegen zich ook niet af waarom niet.

Het was bijna vier jaar geleden dat ze voor het laatst in Fellburn waren geweest en ze beseften meer dan ooit hoe armoedig alles eruitzag. Misschien kwam het door de met natte sneeuw bedekte straten en de dicht opeen staande gebouwen. Zelfs het ziekenhuis in de buitenwijk leek in grootte te zijn gekrompen. Of misschien was het het schokkende verschil met de plek waar ze vandaan kwamen, want van de lucht tot het dialect van de mensen was alles anders.

Het was laat in de middag toen Riley zijn vader zag, al was het maar voor even. De kleine, geslonken gestalte was onherkenbaar. In de wachtkamer pakte hij Nyrene bij de arm en hij liep met haar het ziekenhuis uit.

'Ben je te weten gekomen wat ze hebben gedaan?' vroeg ze.

'Ik weet het niet precies, de verpleegster wilde niet veel zeggen. Ze zei dat ik morgenochtend maar met de dokter moest komen praten, maar dat het nu heel redelijk met hem ging.' Hij zuchtte en zei toen: 'Je weet hoe dat gaat, als de patiënt niet dood is, gaat het heel redelijk met hem. De hemel mag weten hoe hij zich voelt als hij wakker wordt.'

In een poging geruststellend te klinken zei hij: 'Laten we maar naar huis gaan om daar een praatje met de zuster te maken. Daarna gaan we even bij Fred en Louise langs.'

Toen ze dichter bij het huis kwamen, zei Nyrene: 'Vind je Betty niet veranderd? Ze is nu echt een jonge vrouw. Ze lijkt in veel opzichten op jou.'

Hij gaf geen antwoord. Hij dacht niet aan Betty, hij vroeg zich af hoe hij het hier zo lang uit had kunnen houden. Misschien dat als de zon scheen en de straten droog waren, hij er anders tegenaan zou kijken.

Eenmaal thuis stelde de zuster, mevrouw Maggie Fawcett, Riley gerust. 'Zo zien ze er eerst allemaal uit, Peter,' zei ze. 'Hij zal morgen een stuk beter zijn en dan lijkt alles lang niet zo erg. Ze hebben een *colostomie* gedaan en dat moet helpen. Je vader is een goede man, Peter, een vriendelijke, goede man. Hij heeft een ellendig leven gehad en jullie moeder maakt hem het leven nog steeds zuur. Ik weet niet wat er zal gebeuren als ze weet dat jullie in de stad zijn. We kunnen maar beter op onze hoede blijven, allemaal. Volgens mij is ze echt niet goed bij haar hoofd. Maar het eten staat klaar en vanavond hebben jullie het huis voor jezelf. Ik ga weer naar het ziekenhuis. Ik wil erbij zijn als hij bijkomt. Hij zal heel blij zijn jullie te zien, morgen. Dat weet ik zeker.'

Toen ze hadden gegeten en hun koffers hadden uitgepakt in de slaapkamer, die heel licht en gezellig was, zeiden ze tegen haar dat ze bij vrienden langsgingen, naar mevrouw en meneer Beardsley, en hierop zei ze: 'Nou, jullie hebben de tijd aan jezelf. Ik geef jullie de sleutel, dan kun je erin wanneer je wilt. Betty komt pas om half-negen thuis, de kapsalon is vandaag lang open.'

Toen Fred de deur voor hen opendeed, slaakte hij een luide kreet van verbazing. 'Allemachtig!' zei hij. 'Waar komen jullie opeens vandaan?'

'Waar had je gedacht?'

'Louise! Louise!'

Louise verscheen boven aan de trap en ze gebruikte dezelfde woorden: 'Waar komen jullie opeens vandaan?' En Riley zei: 'Als je ons binnenlaat, zullen we het je vertellen.'

Na Nyrene te hebben omhelsd hielp Louise haar uit haar jas en zei: 'Wat ben je heerlijk bruin. Waar ben je geweest?'

'Dat komt door de wind, daar hoog in de wildernis.'

'Nou, het doet je goed. Kom binnen. Kom binnen. Wat ben ik blij jullie beiden te zien.'

Louise gaf Riley een por in zijn zij, en ze merkte op: 'Om met mevrouw Roberts te spreken: sommige mensen zijn zielsverwanten, en dat zijn jullie tweeën op dit moment. Wat heeft jullie hierheen gevoerd?'

'Pa is erg ziek,' zei Riley en Louise veranderde onmiddellijk haar manier van doen. 'O, hemel! Wat akelig. Is het heel erg?'

'Ja, zo te horen wel. Darmkanker.'

'Grote hemel!' zei Fred. 'Dat moet hij er niet nog eens bij hebben. Is hij al lang ziek?'

'Ik denk het wel, maar ik heb er gisteren pas iets van gehoord, gisteravond om precies te zijn en toen had ik geen tijd om jullie te bellen.'

'Hebben jullie al iets te eten gehad?'

'Jazeker. We hebben een uitstekende maaltijd bij de zuster gehad.'

'Willen jullie dan iets drinken?'

Fred keek van Nyrene naar Riley, die zei: 'Dat gaat er vast wel in, ja.'

'Het gebruikelijke?'

'Het gebruikelijke.'

Louise liet zich naast Nyrene op de bank vallen, greep haar hand en zei: 'Je hebt geen idee hoe blij ik ben jullie te zien! Jullie zijn als een vlaag frisse lucht.' Ze blikte even naar Fred, die haar waarschuwend aankeek. 'Het spijt me niet, dit moest me even van het hart.' Toen keek ze Nyrene weer aan en zei: 'We hebben bezoek, weet je. Gwendoline' – ze zweeg even – 'en haar knappe dochter Yvette.'

'O, ja?' zei Riley, en hij keek naar Fred. 'Klinkt interessant.'

'Zeg dat wel,' verklaarde Fred. Hij knikte heftig. 'Interessant is het inderdaad. Verbazingwekkend is het ook, om van verbijsterend nog maar niet te spreken. En moet je nog vragen waarom? Waarom, voor de duivel, worden er mensen op de wereld gezet om chaos bij mannen te veroorzaken, van jonge pubers tot ouwe kerels met klam ondergoed.'

'Fred!' Louises stem klonk verwijtend. 'Je wordt met de dag grover in de mond.'

'Ach, ik ben tenminste zo eerlijk dat ik het onder woorden breng. Het enige wat jij kunt doen is glimlachen en de gastvrouw spelen en zeggen: "Ja, kom gerust langs wanneer je in de buurt bent." Hypocriet.'

'Je hebt het over je nichtje?' vroeg Riley.

'Natuurlijk heb ik het over mijn nichtje. Wie anders? Het is echt onvoorstelbaar. Ik kan me nog neerleggen bij alles wat haar moeder heeft gedaan, maar dit kind is opgegroeid in een klooster en op een kostschool enzovoort. Als Gwendoline had gezegd dat ze haar op zevenjarige leeftijd in een bordeel had gestopt, had ik dat ook geloofd.'

'Stil toch! Ze kunnen elk moment thuiskomen.'

'Alsof dat wat uitmaakt! Gwendoline weet hoe ik erover denk. Ik heb haar al duidelijk verteld wat ze met dat kind had moeten doen toen ze nog klein was. Ze had haar een flink pak voor haar billen moeten geven.'

Hierop zei Riley niet: dat klinkt interessant. Hij maakte in het bijzijn van Nyrene nooit grapjes over andere vrouwen.

Toen het geluid klonk van een deur die openging en er stemmen klonken, zei Fred: 'Als je het over de duivel hebt. Zet je schrap, jongeman.'

Hierop schoot Riley hardop in de lach. Toen draaide hij zich om naar Nyrene en schudde zijn hoofd.

De deur van de zitkamer ging open en er kwam een heel lange vrouw binnen. Ze had halverwege de veertig kunnen zijn, of zelfs in de vijftig, dacht Riley. Het enige wat hem meteen aan haar opviel was dat ze heel lang, heel beschaafd en prachtig gekleed was. En vanwaar hij nu stond zag hij dat ze een huid zonder rimpels en kastanjebruin haar had. Toen klonk de stem, helder en duidelijk, in een uitroep: 'Sorry dat ik stoor!'

'Doe niet zo raar, Gwendoline, ga zitten. Je hebt wel van Riley en Nyrene gehoord. Nou, dit zijn ze. Peter Riley, mijn zuster Gwendoline. Nyrene, zijn vrouw. Gwendoline.'

Toen Nyrene de hand van de vrouw schudde keken ze elkaar diep in de ogen, en in de diepte van Gwendolines ogen zag Nyrene zichzelf zoals ze misschien over een paar jaar zou zijn. Waarschijnlijk niet zo mooi, maar van een leeftijd die zich niet door cosmetica liet verbergen, want leeftijd, had ze ontdekt, kwam tot uitdrukking in de ogen.

'Tra-la-la! Tra-la-la! Het vliegtuig vertrekt morgenochtend om negen uur uit Newcastle.'

Niemand zei iets. Ze hadden zich allemaal omgedraaid naar de gestalte die de kamer binnenkwam. Zij zweeg nu ook. Hoe oud zou ze zijn? Zestien? Zeventien? Nee, ze was twintig, of ouder. En ze had die lange benen waar Fred het over had gehad. Hij had gezegd dat ze borsten, benen en billen was, en dat was er allemaal. De benen waren prachtig gevormd. De mode was dit seizoen tot op de kuit, maar haar jurk, die van een lichte, zachte, wollen stof was gemaakt, hing vele centimeters boven haar knie en viel als een tweede huid over haar bovenlichaam. Haar borsten waren klein, maar vol en puntig, en de tepels waren bijna zichtbaar door de dunne wol. Maar op dit moment waren zijn ogen, net als die van Nyrene, gevestigd op haar gezicht, dat lang, smal en perzikkleurig was, en de gelaatstrekken waren dusdanig dat je ze afzonderlijk moest bekijken: de fijngetekende wenkbrauwen, die de ovale oogkassen accentueerden, de donkere ogen met hun ondoorgrondelijke kleur, de rechte neus en de volle, brede mond waarvan de lippen een eindje geopend waren en helderwitte tanden onthulden.

'Er is bezoek! O, wat gezellig!' Er zat een vaag buitenlands accent aan haar woorden en de stem was ongewoon laag. 'En dat terwijl ik zo verfomfaaid ben! Kijk toch eens naar mijn haar.' Ze ging met haar vingers vanaf haar schouders door de bleekgouden lokken omhoog en ze riep uit: 'Ik moet me echt gaan verkleden.'

'Doe niet zo dwaas, meisje! Dit zijn onze vrienden.'

'O, ja. Ja.' Haar hele manier van doen veranderde. Het leek of de jonge vrouw, dat wereldwijze wezen, terug was geglipt in een meisje van zeventien, want ze huppelde nu de kamer door en zei: 'Het spijt me. Hoe maakt u het?' Ze stak een hand uit, eerst naar Nyrene, die toen ze de hand pakte een vreemde huivering door zich heen voelde gaan, zodat ze haar hand bijna terugtrok.

Toen de hand naar Riley werd uitgestoken schudde hij die, maar hij zei niets, zelfs niet in antwoord op: 'Hoe maakt u het?'.

Net als ieder ander bij het zien van dit meisje onder de indruk was, zag Nyrene dat Peter ook ondersteboven was. Maar wat kon je anders verwachten? Ze had nog nooit zo iemand gezien. En die stem, en die manier van doen, die houding. Zoals Fred zo grof had gesuggereerd zou ze zelfs op seniele mannetjes nog effect hebben. Toch kon ze niet precies zeggen waar het nu aan lag. Het was haar totale verschijning.

Rileys gedachten gingen dezelfde kant uit. Allemachtig, dacht hij. Het is maar goed dat ze hier niet lang in de buurt blijft.

'Bent u de acteur?'

'Ja. Ik ben wat je noemt de acteur.'

'Wat opwindend! Ik heb vorig jaar Maurice Duncan ontmoet in Londen. Kent u hem?'

'Nee, nooit van gehoord.'

'Hij vroeg me voor een toneelstuk van hem, maar er was een rotwijf van een vrouw bij die zei dat ik te veel van het een of ander had en daarom heb ik die rol niet gekregen. Wat vind je daar nou van?'

'Yvette! Gedraag je een beetje. Ga zitten.'

'Mamma, ik gedraag me altijd. Het hangt allemaal af van het gezelschap waarin ik me bevind. Deze jongeman,' – ze keek van Riley naar haar moeder – 'hij is acteur. Die praten toch allemaal zo?'

'Nee.'

'Nee?' Ze was even een beetje uit het veld geslagen, zoals de toon van haar stem liet doorschemeren, en toen ging hij verder: 'Je hebt een verkeerd idee van acteurs, lijkt me. In elk geval van hoe ze in het openbaar spreken. Ze gebruiken misschien wel eens sterke uitdrukkingen, maar ze hebben het nooit over "rotwijven", tenzij ze worden geprovoceerd. Ik spreek natuurlijk alleen maar uit eigen ervaring, bij ons gezelschap.'

'Zo, zo.' Ze glimlachte langzaam naar hem en zei: 'U klinkt grappig, weet u, heel anders dan dat u eruitziet, omdat u nog zo jong bent. Goed, mamma, goed, ik ga zitten en ik zal me gedragen. Waar zullen we het over hebben? Over deze fascinerende stad?' Ze liet zich in een fauteuil vallen.

'Wat wil je drinken?' Fred stond naast haar met een onbewogen gezicht.

'Cognac. Dat hoort u inmiddels te weten, oom, er gaat niets boven cognac.'

Riley keek haar aan, daarna ging hij naast Nyrene op de bank zitten. Toen Yvette een slokje uit haar glas had genomen zei ze: 'Ik heb gehoord dat u in een idyllisch huis in de wildernis van Schotland woont en dat u een zoontje en een Schotse bediende hebt. Interessant, lijkt me, en hij heet iets van Hamish. Je zou daar echt iets ongewoons verwachten: Hamish McClusky.'

'Hij heet McIntyre' – Nyrene klonk nu koel – 'en het is een heel gewone, vriendelijke Schot. Er zijn veel mensen zoals hij.'

'O, het spijt me. Bent u van een clan?'

'Nee, ik ben niet van een clan. Ik ben van Engelse afkomst. En jij?'

Die vraag leek iedereen op te schrikken, niet in het minst degene tot wie hij was gericht. Haar hele houding veranderde toen ze rechtop ging zitten, haar moeder aankeek en zei: 'Wie kaatst, kan de bal verwachten, nietwaar, mamma? Wat ik ben? Ik ben haar dochter en zij komt uit Northumberland. Maar mijn vader, mijn echte vader' – ze knikte even – 'was naar ik heb gehoord een Amerikaan. Hij was echter voor de helft van Ierse afkomst, maar de andere helft, daar zijn we nooit achter gekomen, hè, mamma? Of het nou Maltees of Maleisisch was... In elk geval iets wat met een m begint. Mijn pleegmoeder is een Franse dame, of liever gezegd wás. Ik mis haar erg. Ja,' – haar stem was weer veranderd – 'ik mis haar heel erg. Ze was een ontwikkelde en charmante vrouw. Ja, ik mis haar heel erg.' Ze wendde haar hoofd af en leek even een ander persoon. Maar toen keek ze hen weer aan en besloot: 'De waarheid is dat ik denk dat mijn moeder niet precies weet wat ik ben. Ze weet alleen wat ze zelf is of was. Klopt dat, mamma?'

'Yvette, je wordt met de dag onmogelijker. Wat wij ook mogen zijn, we zijn hier, bij vrienden, bij mijn broer, mijn schoonzuster, en hun vrienden. Mag ik je nu vragen je voor één avond als een normaal persoon te gedragen?'

'U wilt altijd het onmogelijke, mamma. Trouwens, waar is Jason?'

'Yvette, alsjeblieft!' Gwendoline klonk nu heel streng en het meisje keek haar moeder aan en zei: 'Ach, stil toch, mamma! We zijn geen kinderen meer, we zijn volwassenen. Ik ben volwassen en ik wil zo worden behandeld. Ik zou zelfs willen zeggen dat ik meer van de wereld heb gezien en meer inzicht heb dan iemand hier in deze kamer en ik vind het vreselijk om te worden behandeld alsof ik een onnozel wicht ben. En ik wil hierbij herhalen dat deze jongeman wat mij betreft noch in zijn uiterlijk, noch in zijn stem of manier van doen op een komiek lijkt, niet op de manier zoals ik op de televisie of de radio heb gehoord, of in de afgelopen anderhalf jaar op de Londense podia heb gezien. Bedenk wel, mamma, dat ik anderhalf jaar om me heen heb kunnen kijken.'

Ze stond op. Haar gezicht was weer veranderd en haar lach schalde door de kamer toen ze zei: 'Het is vreemd... heel vreemd, maar ik heb nooit deel uitgemaakt van een gezin, en toch lijkt dit net een gezin en is het net of we ruzie hebben omdat mamma's *ménage*' – ze gebaarde met haar hoofd naar Gwendoline – 'allesbehalve alledaags is, terwijl we hier met vijf mensen zijn die hun mening willen geven en die worden tegengesproken. Dit is beslist wat ik als gezinsleven zie. Ik was acht toen mijn lieve Franse mamma me naar het klooster bracht. Tien jaar later werd ik eruit gehaald en op die zogenaamd chique kostschool gedaan. Maar weet je,' – ze keek even naar haar moeder voor ze herhaalde – 'weet je, er is geen bordeel dat me zoveel over de feiten van het leven had kunnen bijbrengen als de slaapzaal van die kostschool, waar we nimmer een man te zien kregen, maar alles wat we niet over mannen wisten, was de moeite van het leren niet waard.

Ik ga nu weg,' zei ze, 'om een gezellig praatje met Jason te maken, en dat geeft jullie de tijd om over mij te praten.'

Elke spier in haar soepele lichaam leek te golven toen ze door de kamer liep. Ze liet een pijnlijke stilte achter, tot Gwendoline een zucht slaakte die op zichzelf meer zei dan woorden konden doen. Daarna zei ze tegen Fred: 'Het spijt me, Fred, ik had haar niet mee moeten nemen. Maar ik moet zeggen dat ze niet altijd zo onhebbelijk doet als nu. Ze verveelt zich erg. Het zal wel beter worden als we eenmaal in Oostenrijk zijn. Ze heeft daar veel vrienden en het skiën is haar altijd goed.'

'Het enige wat ik kan zeggen, Gwendoline, is dat ik hoop dat haar vrienden haar daar houden, want ze is een onmogelijk meisje.'

'Ik neem aan dat dat mijn schuld is.'

'Nee, dat is niet jouw schuld. Sommige meisjes zouden er alles voor over hebben gehad om naar zo'n kloosterschool te gaan, gevolgd door een jaar in Zwitserland en alles wat zij heeft gekregen. Wat gaat ze met haar leven doen? Weet ze dat al?'

'Ik hoop dat ze gaat trouwen. Er zijn een paar kapers op de kust. De ene is heel charmant, heel onderhoudend, heel van alles en nog wat behalve serieus, en hij heeft geen geld. De andere is een zakenman van middelbare leeftijd die haar alles kan geven waarvan zij vindt dat ze er recht op heeft, en dat is wellicht mijn schuld, of misschien die van haar Franse pleegmoeder, want die nam haar iedere vakantie mee naar een ander land. Ik denk dat ze inmiddels de halve wereld heeft gezien. Weet je,' – Gwendoline keek naar Riley en Nyrene, die haar aandachtig hadden gevolgd – 'dit is geen geval van de zonden der vaderen die worden doorgegeven, maar de zonden van de moeder. Als ik wist dat ik geen kind wilde, waarom heb ik haar dan toch gekregen? En toen ik haar eenmaal had, waarom heb ik haar toen naar haar vader laten gaan? Ik vond het in die tijd een geweldig idee, het was een goede oplossing voor me, en ze werd bovendien grootgebracht in de wetenschap dat ik bestond. Ze accepteerde me op een wonderlijke manier, wonderlijk voor mij althans, want ze beschouwde de vrouw van mijn vriend nog steeds als haar moeder.'

Gwendoline stond nu ook op, knikte eerst naar Nyrene en toen naar Riley, draaide zich om en volgde haar dochter de kamer uit.

Nyrene had de term 'de vrouw van mijn vriend' opgemerkt.

Hoeveel vrouwen van vrienden had die vrouw ooit ongelukkig gemaakt? Want ze moesten van haar hebben geweten, en als je haar zo zag, dan viel het niet moeilijk te raden van wie haar dochter het karakter had. Ze had haar uiterlijk en ze had een seksuele drift die uit alle poriën stroomde. Ze dankte de hemel dat ze deze keer met Peter was meegegaan, want dat meisje kon mannen levend verslinden. Maar aan de andere kant: zou Peter zich hebben laten verslinden? Niet zoals hij nu was, nee. Maar wie wist hoe hij over een paar jaar zou zijn? Dat meisje kon haar jeugd eeuwig laten duren, terwijl zij veranderde in...

'Hemel, hou toch op! Komt tijd, komt raad.'

'Wat zei je, liefste?' vroeg Riley.

'Niets. Maar ik dacht dat het zo langzamerhand tijd werd om terug te gaan naar het huis van de zuster. Betty zal inmiddels wel thuis zijn en zich alleen voelen.'

'Ja, dat is waar.'

'Maar, Nyrene en Peter, jullie zijn hier pas vijf minuten. We hebben nog helemaal geen tijd gehad om te praten, op onze manier met elkaar te praten.' Louise had de laatste woorden benadrukt en ze keek naar haar man en zei: 'Ik kan je wel verzekeren dat ik blij zal zijn als het morgenochtend is en als dat vliegtuig is opgestegen.'

'Mevrouw, ik kan u op mijn beurt verzekeren dat ik er net zo over denk.'

'Maak je maar geen zorgen, Louise,' zei Riley, 'we komen morgen nog wel even langs. Dan is de lucht weer opgeklaard en kunnen we het hebben over de vakantie van die kerel daar.' Hij gebaarde met zijn hoofd naar Fred. 'En dan kunnen we eens kijken of jij misschien zin hebt een tijdje bij Nyrene te komen logeren. Charles zal het prachtig vinden als Jason weer komt. Ze hebben de vorige keer zoveel plezier gehad.'

'Hoe gaat het met Charles?' vroeg Louise, en Nyrene zei: 'Nog even levendig als altijd, nog meer zelfs, hij weet gewoon niet van ophouden. In huis heb ik hem een beetje kunnen temmen, maar buiten gaat hij er meteen vandoor. We willen trouwens een keer met hem naar een dokter, naar een specialist. Hij verbruikt voortdurend te veel energie.'

'Krijgt hij nog steeds van die flauwtes?'

'Ja, soms,' zei Nyrene. 'Het is gewoon een kwestie van uitputting, omdat hij te veel energie heeft verbruikt. Maar we moeten de oorzaak van het probleem zien te achterhalen.'

Bij de voordeur zei Fred tegen Riley: 'Je begrijpt nu zeker wel wat ik onlangs aan de telefoon bedoelde?'

'Ja, precies. Je had er hoogstens aan toe kunnen voegen dat ze een mannenverslindster is.'

'Zeg dat wel. Het is maar goed dat ze de omgeving hier maar niets vindt, dus we zullen wel niet veel last meer van haar hebben. Maar we moeten ons niet laten misleiden door haar hulpeloze meisjesachtige houding. Ik heb ook tegen Louise en Gwendoline gezegd dat het een dame is die weet wat ze wil, en de hemel sta de man bij in wie zij haar klauwen heeft geslagen. Hoor eens, Riley, laat me jullie met de auto naar huis brengen.'

'Nee, Fred. Dank je. We lopen liever, we hebben veel om over na te denken.'

'Dat kan ik me voorstellen.'

'Goedenavond, Louise.'

'Goedenavond, Peter.'

'Goedenavond, lieverd.' Louise kuste Nyrene en zij zei zacht: 'Ik benijd je op dit moment niet, Louise.'

Ze lachten allebei, daarna werden er nog meer groeten gewisseld.

Ze waren een eindje bij het huis vandaan toen Riley de stilte verbrak. 'En, wat vond jij daarvan?'

'Volgens mij is het eerder de vraag: wat vond jíj ervan? Jij bent een man.'

'Nou, als je de waarheid wilt horen, dan vind ik dat ze heel mooi is, dat ze over veel aantrekkingskracht beschikt, dat ze alles is waar in boeken over wordt geschreven, maar dat ze een verwend nest is en dat ze nodig eens met beide benen op de grond moet worden gezet. Ik hoop alleen maar dat ze een kerel tegen het lijf loopt die haar onder de duim weet te houden of die kunstjes er bij haar uit kan slaan. Echt, want anders maakt ze iedere kerel stapelgek. Zelfs haar lieve mamma is verre van gelukkig. Dat zie je zo.' Hij zweeg even. 'Ik vraag me af wat Fred nu van zijn lieve zusje vindt. Ze ziet er niet echt als een hoer uit, hè?'

'Hoe denk jij dat een hoer eruit zal zien?'

'Nou, ik stel me voor dat ze opzichtig gekleed, ordinair, luidruchtig is. Maar zij is geen van die dingen. Ze lijkt eigenlijk heel beschaafd.'

'Dat zal ze dan wel hebben overgenomen van de heren met wie ze zich in de loop der jaren heeft ingelaten, want als ik Louise moet geloven zijn dat er heel wat geweest. Maar ik denk niet dat we verder nog veel van hen zullen zien. Wat Fellburn betreft, want dat heeft ze de rug toegekeerd en daar mogen we blij om zijn.'

Toen ze het huis bereikten, werden ze hartelijk begroet door Betty. Maar Riley zag dat ze heel geagiteerd was en hij zei: 'Heb je al iets van het ziekenhuis gehoord?'

'Nee. We zullen morgen pas enig idee krijgen hoe het met pa is.'

In de zitkamer zei Riley: 'Verwacht je Harry vanavond nog?'

'Nee, hij heeft nachtdienst en hij zal waarschijnlijk om deze tijd opstaan. Hij is pas om één uur naar bed gegaan. Hij is echt geweldig geweest sinds pa ziek is, met al het heen en weer gereis. En dan dat gedoe met ma. Weet je, Peter, volgens mij moeten ze haar in een inrichting stoppen. Ze haalt de gemeenste dingen uit, maar altijd zo dat je het haar niet in de schoenen kunt schuiven. Ze is heel sluw en slim. Ik maak me op dit moment zorgen en ik denk dat ik je maar beter kan vertellen waarom. Ze weet natuurlijk dat jullie hier zijn. Ze heeft haar verspieder eropuit gestuurd, en Florrie is al net zoals zij. Maar wat nog erger is, ze weet niet alleen dat jullie hier zijn, ze weet ook waar jullie wonen. We hadden het tot dusver geheim kunnen houden. Maar Sue stond me op te wachten toen ik uit mijn werk kwam. Ze had net een aanvaring met Florrie gehad en die had haar een klap in haar gezicht gegeven. Het blijkt dat de scholen eens per maand disco hebben en Florrie moet ma op listige wijze hebben bewerkt om haar te laten gaan. Nou, je weet wat ma van een disco zou vinden. Goed, Sue vertelde dat ze vroeg van haar werk kwam en toen meteen naar huis ging, en daar stond Florrie zich in de slaapkamer op te tutten. Eerst wilde ze niet vertellen waarom ze zo'n mooie jurk aanhad en make-up op haar gezicht stond te smeren. Maar toen Florrie haar jas aanhad en toen haar laarzen aantrok en haar schoenen in een tas deed, zei Sue dat ze achterdochtig werd en haar niet wilde laten gaan. Ze wilde weten hoe ze toestemming had weten te krijgen om naar de disco te gaan. Maar ze kon niets uit haar krijgen, dus zei Sue dat ze nergens naartoe hoefde, dus dat ze bij haar zou blijven tot ma thuiskwam en dat kon om zeven of om acht uur zijn. Nou, Florrie begon toen te huilen en om een lang verhaal kort te maken, het bleek dat de dag dat pa was ingestort, zij in het huis was en de zuster moest natuurlijk met hem mee in de ambulance, en zij moest Florrie vragen voor haar af te sluiten en de sleutel af te geven bij mevrouw Green, aan het eind van het rijtje. Maar voor ze alles afsloot moet Florrie naar de slaapkamer zijn gegaan, waar ze een brief van jou vond. Het enige wat ze zich van het adres kon herinneren was dat het huis The Little Grange heette of zo, maar de naam Peterculter kon ze niet helemaal meer reproduceren. Toch had ze genoeg van het adres onthouden om het aan ma te kunnen vertellen en ma moest toch veel waarde aan die informatie hebben gehecht, om haar naar die disco te laten gaan. Dus je ziet, Peter, het is mogelijk dat jullie ook van die brieven krijgen en dat er dingen gebeuren waarvan je geen bewijs hebt dat zij erachter zit.'

'Nou, vast niet! Maak je maar geen zorgen, Betty, als er bij ons iets gebeurt, zal ik meteen een advocaat en de politie inschakelen. Ik zou geen moment aarzelen. En je bent toch wel eens bij ons thuis geweest? Het huis is heel moeilijk te vinden. En ik kan me trouwens niet voorstellen dat ze het zo bont zal maken. Het is een lange reis, hoe je het ook doet. Maar in elk geval bedankt voor de waarschuwing. Bij ma kun je niet voorzichtig genoeg zijn.'

Betty leunde achterover in de stoel en zei tegen Nyrene: 'Weet je, ik word af en toe bang als ik bedenk waar ze allemaal toe in staat is. Ze kan echt de raarste dingen doen. Ik bedoel, ze had het huis af kunnen branden, die avond dat ze een brandende dot poetskatoen door de brievenbus had geduwd. Het was vreselijk.'

Nyrene knikte en zei: 'Dat kan ik me voorstellen. Ik denk dat je alle reden hebt om bang voor haar te zijn, en voorzichtig, want ze wordt verteerd door bitterheid en jaloezie. Ik weet dat het met Peter is begonnen.' Ze greep zijn hand en hield die stevig vast, maar hij zei: 'Nee, niet met mij! Pa was het begin. Ik weet nu dat hij jarenlang door een hel moet zijn gegaan, want ze heeft nooit anders dan denigrerend over hem gesproken. Als ik 's nachts aan vroeger lig te denken, kan ik haar stem nog steeds horen. Dat eindeloze gezanik kon me razend maken. Ik moet er niet aan denken wat dat bij hem moet hebben gedaan. Het is echt een wonder dat hij niet geprobeerd heeft haar van kant te maken. Veel mannen zouden daar in zijn plaats toe in staat zijn geweest.' Hij wendde zijn blik af, keek naar het vuur in de haard en zei: 'Een man kan veel hebben, maar als je zo wordt gekleineerd als hij, dan houdt het een keer op.'

Toen hij de volgende morgen bij het bed van zijn vader stond en neerkeek op het wasbleke gezicht met het hoge voorhoofd, de terugwijkende haarlijn en de plukken grijs haar die aan weerszijden boven zijn oren uitstaken, werd hij opnieuw overweldigd door alle droefheid die hem gisteravond door zijn hoofd was gegaan toen hij in het vuur had zitten staren en zich een voorstelling had pogen te maken van wat zijn vader in zijn huwelijksleven had moeten doorstaan. Die gevoelens kwamen nu opnieuw bij hem boven en vormden een prop in zijn keel.

Hij zag dat de bleke oogleden werden opgeslagen en dat van zijn vader een poging deed zich van de kussens te verheffen, om er dan weer zachtjes in terug te ploffen. De inspanning benam hem even het spraakvermogen, maar zijn linkerhand ging omhoog en over zijn lichaam, en toen Peter de hand greep en stevig vasthield, kon ook hij niets uitbrengen.

Ten slotte zei zijn vader: 'Dag, jongen. Ik had niet verwacht jou te zien.'

'Tja,' zei Peter, op wat hij hoopte dat een joviale toon was, 'ik kan hetzelfde van jou zeggen. Wat heb jij nou toch uitgehaald om iedereen zo de stuipen op het lijf te jagen?'

'Ach, jongen.' Het hoofd bewoog langzaam op het kussen. 'Ik heb gehoord dat het allemaal nog niet zo slecht is als ze hadden gedacht, en ik dank God daarvoor. Hebben ze het je verteld?'

'Jazeker.' Peter knikte. 'En ze hebben me ook een tijdslimiet gegeven: tien minuten op zijn hoogst. Het is nu geen bezoekuur, weet je. Maar vanmiddag komt Nyrene mee. Ze wil je graag even zien.'

Alex bleef zijn zoon lang aankijken. Toen vroeg hij zacht: 'Gaat alles nog steeds goed bij jullie?'

'Kon niet beter, pa, kon niet beter.'

'Je boft dat je haar hebt, weet je.'

'Ja, pa, dat weet ik. Ik bof geweldig. Ik bof in alle opzichten. En hoor eens, als je weer op je benen kunt staan, kom je naar ons toe om verder op te knappen. Ik zal er waarschijnlijk niet zijn, maar Nyrene heeft het allemaal al geregeld.'

'Dat lijkt me erg leuk. En ik wil de kleine jongen ook graag weer zien. Hoe is het met hem?'

'Zo fris als een hoentje, of liever gezegd, als tien hoentjes. Het valt niet mee hem onder de duim te houden.'

'O, jongen, doe dat niet, en neem me niet kwalijk dat ik het zeg, maar probeer nooit iemand onder de duim te houden. Begrijp je wat ik bedoel?'

Het bleef lang stil voordat Peter zei: 'Ja. Ja, pa. Ik begrijp wat je bedoelt. Hoor eens, daar komt de zuster me al wegsturen. Ik ga nu, maar ik kom later weer terug. Ga nu maar slapen, slapen is de beste medicijn.' Ze grepen opnieuw elkaars hand.

De magere vingers klampten zich enkele seconden aan die van hem vast voordat ze loslieten en toen Riley de gang in kwam waar Nyrene hem opwachtte, gaf hij geen antwoord op haar blik maar beet alleen maar op zijn lip.

Ze stonden in de met natte sneeuw bedekte straat voordat Nyrene vroeg: 'Heb je de zuster gesproken?' En hij antwoordde hees: 'Ja, en het schijnt gelukkig niet zo erg te zijn als ze hadden gedacht. Misschien kan de colostomie over een paar jaar ongedaan worden gemaakt, als alles goed gaat. Ik heb hem verteld dat hij voor zijn herstel bij jou moet komen logeren, en dat je alles al hebt geregeld, ook al zal het nog een tijd duren voordat hij kan reizen.'

'Je weet dat hij altijd welkom is en dat ik goed voor hem zal zorgen.'

'Ja, ik weet dat je dat zou doen.'

Toen ze zwijgend een eindje verder waren gelopen zei Riley opeens: 'Weet je, Nyrene, op dit moment kan ik mijn ware gevoelens voor hem niet doorgronden. Het enige waar ik zeker van ben is dat ik mijn moeder haat, want als ik terugkijk, kan ik zien dat zij me in zekere zin een vader heeft onthouden.'

Nyrene trok zijn arm nog iets steviger tegen zich aan. Toen riep ze op veel luchtiger toon uit: 'Het wordt tijd dat je een nieuwe jas krijgt, deze wordt echt sleets.'

'Niets daarvan! Deze jas gaat een leven lang mee! En als hij versleten is, zit er altijd nog een goede voering in. Bovendien, wat had je anders verwacht voor vier pond?'

Ze lachten allebei even. En toen hij haar voelde huiveren, zei hij: 'Heb je het koud?'

'Ik heb het niet erg warm. Wat dacht je van een kopje koffie? Laten we naar Prims gaan.'

Prims was een chic restaurant dat bekendstond als de ontmoetingsplaats van de welgestelde bewoners van de stad, en daarom hadden de spelers van The Little Palace het veel te duur gevonden en er werd lachend gezegd dat het een kak-etablissement was.

Toen Riley de ene helft van de dubbele glazen deur openduwde om Nyrene naar binnen te laten gaan, werd de andere helft opengetrokken om een heer en zijn dame te laten vertrekken. Halverwege werden beide deuren stilgehouden en David Bernice riep tegelijk met Riley: 'Kijk nou toch eens wie we hier zomaar tegen het lijf lopen!'

Ze gingen met zijn vieren terug naar binnen en David Bernice stelde hen voor: 'Is het niet vreemd, Constance, dat ik het vanmorgen nog over hen had, deze morgen nog, en nu staan ze opeens voor onze neus, de heer en mevrouw Riley, de beste acteurs die hier ooit op de planken hebben gestaan. En dit is mevrouw Constance Pickman-Blyth.' David draaide zich om naar de goedgeklede vrouw van middelbare leeftijd en zei: 'Gaat er bij jou nog een kopje koffie in?'

'Natuurlijk. Waarom niet? Je denkt toch niet dat we hier de hele tijd blijven staan? En maak je maar geen zorgen, ik zal het wel betalen.' Ze wierp een ondeugende blik op Nyrene en Peter en riep fluisterend: 'Hij is heel gierig.'

Toen ze het restaurant in liepen, riep David iets onverstaanbaars en de kleine dame, tussen Nyrene en Peter, zei: 'Hij is een heel voorzichtige man, zoals jullie waarschijnlijk wel weten, en hij kan er niet tegen om geplaagd te worden.' Waarop ze allebei glimlachten en een veelbetekenende blik wisselden die zei dat ze er alles van wisten.

Dit leek de toon te zetten voor het gesprek rond de koffietafel, afgewisseld door vragen van David over Rileys werk. 'Nu je alles weet over wat meneer Riley in de nabije toekomst gaat doen,' zei Constance Pickman-Blyth tegen David, 'wat dacht je ervan om hem over onze plannen te vertellen? Of ben je die vergeten?'

'O, Connie! Natuurlijk ben ik die niet vergeten. Ik wilde daar net over beginnen, ik nam al een aanloopje.' Hij grijnsde naar Riley en zei: 'Misschien heb je al gehoord dat juffrouw Pickman-Blyth hier' – hij knikte eerbiedig naar zijn gezelschap – 'het blok met het oude stadhuis heeft gekocht, met inbegrip van het oude stadhuis zelf.'

'Nee!' Nyrene en Peter keken zogenaamd verbaasd op.

'Jawel. Ja, het hele blok. Het heeft in de kranten gestaan. Maar ik was vergeten te vragen wat jullie hierheen heeft gevoerd. Is er thuis iets aan de hand?'

'Mijn vader ligt in het ziekenhuis.'

'O, wat akelig. Wat verdrietig.'

'Maar ga door. Vertel ons iets over die nieuwe onderneming.'

'Tja, dat is wel het woord ervoor: onderneming.' Hij glimlachte hartelijk naar de vrouw die naast hem zat.

'Ja, heel toepasselijk, lijkt me.'

'Kijk, het zit zo…' begon David weer. 'We gaan het hele gebied renoveren. Ik had al een tijd een oogje op het oude stadhuis, maar ik kon het echt niet betalen.' Hij keek zijdelings naar zijn gezelschap. 'Het was een soort droom. Ik was er toevallig nog weer eens aan het kijken toen ik een andere gegadigde tegen het lijf liep.' Hij gebaarde met zijn hoofd. 'En juffrouw Pickman-Blyth hier vertelde me dat ze aarzelde of ze het hele blok zou kopen, want haar grootste belangstelling gold het verbouwen van de kantoren tot appartementen, winkels en een restaurant. Maar ze wist niet goed wat ze met het stadhuis zelf moest doen. Nietwaar?'

'Nee, maar jij wist dat wel.' Ze glimlachte naar hem. 'De rest is een lang verhaal, maar het belangrijkste is dat we tot een overeenkomst zijn gekomen. Hij wilde een theater, ik wilde wat leuke flats in die wijk van de stad bouwen en een goed restaurant. Bovendien heb ik altijd belangstelling gehad voor het theater. De laatste keer dat ik er was, speelde jij daar in *Het Gouden Verstand*. Ik heb het stuk twee keer gezien. De eerste keer wist ik dat ik iets had gemist. Ja, ik was wel ontroerd, maar ik lachte vooral om jouw capriolen. De tweede keer moest ik helemaal niet lachen, omdat ik de man binnen de gehandicapte geest van het kind herkende. En dat wist je echt schitterend over te brengen. Je hebt talent, jongeman, en dat is, net als gezondheid, iets wat je met alle geld van de wereld niet kunt kopen.'

De gemoedelijke atmosfeer was helemaal omgeslagen en Riley kon geen woorden vinden om een gepaste reactie te geven. Het duurde een paar seconden voor hij zei: 'Dank u, juffrouw Constance, u hebt gezien wat maar weinig mensen in het publiek hebben gezien, dat ik probeerde uit te drukken hoe de volwassen man door de huid van de gestoorde geest van de jongen wilde dringen. Maar ik had die rol nooit kunnen spelen als mijn vrouw er niet was geweest. Zij heeft me eindeloos geholpen, gedreigd en gemotiveerd.' Hij wierp een liefhebbende blik op Nyrene. Toen greep hij impulsief haar hand.

Juffrouw Pickman-Blyth richtte zich nu rechtstreeks tot Nyrene. 'Ja, ik weet wat u voor hem hebt gedaan. David heeft me er veel over verteld. En weet u wel wat ik heb gezegd, nog geen kwartier voordat we elkaar vanmorgen ontmoetten? Ik zei tegen mijn vriend hier,' – haar hand maakte een wapperend gebaar – 'nou ja, ik zei: zou het niet geweldig zijn als je die jongeman terug kon krijgen, en zijn vrouw ook? Dat zei ik toch, David?'

'Ja, dat heb je gezegd, liefste.' David Bernice knikte van de een naar de ander. 'En omdat er niets gaat boven het ijzer smeden als het heet is, zeg ik het nu dan maar meteen: waarom niet? Maar omdat we juist daarheen op weg waren, zeg ik nu: wat dachten jullie ervan om met ons mee te gaan?'

Het viel op dat Riley onmiddellijk instemmend knikte, maar dat Nyrene meteen reageerde.

5

Ze waren weer thuis. Er brandde een groot vuur in de open haard, de theetafel naast de bank was gedekt. Mevrouw Atkins en Hamish McIntyre waren er, en het kind.

Nyrene had niet eens tijd gehad om haar jas uit te trekken voordat de jongen zich op haar had gestort, wild schreeuwend en gebarend, terwijl hij onsamenhangend praatte en werd gadegeslagen door mevrouw Atkins die in tranen was en Hamish, die grimmig glimlachte en opmerkte: 'Nou, dat is tenminste iets goeds: hij is weer tot leven gekomen.'

'Wat is er, liefje? Wat is er? Mamma is terug en pappa ook.'

Hoewel Riley probeerde de magere armpjes van Nyrenes heupen los te maken, bleef de jongen zich aan haar vastklampen en hij riep luid: 'Niet doen... mamma... niet doen... niet weggaan. Niet doen... mamma. Niet... doen.'

'Nee, ik ga niet meer weg. Nee, liefje, nee.'

'Niet weggaan... Niet weggaan bij Charles, mamma.'

'Nou, nou! Hou op, Charles. Hou nu meteen op!' Nyrene duwde de jongen een eindje van zich af, hield hem even bij de schouders en keek in het bijna ronde, engelachtige gezicht van haar zoon. Het was kurkdroog, nergens waren sporen van tranen te bekennen, maar er lag verdriet in zijn ogen. En nu keek het kind zijn vader aan en zei zacht: 'Pappie... Pappie.' Niet 'Pappie-man.' Riley liet zich op zijn hurken zakken, nam de jongen in zijn armen en zei: 'Ja, pappa is hier.'

'Mamma... Mamma niet weggaan?'

'Nee, lieverd, mamma gaat niet weer weg.'

De jongen sloeg zijn armen om de hals van zijn vader en Riley keek over de schouder van het kind naar Nyrene, in de blik die ze wisselden lag angst. Ze beseften allebei dat ze zich heel veel zorgen maakten over hun kind.

Tijdens dit tafereel waren mevrouw Atkins en Hamish roerloos blijven staan en pas toen Hamish hoorbaar snoof en zich haastig naar de keukendeur omdraaide, maakte Riley voorzichtig de armen rond zijn hals los. Toen duwde hij Nyrene het kind weer in de armen en liep achter Hamish aan naar de keuken, waar hij werd begroet met: 'Ik ben altijd blij u te zien, meneer Riley, maar vandaag nog meer dan ooit. Ik kan u verzekeren dat dat kind niet zonder een van u beiden kan.'

Riley moest zich dwingen om te zeggen: 'Wat bedoel je daarmee, Mac?'

'Ik vind het eerlijk gezegd moeilijk om uit te leggen wat voor sfeer er hier in huis heeft geheerst sinds u beiden was vertrokken. Mevrouw Atkins zal het u wel vertellen, maar het was zo'n sfeer dat geen van ons beiden ook maar één verkeerd woord tegen de ander heeft gezegd. En dat zegt ook al iets. Ze is heel erg ongerust geweest. Ja echt, heel erg ongerust. Zo erg zelfs dat als u vandaag niet was teruggekomen, ze u had opgebeld om te laten weten hoe het ervoor stond.'

'En hoe stond het er dan wel voor, Mac? Wilde hij niet spelen of zo?'

'Spelen? Nee, meneer Riley. Spelen? Ik denk dat ik hem twee keer heb zien rennen sinds u was weggegaan. Lopen ja, heel bedaard – hij wandelde gewoon als een oud mannetje naast me – maar het is nu geen weer om te wandelen. En als het op rennen aankwam, dan wilde hij het niet. Nee. Als je dan bedenkt dat hij kan galopperen als een paard en springen als een kangoeroe, dan valt het wel op, maar hij was even bedaard als een oude man. Maar dat was niet het ergste. Dat was buiten. Binnen werd hij almaar stiller, hij trok zich steeds meer in zichzelf terug. U weet hoe hij dan is, maar deze stille perioden waren op de een of andere manier anders, want hij praatte met horten en stoten, en zijn woorden, en de betekenis ervan, waren heel duidelijk. Het is natuurlijk niet mijn zaak, meneer Riley, maar aan de andere kant hou ik van dat kereltje, altijd al gedaan. Het doet er niet toe wat ik voor hem beteken. Het enige waar ik zeker van ben is dat ik u beiden niet kan vervangen en mevrouw Atkins kan dat ook niet. Dus daarom zeg ik nogmaals – en misschien spreek ik voor mijn beurt want ik weet dat u bij de dokter bent geweest – naar mijn mening is de ouwe Johnson de beste vriend die de begrafenisondernemer hier in de buurt heeft.' Hij gebaarde met zijn hand en zei: 'Jawel, ik weet wat mevrouw en u van hem vinden. Misschien ben ik bevooroordeeld, dat weet ik eigenlijk wel zeker. Hoe verder je bij dat soort lieden vandaan blijft, hoe beter het is. Dit is geen ogenblik om grapjes over voornoemde man te maken. U hebt me wel eens over Ruby Smythe, de slager, gehoord. Nee, niet Smith…, maar Smythe. Ja, hij doet heel precies over die E. Maar goed, zijn vrouw had hem naar dokter Johnson gestuurd omdat ze zich zorgen maakte over zijn gezondheid, en van hier tot Edinburgh weet iedereen dat drank het enige is waaronder zijn gezondheid te lijden heeft. Iedereen weet het, behalve zij, en toen haar in goed vertrouwen werd gevraagd wat de dokter had gevonden, zei ze dat het iets ernstigs was, iets waar de dokter geen naam voor had, maar hij had gezegd dat er één ding zeker was: haar man zou er dit leven nooit levend mee kunnen verlaten. En ze was even serieus als een monnik met zijn rozenkrans. Nou, het hele dorp heeft dagenlang plát gelegen. Ruby, weet u, is jarenlang slager geweest tot hij met pensioen ging, en hij was de vreemdste slager die er ooit heeft bestaan, want hij excuseerde zich bij ieder dier voordat hij het de genadeklap gaf. Mannie Pratt kon de hele kroeg plat krijgen als hij hem nadeed. Mannie was vroeger zijn knecht, weet u.'

Hij lachte even met Peter mee. Toen werd hij opnieuw serieus en zei: 'U zou toch om een second opinion kunnen vragen? Want Johnson denkt alleen maar dat de jongen eroverheen zal groeien. Zijn filosofie is dat je kinderen gewoon hun gang moet laten gaan, omdat ze niet lang kinderen zullen zijn. Dat zegt-ie toch altijd?'

Riley keek nu ook ernstig, knikte en zei: 'Ja, dat is waar, Mac. Maar we moeten de feiten onder ogen zien. Ik kan je in elk geval vertellen dat we het al hebben besproken en dat ik een afspraak ga maken voor een second opinion.'

Hamish veranderde nu van toon en zei opgewekt: 'Misschien heeft hij alleen maar af en toe bepaalde pillen nodig om een beetje te kalmeren. En als hij buiten niet zo loopt te rennen, hoeft hij binnen niet zoveel uit te rusten. Zo zie ik het tenminste. Maar ik ben maar een simpele ziel, weet u.'

Hierop schoot Riley in de lach en hij zei: 'Ja, dat weet ik, Mac, je

bent een heel simpele ziel. De eerste keer dat ik je zag dacht ik meteen: een heel simpele ziel.' Hierop stompte hij Mac vriendschappe-
lijk op de schouder. Toen draaide hij zich om en liep naar de zitkamer terug.

'Die thee is nu echt koud. Kom eens zitten.'

'Geef die theepot maar hier!'

Toen mevrouw Atkins de keuken uit was gelopen, zei Nyrene lachend: 'Geef die theepot maar hier! Geef die theepot maar hier! Ze
wordt al even erg, of even goed, het is maar hoe je het bekijkt, als
Mac. Waar hadden jullie het over?'

'O,' zei Riley luchthartig, 'over van alles en nog wat.'

Hij was op de bank gaan zitten en stak zijn hand uit naar zijn
zoon, die op dat moment uitsluitend aandacht leek te hebben voor
het scheiden van de marsepein van het glazuur op de bovenkant
van de plak kersttaart op zijn bordje. Hij hield niet van glazuur,
maar hij was dol op marsepein en hij keek niet op toen Riley met
stemverheffing tegen hem zei: 'Ik zit aan morgen te denken. Ik
vraag me af of we die slee moeten repareren of dat we gewoon een
sneeuwpop gaan maken. Wat vind jij?'

Riley draaide zich om en keek Nyrene aan. Daarna keken ze allebei naar hun zoon. Hij had het laatste stuk marsepein in zijn
mond gestopt en zat er langzaam op te kauwen terwijl hij hen zijdelings aankeek. Maar hij zei niets en ging niet in op de plannen die
voor de volgende dag voor hem werden gemaakt. Zijn blik zou niet
hebben misstaan bij een veel ouder iemand die bereid was mee te
gaan met wat hem was gezegd, niet voor zichzelf maar om hen, en
hij leek dat te benadrukken toen hij zich weer op zijn stukje taart
richtte.

6

Het was de dag voordat Peter weer op tournee zou gaan. Ze waren in Aberdeen en zaten in de geriefelijke spreekkamer van dokter Kramer, de kinderarts die door dokter Johnson was aanbevolen.

Dokter Kramer was even lang als Hamish McIntyre, maar veel breder, een reusachtig grote man. Maar zijn stem was iel, in tegenstelling tot zijn bouw. Hij zei op zangerige toon: 'Je bent een heel grote kerel voor je leeftijd. Hoe oud zei je dat je bent?' Het grote gezicht keek stralend naar het gezicht van het kind en Charles glimlachte terug en met een ondeugende blik in zijn ogen antwoordde hij de lange man: 'Ze z... zeggen, meneer, dat ik vier jaar ben.'

Dokter Kramer wisselde een snelle blik met de ouders die aan de andere kant van het bureau zaten. Toen keek hij weer naar Charles en zei zacht: 'Hebben ze dat gezegd? Nou, ik dacht dat je veel ouder zou zijn. Wanneer ben je jarig?'

Het kind aarzelde even, het was alsof hij nadacht. Toen zei hij: 'Voor Kerstmis.'

'Prachtig. Prachtig.' De grote man schoof ongemakkelijk in zijn stoel heen en weer en zei: 'Ik begin een erg oude man te worden en bukken gaat me een beetje moeilijk af. Zou je er bezwaar tegen hebben als ik je hier op het hoekje van mijn bureau til, zodat we elkaar aan kunnen kijken?'

Hij was niet van plan op een antwoord te wachten, maar toen Charles 'Nee, nee' zei, was de grote man even uit het veld geslagen. Maar hij glimlachte en zei: 'Uitstekend.' Toen stak hij zijn handen uit en tilde de jongen op het eind van het bureau, en eenmaal daar keek Charles naar zijn ouders die met min of meer uitgestreken gezicht aan de andere kant zaten en hij glimlachte naar hen. Het was een geruststellende glimlach, en toen zijn moeder naar hem terug glimlachte, zei hij: 'Meneer Mac zou hierom hebben gelachen.'

Deze schijnbaar vreemde reactie bracht een vragende blik van dokter Kramer teweeg, gevolgd door: 'En wie is die meneer Mac?'

Riley antwoordde: 'Hij is onze vriend. Hij zorgt voor het huis en de tuin en hij helpt mijn vrouw met alles wat er moet gebeuren. Hij is erg op Charles gesteld, en Charles op hem.' Hij zweeg even en glimlachte. 'Ze spelen veel samen.'

'Juist ja.' Het grote gezicht was nu vlak bij dat van Charles en hij zei: 'Is dat de meneer Mac die net zo hard kan springen en hollen als jij?'

Charles stak zijn armen in de lucht en maakte een wapperend gebaar terwijl hij met zijn hakken tegen het bureau schopte. 'We vliegen... of' – hij knikte – 'we proberen te vliegen.'

Dokter Kramer pakte Charles' handen vast, bracht ze naar voren en zei: 'Nou, lang niet iedereen kan vliegen. Dat is erg moeilijk. Zelfs de vogels vinden dat heel moeilijk, en jij en meneer... Mac worden dan vast erg moe?'

Er kwam niet meteen antwoord. Het was alsof het kind nadacht. Toen hield hij zijn hoofd scheef en zei: 'Niet echt moe, ik wil dan alleen maar...' Toen hij zweeg, wachtten ze allemaal, en ten slotte zei dokter Kramer, nu zachter: 'Wat gebeurt er wanneer je moe bent? Dan wil je alleen maar slapen?'

Het antwoord kwam snel en abrupt. 'Nee! Nee, niet slapen, alleen maar...' Opnieuw was het alsof het kind nadacht, en toen riep Kramer uit: 'We zullen dat vliegen even vergeten. Maar als je er ooit in slaagt te vliegen, moet je meteen naar me toe komen om me te laten zien hoe je dat doet. Beloof je dat?'

De twinkeling was terug in Charles' ogen toen hij opzij keek en er lag weer die oude begrijpende uitdrukking op zijn gezicht toen hij zijn ouders aankeek, en het antwoord dat hij gaf was een hoge, schaterende lach.

Dokter Kramer belde, en toen er een deur openging en er een zuster binnenkwam, zei hij: 'Dit is jongeheer Charles, zuster, en hij zou graag al uw speelgoed, uw blokken en zo, in uw kamer willen zien. Ga je mee met de zuster?'

De laatste woorden waren tot de jongen gericht, en zijn gezicht, dat nu niet meer vrolijk keek, kreeg een behoedzame uitdrukking. Hij keek zijn moeder aan, maar Riley zei: 'Het is hier heel dichtbij.

233

Er zijn erg leuke spelletjes. De zuster zal ze je laten zien.'

'Ga jij ook mee, pappie-man?'

'Nee, lieverd, jij gaat met de zuster mee.' Nyrene sprak nu en het kind ging snel op zijn knieën zitten, keek zijn moeder aan en zei: 'Nee, mamma. Niet ik alleen.'

Riley en Nyrene keken elkaar even gespannen aan, toen zei Riley tegen dokter Kramer: 'Is het goed als ik met hem meega?'

'Uitstekend. Uitstekend. Ik weet zeker dat u ook graag met blokken wilt spelen. En terwijl u weg bent kunnen mevrouw Riley en ik hier een gezellig praatje maken. Wat dacht u daarvan, mevrouw Riley?'

'Dat lijkt me heel gezellig.'

De zuster liep met hen de spreekkamer uit en iets verderop in de gang naar een andere kamer waar lage tafeltjes waren met gekleurde blokken in allerlei vormen en afmetingen.

In de spreekkamer keek Nyrene dokter Kramer aan en hij zei: 'Ik kan één vrees bij u wegnemen, mevrouw Riley, en dat is de vrees waarvan ik weet dat alle moeders die in deze situatie hebben: de jongen is niet geestelijk gehandicapt.'

Het woord 'goddank' klonk niet hardop, maar Nyrene zei: 'Maar er is toch iets wat niet in orde is?'

Kramer leunde achterover in zijn stoel en zette zijn vingertoppen tegen elkaar. Hij zei: 'Ik kan op dit moment nog niet helemaal aanwijzen wat het is. Het enige wat ik nu kan zeggen is dat het kind intelligent is en een scherpe geest heeft. Beslist, zeer scherp. Maar hij is veel actiever dan je gezien zijn leeftijd zou verwachten.'

'Ja, dat hebben we vaak gedacht, vooral als hij weer zo'n stille periode heeft.'

'Beschrijft u die eens.'

Dit deed Nyrene, en toen ze klaar was zei hij: 'Er zijn geen toevallen geweest, niets speciaals?'

'Nee, afgezien van extreme inspanning van tevoren.'

'Ik denk dat de zuster zal bevestigen dat hij vermoedelijk dyslectisch is.'

Nyrene knikte snel en zei: 'Ja, daar heb ik ook aan gedacht, daar hebben we allebei aan gedacht. Maar dat is toch niet zo erg? Ik bedoel, je hebt acteurs en actrices en aanzienlijke mensen die dyslectisch zijn.'

234

'Jazeker, dat klopt. Bovendien kan er nu veel aan gedaan worden. Het is geen ziekte, het is een hindernis. Waar we volgens mij meer over te weten moeten zien te komen is deze vermoeidheid, of dat slapen terwijl hij nog wakker is. En u hebt de indruk dat het niet alleen door extra inspanning wordt veroorzaakt maar dat het zich vooral voordoet wanneer hij alleen wordt gelaten. Dat wil zeggen, als geen van u beiden in de buurt is. U zegt dat uw personeel de leemte niet kan opvullen die uw afwezigheid achterlaat?'

'Inderdaad. Hij houdt veel van hen. Maar toen ik onlangs met mijn man wegens familieomstandigheden een paar dagen van huis was, hebben ze drie of vier dagen lang veel problemen met hem gehad. Hij heeft toen het grootste deel van de tijd van die stille perioden gehad.'

'Ik denk dat dit een afzonderlijk probleem is. Maar laten we nu even gaan kijken wat voor vorderingen hij hiernaast heeft gemaakt.'

Toen ze opstonden, keek ze hem strak aan en vroeg: 'Zouden die zogeheten stille perioden erop kunnen wijzen dat hij een zeldzame psychische aandoening heeft?'

Hij keek haar aan en zei: 'Tja, mevrouw Riley, dat kan ik nog niet beoordelen. Ik zal hem hier een aantal keren moeten testen. En de fysieke kant moet nog helemaal worden bekeken. Maar maakt u zich geen zorgen. Zoals ik hem nu zie, denk ik niet dat er iets is wat erop wijst dat hij niet tot een normale jongen zal opgroeien.'

Toen Nyrene de volgende dag bij dokter Johnson verslag uitbracht van het gesprek bij dokter Kramer, bleek hij al enig bericht te hebben ontvangen, want hij zei tot haar verbazing: 'Dus, hij denkt niet dat het autisme is. Ik had me dat nog afgevraagd. Maar zo zie je maar weer, je leert steeds meer. En hij weet waar hij het over heeft, dokter Kramer. Wat dyslexie betreft, dat is niets om u zorgen over te maken, tegenwoordig niet meer.'

Toen ze de vorige avond in elkaars armen hadden gelegen, had ze Riley gevraagd: 'Als David het stadhuis kan bemachtigen, ga jij dan terug?'

'Meteen, liefste, liever vandaag dan morgen. Ik heb er de afgelopen dagen heel veel over nagedacht. We zouden een van die appartementen kunnen huren die ze van plan zijn te bouwen. Waarom niet?'

Het bleef even stil voor ze zei: 'Ik zou niet met je mee kunnen, hè?'

'Nee?' vroeg hij. Het bleef opnieuw stil, en toen zei hij: 'Maar misschien is hij tegen die tijd wel een heel stuk beter. Ik heb vertrouwen in die man.'

'Ja, je hebt gelijk. Maar tot die tijd zou je ieder weekend thuis kunnen zijn. En tegen die tijd heb ik misschien mijn' – ze benadrukte het woord – 'míjn toneelschool van de grond gekregen.' Ze lachte.

'Ja.' Hij steunde op een elleboog en keek in haar gezicht, dat een lichtkrans had door de roze kap van het bedlampje, en hij zei: 'Denk eens goed na, liefste. Je hebt hier geweldige mogelijkheden. De schuur zou een prima omgeving zijn en, zoals Mac gisteren zei, je hebt ernaast twee stallen die tot kleedkamers met een douche kunnen worden verbouwd. Hij leek daar nogal op gebrand, zolang hij maar in staat is de groentetuin uit te breiden. Hij en zijn groenten! Hij begint nog eens een groentehandel, wacht maar af.'

'Dat zou helemaal niet zo'n gek idee zijn, met al dat land dat braak ligt.'

'Hoor eens, liefste, als jij die school hebt opgericht, zul je meer dan genoeg te doen hebben. Het is een geweldig idee. En als ik weer een vaste aanstelling bij The New Palace kan krijgen, nou, wat willen we dan nog meer?'

Haar stem klonk laag en omfloerst. 'Helemaal nooit meer van jou gescheiden worden, liefste. Want ik verlang zo naar je, elk moment dat je weg bent.'

'Maar hoe dacht jij dat ik me voelde? Er zijn tijden dat ik wil zeggen: "Loop naar de hel! Ik heb er genoeg van!" En dan wil ik gewoon weg. En iedere keer dat ik een andere vrouw zie, vergelijk ik haar met jou, vooral op het toneel. U weet het misschien niet, mevrouw Riley, maar ik ben ervan beschuldigd niet voldoende genegenheid te tonen in de liefdesscènes.'

'Ik ben blij dat te horen, meneer Riley, want ik... nou ja, ik vrees de dag dat u misschien naar een andere vrouw kijkt en er geen vergelijking volgt.'

236

'Nooit! Nooit!' Ze lagen dicht tegen elkaar aan en hij benam haar bijna de adem doordat hij haar stijf tegen zich aan drukte en herhaalde: 'Nooit! Luister, liefste, dat zal mij nooit overkomen. Niets of niemand kan tussen ons komen. Ik weet dat diep in mijn hart. Niets of niemand. Prent dat nou maar in je dwaze hoofd.'

Ze had hier niets op gezegd, maar ze had hem bemind en ze waren in slaap gevallen. En de volgende morgen was er weer een nieuwe dag.

7

Na een week in het Sunderland Empire bracht Riley vier gelukkige dagen thuis door. Maar nu was hij in York, het was woensdagmiddag en de matinee was zojuist afgelopen. Hij had de kleedkamer voor zich alleen en haalde de laatste brief van Nyrene uit de zak van zijn jas. Ze had het voornamelijk over het kind en over het geweldige feit dat hij zelf een A en een G had geschreven. Maar het slot van de brief ging, als altijd, over hoe zij pas echt weer tot leven zou komen als hij er weer was en dat ze ernaar smachtte dat dit jaar voorbij was en hij weer in Fellburn zou zitten.

Riley constateerde dat Nyrene het wel over Fellburn en over het nieuwe theater had, maar dat ze het nooit over zijn moeder had, hoewel die als een voortdurende dreiging in zijn achterhoofd aanwezig was. Hij vouwde juist de brief weer op toen de deur werd opengeduwd en een jonge actrice, Evelyn Dowell, een echte comédienne, overdreven op haar tenen lopend naar hem toe kwam en hees fluisterde: 'Er staat beneden een manzieke jongedame op je te wachten, een echte wolvin, als ik het zo zie. Het is maar goed dat ze niet bij dit gezelschap zit, want onze hoofdrolspeelster zou haar levend villen!'

Riley maakte lachend een afwerend gebaar en zei: 'Ik ken je, Evelyn, en ik herinner me Coventry nog, waar je me met die twee ouwe taarten had opgezadeld.'

'Ach, dat waren twee ouwe schatjes en ze waren heel gezellig, maar deze…! Echt, ik ben serieus. Ze staat te wachten. Ze heeft een soort Franse naam opgegeven en toen ik probeerde haar af te poeieren zei ze dat ik tegen jou moest zeggen dat ze het nichtje van meneer Beardsley of Birdsley was.'

Hij sprong overeind, keek haar aan, en zei ontzet: 'O, hemel, die toch zeker niet!'

'Jawel, zij is het.' De jonge actrice trok een scheef gezicht. 'Dus je kent haar? Allemachtig! Je boft dat je nog leeft.'

'Ach, jij altijd!' Hij greep zijn jas en trok die aan, haalde zijn hand door zijn haar en zei toen op doffe toon: 'Wat wil ze?'

'Als ik daar een objectief antwoord op moet geven, zou ik zeggen: jou. Maar volgens mij wil ze gewoon de eerste de beste fatsoenlijk uitziende kerel binnen handbereik hebben. Dus, jochie, pas op je tellen.'

Hij wapperde weer met zijn hand naar haar.

Ze stond aan het eind van het middenpad naar het toneel te kijken waarop mannen bezig waren decorstukken te verplaatsen, en hij begroette haar hartelijk met het cliché: 'Kijk eens aan! Wat voert jou hierheen?'

'O, hallo.' Ze keek hem aan en zei met een stralend gezicht: 'Dat kan ik kort beantwoorden: een auto met pech en een affiche over de matinees en een kaartje dat mij het recht geeft jouw toneelstuk te zien. Maar ik moest wel de volle mep betalen omdat ik er niet voor de halve prijs in mocht aangezien ik geen bejaarde ben.'

Hij lachte. 'Wat is dat nou jammer.'

'Mag ik hier gaan zitten?' Ze wees naar de stoel op de hoek en hij zei: 'Ik zie niet in waarom niet, in elk geval niet voor de volgende vijf minuten, want we hebben straks een bespreking, voor de avondvoorstelling.'

'O, een bespreking.' Ze maakte met haar hand een gebaar alsof ze er niets van geloofde.

Hij ging ook zitten en vroeg: 'Wat is er met die auto?'

'Die hield er gewoon mee op toen ik net buiten de stad was, dus ben ik bij een garage gestopt en daar zeiden ze: "Afgezien van al het andere hebt u een nieuwe uitlaat nodig, juffrouw." Goed, ik zei dat ik nog maar kortgeleden een nieuwe uitlaat had gehad. Ik zei ook dat als ze iets anders konden vinden, waarvan ik niets af wist, of ze dat alsjeblieft ook wilden verhelpen.' Vervolgens deed ze een heel goede imitatie van een monteur: "Dat kost een paar uur, juffrouw." Maar ik zei: "Oké, dat is goed. Twee of drie uur, niet meer." Haar stem hernam nu haar eigen geluid en ze zei: 'Het zijn regelrechte oplichters, die garagebedrijven. In elk geval als ze denken dat ze met een leek te maken hebben.'

Riley lachte. Toen zei hij: 'Ik had gehoord dat je op dit moment een wereldreis zou maken, was dat niet met die graaf, of was het een rijke zakenman?'

'O.' Ze schudde haar hoofd. 'Die zakenman heeft zich bedacht, over die reis of over mij, en de graaf is huilend afgedropen toen hij ontdekte dat ik geen privé-fortuin bezat. Maar tja, ik had alweer een nieuwe. Zijn naam is trouwens Percy.'

Hij lachte opnieuw naar haar, want haar gezicht vertoonde nu een ondeugende schoolmeisjesuitdrukking. 'Mijn lieve moeder zal binnenkort wel eens heel erg op haar neus kunnen kijken. Daarom ben ik op weg naar het noorden, om haar het nieuws te vertellen.'

Hij grinnikte even en zei toen: 'Wat heeft Percy gedaan dat hij de bons heeft gekregen?'

'Het gaat niet zozeer om Percy als wel om zijn familie. Ben je ooit in Surrey geweest?'

'Ja, ik vind Surrey heel mooi.'

'Vind je de mensen aardig? Maar misschien heb je Percy's familie nooit ontmoet. Hij werkt op een ministerie. Hij heeft drie onge- trouwde zussen en drie getrouwde broers, en met zijn moeder erbij is dat bij elkaar zeven vrouwen, en die waren er allemaal om mij eens kritisch te bekijken. Arme Percy. Ik heb hem verteld dat ik niets tegen hem heb, maar om zeven vrouwen de baas te moeten blijven! Ze wonen daar allemaal in de buurt en Percy moest daar ook ko- men wonen, met mij uiteraard!'

'Zal ik je eens wat zeggen?' Hij lachte nu voluit. 'Ik heb echt met die familie uit Surrey te doen.'

'Ja, dat zal best, net als oom Fred… ja, en net als mamma. Maar het is hun eigen schuld, ze dringen het me gewoon te veel op.' Haar stem veranderde van toon. 'Ik breng hen nogal in verlegenheid, en ze willen me binden aan iemand die de verantwoordelijkheid voor mij op zich neemt. En weet je, Pe… ter,' – ze deelde zijn naam in tweeën, lachte even en nam toen weer een jolige houding aan – 'ik ben helemaal niet zoals zij denken, echt niet. Ik wil graag een beet- je comfortabel kunnen leven en af en toe op reis kunnen gaan, maar ik hoef geen tiara's, diamanten of parels. Maar' – ze kneep haar welgevormde lippen even opeen – 'weet je wat ik zou willen doen? Ik zou graag nog eens in Surrey op bezoek willen gaan om iedereen het ware verhaal over het verleden van mijn moeder te vertellen. Uiteraard pas nadat aan tafel het dankgebed is uitgesproken.'

Toen haar lach door het lege theater schalde hielden de mannen op het podium op met waar ze mee bezig waren en ze draaiden zich om en keken over het voetlicht naar haar. Ze glimlachten allemaal en zij glimlachte terug. Terwijl ze dit deed nam Riley haar van opzij op. Ze leek totaal niet op dat onhebbelijke Franse wicht dat hij bij Fred had ontmoet en hij had met haar te doen omdat Fred en haar moeder er zo hevig op hadden aangedrongen om van haar af te komen. Maar wie had dat niet gewild in hun plaats? Ze had iets. Of het nu goed of slecht was, ze straalde iets uit, en hij kon zich voorstellen dat mannen erin trapten.

Ze keek hem aan en zei: 'Wist je dat mijn moeder van plan is in Northumberland te gaan wonen?'

'Nee, dat wist ik niet.'

'Jawel, ze is nota bene van plan de oude hoeve te kopen.' Ze zei dit met een zwaar Amerikaans accent. 'Die staat al twee jaar leeg en moet nodig worden opgeknapt. Hoewel oom Fred dit een goed plan schijnt te vinden, heb ik zo'n idee dat tante Louise daar heel anders over denkt. En als ik in haar schoenen stond zou ik er net zo over denken. Weet je, moeder heeft oom Fred altijd als haar speciale bezit beschouwd. Ik heb trouwens geruchten vernomen dat jij binnen een jaar of zo misschien weer in The Palace zit.'

'Ja,' – hij knikte – 'dat heb ik ook gehoord. En ik verheug me erop, want dan zit ik dichter bij huis. Ik mis mijn huis, vooral mijn vrouw en mijn kind.'

Ze keek hem strak aan. Toen zei ze zacht: 'Die vrouw boft geweldig.'

'Nee, het is andersom: ik bof geweldig.'

'Ach, het hangt er maar net van af hoe je het bekijkt, nietwaar? Wat mij betreft, zoals de zaken er nu voor staan hou ik me vooral bezig met het ontwijken van huwelijken – hoewel ik geen bezwaar heb tegen aanbidders.' Ze lachte even en voegde er toen aan toe: 'Tussen die aanbidders door kan ik altijd weer op adem komen bij mijn moeder. Dus we zullen elkaar in de toekomst misschien wat vaker zien.'

Doordat er opeens met veel geraas een decorstuk op het toneel omviel, kon hij geen antwoord op haar laatste opmerking geven en dit werd nog bevorderd door de verschijning van Evelyn, die uit de coulissen kwam en riep: 'De bespreking gaat beginnen.' Ze keek omlaag naar de twee gestalten die op de voorste rij van de stalles zaten en ze zei kalm: 'De bespreking gaat beginnen, Peter.'

Hij slikte een paar keer en zei toen: 'Dank je wel, Evelyn, ik kom eraan.'

Ze gingen allebei staan en Yvette zei glimlachend: 'En dan te bedenken dat ik je niet geloofde over die bespreking. Het spijt me. Maar het was leuk om even met je te kunnen praten.'

Hij was zo galant om te zeggen: 'Het was ook leuk om naar jou te luisteren. Tot ziens.'

'Tot ziens.'

Hij keek snel naar het toneel en zei: 'Ik zal iemand roepen om je uit te laten.'

'Hoeft niet. Ik ben er zelf in gekomen, ik kom er op dezelfde manier wel weer uit. Tot ziens, Peter.'

Even later was hij in de kleedkamer terug en Evelyn zei: 'Ging dat niet goed? En de jongens hebben het ook aardig gespeeld.'

'Ja, jullie hebben het allemaal heel goed gedaan. Maar nu zit ik hier vast en ik kan niet naar buiten gaan voor het geval ik haar tegen het lijf loop. Ze wacht tot haar auto in de garage is gerepareerd, maar welke garage? En ik smacht naar een kop thee.'

'Dat valt snel te verhelpen, meneer. Ik haal wel een dienblad met thee en broodjes en dan kunnen de hoofdrolspeler en het manusje-van-alles hier een gezellig tête-à-tête hebben. Wat dacht je daarvan?'

Hij lachte voluit en zei: 'Goed, manusje-van-alles, doe je best.'

Toen hij de kleedkamer weer voor zich alleen had, bekeek hij zich in de spiegel en zei: 'Hemel! Stel dat Nyrene van dit bezoek hoort! Maar als ik het haar niet vertel, zal die valse meid het ongetwijfeld doen.'

Ja, hij zou het haar gewoon vertellen en er grapjes over maken.

Maar hij besloot ook Fred te bellen… en Fred hoorde de komische beschrijving van het bezoek aan en zei toen, op weinig luchthartige toon: 'Wees op je hoede, kerel. Ik verzeker je, hoe aardiger en meisjesachtiger zij zich voordoet, hoe gevaarlijker ze is. Ze doet nooit iets zonder doel. Ze is gevaarlijk. En vergeet niet dat jij in jouw geval altijd rekening moet houden met de situatie van Nyrene.'

'Hoe bedoel je… "de situatie van Nyrene"?'

'Doe niet zo verrekte onnozel!' zei Fred scherp. 'Bijna twintig jaar… dát is de situatie.'

Riley wist hier niets op te zeggen en Fred ging verder: 'Ik neem aan dat Yvette je heeft verteld dat haar moeder het oude huis overneemt? Ik had nooit gedacht dat ik dat zou zeggen, maar ik ben daar in zekere zin blij om, want Gwendoline heeft nu meer steun nodig dan ooit, vooral nu ze die meid aan haar nek heeft hangen.'

Riley kwam in de verleiding te antwoorden: 'En hoe zit het met Louise? Die heeft dan twee van die vrouwen aan haar hoofd.' Maar hij liet het zitten en besloot het gesprek met te vragen hoe The New Palace vorderde, waarop Fred enthousiast antwoordde: 'Geweldig. Ze werken er van beide kanten aan. Ze hebben al vier appartementen neergezet en ze zijn nu het restaurant aan het bouwen. En ze zeggen dat het theater over een halfjaar open zal gaan. Wat vind je daarvan? Je moet er wel rekening mee houden als je weer iets aanneemt. Hoelang loopt dit programma nog?'

Riley antwoordde: 'Ze hebben het verlengd. We hebben nog drie andere plaatsen voordat we naar Wales gaan en dan naar Schotland. Misschien nog vier maanden. Ja, ik denk dat ik gauw eens contact met David moet opnemen, en wie weet, misschien zit ik volgend voorjaar wel weer daar.'

Nyrene had de brief gelezen. Ze vouwde hem op en wilde hem in de envelop doen toen ze hem weer opensloeg en opnieuw de dichtbeschreven pagina doorlas, waarbij haar ogen bleven hangen aan de zin: 'En daar stond ze in het lege middenpad, als een schoolmeisje dat om een handtekening kwam vragen. Weet je, vanbinnen is ze nog steeds een schoolmeisje. Ik heb meteen gezegd dat ik verbaasd was haar daar te zien en dat ik slechts enkele minuten voor haar had omdat ik een bespreking had. Ze geloofde me niet, maar toen Evelyn op overtuigende wijze haar truc over de bespreking had gebracht, verontschuldigde ze zich omdat ze had gedacht dat ik jokte. Ze moest bovendien weg om de volgende kerel de bons te geven, een zekere Percy. Ze deed heel nonchalant over hem, maar ook heel wreed. Ze is het resultaat van deze tijd.

Maar liefste, stel je eens voor: volgend jaar om deze tijd zou ik aan het thuisfront kunnen zitten en dan hoeven we nooit langer dan een week van elkaar gescheiden te zijn.'

Hij eindigde de brief met: 'Ik kan gewoon niet zomaar schrijven dat ik van je hou, lieveling, want mijn gevoelens voor jou gaan dat alles te boven. Ik zou "aanbid" kunnen gebruiken, en ik aanbid je, en ik zal je altijd blijven aanbidden.' En hij besloot op jolige toon: 'En dit alles van een kerel die Riley heet.'

Was ze bang?

Ja, ze was bang. Waar het hem betrof was ze bang voor alles wat jong was. Maar een meisje dat op die manier jong was vormde een apart geval, want ze was gevaarlijk jong. Ze was intelligent, sluw en ze zou meedogenloos zijn. Haar auto had pech? Wat moest ze trouwens in York? Als ze rechtstreeks van Londen naar Fellburn was gereden, had ze steeds op de snelweg kunnen blijven.

Later besefte Nyrene dat die brief van Peter het begin was geweest van de donkere wolk die haar leven en het huis zou overschaduwen.

8

'Mamma! Mamma!' Nyrene stond op en liep naar de hal om haar zoon de trap af te zien springen met een vierkant stuk karton dat hij boven zijn hoofd hield. 'Kijk! Kijk wat ik heb gedaan… hond.'

Nyrene keek naar de grote letters die met rood krijt in het midden van het stuk karton waren gezet, en ze zei: 'Heb je dat vandaag gedaan?'

Ze keek omhoog naar juffrouw White, die haar hand op de schouder van de jongen had gelegd, en zij zei: 'Ja, en hij heeft het helemaal alleen gedaan.'

'Hond. Hond, mamma.'

Nyrene keek de kleine vrouw van middelbare leeftijd vragend aan en deze knikte en zei: 'Maandag gaan we een naam voor hem bedenken.'

De jongen draaide zich om en keek op naar zijn lerares. Er lag een tedere blik in zijn ogen en hij zei: 'Ja, volgende week naam.'

Juffrouw White deed haar hand open en zei: 'Zeg eens tegen mamma wat dat is.'

De jongen keek naar het muntstuk en zei toen met een stralend gezicht: 'Tien.'

'Tien wat?' De lerares en de jongen keken elkaar aan. Toen wilde Charles zich snel, met maaiende armen, omdraaien, maar ze pakte hem voorzichtig bij de schouder en zei: 'Kijk, mamma staat te wachten. Zeg eens wat het is, tien… wat?'

Er kwam weer die ondeugende uitdrukking op zijn gezicht en hij zei duidelijk: 'Penny. Penny.'

'Nee, niet penny. Wat hebben we nou vanmiddag geoefend? Pence!'

En hierop joelde het kind: 'Pence. Pence!'

'Kijk eens aan!' Juffrouw White knikte naar Nyrene. 'Het gaat echt heel goed met ons.'

'Meneer Mac, mamma. Meneer Mac laten zien?'

'Ja, lieverd, laat jij het maar aan meneer Mac en aan mevrouw Atkins zien, maar ga eerst naar mevrouw Atkins, want ze is in de keuken.'

De twee vrouwen keken hem na toen hij met grote sprongen en maaiend met zijn armen de kamer uit holde.

In de afgelopen maand hadden ze elkaar goed leren kennen en een hechte band gekregen. Nyrene vroeg zacht: 'Heeft hij tot tien geteld?' En juffrouw White antwoordde: 'O, zeker. Getallen vormen voor hem geen enkel probleem. Wat is het toch jammer dat hij niet met andere kinderen naar school kan. Ze schijnen de dingen dan veel sneller op te pikken. Maar dat is nu eenmaal onmogelijk, omdat hij zo druk is. Aan de andere kant, zoals de specialist zei, kan hij weer in die lange slaappatronen vervallen als hij te veel wordt ingeperkt.'

Juffrouw White had zijn stille perioden altijd 'slaap' genoemd, hoewel het kind er soms gewoon bij bleef praten.

Nyrene vroeg: 'Weet u of er veel kinderen zijn zoals hij, die nooit spelletjes willen doen?'

'O, ja, veel kinderen willen zelfs tot in hun tienerjaren – en echt intelligente kinderen ook – nooit spelletjes doen. Maar blijf hem in het weekend het verhaal voorlezen, dan test ik hem op maandag weer, om te zien of hij er iets van heeft onthouden. Maar maakt u zich geen zorgen, hij doet het uitstekend en hij is heel vrolijk. Ik moet vaak lachen om sommige dingen waar hij mee komt, zo verstandig klinken ze, alsof het een volwassene is die het zegt.' Ze keek Nyrene recht aan en zei: 'Hij is op zijn manier uniek, weet u, en hij moet worden gekoesterd.'

Het geluid van de claxon vertelde hun dat Hamish voor de deur stond. En toen juffrouw White wilde vertrekken, draaide ze zich naar Nyrene om en zei: 'Maakt u zich maar geen zorgen, hij zal een troost voor u zijn zolang de goden hem toestaan te leven.'

Nyrene voelde zich op zijn zachtst gezegd geschokt door deze afscheidsgroet. Toen de auto was weggereden, liep ze het huis in en liet zich op de bank vallen. Mevrouw Atkins kwam uit de keuken en zei: 'Hij is weer in zijn element, die man, als hij de juffrouw naar het station mag brengen. Hij doft zich op alsof hij de burgemeester met het rijtuig moet rijden.'

'Dat doet hij altijd, mevrouw Atkins, als hij de kans krijgt de auto te besturen.'

'Wat is er, mevrouw? Voelt u zich niet goed?'

'Ik zou wel een kopje thee lusten.'

'Ik schenk het meteen in.'

Wat bedoelde juffrouw White met 'zolang de goden hem toestaan te leven'? En waarom was ze er weer over begonnen dat hij niet naar een gewone school kon? Ze hadden dat al bij de eerste ontmoeting uitvoerig besproken en ook de obstakels die dit onmogelijk maakten, waarvan ze er zelf één was. Voor juffrouw White was het belangrijkste punt dat het kind absoluut niet in staat was stil te blijven zitten, behalve als hij zo'n 'toeval' had. Eerder dat jaar hadden ze de definitieve uitslag van dokter Kramer gekregen, na een reeks consulten, en die uitslag was wat raadselachtig. Het scheen dat het gedrag van Charles vermoedelijk door een klein mankement in de hersenen werd veroorzaakt. Er was niets wat erop wees dat dit erger kon worden, maar er bestond een mogelijkheid dat er in zijn tienerjaren een verbetering optrad.

Waarom moest ze toch steeds weer aan diezelfde woorden denken: 'een klein mankement in de hersenen'? Alleen al de gedachte eraan maakte haar af en toe misselijk.

De volgende morgen rinkelde de telefoon en ze hoorde een stem zeggen: 'Bent u dat, mevrouw Riley? Met dokter Johnson.' Ze antwoordde: 'Ja, dokter Johnson?' Hij ging verder: 'Ik heb helaas slecht nieuws voor u. Het kwam als een grote schok voor me, hoewel ik er in zekere zin op was voorbereid. Onze lieve juffrouw White is niet langer bij ons.'

Heel even dacht Nyrene dat hij bedoelde dat ze terug was naar dat college waar ze het vaak over had en waar ze doceerde. Toen drong tot haar door wat hij met 'niet langer bij ons' bedoelde, en ze riep: 'Nee! Nee! U wilt toch zeker niet zeggen dat ze... Gistermiddag was ze nog hier, en toen was alles goed met haar.'

'Ja, mevrouw Riley, toen leek alles goed met haar, en dat geloofde iedereen, behalve haar broer bij wie ze woonde, en ik. Ze heeft jarenlang ernstige hartklachten gehad, en ze was zich er terdege van bewust dat het einde zonder waarschuwing kon komen. Ze moet een duidelijk voorgevoel hebben gehad dat het einde ophanden was, want ik weet nog dat ik me tijdens onze besprekingen van de vorige week heb verbaasd over een paar dingen die ze zei. Ik schreef het toe aan die wonderlijke vreemde manier van doen die ik af en toe bij haar bespeurde. Bent u er nog?'

Nyrene zei nu met tranen in haar ogen: 'Ja, dokter, ik ben er nog. Ik was erg op haar gesteld. We zijn vriendinnen geworden en ze hield van de jongen.'

'Ja, ze was erg in die jongen geïnteresseerd, nog meer in zijn slapende perioden dan in zijn uitbundige. Ja, ze had zo haar eigen ideeën over uw zoon. Eén ding dat ze duidelijk over hem zei was: hij is heel intelligent en het is jammer dat zijn intelligentie wordt gedwarsboomd.'

Nyrene gaf hier geen commentaar op. Juffrouw White had het nooit met haar over de stille perioden van de jongen gehad. Of ze was er in elk geval niet diep op ingegaan.

De dokter zei: 'Het is vreselijk jammer voor dit soort kinderen. Ze was een geweldige lerares. Ik weet nu dat ze zich niet goed voelde, en ik denk dat ze haar vertrek heeft zien komen. Ze is in haar slaap gebleven en daarom denk ik niet dat ze zich daarvan bewust is geweest.'

'Wanneer wordt ze begraven?'

'Dinsdag of woensdag, dat weet ik nog niet, maar ik zal voor die tijd contact met u opnemen.'

'Dank u, dokter.'

'Er was trouwens nog iets wat ze tegen mij heeft gezegd en dat me is bijgebleven. Ze merkte op dat u net zo goed het onderwijs van uw zoon op u kon nemen.'

'Heeft ze dat gezegd?'

'Ja, dat schiet me opeens weer te binnen. Maar ik zal begin volgende week eens langskomen, tenzij u me eerder nodig hebt, natuurlijk, en dan kunnen we verder praten over dit onderwerp. Tot ziens, mevrouw Riley.'

'Tot ziens, dokter.'

Ze legde de hoorn neer, maar haar hand bleef erop liggen. Ze kon het niet geloven. Ze draaide haar hoofd een eindje opzij en keek de kamer in. De telefoon stond rechts van de deur, onder een

hoog raam. Ze zag zichzelf weer afscheid nemen van juffrouw White, daarna zag ze hoe Hamish de kleine gestalte in de auto hielp. Ze
wist nog hoe ze de deur had dichtgedaan en naar het raam hier
naast haar was gelopen, omdat ze daarvandaan de auto langer na
kon kijken. Daarna was ze op de bank gaan zitten en had mevrouw
Atkins haar een kopje thee gebracht. Was dat pas gisteren? En nu
was die kleine vrouw er niet meer. En wat waren haar laatste woorden in deze kamer geweest? 'Hij is uniek,' had ze gezegd, gevolgd
door dat vreemde afscheid buiten. Ze dacht even: ze waren van hetzelfde soort, hij en zij, maar nu was ze heengegaan.

Ze liep naar de keuken en bleef bij de tafel staan. Met haar handen zocht ze steun tegen de rand en ze keek naar mevrouw Atkins,
die bezig was wat kookgerei uit te stallen. Ze zei met een lage, aar-
zelende stem: 'Juffrouw White is overleden, ze is gestorven in haar
slaap.'

Het duurde een paar seconden voor mevrouw Atkins, die haar
aanstaarde, zei: 'Wat?'

'Ik had dokter Johnson net aan de telefoon.'

'Grote hemel! Wat kan de dood toch onverwacht komen! Maar
ze was gisteren nog zo fris als een hoentje.'

'Kennelijk niet. Ze had al lange tijd last van haar hart.'

'Lieve help!' Mevrouw Atkins wendde zich af, stak haar hand
uit en greep de koperen stang boven het fornuis. Ze mompelde:
'En… en ik ben nooit erg aardig tegen haar geweest, alleen maar
omdat hij daar zoveel heisa over haar maakte. Ik ben stom. Gewoon
stom.'

'Nee, dat bent u niet.' Nyrene kwam naast haar staan, legde een
arm om haar schouders en zei weer: 'U bent niet stom. Hij deed gewoon beleefd tegen haar, dat is alles. Weet u, ze was lerares, en de
Schotten hechten veel waarde aan opleiding en voor hem zijn lera-
ressen altijd heel belangrijk, op wat voor niveau ook, van de lagere
school tot de universiteit. Weet u waar hij is?'

Mevrouw Atkins pakte de punt van haar schort om haar ogen af
te vegen voor ze Nyrene antwoordde: 'Ik heb hem nog geen minuut
geleden naar de schuur zien gaan met Charles.'

Nyrene wilde naar de deur lopen, maar mevrouw Atkins zei:
'Zou ik het hem mogen vertellen? Het zal mijn schuldige geweten
een beetje sussen als ik dat kan doen.'

'Ja, natuurlijk, ga uw gang.'

Het interieur van de schuur kon niet langer die naam dragen. De ruwe vloer was nu met planken bedekt en aan het uiteinde was een laag podium. Bovendien waren de stenen muren tot anderhalve meter betimmerd. Tegen de ene muur stond een aantal klapstoelen, en aan het eind daarvan stond een piano waarop Charles voorzichtig met één vingertje 'Kortjakje' speelde:

Altijd is Kortjakje ziek
Midden in de week maar 's zondags niet…

Hierna raakte hij de melodie een beetje kwijt en hij worstelde verder:

's Zondags gaat zij naar de kerk
Met haar boek vol zilverwerk…

Hij keek even op toen mevrouw Atkins binnenkwam, maar bleef zijn vinger op de toetsen houden.

Toen ze zag dat hij druk bezig was, bracht ze hem niet het bevel van zijn moeder, naar huis terug te keren, over.

Hamish McIntyre keek de vrouw die voor hem stond onderzoekend aan toen ze zei: 'Ik… ik heb helaas droevig nieuws voor je. Mevrouw…' Ze slikte even voor ze verderging: 'Mevrouw hoorde net over de telefoon dat juffrouw White vannacht is gestorven.'

'Juffrouw White gestorven?' Hamish sprak zacht en keek naar de piano. Het kind was opgehouden met spelen maar zijn vingers lagen nog op de toetsen en mevrouw Atkins zei: 'Het zal hem toch een keer moeten worden verteld, al weet ik niet hoe. Maar ik wil dit wel zeggen: het spijt me dat ik kortaf tegen haar heb gedaan. Dat was niet mijn bedoeling.'

'Dat weet ik, mens, dat weet ik,' zei Hamish. 'Maar dat juffrouw White heengegaan is, ik kan het gewoon niet geloven. Maar aan de andere kant verbaast het me eerlijk gezegd niets.' Ze schrokken allebei op toen de jongen opeens naast hen opdook. Hij zei op geagiteerde toon: 'Juffrouw weg? Waar is ze naartoe?'

'O, lieve hemel!' Mevrouw Atkins draaide zich om en Hamish

zei snel: 'Stil maar. Stil maar. Laat hem maar aan mij over, we handelen dit wel af. Kom, knul! Laten we eens even gaan wandelen en een praatje maken, wat jij?'

'Praatje maken? Ja.' De jongen knikte naar hem en stak toen zijn hand uit. En zo liepen ze de schuur uit terwijl mevrouw Atkins haar armen over elkaar sloeg en haar tanden in haar onderlip zette.

Ze was boven bezig met de badkamer toen ze de stem van Hamish McIntyre tegen mevrouw hoorde zeggen: 'Hij is een beetje moe, mevrouw. We zijn een eindje gaan wandelen, maar hij had vanmorgen geen zin om te huppelen, springen en hollen. En dat geldt eerlijk gezegd ook voor mij.'

Toen mevrouw Atkins deze woorden hoorde, maakte ze een ongeduldig gebaar met haar hoofd en liep toen de badkamer uit om Nyrene langzaam met de jongen naar de kinderkamer te zien lopen. 'Zal ik soms bij hem blijven, mevrouw?'

'Nee, dank u, mevrouw Atkins. Ik pas nu wel even op hem, we gaan een verhaaltje lezen.' Ze knikte met haar hoofd naar haar zoon. 'Over een tijger die kiespijn heeft, en de enige tijd dat hij daar geen last van heeft is wanneer hij gaat slapen.'

Mevrouw Atkins vatte de hint en zei: 'O, dat is een erg leuk verhaal.'

Bij deze opmerking keek Charles op, en hoewel hij glimlachte, had zijn blik kunnen betekenen: doen jullie alsjeblieft niet zo gek.

De blik van het kind baarde mevrouw Atkins vaak zorgen en ze liep nu naar beneden, naar de keuken, om als altijd voor Hamish McIntyre een kopje chocola en een beboterde scone klaar te maken.

Toen ze om elf uur niet het vertrouwde gestommel bij de achterdeur hoorde, of de waarschuwende kuch die haar vertelde dat zowel het middelpunt van haar aandacht als de ergernis van haar leven in aantocht was, ging ze aan de tafel zitten en nam een slokje uit haar eigen beker. Maar toen er nog eens vijf minuten voorbij waren, kwam ze overeind, ze zette de beker chocola en het bordje met de scone op een dienblad, en liep naar de schuur.

De schuurdeur was geruisloos opengegaan en ze had twee stappen naar binnen gedaan toen ze bleef staan, want daar, aan het eind, bij het lage podium, zat Hamish McIntyre. Hij had één voet op het podium en zijn ellebogen op zijn knieën, en hij zat met zijn hoofd in zijn handen. Ze verbaasde zich dat hij zich niet verroerde toen ze naar hem toe liep, maar ze verbaasde zich nog meer, schrok zelfs, toen ze hem op de schouder tikte en hij zijn voet zo snel weg-trok dat hij bijna omviel. Hij draaide zich met een ruk om en zei scherp: 'Mens! Waarom zeg je niets?'

'Ik… Ik dacht dat dat niet nodig was, dat je me wel binnen had horen komen.'

Toen hij zich oprichtte, wendde hij zich van haar af en tastte in zijn broekzak naar een zakdoek, waarna hij zijn neus snoot.

Toen hij zich weer naar haar omdraaide, zag hij dat ze het dien-blad op het podium had gezet, en hij zei: 'O, bedankt. Ik wilde net komen.'

Ze staarde hem aan. Ze kon haar ogen niet geloven. Deze grote, forse, ruwe Schot, deze ergerniswekkende, eigenwijze Schot, had gehuild. Ze kon het gewoon niet geloven. Maar aan de andere kant moest hij veel aan haar hebben gedacht, dat hij zo huilde.

Haar stem klonk heel zacht toen ze zei: 'Het spijt me dat je zo verdrietig bent. Ik kan er ook nog niet over uit dat ze zomaar is heengegaan.'

'Ach, mens!' Maar de woorden werden zacht uitgesproken en zijn stem bleef zacht toen hij op haar neerkeek en zei: 'Je hebt het he-lemaal bij het verkeerde eind. Dat is een gewoonte van je, weet je, om het bij het verkeerde eind te hebben. Ik wilde gewoon mijn ge-voelens even de vrije loop laten, maar niet over juffrouw White, zo-als jij dacht. Het was het kind, en zijn manier van vragen, toen ik probeerde hem uit te leggen dat ze was gestorven. Want toen zei hij: "Wat is sterven, meneer Mac?"' Hij schudde langzaam zijn hoofd. 'Nou vraag ik je, wat voor antwoord geef je aan een klein kereltje als dat zoiets vraagt? Ik dacht even dat ik slim was toen ik een verlep-te bloem met hangend hoofd zag, en ik zei: "Dat is als je heel moe wordt, net als die bloem." En het kind keek me aan maar zei niets tot we een eindje hadden gelopen en toen zei hij: "Het is een soort weggaan?"

"Ja, dat is het, jochie, het is een soort weggaan," zei ik. En wat dacht je waar hij toen mee kwam? Hij zei: "Ik ga ook weg, net als de bloem en als de juffrouw, hè? Maar ik kom terug. Alleen zal ik op een dag niet meer terugkomen en dat is als ik mijn naam en adres heb geschreven en weet dat iedereen gelukkig is." En meteen daarna zei hij: "Ik ben moe, meneer Mac. Wil je me dragen?" Ik verzeker je, mevrouw Atkins, ik heb geen idee hoe ik die jongen het huis in heb gekregen, en ik had elk moment in tranen kunnen uitbarsten waar mevrouw bij was. Ik heb altijd geweten dat het kind helderziend was... ja, vanaf het moment dat hij voor het eerst zo'n stille bui kreeg, want hij deed me toen denken aan een verhaal dat mijn opoe me altijd vertelde over een kind zoals hij. Hij was de zoon van de grote heer en mijn opoe werkte als meisje in het huis. Ze zei dat het kind dingen kon voorspellen. Ik dacht dat het allemaal geklets was, tot ik de kleine jongen hier opeens zo stil zag worden. Toen was er die juffrouw White. Zij was al net zo, en ik kan je iets vertellen wat jij of mevrouw niet weet. Ik heb ze samen horen praten, toen ze niet als kind en juffrouw praatten. Ik heb ze twee keer gehoord. Het was op een dag in de boomgaard. Ze hadden niet in de gaten dat ik zo vlakbij was. Ze las wat gedichten voor. Ik had geen idee wat het was, want ik kom niet verder dan Robert Burns, maar ik wist dat het poëzie was en ik wist dat hij de laatste twee regels ervan afmaakte, en toen lachten ze allebei.'

Hij stak zijn hand uit en pakte de beker chocola die hij bijna in één teug leegdronk. Daarna veegde hij met de rug van zijn hand zijn mond af, keek op haar neer en zei: 'Er is een gezegde dat er meer tussen hemel en aarde is dan wij kunnen dromen, en dat is maar al te waar.' Maar nu stak hij zijn handen snel uit, greep haar bij de arm en zei: 'Ga eens zitten. Kijk nou maar niet zo benauwd. Af en toe gebeuren zulke dingen.'

Toen ze op de rand van het podium ging zitten, kwam hij naast haar zitten, pakte haar hand uit haar schort en keek ernaar, en hij streelde haar mollige vingers terwijl hij zacht zei: 'Het wordt tijd dat wij eens ophouden met onszelf voor de gek te houden en te kibbelen, en dat we eens eerlijk met elkaar praten, vind je niet? Want ik voel al lange tijd heel veel voor jou en hoewel ik een grote mond heb, ben ik in mijn hart af en toe eenzaam. Ik ben nu achtenvijftig. Ik heb een klein pensioen en een cottage, als je daar tenminste naartoe wilt. Maar als jij ook wat voor mij voelt, zouden we ook hier kunnen blijven en mijn cottage om zo te zeggen achter de hand kunnen houden… gewoon, voor het geval we die ooit nodig mochten hebben. Wat ik je nu vraag is: wil je overwegen mijn aanbod aan te nemen?

Het is misschien een vreemd moment om dat voor te stellen, na alles wat ik je over de jongen heb verteld, maar dat kind zal een grote leegte in mijn hart en leven achterlaten als hij heengaat. Dat kan over weken, maanden of jaren zijn. En ik weet dat het bij jou net zo zal zijn, want jij hebt hem grootgebracht. Ik denk niet alleen aan een eenzame toekomst, maar ook aan een eenzaam heden.' Hij zweeg en staarde haar even aan voor hij vervolgde: 'Ik kan aan je gezicht zien dat je tijd nodig hebt om aan de gedachte te wennen, dus laat ik je nu even alleen.'

'Blijf waar je bent.' Haar stem brak, ze knipperde met haar ogen, haar lippen trilden, en haar antwoord luidde: 'Weet je wat jij bent, Hamish McIntyre? Je bent niets anders dan een grote, blinde idioot.'

Hij bleef haar een poosje aankijken, toen werd zijn glimlach breder, stak hij zijn arm uit en sloeg die om haar schouders. En toen hij zich naar haar toe boog, zei hij: 'Dat ben ik inderdaad. Zeg dat wel.'

Nyrene lag in bed. Ze sliep bijna toen de telefoon ging.

Het was Peter, en zijn stem deed haar meteen rechtop zitten. 'Ik ben even weggeglipt. Je kunt hier overdag niet bellen omdat iedereen dan meeluistert. Hoe gaat het met jou, liefste? Heb je mijn brief gekregen?'

'Ja, lieverd, ik heb je brief gekregen. Maar voor we erover praten moet ik je iets vertellen. Het is hier een heel vreemde dag geweest. Er zijn twee onverwachte dingen gebeurd. Het tweede is niet zo onverwacht, maar het eerste wel: juffrouw White is vannacht overleden.'

'Nee toch zeker! Juffrouw White? Ze zag er nog zo gezond uit.'

'Ja, dat weet ik, lieverd, maar ze scheen het aan haar hart te hebben en ze scheen bovendien te weten dat haar tijd gekomen was. We zullen het daar later nog wel over hebben. Maar het andere is, let op, we hebben hier een verloving in huis.'

'Een verloving?'

'Ja. Mac en mevrouw Atkins gaan trouwen.'

'Krijg nóú wat! Wie is er het eerst over begonnen?'

'Dat weet ik niet, maar ze kwamen naar me toe als twee tieners die ondeugend waren geweest. Ze zijn erg gelukkig. Ze hebben hun hele verdere leven al uitgestippeld. Voorzover ik heb begrepen willen ze in eerste instantie hier gaan wonen, boven de stallen. Ze hebben alle verbouwingen al in gedachten. We gaan morgen naar de stad om ringen te kopen. Jazeker! Ze stonden erop dat de kleine jongen en ik met hen meegaan. Ik heb Ivy en Ken gebeld en zij hebben alle anderen gebeld en je kunt je wel voorstellen wat er gaat gebeuren: dat wordt een ceilidh van jewelste.'

'Ja, dat zal best. Ik ben erg blij voor hen. Maar het is wel vreemd dat dat gebeurt op de dag dat juffrouw White overlijdt.'

Ja, dat heb ik ook gedacht, en vooral toen Mac zei dat juffrouw White via Charles de weg voor hen vrij had gemaakt. Ik kon hem op dat moment niet vragen wat hij daarmee bedoelde, want mevrouw Atkins vertelde me juist dat ze nooit bij ons weg wilden gaan. Hij gaat zijn eigen huisje verhuren. Hij zag er heel gelukkig uit.'

Riley gaf hier verder geen commentaar op, maar hij zei: 'Wat vond je ervan dat die brutale meid zomaar naar het theater kwam?'

Ze zweeg even, en zei toen: 'Ik denk dat dat gewoon haar manier van aanpak is.'

'Hoe bedoel je, liefste?'

'Net wat ik zeg, ze is het soort persoon dat af en toe in het leven van mensen opduikt. Soms op plaatsen waar ze gewenst is, en soms waar ze niet gewenst is.'

Hij zei: 'Maar ik moest wel lachen over die bespreking. Dat is in de loop der jaren een handige truc geworden, hè?'

'Lieverd?'

'Ja?'

'Ik mis je. Ik verlang naar je.'

'En ik naar jou, liefste.'

En zo ging het door tot hij niets meer wist en besloot met: 'Welterusten, liefste...' En zij: 'Welterusten, lieverd.'

Toen ze weer achterover in het kussen ging liggen was ze klaarwakker en ze herhaalde bij zichzelf: 'Welterusten, liefste.' Liefde, liefde, liefde, daar draaide alles om. Of je nu wel of niet in liefde werd verwekt, er was altijd dat woord liefde. En waar bestond liefde eigenlijk uit? Verdriet, angst, bezorgdheid, verlangen, jaloezie, vermengd met flitsen extase. En dat waren slechts flitsen, want de essentie van dit woord was te veelomvattend om het te kunnen omschrijven. Maar afgezien van alle andere elementen was er de simpele noodzaak van verlangen. Dit woord viel onder het hoofdstuk geluk. Maar je kon ook gelukkig zijn zonder liefde. De nabijheid van het lichaam van de ander bracht troost zonder de drang dit te bezitten...

Waar had ze het over? Wat dacht ze eigenlijk? Ze was bijna vierenveertig en de begeerte in haar laaide nu nog hoger op dan vijf jaar geleden.

Ze voelde opeens het verlangen ervan bevrijd te zijn, want dan zou ze zich niet meer af hoeven vragen wie hij die avond op het toneel in zijn armen hield, of wie hij kuste. Ja, het publiek hield daarvan, vooral aan het eind van het toneelstuk. Ze betaalden om emotie te zien, vooral rauwe emotie, en als het niet rauw was, dan verwachtten ze dat je hun hart met iets sentimenteels wist te raken...

Wat mankeerde haar toch? Waarom ging ze zo tekeer? Ze had hem, hij was van haar. Er zou nooit een ander in zijn leven zijn. Dat had hij al duizend keer gezegd en hij meende het. Jazeker, hij meende het. Hij móést het menen: over zes jaar zou zij de vijftig naderen en dan was hij dertig!

Ga toch slapen, mens! Ga toch slapen.

9

Om vier uur 's middags keerden ze terug uit Aberdeen, na wat, zoals Hamish verklaarde, een geweldige dag was geweest. Ze zaten allemaal te zingen toen hij de auto de oprit indraaide. Nyrene zat voorin op de passagiersstoel en mevrouw Atkins zat op de achterbank, met haar armen om de op en neer dansende jongen die op zijn knieën op de bank zat om uit het raam te kijken. Ze zongen meerstemmig: 'Ik heb m'n wagen volgeladen...' Ze hadden inmiddels al heel wat in de wagen geladen toen Charles zei: 'Kijk! Een mevrouw. Een mevrouw in het bos, mamma.'

Hij boog zich naar het raam om te zwaaien, maar tegen de tijd dat mevrouw Atkins en Nyrene zich hadden omgedraaid om te kijken, was de auto een eind over het onverharde weggetje gereden, en mevrouw Atkins zei: 'Er is waarschijnlijk iemand naar het huis geweest, mevrouw, die zelf wilde komen kijken wat die toneelschool voorstelt. Hoe word ik in drie lessen een actrice? Dat zullen ze wel willen, denkt u niet, mevrouw?'

'Ongetwijfeld. Ongetwijfeld.' Nyrene lachte. 'Filmster binnen zes maanden, en anders geld terug.'

Even later zei ze: 'Rijd niet naar binnen, Hamish, laat de auto maar voor het hek staan, want ik wil even naar Ivy en ik heb geen zin om te lopen.'

Zo kwam het dat Hamish de auto voor het hek zette en bijna voordat een van hen was uitgestapt was de jongen er al uit gesprongen en danste in het rond. Daarna holde hij naar het bos en riep: 'Daar heb je de mevrouw, mamma.'

Nyrene keek hem na toen hij over de hobbelige weg holde, waarbij hij over boomwortels heen sprong en ze schudde haar hoofd en glimlachte. Hij had een geweldige dag gehad. Hij was heel gelukkig en hij had zich heel netjes gedragen in de stad, zonder te hollen of te springen. En nu liep hij op zijn bekende manier te hollen om een bezoeker te begroeten. Dit was een aardige gewoonte, die hij in het afgelopen jaar had ontwikkeld. De bel van de voordeur was nog niet gegaan of hij holde erheen om open te doen, zijn hand uit te steken naar wie er maar op de stoep stond en te zeggen: 'Hallo. Mamma is thuis.' Het was altijd maar goed dat ze achter hem aan kwam, want af en toe was er een zwerver of een colporteur aan de deur. Maar wie het ook was, het gebaar van het kind vormde altijd een plezierig onderwerp van gesprek, zelfs als ze weigerde iets te kopen. Dus zocht Nyrene er deze keer niets achter toen het kind wegholde om de bezoeker, die mevrouw Atkins of zijzelf niet had gezien, te begroeten.

Mevrouw Atkins liep richting het huis met haar armen vol pakjes en ze riep op luchtige toon: 'De thee staat zo klaar, mevrouw, over vijf minuten.'

'Dat lijkt me erg lekker,' riep Nyrene terug.

Intussen had het kind bijna het eind van het zijweggetje bereikt en toen hij de mevrouw zag naar wie hij had gezwaaid, riep hij: 'Hallo! Hallo!' Hierop draaide zij zich om en keek hem aan.

Hij glimlachte toen hij voor haar stond. Ze was niet erg lang. Hij kon haar gezicht duidelijk zien en ze glimlachte niet toen hij zei: 'Mamma is thuis.' Maar toen hij zijn hand uitstak om de hare te pakken, kreeg hij de eerste echte schok van zijn jonge leven, want de hand mepte hem vol in het gezicht, zodat hij achterover tuimelde en even verbijsterd bleef liggen.

Charles' hoofd tolde, zijn wang brandde, hij hoorde gezoem in zijn oor. Maar hij keek door zijn tranen omhoog in het verwrongen gezicht van de vrouw en slaakte een luide kreet: 'Stout! Stoute vrouw! Dat ga ik tegen Mac zeggen.' En hij schreeuwde uit alle macht: 'Meneer Mac! Meneer Mac!' Hij draaide zich op zijn knieën om, kwam struikelend overeind en wilde naar het huis toe lopen toen hij Hamish naar zich toe zag rennen, en hij wees naar achteren en riep: 'Die mevrouw... die mevrouw... ze heeft me geslagen en me omvergeduwd.'

Omdat Hamish niemand in het bos zag, holde hij naar de hoofdweg.

Hier zag hij niemand lopen, maar in de verte stapte een vrouw in een bus. Hij liep snel terug naar de jongen, pakte hem op en haastte zich terug naar het huis, waar mevrouw Atkins Nyrene een kop thee gaf, die bijna uit haar handen viel toen ze zich omdraaide om naar het huilende kind in Hamish' armen te kijken.

'Wat is er? Wat is er gebeurd?' Nyrene zette haar zoon op de vloer en het kind herhaalde: 'De mevrouw… heeft me geslagen.'

De drie volwassenen wisselden een snelle blik. Toen liep Nyrene met Charles naar een stoel, zette hem op haar schoot en bekeek de vuurrode wang. Ze vroeg hem rustig: 'Wat voor mevrouw was dat, liefje?'

'Ze was niet aardig, mamma. Ze keek heel kwaad.'

'Wat voor kleren had ze aan?'

De jongen dacht even na en zei toen: 'Ze had een hoed op en een jas aan. Die waren niet mooi, alleen maar bruin.'

'Er zijn tegenwoordig niet veel dames die nog een hoed dragen, mevrouw,' merkte Hamish op.

Nee, dacht Nyrene. Dat betekent een ouderwetse vrouw, iemand van middelbare leeftijd. Iemand die mijn zoon wil slaan. Dat wijst maar naar één persoon: Peters moeder. Maar hier! Nee, ze zette de gedachte weer snel van zich af…

Het incident was een domper op de feestvreugde en maakte dat ze het er alle drie over eens waren dat zowel de oprit als het weggetje verboden terrein moest worden voor het kind. Toen mevrouw Atkins zei dat dit misschien moeilijk te realiseren was, zei Hamish: 'Dat denk ik niet, de jongen zal nu zelf die weg wel mijden en ook dat stukje bos.'

Het was dinsdagmorgen en Hamish bracht Nyrene thuis na de begrafenis van juffrouw White. Ze waren verbaasd geweest over het aantal aanwezigen, ze had kennelijk veel vrienden gehad. Ze waren daar nog steeds over aan het praten toen Hamish de oprit op wilde rijden. Hij was aan het woord geweest, maar hij hield op met praten en remde af tot de auto bijna stilstond. De weg leek door iets te worden geblokkeerd.

'Wat is er in hemelsnaam aan de hand?' Nyrene tuurde door de voorruit.

'Daar zullen we snel genoeg achter komen. Het is een vrachtwagen en een grote ook. Wat moet die in hemelsnaam hier? Hij is zeker verdwaald, die arme man.'

Hij zette de auto stil achter de enorme vrachtwagen. Mevrouw Atkins kwam langs het vehikel gehold en riep: 'O, wat ben ik blij u te zien, mevrouw! En jou ook, Hamish! Ik heb toch zo'n gedoe gehad met deze man. Hij wil alles hier neerkieperen. U hebt toch geen steenslag besteld, hè mevrouw?'

'Steen... wat?' Nyrene kreeg antwoord van een man die ergens achter mevrouw Atkins verscheen, hij brulde bijna: 'Steenslag voor uw weg. En die heeft dat hard nodig, dat kan ik u wel verzekeren. Maar er zullen meer ladingen nodig zijn dan deze en ze wil me niet laten lossen.'

'Een eindje terug, mevrouw. Een eindje terug. Jij ook, Mary, een eindje terug. Laten we dit even bij daglicht bespreken.'

Ze liepen allemaal tussen de haag en de grote vrachtwagen door en toen ze op open terrein waren, wilde Hamish weten: 'Vertel me nu eens wat dit alles te betekenen heeft.' Het antwoord dat hij kreeg was: 'Nou moet je eens goed luisteren, maat. Jij slaat niet zo'n toon tegen me aan. Ik doe hier alleen maar m'n werk. Hier is mijn kaartje.' Hij duwde Hamish een stuk papier onder de neus. Deze las dit, keek naar Nyrene en zei: 'Het is een bestelling, mevrouw, op uw naam.'

Nyrene keek naar de vrachtwagenchauffeur en zei: 'Dit is een grap, of ze hebben het verkeerde adres opgekregen. Ik heb helemaal geen...' Ze wilde grind zeggen, maar veranderde dit in 'steenslag besteld'.

De man zei nu op iets kalmere toon: 'Nou, mevrouw, ik kan alleen maar zeggen dat u het wel nodig hebt. Of u het nou wel of niet besteld hebt, nodig is het. Die oprit is een complete valkuil, met alle wortels die er een eind uit omhoogsteken.'

'We hebben hem liever zo.' Nyrene knikte naar hem. 'En daarom kunt u uw vracht maar beter terugbrengen naar de opslagplaats en dan zal ik uw baas bellen.'

'Dat is Clarke. Clarke uit Aberdeen. Charlie Clarke.'

De man keek van de een naar de ander en zei: 'Dat gaat een dure grap worden. Er zit daar vijf ton in.' Hij wees met zijn duim naar de vrachtwagen.

Nyrene zei op verzoenende toon: 'Het spijt me geweldig, maar iemand die onze weg even slecht vindt als u heeft ons een gemene poets willen bakken. Onze vrienden mopperen op de weg, maar ik denk niet dat zij zoiets zouden doen.'

De man sloeg nu ook een andere toon aan en zei: 'Nee, mevrouw, het is een slechte vriend die u zo'n poets wil bakken. Maar ik vind nog steeds dat u het goed zou kunnen gebruiken.'

'Ja, misschien wel, maar bij een andere gelegenheid. Mochten we later besluiten de weg te laten doen – en ik denk dat daar meer dan vijf ton voor nodig zal zijn – dan zullen we uw bedrijf bellen.'

'Lust… Lust u misschien een kop thee?' vroeg mevrouw Atkins.

De man keek naar mevrouw Atkins, evenals Hamish en Nyrene, en ze zwegen allen even. Toen klopte Hamish haar op de schouder en zei: 'Goed idee, Mary. Goed idee.' En hij keek de man aan en zei: 'U zegt vast geen nee tegen een kop thee?'

'Nee, daar zeg ik beslist geen nee tegen.'

'Kom dan maar mee naar de keuken. Is dat goed, mevrouw?'

'Ja, natuurlijk is dat goed, Hamish.' Hierna keek Nyrene naar mevrouw Atkins en zei: 'Waar is Charles?'

'Ik heb hem in de schuur moeten opsluiten, mevrouw. Hij deed erg opgewonden over… nou ja, over dit alles, daarom heb ik hem toen maar meegenomen en…'

De man zei nu lachend: 'Jawel, en ze heeft mij met van alles en nog wat bedreigd als ik het in mijn hoofd haalde de vracht te lossen voor u weer terug was.'

Op deze manier eindigde het incident gedeeltelijk in een lach en met een verkreukeld biljet dat de man in de hand werd geduwd voor hij ten slotte wegreed.

Maar de directeur van de vestiging van Charles Clarke was niet zo minzaam. Een zekere mevrouw Riley had vijf ton steenslag besteld en er was vijf ton naar het huis gestuurd. Er was tijd aan besteed en arbeidsloon was nu eenmaal arbeidsloon, afgezien van het laden en lossen van het spul, waarop Nyrene via de telefoon scherp had geantwoord: 'Dan is het aan u om uw klanten te controleren voordat u zulke kostbare vrachten op weg stuurt.' En ze had de hoorn op de haak gesmeten.

Boven, in de kinderkamer, zat Charles rustig op zijn krukje bij de haard. Toen Nyrene naar de binnenplaats was gehold om de deur van de schuur open te maken, had ze haar zoon daar net als nu zien zitten wachten. Hij was niet opgesprongen en had niet op de deur gebonsd zoals normaal zou zijn geweest – en in gedachten had ze dit vervangen door: zoals ieder normaal kind zou hebben gedaan.

Ze nam hem in haar armen en zei: 'Alles komt goed. Die meneer had zich vergist en mevrouw Atkins was heel bang dat hij al dat spul op jou zou kieperen, weet je, want jij holt en springt zo snel.'

Hij keek haar heel ernstig aan en zei toen op afgemeten toon: 'Nee, dat zou hij niet hebben gedaan. Hij zou mij nooit pijn hebben gedaan, hij was een aardige man.'

Ze knikte maar zei niets, want ja, hij was in wezen een aardige man geweest. Hij had alleen maar zijn werk gedaan. En toch was dat niet haar eerste indruk van hem geweest. Het kind had als altijd veel beter gezien wat voor vlees ze in de kuip hadden dan zij. Ze drukte hem nog steviger tegen zich aan.

Nog geen kwartier later ging de telefoon. Mevrouw Atkins liep de hal door om op te nemen. Ze praatte altijd heel luid door de telefoon en Nyrene hoorde haar zeggen: 'Wat? Taart? Waar hebt u het over? U hebt het verkeerde adres. Ja, ja, dit is The Little Grange. Ja-wel, de naam is Riley. Ja, ik weet dat mevrouw Riley klant bij u is... Maar u zegt dat ze deze keer telefonisch heeft besteld?'

Mevrouw Atkins liep naar de trap en riep naar boven: 'Ik denk dat u even moet komen om dit af te handelen.'

Nyrene nam de telefoon op. 'Met mevrouw Riley.' Ze luisterde naar de stem aan de andere kant van de lijn en riep toen luid: 'Wát zegt u?'

'We wilden voor de zekerheid uw bestelling even controleren.'

'Ik heb helemaal niets bij u besteld. Niet bij mijn weten althans. Meestal kom ik de taart zelf bij u halen.'

'Ja, dat zei de baas ook al, daarom moesten we het even controleren.'

'Kunt u mij zeggen wat er besteld is?'

Even bleef het stil, toen zei de stem: 'Nou, u hebt een partijtje voor het kind en u hebt veertig gebakjes besteld, waaronder tien roomhoorns, een grote vruchtencake, twintig krentenbollen...'

Nyrene hield de hoorn op enige afstand van haar oor en riep: 'Dat heb ik echt niet besteld! En ik geef helemaal geen partijtje voor mijn kind. Wie heeft die bestelling gedaan?'

'Nou, we dachten dat u het was, mevrouw Riley. Degene die opbelde zei dat de naam mevrouw Riley was. Alice nam de bestelling op en zij zei dat ze niet als u klonk. Maar die persoon beschreef wel het huis en hoe we daar moesten komen, dus wat moesten wij anders denken? Maar we dachten dat we het maar even moesten verifiëren, u was dit weekend nog geweest.'

'Ja,' zei Nyrene, 'ik moet u vertellen dat dit de tweede poets is die mij vandaag wordt gebakken. We hebben net vijf ton grind weg moeten sturen.'

'Meent u dat?'

'Ja. En ik denk dat we nu de politie maar moeten waarschuwen.'

'Dat zou ik zeker doen, mevrouw Riley. Er is iemand die gemene streken met u uithaalt.'

'Ja, dat denk ik ook. Maar dank u wel dat u me hebt gebeld.'

Toen ze de hoorn op de haak legde, keek Nyrene naar mevrouw Atkins, die haar hoofd schudde en zei: 'Wie zou nu inn godsnaamzoiets doen?'

'Ja, mevrouw Atkins, wie zou er nu zoiets doen? Maar ik hoef daar niet lang over na te denken, het is dezelfde die Charles heeft geslagen.'

'Echt, mevrouw?'

'Ja, mevrouw Atkins, echt.'

'U bedoelt?'

'Ja, ik bedoel zijn grootmoeder. Ik weet het bijna zeker, maar ik weet iemand die erachter kan komen.' Ze liep weer naar de telefoon en belde het huis van zuster Fawcett. Een mannenstem antwoordde: 'Met Alex Riley.' En Nyrene zei: 'Hallo, Alex. Met Nyrene.'

'Nyrene? O, wat gezellig dat je belt. Hoe gaat het ermee?'

'Ik heb een probleem, Alex. En misschien kun jij daarbij helpen.'

'Ach, je weet dat ik voor jou en voor hem alles wil doen wat binnen mijn macht ligt. Je hoeft het maar te vragen. Dus wat is het?'

'Zeg eens, Alex, draagt jouw vrouw, de lieve Mona, soms een bruine jas en een bruine hoed in deze tijd van het jaar? Of trekt ze vaak wat anders aan?'

'Naar mijn idee heeft ze twee jassen en twee hoeden. De ene is een lichtbruine jas met een strohoed die ze in een bijpassende kleur heeft geverfd, en 's winters is het een donkerbruine jas met een vilthoed. Hoezo?'

En dus vertelde ze hem over hoe het kind was geslagen en wat er die morgen was gebeurd.

Even was hij sprakeloos. Toen riep hij uit: 'Grote hemel! Die vrouw! Die vrouw! Ze is echt tot alles in staat. Ze heeft nog eens de dood van iemand op haar geweten, als iemand haar niet eerst zelf van kant maakt.'

'Ze heeft geen telefoon, hè? Weet je, het schijnt dat deze twee bestellingen via een privé-telefoon zijn gedaan, niet vanuit een telefooncel. Dus waar zou zij een privé-telefoon kunnen gebruiken, Alex, anders dan bij mevrouw Charlton? Zij is toch politierechter?'

'Ja, dat is ze, Nyrene. Hoor eens, we moeten hier meteen korte metten mee maken. De hemel mag weten wat ze verder nog zal uitspoken. Laat dit maar aan mij over.'

'Alex, doe alsjeblieft geen onbesuisde dingen. Ik wil niet dat je in de problemen komt.'

'Maak je maar geen zorgen, meisje, ik kom niet in de problemen.'

'Trouwens, hoe gaat het met je?'

'Kón niet beter.'

'Ik heb het je al eerder gezegd als je zin hebt ben je altijd meer dan welkom hier. Voor zo lang je wilt. Je weet hoe ik Peter mis.'

'Dat weet ik, meisje, maar hij mist jou even erg als jij hem. Ik zal in elk geval mijn gedachten over dit gedoe laten gaan en ik zal je bellen als ik mijn... mijn geliefde vrouw heb aangepakt. Maak je maar geen zorgen, meisje, ik zal haar laten ophouden met die kunstjes, ook al is het het laatste wat ik doe. Tot ziens maar weer.'

'Tot ziens, Alex.'

Haar volgende telefoongesprek was naar haar advocaat in Fellburn, en zijn eerste woorden waren: 'Is ze weer bezig? Die vrouw betekent een voortdurende dreiging. Ik denk dat de politie moet worden gewaarschuwd. Maar je hebt wel bewijs nodig.'

Ze vertelde hem dat ze haar schoonvader had gebeld en dat hij had gezegd dat hij er wel raad op wist, waarop de advocaat zei: 'Ach, waarom wacht u niet even af wat hij voor resultaat zal hebben? Misschien kan hij meer bereiken dan de politie, of dan ikzelf met mijn pen.'

Het was de volgende morgen halfelf, een stralende, zonnige dag met een laagje rijp. Alex Riley zat op een ijzeren tuinbank in een parkje dat Cayman Gardens heette. Dit was een smalle strook groen met bloemperken en heesters tegenover Claremont Terrace, met een aantal twee-onder-een-kaphuizen, en de familie Charlton resideerde in het laatste huis. In Claremont Terrace woonden de mensen niet, ze resideerden.

Alex kende de dagelijkse routine van meneer en mevrouw Charlton alsof hij bij hen gewoond had, want zijn vrouw had hem in de loop der jaren een overzicht van hun dagelijkse bezigheden gegeven. Hij wist wanneer mevrouw Charlton tot secretaris van deze of gene club was benoemd, hij wist de exacte datum en het jaar dat meneer Charlton directeur van zijn bedrijf was geworden, hij wist dat meneer Charlton iedere morgen om halfnegen het huis verliet, wat Mona gelegenheid bood het punt te scoren dat hij niet een van die bofkonten was die 's ochtends in hun bed konden blijven liggen. En wat mevrouw Charlton betrof, toen zij eenmaal politierechter was geworden, was ze het grootste deel van de dag niet thuis.

Alex was die morgen op tijd geweest om meneer Charlton in zijn BMW naar de stad te zien vertrekken. Hij werkte niet in Fellburn, o, nee, zijn bestemming lag in de binnenstad van Newcastle. Wat mevrouw Charlton betrof, zij vertrok een uur later, en daar had je haar. Zij had geen BMW, maar een Honda. Een leuk autootje, vond hij.

Hierna gaf hij zijn vrouw nog tien minuten om aan de slag te gaan. Misschien was ze wel bezig nog meer telefoonnummers op te zoeken om hun schade te berokkenen.

Hij liep niet naar de achterdeur maar belde aan bij de voordeur, en toen die openging en zij hem daar zag staan, ging haar hand automatisch naar haar keel en slaakte ze een gesmoorde kreet. Hij reageerde met: 'Ja, Mona, daar kijk jij verbaasd van op. Maar je zult nog verbaasder opkijken als ik uitgepraat ben.'

Ze slikte moeizaam en grauwde: 'Maak dat je wegkomt! Hoe dúrf je hier te komen!'

'Dat durf ik omdat ik je een hoop te zeggen heb, en als je niet rustig naar me luistert, blijf ik hier staan en ga ik schreeuwen. En dan komt de politie. Eerlijk gezegd vind ik dat ik daar meteen naartoe had moeten gaan, maar dat punt neemt mijn schoondochter voor haar rekening. Ze staat klaar om zowel de politie als haar advocaat in te schakelen.' Hij keek naar haar ogen die met elke keer knipperen groter leken te worden en hij zei: 'Het is een misdrijf, weet je, om goederen te laten bezorgen bij mensen die ze niet hebben besteld, zoals grote hoeveelheden gebakjes en tonnen grind die ergens worden gedumpt waar ze niet gewenst zijn. Maar dat is nog niet alles. Er zijn bewijzen dat jij je vorige week op verboden terrein hebt begeven en dat je de zoon des huizes hebt geslagen. En dat kind is toevallig je kleinkind. Het is een heel intelligent ventje en hij heeft je beschreven, met je bruine jas, bruine hoed en lelijke gezicht. Jawel, hij heeft je lelijke gezicht beschreven, en dus zou hij je weer herkennen, hij zou je voor de politie kunnen aanwijzen.'

Haar hand zocht steun bij de deurpost en haar knokkels werden wit.

'Bovendien heb jij die telefoontjes niet uit een telefooncel gepleegd. Nee, die waren afkomstig van een privé-adres, en zulke gesprekken kunnen altijd worden getraceerd, voorzover ik weet. En jij hebt zelf geen telefoon, hè, Mona?' Zijn stem, die gelijkmatig was gebleven, ging nu over in laag gegrom toen hij zei: 'Jij belt hiervandaan, hè, Mona? En wat zal mevrouw Charlton dat leuk vinden om te horen. Ze weet vast nog wel welke interlokale gesprekken ze de afgelopen week heeft gevoerd en anders kan de telefoondienst haar dat vertellen. Ik weet niet wat voor bestellingen je na dat grind en die gebakjes hebt geplaatst, maar als je dat hebt gedaan, raad ik je nu dringend aan onmiddellijk de telefoon van je mevrouw weer te pakken om alles af te bestellen, want, lieve Mona, nog één bestelling en Nyrene stapt naar de politie. Ze heeft nog even gewacht, alleen maar omdat ik dat vroeg. Niet dat ik jou niet voor de rechter wil zien – allemachtig, dat lijkt me een groot genoegen – maar om je de waarheid te zeggen denk ik vooral aan het effect dat dat op mijn zoon zal hebben.' Hij stak zijn hand uit en hief zijn vinger tot vlak bij haar gezicht toen hij zei: 'Maar evengoed: nog één zo'n nare actie jegens Nyrene en hem, en je bent de klos. En we zijn echt niet vergeten hoe jij hebt geprobeerd brand te stichten in het huis van de zuster toen we allebei thuis waren. En daarnaast die smerige brieven die je de zuster hebt geschreven. Ik verzeker je, mens, dat ik in staat ben alles aan de politie te vertellen, ook al zou het mijn dood worden.'

Zijn arm viel omlaag en ze stonden elkaar aan te staren, terwijl de haat als stoom tussen hen opsteeg en het leek alsof ze erin zou blijven. Toen sprong ze opeens achteruit, greep de deur en smeet die dicht.

Hij draaide zich niet meteen om, maar terwijl hij daar nog stond zag hij uit zijn ooghoek hoe het zijraam van het huis ernaast dicht werd gedaan en hij bedacht dat de buurvrouw het een en ander zou kunnen hebben gehoord.

10

Riley kon op het station King's Cross nog net in de trein springen voordat deze wegreed, en hij liep naar het tweede rijtuig toen hij opeens een stem hoorde: 'Hallo, Peter!'

Hij draaide zich om en zag Yvette, en hij kreunde inwendig, zelfs terwijl hij glimlachte. Hij ging niet naast haar, maar tegenover haar zitten. Het was elf uur 's ochtends, een stille tijd, en daarom was er een aantal plaatsen vrij.

'Waar ga jij naartoe?'

'Waar zou ik met deze trein anders naartoe kunnen gaan dan naar Newcastle? Jij ook, neem ik aan?'

'Ja, ik ga naar mijn moeder, die is bij oom Fred, en ik heb gehoord dat jij terug bent op de plek, waar je bent begonnen.'

'Ja, voor een tijdje. Tot The New Palace klaar is.'

'Ik heb begrepen dat jij al in een van die weelderige appartementen woont met je gezin en je hele gevolg.'

'Je informant heeft overdreven, en dat doet Fred wel vaker. Nyrene heeft voor de inrichting gezorgd en we zijn er met het hele gezin, zoals jij het noemt, misschien twee keer geweest. Ja, twee keer, in het weekend.' Hij vroeg: 'Hoe gaat het met jou? Is Felix nog steeds in beeld, of is het Howard?'

'Ach.' Ze schoot in de lach. 'Felix heeft de bons gekregen en Howard is... nou, zo'n maand of twee alweer, verdwenen. Weet je, jij hebt een slechte invloed op mij, Peter. Al mijn aanbidders zijn maar saai sinds ik jou heb ontmoet. En ik houd vol dat onze ontmoeting in Londen puur toeval was. Hoe had ik kunnen weten dat jij naar het Barbican zou gaan en dat je dol op Shakespeare bent? We zijn nog niet zulke intieme... wat zal ik zeggen... kennissen dat we het over onze wederzijdse smaak op het gebied van kunst hebben gehad, en het schijnt dat het lot jou altijd op mijn weg brengt wanneer ik alleen en eenzaam ben, en me verveel.'

'Ik kan me jou echt niet eenzaam voorstellen. En wat die verveling betreft, waarom zoek je geen baan?'

'Doe niet zo gek, Peter. Wat voor werk zou ik nou kunnen doen, afgezien van fotomodel? En ik heb niet het geduld om urenlang stil te staan en door de handen van een vreemde in kleren te worden gewurmd. Ik dacht dat je me toch wel een béétje kende, genoeg om te beseffen dat ik af en toe eenzaam kan zijn. Vrouwen als ik zijn altijd eenzaam. De mannen willen ons betuttelen, betasten en bezitten, en andere vrouwen willen ons het liefst wurgen. We vormen een ongelukkig ras, weet je, en ik ben heel serieus als ik zeg dat mensen met mijn uiterlijk en persoonlijkheid het heel zwaar te verduren hebben.'

Hij glimlachte breed en zijn stem klonk spottend toen hij zei: 'Ach, wat heb ik toch een medelijden met jou en je soort. Ja, met jouw soort, arme, onbeminde schepseltjes.'

'Je kunt wel spotten, Peter, maar ik heb gelijk en je weet dat ik gelijk heb. Het is afschuwelijk om te beseffen dat mensen bang voor je zijn, vooral vrouwen.' Yvette leunde voorover, knikte naar hem en zei: 'Jij was bang voor me, toen we elkaar voor het eerst alleen ontmoetten. Jawel,' – ze gebaarde ongeduldig naar hem – 'ontken het maar niet. Ontken het maar niet. Je was doodsbang voor me, zo bang zelfs dat je meteen naar huis hebt geschreven om het aan je vrouw te vertellen.'

Hij wist dat hij weer ergerlijk rood kleurde, en zijn stem klonk afgemeten toen hij zei: 'Hoe kom je daar nou weer bij? Wie heeft je dat verteld?'

'Mijn lieve moeder. Zij heeft het van haar lieve broer. Haar lieve broer had het van zijn lieve vrouw, en de lieve Louise had het van jouw liefste Nyrene.'

Hij zuchtte, maar hij zei niets en ze ging verder: 'Ja, we zijn erg vermoeiend, hè? Mag ik vragen of je haar ook hebt verteld over onze… toevallige ontmoeting?'

'Ja. Jazeker,' loog hij resoluut.

'Mooi zo, want ik heb mijn lieve mamma erover verteld.'

Hij zakte wat onderuit om haar aan te kijken. Het zonlicht scheen op haar gezicht. Haar ogen waren strak op de zijne gericht en straalden – hij schudde ongeduldig zijn hoofd – een fascineren- de charme uit. Hij kon zich voorstellen dat ze een man tot het uiter- ste dreef om hem daarna te laten vallen. Ze had ooit gezegd dat Fe- lix haar bijna had willen wurgen, en dat kon hij maar al te goed begrijpen.

Soms, heel soms, voelde hij iets van medelijden met haar, maar dat duurde nooit lang. Het werd altijd weggevaagd door haar hou- ding en door haar toon, een toon die de macht bezat minachting over te brengen terwijl haar glimlach vriendelijk bleef. Geen won- der dat vrouwen haar haatten. Nyrene haatte haar.

Zijn voeten bewogen ongemakkelijk. Hij voelde hoe hij zijn schouders optrok.

Na een tijdje zei ze lachend: 'Je moet daar een beetje mee uitkij- ken.'

'Hoe bedoel je?'

'Met dat schouders optrekken. Een onmiskenbaar teken van ze- nuwen.'

Opeens werd hij kwaad. Ja, het was inderdaad een teken van ze- nuwen. Dat was in de afgelopen weken bijna een gewoonte gewor- den. Het was begonnen toen ze het kind op het randje van het po- dium hadden zien zitten. Hij schoof naar voren op zijn plaats, leunde met zijn onderarmen op het tafeltje tussen hen in, boog zich naar haar toe en zei: 'Weet je, Yvette, je bent niet alleen wreed voor bijna iedereen met wie je in contact komt, je bent ook tactloos, en je zult echt nooit weten wat liefde is. Je hebt het niet in je om van ie- mand te houden, en daarom zul je op dat gebied alleen maar krij- gen wat je geeft. En ik ga nu niet zeggen dat het me spijt dat ik zo openhartig spreek, jij begeert alleen maar wat moeilijk te krijgen is, en zodra je het eenmaal hebt, laat je het weer vallen. Ik kan je ver- zekeren dat dat tot een eenzame oude dag zal leiden.'

Hij stond op van zijn plaats en liep snel de coupé door naar de wc. Daar leunde hij met zijn hoofd tegen de stang die onder het matglazen raam liep. Wat had hem in hemelsnaam bezield om zo tegen haar tekeer te gaan? Het kwam doordat ze het over zijn ze- nuwen had gehad en zijn zenuwen hadden hem weer doen denken aan het schuldbewuste gevoel dat een paar weken geleden was ont- staan toen Nyrene het kind, en Hamish en mevrouw Atkins, voor het weekend had meegenomen naar de flat.

270

Het theater naderde zijn voltooiing. Het kind had wild in het rond geheld tot hij opeens op het toneel verscheen en Nyrene en hijzelf verbijsterd waren blijven staan toen ze hem aan het eind van het voetlicht zagen gaan zitten om exact dezelfde houding aan te nemen als hijzelf had gedaan toen hij de rol van de geestelijk gehandicapte jongen in *Het Gouden Verstand* had gespeeld. Zijn voeten waren onder hem opgetrokken en zijn handen rustten op zijn dijen, met de palmen naar boven, en zijn uitdrukkingsloze blik was strak op hen gericht.

Ze hadden een paar snelle stappen naar voren gedaan, maar waren abrupt weer blijven staan en hadden een bijna angstige blik gewisseld. Peter zei: 'Grote goden!' En Nyrene stamelde: 'Het is niets, het is gewoon... toeval.'

'K... k... kijk!' had hij gestotterd. 'Kijk eens naar zijn gezicht. Kijk eens! Dat is mijn gezicht en hij is zeven en hij is Larry. Grote hemel!'

Hij wist nog hoe hij naar voren was gesprongen en de jongen van het podium had gegrist, zodat Charles een kreet van schrik had geslaakt. Nyrene trok de jongen uit zijn omarming en zei: 'Stil maar. Stil maar. Niets aan de hand. Pappa deed alleen maar een spelletje.'

'Ik viel bijna in slaap, mamma.'

'Ja, dat weet ik, liefje. Maar kom nu maar mee, dan gaan we naar huis en kun jij even op bed liggen.'

Peter richtte zich op, haalde zijn hoofd van de stang en keek in het spiegeltje. Hij kon Nyrene en zichzelf in de zitkamer van de flat zien zitten. Hij zei: 'Ik... ik heb het kennelijk van Larry opgepikt. Ik raakte in hem verstrikt en ik ben hem nooit meer kwijtgeraakt. Hij zit nog steeds in me. O, lieve hemel! Ik heb het vast op de een of andere manier aan mijn kind doorgegeven. Dat was Larry, zoals hij daar zat, net zo echt als toen ik hem speelde. En dat besef jij ook. Ik kan het aan je gezicht zien.'

Hij wist nog hoe ze haar hoofd had gebogen en zei: 'Onze zoon is niet geestelijk gehandicapt.' En hij had niet gezegd: 'Natuurlijk wel!' En op dat moment had ze zo ongeveer tegen hem gekrijst: 'Peter, onze zoon is niet geestelijk gehandicapt! Hij is een uiterst intelligente jongen. Hij is artistiek en heel nerveus. De dokters hebben dat zelf gezegd, allemaal. Hij is niet geestelijk gehandicapt, hij is een intelligent kind dat zijn leeftijd ver vooruit is. De dingen waar hij mee komt zijn heel volwassen.' Hierop had hij geantwoord: 'Ja, heel volwassen. Net als Larry. Larry was zijn leeftijd ook ver vooruit.'

Ze hadden elkaar die nacht niet bemind, en ze hadden ook geen troost gevonden in het naast elkaar liggen.

Hij draaide de kraan open en waste zijn gezicht. Er lagen geen papieren handdoekjes in het rek, dus gebruikte hij zijn zakdoek.

Hij keek weer in de spiegel en vroeg zich af hoe hij naar Yvette terug moest om zich te verontschuldigen, want er moest iets van excuses volgen.

Hij verontschuldigde zich inderdaad, en hij deed dit uitvoeriger dan hij van plan was geweest, want toen hij haar gezicht zag, dat niet langer uitdagend stond, was hij het liefst naast haar gaan zitten om zijn armen om haar heen te slaan en te zeggen: 'Dat had ik niet zo bedoeld, echt niet.' Ze leek op dat moment niet knap: haar ogen stonden diep en glinsterden treurig. Misschien had ze wel gehuild.

Hij ging langzaam weer op de bank zitten. Ze keek hem niet aan maar ze was de eerste die sprak. Met neergeslagen ogen zei ze: 'Je hoeft echt niet te zeggen dat het je spijt, Peter, want je hebt ieder woord dat je sprak gemeend. En… en ik weet dat je gelijk hebt. Tot op zekere hoogte tenminste, want, en ik herhaal wat ik al eerder heb gezegd, ik ben vanbinnen niet zoals ik er vanbuiten uitzie. We hebben allemaal een façade, en mijn schoonheid en mijn zoete stem zijn mijn façade. Ik kan nu vergeten wat jij hebt gezegd, en ik hoop dat jij dat ook kunt vergeten. Ik ben in zekere zin blij dat je je gedachten over mij hebt uitgesproken, want dit laat zien, zoals ik de hele tijd heb gedacht, dat we vrienden kunnen zijn.'

O, nee! Grote hemel! Vrienden met haar! Nyrene zou door het dolle heen raken, alleen al bij het idee. Hij wist geen antwoord te bedenken en gedurende de rest van de reis wisselden ze een paar woorden tot hij uit het raam keek en zei: 'We zijn er.'

Hij stond op en pakte zijn jas, hoed en aktetas uit het rek. Toen zij opstond moest hij zich geweld aandoen om haar in haar jas te helpen terwijl hij zei: 'Niet boos meer?'

'Natuurlijk niet, Peter.' Ze glimlachte heel even en zei toen: 'Tot ziens dan maar weer?' Daarna zei ze op haar gebruikelijke toon, met een enigszins sarcastisch lachje: 'Ik neem een taxi, maar ik zal je geen lift aanbieden.'

Hij besloot niet met de bus te gaan, maar te lopen.

Haar laatste blik, toen hij haar in de taxi had geholpen, bleef hem bij. Hij begon de kriebels van haar te krijgen – als dat niet al het geval was geweest. Deze gedachte maakte dat hij zijn schouders optrok en snel begon te lopen. Hij moest Nyrene gauw over deze ontmoeting in de trein vertellen, want hij wist dat dat irritante meisje het meteen aan haar moeder zou vertellen, zodra ze thuis was, en haar moeder zou het beslist aan haar broer vertellen. Louise zou zulke informatie uiteraard niet aan Nyrene doorgeven, maar Fred wel. Ja, Fred was ten aanzien van zijn nichtje een storende factor geworden. Af en toe leek het wel of Fred op zijn breedsprakige manier het leeftijdsverschil tussen die twee vrouwen wilde benadrukken.

In tegenstelling tot The Little Grange was de flat heel modern ingericht, maar wel gezellig. Er waren twee slaapkamers, een kleine eetkamer en een zeer grote zitkamer, een keuken met de modernste snufjes, en in de badkamer stond een discreet afgeschermde hometrainer.

Omdat het appartement op de begane grond lag, hadden ze een eigen ingang in een steegje.

Er was centrale verwarming, met in de zitkamer een moderne open haard op gas, die zo echt leek dat iedereen het voor een kolenvuur hield. Alles bij elkaar was het een schitterend appartement.

Nyrene begreep echter niet waarom Riley zijn weekends niet thuis wilde doorbrengen. Dat zou hem een welkome onderbreking geven. Maar hij had haar uitgelegd dat hij zich nu op nieuwe stukken moest voorbereiden en vaak op zondag met de groep moest overleggen. Het leek hem veel gemakkelijker als zij naar de flat kwam. Maar dan was het kind er nog. O, hemel! Ja, het kind. Ze beseften dit allebei, maar hij had het vorige week openlijk ter sprake gebracht door nadrukkelijk tegen haar te zeggen: 'Hij is nu een stuk groter, je moet hem inmiddels echt af en toe bij Mac en mevrouw Atkins kunnen achterlaten.'

Ze had geduldig geantwoord: 'Je weet dat ik het heb geprobeerd en wat er dan gebeurt. Ze zeggen allebei hetzelfde: hij zit gewoon te wachten en eet bijna niets. En kijk maar wat er de vorige twee keer dat ik hem meebracht is gebeurd: hij is naar buiten gehold en hij is geen verkeer gewend.'

Hierop had hij gereageerd: 'Nou, dan moet hem worden bijgebracht dat hij zich moet gedragen en binnen moet blijven als hem dat gezegd wordt. Hij moet echt worden aangepakt. Je kunt hem niet ons leven laten regeren.'

Ze had kalm, maar op onheilspellende toon gevraagd: 'Wil je dat ik hem in een inrichting stop?'

Ze hadden elkaar even aangestaard, maar toen waren ze elkaar in de armen gevallen. Ze hadden allebei gezegd dat ze er spijt van hadden en dat ze begrip hadden voor elkaars situatie.

Hij wilde de sleutel in het slot steken toen deze bijna uit zijn handen werd gerukt en daar stond ze. 'Hallo!' zei Nyrene. 'De trein was zeker op tijd. Hoe is het ermee?'

Toen hij van zijn verbazing was bekomen, zei hij: 'Prima. Ik heb de minst knappe genomen, hij kon acteren. En twee meisjes… nou ja, jonge vrouwen, van wie de ene veel ervaring heeft. Dat maakt de groep nu compleet.'

'Geef je jas maar hier,' zei ze, 'de soep is warm.'

'Vind je het erg als ik eerst mijn vrouw kus?'

Toen ze een paar minuten later aan de keukentafel zaten, zei hij quasi-terloops: 'Raad eens met wie ik in de trein zat?'

'Jij kent zoveel mensen, dus hoe moet ik dat weten?' Ze was stil blijven staan met de pan boven de soepkom die op een dienblad stond. Toen ging ze verder: 'Nou ja, we kennen Louise en Fred allebei, en de dochter van zijn lieve zuster.'

De soep klotste in de kom. Toen zette ze de pan weer op het fornuis, pakte een theedoek en depte wat spatten van het kleedje op het blad. 'Eet dat nu maar gauw op,' zei ze. Ze voegde er scherp aan toe: 'Ik dacht dat de jongedame altijd in snelle auto's reed. Warom nu niet?'

Hij dacht: nee, niet altijd. Want dit was de tweede keer dat hij haar in de trein had ontmoet, maar hij zei: 'Ze zat daar gewoon. Ze wilde bij Fred langs voor ze naar huis ging, ik denk in de hoop dat hij haar een lift zou geven.'

Nyrene zei: 'Ze reisde vast eerste klas, maar dat doe jij zelden.'

Met zijn lepel halverwege zijn mond antwoordde hij: 'Dat is

vreemd. Ja, ze reist altijd eerste klas. Maar ze zat nu in de tweede klas, tussen het gewone volk. Ik vraag me af waarom.'

'Ach.' Ze ging tegenover hem zitten en zei toen: 'Ik denk dat ik dat kan verklaren, of in elk geval van toelichting kan voorzien. Ik heb van Louise gehoord, maar dat kon ik nauwelijks geloven, en zij ook niet, dat haar lieve moeder haar toelage wilde stopzetten of in elk geval ter discussie wilde stellen toen Yvette de zoveelste aanbidder, die ze bijna tot voor het altaar had weten te krijgen, had laten vallen. En hij was nog helemaal niet zo oud, maar wel rijk, en je moet altijd in gedachten blijven houden dat de lieve Gwendoline een goede neus voor geld heeft. Nou, je ziet wat ze ermee heeft bereikt.'

Riley schudde zijn hoofd en zij schudde eveneens haar hoofd en zei: 'Ja, ik weet dat ik een beetje vals doe, maar nog niet half zo vals als Louise, en die heeft daar alle reden toe. Ze is doodziek van dat gedoe met de lieve Gwendoline en haar Yvette. Schoonmoeders hebben een naam op het gebied van problemen binnen een huwelijk, maar in dit geval doet een beminde zuster haar best. Dat tweedeklasrijtuig in de trein wijst er trouwens wel op dat die geruchten over het stoppen van een toelage enige grond hebben, want waar is haar auto gebleven?'

Ja, dacht Riley, waar was haar auto?

Hij nam een lepel soep, en toen nog een. Hij staarde even in zijn soepkom en zag zichzelf weer naar Yvette over buigen, om haar te zeggen wat hij van haar vond.

'Is die soep lekker?' Nyrene keek naar zijn soepkom, en hij schrok op en zei: 'Ja. Ja, natuurlijk. Heerlijk. Jouw soep is altijd heerlijk. Maar ik zat net aan die situatie te denken, de lieve Gwendoline en haar dochter, allebei zo te zien hetzelfde type, maar ze leven als kat en hond.'

Nyrene knikte en zei: 'Ja, het is een vreemde situatie, en met die opmerking over kat en hond zit je er niet ver naast, als ik Louise mag geloven. Trouwens, ik kreeg net een telefoontje van thuis.'

'O, ja? Is alles goed met hem?'

'Ja, hij deed heel opgewekt. Hij wilde jou spreken.'

'O, lieve help! En ik was er nog niet. Maar ik zal hem bellen zodra ik dit op heb.'

'Dat zou leuk zijn.' Nyrene glimlachte.

Hun compromis werkte.

11

Riley verliet Davids kantoor in The New Palace, waar ze het hadden gehad over een geschikt stuk voor de galavoorstelling ter ere van de opening.

Toen hij door de deuren naar buiten stapte, onder het afdak boven de ingang, zag hij tot zijn verbazing Lily Poole daar staan schuilen. Hij sloeg de kraag van zijn jas op tegen de striemende ijsregen en zei verbaasd: 'Wat! Ben jij er nog? Ik dacht dat je allang naar huis was.'

'Ik heb die rotbus gemist.'

'Nou, weet je wat? Ik heb mijn autosleutels in mijn andere jas in mijn appartement. Kom mee, dan geef ik je een lift.' En hierop greep hij haar bij de hand en holde met haar naar het eind van de straat en door het korte steegje naar de deur.

Binnen zei ze: 'Wat is het hier gezellig en warm.' Toen keek ze naar de stapel kranten op de bank en naar de twee lege koffiekopjes op de lage tafel en zei: 'Schandelijk! Wat een rommel! Hier had iemand toch iets moeten doen, meneer?'

'Jawel, wijsneus. Meestal heb ik een mevrouw Poets, maar die is niet komen opdagen.'

'Ik kom morgenochtend wel even langs om alles een beetje te fatsoeneren. Ik wed dat het in de keuken een puinhoop is.'

'Nee, helemaal niet, ga zelf maar kijken.' Hij schreeuwde nu vanuit de slaapkamer: 'Een paar vuile overhemden, dat is alles.'

'Waarom gebruikt u de wasmachine niet?'

'Te ingewikkeld. Veel te veel knoppen. Bovendien moeten de overhemden toch worden gestreken, ik verdraag niets anders dan katoen. Nyrene zal daarvoor zorgen als ze komt.'

'Nou, dat wordt dan een leuk welkom voor haar.'

Hij stond inmiddels in de hal, zette zijn pet op en zei: 'Kom mee, jij! We gaan, en bemoei je niet zo met andermans zaken.'

Hun kameraadschappelijke manier van omgaan met elkaar kon worden verklaard uit het feit dat zij de enige resterende leden van de cast waren uit de tijd dat Riley erbij had gezeten. Ze heette toen Lily Stewart. Hij was er pas een paar weken toen zij op het toneel verscheen. Ze was toen vijftien geweest en ze had als ouvreuse en kaartjesverkoopster gewerkt en hem van het theezetten verlost. Vanaf het eerste begin had ze hem als meneer Riley aangesproken en ze had hem toevertrouwd dat ze actrice wilde worden.

Net als hij had ze aanvankelijk een plat accent gehad en bij haar eerste pogingen tot acteren had ze velen een lach bezorgd met zinnen als: 'De juut staat op de stoep, mevrouw' in plaats van 'Er staat een politieagent voor de deur'.

Hij wist dat het iedereen had verbaasd toen ze twee jaar geleden was getrouwd met een vrachtwagenchauffeur, een forse kerel van minstens een meter vijfentachtig.

In de auto zei ze: 'Als het zulk weer blijft, zal Johnny de nacht op een parkeerplaats motten slapen.'

'Vánnacht móéten slapen, Lily.'

'Ach!'

Hij lachte toen hij de auto startte en hij zei: 'Die grote vrachtwagens hebben enorme wielen, die zullen wel enig houvast hebben op ijs.'

'Hij heeft de schurft aan gladde wegen. Hij vindt het niet erg als het valt, maar als het op de weg een gladde boel wordt, doet hij voorzichtig met zijn wagen, want die is niet van hem.'

'Verstandige man.'

'Wat vond u van hem toen u hem laatst in de bar zag?'

'Nou, ik dacht dat hij een goeie bokser zou kunnen zijn.'

'Grappig, want dat was hij ook ooit van plan. Maar hij was zo verstandig in te zien dat er meer voor nodig is dan een goeie mep om in die business aan de top te komen. En hij wil te graag eigen baas zijn om zich in alles de wet te laten voorschrijven.'

'Hij leek me een rustige kerel met niet te veel praatjes.'

'Inderdaad, maar niet altijd. Hij kan heel spraakzaam zijn als hij dat nodig vindt.' Ze lachte kort en zei: 'Hij is erg jaloers, weet u.'

'Dat kan ik me voorstellen, want jij bent een knap meisje.'

'O, meneer Riley,' – haar stem klonk spottend – 'wat kunt u toch een aardige dingen zeggen. Maar zegt u ze alstublieft niet waar mijn Johnny bij is, anders krijgt u nog een stomp op uw neus.'

'Bedankt voor de waarschuwing, Lily.'

'Zal het niet heerlijk zijn als we in The New Palace kunnen? Alles lijkt te mooi om waar te zijn. Ik moet me af en toe gewoon in m'n arm knijpen, en als ik erop terugkijk zeg ik tegen mezelf: "Als meneer Riley er niet was geweest, zou ik nog steeds met die theeketel rond moeten hollen."'

'Jij niet,' zei hij, 'jij was er anders ook wel gekomen. Maar je bent er!' zei hij, en hij zette de auto stil. 'Ga maar gauw naar binnen. Fijne avond.'

'Ja, u ook een fijne avond. Bedankt.'

Toen hij de auto weer startte, dacht hij bij zichzelf dat het grappig was dat ze tegenwoordig steeds bij The New Palace rondhing. De enige reden dat ze er vanavond was geweest, was om David een brief te geven die bij het oude Palace was bezorgd. Maar ze had het alleen ook wel gered. Ze had pit, maar hij wist uit eigen ervaring dat het altijd goed was om een vriend aan het hof te hebben. Wat had hij zonder Fred en Louise moeten beginnen?

Fred was snipverkouden. Hij lag in bed, vertelde Louise hem, niet met een hete citroen maar onder de invloed van een paar dubbele whisky's met warm water en bruine suiker, en hij had het afgelopen uur liggen snurken, maar ze was heel blij Peter te zien en het laatste nieuws te horen.

Toen ze in de zitkamer koffiedronken, zei ze: 'Die griep kwam geweldig goed uit. Hij heeft het nu al meer dan een week zwaar te pakken en het loopt uit zijn ogen en uit zijn neus, maar het heeft zijn lieve Gwendoline tenminste op een afstand gehouden. Ze is doodsbenauwd dat ze het ook zal krijgen, maar ze vertelde me zojuist nog aan de telefoon dat ze vreselijk verdrietig is dat ze hem niet kan spreken voor ze morgen naar Italië vertrekt.'

'Gaat ze weer een tocht maken?' vroeg hij.

'Nee, het schijnt dat ze alleen gaat.'

'Nee toch zeker!'

'Jawel, haar lieve dochter heeft haar hevig teleurgesteld met haar laatste liefdesaffaire: ze was ervan overtuigd dat ze alles goed had gestuurd en dat het meisje eieren voor haar geld zou kiezen. Maar het schijnt' – zei Louise nu lachend – 'dat de jongedame geen zin heeft om te trouwen, en' – ze knikte naar hem – 'ik had niet gedacht dat ik het ooit voor haar op zou nemen, maar ze lijdt nog liever wat in haar ogen armoede moet zijn dan dat ze tegen haar trouwt. Het laatste wat ik gehoord heb, is dat ze een parttime baan in een boetiek in Londen heeft, en dat ze in Gwendolines flat mag wonen en haar auto weer terug heeft. Niet voor te stellen, hè? Maar aan de andere kant, nu ze die derde kerel schijnt te hebben afgewezen heeft Gwendoline kennelijk haar handen van haar afgetrokken en moet de lieve Yvette werken voor haar brood en voor haar benzine.'

Dit relaas van Louise maakte dat hij spijt kreeg dat hij de vorige keer zo tegen het meisje was tekeergegaan.

Hij bleef nog wat langer om Louises beschrijving van de vorderingen van haar zoon op school aan te horen. Jason was zijn klas ver vooruit, maar hij lag nu net als zijn vader in bed met een stevige verkoudheid. Ten slotte had ze het over Nyrene, en hoe jammer het was dat ze niet vaker in de flat kon komen logeren. Maar ze zat natuurlijk met het kind en de flat was zo dicht bij de hoofdweg…

Hij was blij toen hij weer terug was in het appartement. Hij voelde zich vanavond wat verloren en het huis zag er rommelig uit. Hij raapte de kranten van de bank. Toen deed hij de gashaard aan en ging zitten, en hij strekte zijn benen uit over de schapenvacht. Hij sloeg zijn handen in elkaar achter zijn hoofd, ontspande zich en begon zijn leven te overzien. Hij had geluk gehad, geweldig veel geluk gehad. Maar het was jammer dat zijn moeder niet in die vreugde kon delen. Het zou geweldig zijn geweest als ze net als een gewone moeder was geweest. Trots op hem en op wat hij had bereikt. Dan was alles volmaakt geweest. Maar het deed hem verdriet dat zijn succes haar niet alleen wraakzuchtig maar ook heel vals en boosaardig had gemaakt. Kijk maar hoe ze tegen Charles had gedaan, en dan die bestellingen. En nu had hij van Betty begrepen dat ze kennelijk bij mevrouw Charlton eruit was geschopt, want ze was de hele dag thuis. Maar 's avonds niet, naar het scheen. Om van thuis weg te kunnen was Sue nu ergens als kindermeisje in dienst, wat alleen Florrie overliet. En die kwam steeds vaker bij Betty of bij de zuster langs. Het scheen dat haar moeder soms pas laat thuiskwam en ze was bang om alleen te zijn. Zijn vader maakte zich ongerust over wat ze in haar schild voerde, want hij was ervan overtuigd dat ze gestoord was. En die morgen dat hij haar had aangepakt, moest de luistervinkende buurvrouw genoeg hebben gehoord om het aan mevrouw Charlton door te geven, met als gevolg dat Mona eruit was gevlogen.

De gedachte aan zijn moeder bleef hem dwarszitten, maar hij probeerde het van zich af te zetten en, om met de bijbel te spreken, zijn zegeningen te tellen. En zijn zegeningen waren er vele, in de eerste plaats Nyrene, en dan zijn werk. Op dat punt haperde zijn opsomming: waar kwam zijn zoon dan? Nou, als die er niet was geweest, dan had hij nu vast niet hier gezeten. Zeker niet getrouwd met haar, daar was hij van overtuigd, want voordat het kind kwam, had ze hem zich aan zijn carrière laten wijden.

Waarom moest hij toch altijd weer op de jongen terugkomen? Hij hield van het kind. Zijn gevoelens voor het kind gingen in zekere zin de liefde te boven, want in zijn gedachten was het kind verweven met Larry, en wat hij voor Larry voelde was vooral mededogen.

Hij kwam met een licht schuldgevoel overeind toen hij bedacht dat hij haar had zullen bellen zodra hij binnen was. Hoe laat was het nu? Tien voor elf. Ze lag waarschijnlijk al in bed, en wat zou het geluid van haar stem bij hem aanrichten? Dan zou zijn begeerte weer oplaaien. Gek was dat, hij hoefde haar stem maar te horen of hij wilde haar aanraken, haar omhelzen, haar beminnen. Ja, haar beminnen. Nee, hij kon haar nu niet bellen, dat zou hij morgenochtend meteen doen. Na een goede nachtrust zou hij zich vast wel anders voelen.

Hij kwam net van de bank overeind toen hij zijn hoofd naar de glazen deur tussen de zitkamer en de kleine hal draaide. De bel van de voordeur ging. Wie kon dat zijn om deze tijd en in dit weer?

Hij dacht even aan zijn moeder, toen zette hij dat idee van zich af. Het was waarschijnlijker dat het Betty of Harry was, omdat er iets was gebeurd.

Hij trok de kamerdeur open, knipte de buitenlamp aan en deed toen de voordeur open, om een gesmoorde kreet te slaken toen er een drijfnatte, verfomfaaide gestalte naar binnen tuimelde en tegen de muur bleef staan.

'Grote hemel! Wat doe jij hier?' Yvette zei niets, maar ze hapte naar adem. 'Ik… ik heb het hele eind van het station hierheen gelopen,' wist ze uit te brengen. 'Jij woont dichterbij dan Fred.'

Hij pakte haar bij de schouders en duwde haar de kamer in. Ze droeg een lange jas met een hoge bontkraag en ze had een plastic kapje opgeschoven waarvan het water nog steeds over haar gezicht stroomde.

Ze huiverde zichtbaar toen hij de jas van haar aanpakte en over een stoel uitspreidde, en terwijl ze het kapje van haar hoofd trok, liep ze wankelend naar de bank. Toen ze zich erop had laten vallen, leunde ze niet achterover. Ze boog haar lichaam naar voren en stak haar handen uit naar de vlammen van de gaskachel.

Hij stond naast haar op haar neer te kijken, maar toen ze haar hoofd niet ophief, zei hij: 'Ik zal iets warms voor je halen.'

Hij holde zo ongeveer naar de keuken, in zekere zin blij dat hij had afgewassen. Hij greep een pan, deed er melk in en zette hem op het fornuis. Hij kon haar vanuit de keukendeur zien zitten. Ze had haar open schoentjes uitgedaan en ze stak haar voeten uit naar de vlammen, zodat de stoom ervan afsloeg.

'Trek je kousen uit,' riep hij tegen haar, en daarna richtte hij zich weer op het fornuis en op de melk.

Even later liep hij met een beker warme melk voor haar en voor hemzelf terug en zei: 'Dit is warme melk. Ik kan er bij jou koffie of een scheutje whisky in doen. Wat wil je?'

'Whisky, alsjeblieft.'

Hij goot een flinke scheut whisky in de melk, en toen hij haar die gaf, begon ze er meteen van te drinken, en de beker was halfleeg toen ze hem op het tafeltje naast zich zette.

Ze leunde achterover en zei: 'Ik heb het nog nooit van mijn leven zo koud gehad.'

'Het is ook allemaal heel onverwacht. Eerst was het hagel, en nu is het natte sneeuw.'

'Natte sneeuw.' Ze schudde haar hoofd terwijl ze deze woorden herhaalde, en toen ging ze verder: 'Ik begrijp niet hoe je het hier uithoudt.'

Hij glimlachte en zei: 'Het zou je verbazen, maar in Newcastle is het vaak warmer dan in Hastings, en dat ligt nog wel aan de zuidkust, het vakantieoord. Wat voert jou zo laat hierheen?'

Hij nam een slok uit zijn eigen beker, waaraan hij eveneens wat whisky had toegevoegd. Toen ging hij op het andere eind van de bank zitten en keek haar aan terwijl hij op een antwoord wachtte.

Tot zijn verbazing verklaarde ze: 'Ik was op weg naar mijn moeder, om de handdoek in de ring te gooien. Ze vertrekt morgen naar Italië en ik zal haar alles beloven om mee te kunnen gaan met haar, want ik kan deze spanningen niet langer verdragen. Het is de afgelopen maanden een hel geweest.' Ze keek hem recht in de ogen en zei: 'Ik ben er niet voor in de wieg gelegd, Peter. Ik heb oprecht mijn best gedaan om het vol te houden. Ik heb in die boetiek vrouwen bediend, vrouwen op wie ik zou willen spugen, vrouwen die bulken van het geld en zo ordinair zijn als een straatmeid. Echt, je hebt geen idee.'

Ze schudde haar hoofd en ging toen verder. 'Het is allemaal de schuld van mijn moeder. Ze heeft me in luxe op laten groeien en toen ze me daarna over moest nemen, vond ze me te lastig en probeerde ze me dus uit te huwelijken. Ze koos steeds types met een dikke buik, die proberen deze te verbergen door er armbanden met diamanten voor te laten bungelen.'

Hij schoot onwillekeurig in de lach om het beeld dat ze schilderde, van diamanten die voor dikke buiken moesten bungelen, maar zij lachte niet.

'Ze was zelfs in staat een titel voor me te kopen, zoals met die graaf, maar die types hebben nooit verstand, anders zouden ze niet op zoveel feestjes blijven rondhangen. Toen ze met vrome Percy kwam aanzetten, veranderde ze van tactiek. Ik zei steeds tegen haar dat ik geen zin had om te trouwen. Wat ik van huwelijken heb gezien, zelfs bij mijn geweldige pleegouders, die zogenaamd veel van elkaar hielden, is maar al te vaak haat en nijd. Hij kon bijvoorbeeld wel maîtresses hebben – dat scheen heel normaal te zijn voor een Fransman – maar zij bezat niet de vrijheid om er een minnaar op na te houden. Hij had haar het liefst een kuisheidsgordel omgedaan.' Ze knikte naar hem. 'Dat is wat er in gelukkige huwelijken gebeurt: de mannen doen hun vrouw een kuisheidsgordel om.'

Hij lachte nu voluit en zei: 'O, Yvette! Wat ben jij een grappenmaakster!'

Zijn lach stierf weg toen ze naar hem opkeek en met trillende stem zei: 'Ik... ik wil helemaal geen grappenmaakster zijn, Peter. Dat pakt altijd verkeerd uit.'

'Ach, kind toch.' Hij schoof automatisch over de bank naar haar toe, pakte haar hand en zei: 'Maak je niet zo druk. Alles zal goed komen, je bent nog zo...'

Ze viel hem haastig in de rede: 'Zeg dat niet, Peter, zeg niet dat ik nog zo jong ben. Want ik ben inwendig al stokoud en jij praat al net als de rest. Ik ben vanavond hier gekomen omdat ik dacht dat juist jij er begrip voor zou hebben. Ja, ik ben met opzet hier gekomen!' Ze wendde haar hoofd af en stak haar handen opnieuw naar het vuur uit. Toen zei ze, heel zacht: 'Jij bent de enige die me ooit de waarheid heeft gezegd, in elk geval de waarheid zoals jij die ziet. Maar ik ben niet degene die jij denkt dat ik ben, Peter. Fred en Louise en moeder, ze denken allemaal hetzelfde over me. Ze willen me gebonden zien aan iemand van wie ze denken dat die me onder de duim zal weten te houden. Zij zijn allemaal oud en het lijkt wel of ze nooit jong zijn geweest. Ik ben jong en jij bent jong, Peter.' Haar lichaam ging met een schok omhoog, haar hoofd viel op zijn schouder en ze sloeg haar armen om zijn hals, zodat hij automatisch zijn armen om haar heen sloeg om niet op de bank opzij te rollen. Hij zei: 'Nee, Yvette. Niet doen!' Maar ze jammerde: 'Laat me nog even liggen, heel even maar. Ik doe niemand kwaad en jij doet niemand kwaad. Alsjeblieft, Peter. En hou me even vast. Hou me gewoon even vast, Peter, even maar.'

'Yvette, luister. Luister goed.'

'Ik luister, Peter. Ik heb altijd al naar je geluisterd, vanaf het moment dat ik je daar bij Louise in de kamer zag zitten. Ik kan het niet helpen, maar ik moet het je vertellen. Ik was meteen gek op je, en dat is nooit verdwenen. Alsjeblieft... ga niet weg, hou me vast. Zoals ik al zei, we doen hier niemand kwaad mee.'

'Toch wel. We doen onszelf hier kwaad mee, want...'

'Zeg het niet, Peter, alsjeblieft.' Ze smeekte hem nu. 'Niet praten. Hou me vast en luister. Ik ga je nu iets bekennen. We hebben elkaar pas zes keer ontmoet en daarvan was vier keer met opzet. Die autopech in York was ook opzet. Ik wilde jou zo graag even zien. Ik kan het niet helpen.' Ze herhaalde langzaam en nadrukkelijk: 'Ik… kan… het… niet… helpen. Ik heb mijn uiterste best gedaan, Peter, geloof me. Ik wil me niet met je leven bemoeien. Wees maar niet bang, ik wil niet met je trouwen. Ik zal nooit trouwen, ik weet dat ik nooit zal trouwen. Uiteindelijk zal ik net als mijn moeder worden. Maar dat is het einde, ik sta nu nog aan het begin. Zij is veel jonger begonnen dan ik, maar voor ik een carrière als maîtresse begin, Peter, voor die tijd, toe… toe, wees alsjeblieft lief voor me, want ik… want ik had met je kunnen trouwen als je vrij was geweest toen we elkaar voor het eerst ontmoetten. Zo voelde ik het tenminste. Maar aan de andere kant denk ik niet dat het blijvend zou zijn geweest. Jij bent ook het soort man dat mij een kuisheidsgordel had willen geven. O, Peter!' Haar lippen bewogen over zijn hals. Hij had eerder zijn jasje uitgedaan en zijn das af, en nu bewogen haar lippen zich over de V-vormige opening van zijn overhemd en hij verroerde zich niet. Het was een vreemd gevoel, alsof hij in slaap werd gemasseerd. Hij besefte dat haar stem zijn naam mompelde toen haar lippen achter zijn oor belandden en daarom wilde hij zich van haar losrukken, maar ze hield hem te stevig vast.

Hij wist op hese toon uit te brengen: 'Hou op, Yvette! Hou nu op! Laat dat. Dit is belachelijk. Dat weet jij ook.'

Haar stem klonk als van een afstand: 'Dat weet ik, Peter, ik heb hiervan gedroomd. Echt waar. We doen hier niemand kwaad mee, dat heb ik toch gezegd, en we zijn jong… jong.' En bij dat woord deed hij een resolute poging zich bij haar vandaan te duwen. Maar dit gebaar maakte slechts dat ze half over hem heen kwam te liggen en toen haar mond op de zijne viel, aarzelde hij slechts één moment voordat hij haar onbelemmerde hartstocht beantwoordde.

Ze vielen niet opzij op de bank, maar op de vloer…

Ze had om ongeveer tien voor elf aangebeld. Van waar hij lag kon hij net de wijzers van de klok zien, die nu kwart voor twaalf aangaven. Ze was hier nog geen uur, maar ze had zijn leven volledig op zijn kop gezet. Wat er nu was gebeurd, kon nooit meer worden uitgewist.

Toen haar hand over zijn ontblote borstkas gleed, ging hij met een schok rechtop zitten, draaide zich half om en keek op haar neer.

Ze leek zacht, heel zacht, als een heel jong meisje. Maar ze was geen heel jong meisje meer. Ze strekte haar arm uit, raakte zijn kin aan en zei met omfloerste stem: 'Was dat niet geweldig?'

Hij dacht: ja, in zekere zin was het geweldig geweest en het had zelfs zijn eigen introductie in de mannelijkheid overtroffen. Ja, zelfs dat, want ze was jong, heel jong.

Maar die woorden werden in één klap uit zijn hoofd weggevaagd met de volgende woorden: 'Ik heb nooit eerder zoiets meegemaakt.'

Die woorden maakten dat hij langzaam ging staan. Hoe had hij zo'n idioot kunnen zijn? Hij had gedacht dat ze zo jong was, dat ze nog nooit zoiets had gedaan. Hij was toch wel de grootste stommeling die er op aarde rondliep. Hij zocht zijn kleren bij elkaar en zei abrupt: 'Kleed je aan.'

Ze draaide zich op haar knieën, legde haar ellebogen op de zitting van de bank en keek hem over de rugleuning na toen hij naar de badkamer liep, en ze riep hem na: 'Peter, doe niet zo. Het geeft niet, alles komt goed. Het zal ons geheim blijven, je hoeft je geen zorgen te maken.' Hij luisterde niet en smeet de deur van de badkamer achter zich dicht. Daarna leunde hij ertegenaan, beet op zijn lip en kneep zijn ogen stijf dicht.

Hij had maar vijf minuten nodig om snel een douche te nemen en schone kleren aan te trekken, en toen hij in de zitkamer terugkwam, stond ze daar met haar rug naar de haard en haar jurk over een arm, en ze zei, op weliswaar zachte maar toch beschuldigende toon: 'Het is helemaal niet in je opgekomen dat ik misschien ook wel naar de badkamer wilde, hè, Peter?'

Hij liep naar de keuken en zei: 'Ga je gang, de kust is vrij.'

Hij zette koffie, maar dronk eerst zijn beker leeg voor hij een kop naar de zitkamer bracht.

Hij ging niet bij de haard zitten, want hij wilde niet naar de bank of de vloer kijken. In plaats daarvan begon hij door de kamer te ijsberen.

Toen ze twintig minuten later volledig gekleed uit de badkamer kwam, keek hij haar niet aan toen hij zei: 'Ik ga een taxi bellen.'

'O, nee, Peter. Hoor eens, mijn moeder zal me zo laat niet meer verwachten.'

'Het is maar een uur later dan wanneer je rechtstreeks naar huis was gegaan. Of ga je liever naar Fred en Louise?'

Bij wijze van antwoord legde ze een hand op zijn schouder, maar hij duwde die opzij en zei: 'Niet doen. Het was allemaal een vergissing. Het spijt me. Het was mijn schuld. Sorry.'

'Doe niet zo gek, Peter.' Ze glimlachte vertederd naar hem, als naar een ondeugend kind. 'Het was niet jouw schuld, het was niemands schuld. Of misschien was het toch mijn schuld. Het was mijn bedoeling dat dit een keer zou gebeuren. Kijk me nou maar niet zo aan, liefje. Je begrijpt het toch niet.' Haar stem veranderde. 'Ik geef echt veel om je, ik ben zelfs verliefd op je.'

'Hou je mond! Luister goed, Yvette, voor eens en voor altijd: dit is het begin en het eind. Het was een vergissing en ik zal daar nog lang spijt van hebben.'

'Vergissing? O, je denkt aan je liefhebbende Nyrene? Lieve help!'

'Ja. Misschien denk ik wel aan haar.'

'Lieve help, Peter, gedraag je eens naar je leeftijd, zoals zij zich ook naar haar leeftijd moet gedragen. Ze zal toch begrijpen dat jij wel eens eerder iets met een ander hebt gehad, als je bedenkt dat ze...'

'Hou je mond. Hou nu echt je mond. Het spijt me, Yvette, echt waar, maar ik moet zeggen dat ik niets meer van je wil horen. Ik bel een taxi om je naar huis te brengen.'

'Maar je bent ook verliefd op mij, je bent de hele tijd verliefd geweest, dat weet ik zeker.'

'Jij weet helemaal niets zeker,' schreeuwde hij zo ongeveer en hij sloeg zijn hand even voor zijn mond. Toen ging hij verder. 'Dat was geen liefde, dat is geen liefde.' Maar toen ze haar hoofd boog en haar schouders liet hangen, zei hij: 'Het spijt me. Het spijt me, Yvette. Laten we gewoon maar vergeten dat het is gebeurd. Denk je dat we dat kunnen?' Hij stak zijn hand naar haar uit, maar ze duwde die opzij en zei: 'Bel de taxi, Peter.' En ze draaide zich om en liep naar de haard.

De taxicentrale zei: 'Palace Buildings, begane grond. O, er is nu een taxi daar in de buurt, meneer. Hij is binnen vijf minuten bij u.'

Hij antwoordde: 'Goed.' Toen pakte hij haar jas die nog steeds over de rugleuning van een stoel hing, maar toen hij die voor haar omhooghield, griste ze hem bijna uit zijn handen en trok hem zelf aan. Daarna keek ze hem recht aan en zei: 'Kijk nou maar niet zo berouwvol, en voel je niet schuldig. We hebben alleen maar gedaan wat miljoenen mensen iedere dag van de week doen.' Ze trok haar schouders een eindje op. 'En het spijt mij niet dat het is gebeurd, Peter. Ik zal het me altijd blijven herinneren. Maar maak je alsjeblieft geen zorgen dat ik er ooit over zal praten. En ik zal je nog iets zeggen, Peter, en je zult het wel niet willen geloven en je zult er waarschijnlijk nijdig om worden, maar jij zult mij nog eerder begeren dan ik jou, want je kunt zeggen wat je wilt, maar jouw leven is niet compleet. Je hebt de liefde nodig, je hebt het soort liefde nodig dat ik je vanavond heb gegeven, maar je vrouw heeft jou helaas op de tweede plaats gesteld, haar zoon komt eerst. Dat weet iedereen. Kijk me nou maar niet zo aan, je hebt mij de waarheid gezegd, dus dan moet je er ook tegen kunnen als een ander dat bij jou doet. Fred en Louise zouden natuurlijk nooit zoiets zeggen, zij brengen het zo: het is zo jammer dat het kind zich hier niet thuis voelt en dat jullie niet bij elkaar kunnen zijn. Ja, Peter, je zult mij nodig hebben nog voordat ik jou nodig heb. Aan de andere kant is dat ook een leugen van mij, want als ik de waarheid moet spreken, kan ik dat maar beter gelijk doen: ik zal jou altijd nodig hebben, ik zal naar jou blijven verlangen.'

Toen de bel van de voordeur ging, stak ze een hand op en zei: 'Dat zal de taxi zijn. Loop alsjeblieft niet met me mee, ik kom er zelf wel uit.'

Ze liep naar de deur. Toen draaide ze zich om, stapte naar hem terug en hield haar gezicht vlak voor hem terwijl ze zacht zei: 'Bedenk wel, Peter, je hebt me vanavond geneukt zoals je nog nooit iemand hebt geneukt en zoals je nooit meer iemand zult neuken.'

Hij bleef staan waar hij stond, zelfs nadat hij de taxi had horen wegrijden. Haar woorden klonken nog na in zijn hoofd, want hij wist dat ze waar waren. Hij moest tijdelijk krankzinnig zijn geweest. Nee! Nee! Het protest was scherp. Hij mocht geen smoesjes bedenken, hij had heel goed geweten wat hij deed. Hij had de jeugd geproefd en dat had hem teruggevoerd naar die periode in zijn leven waarin zijn ontluikende mannelijkheid ongekende fantasieën had geschapen.

Maar wat er zojuist op deze plek was gebeurd, ging alle fantasieën die hij ooit mocht hebben gehad verre te boven. Hij had er geen naam voor. Het was geen liefde. Nee, het was geen liefde. Toch had hij iets voor haar gevoeld. Lust? Nee, dat was het ook niet. Hij sloot zijn ogen om zich haar gezicht en al het andere weer voor de geest te halen. Ze was de personificatie van de jeugd geweest, maar hij was zich er volledig van bewust geweest dat dat haar buitenkant was, dat ze vanbinnen stokoud was. Hij kon zeggen dat ze haar kennis over het leven en over mannen van haar moeder had meegekregen. Ze was feitelijk net als haar moeder. Met hoeveel mannen zou ze al naar bed zijn geweest?

Hij draaide zich om en liet zich op de bank vallen, waar hij zijn hoofd in zijn handen legde. Vreemd, maar dat laatste was een onverdraaglijke gedachte, niet alleen omdat hij één van de velen was, maar vooral omdat die illusie van jeugd die ze uitstraalde, zo gretig was verslonden door het soort mannen dat ze had beschreven, met dikke buiken en dure armbanden met diamanten. Eén ding was wel duidelijk: ze was geen meisje meer. Dat was ze nooit geweest ook. Ze was net als haar moeder, ze was als vrouw geboren. Hij ging rechtop zitten en leunde achterover tegen de bank. Het was onvoorstelbaar zoals zijn leven binnen een uur op zijn kop was gezet. Hij had het gelukkigste huwelijk gehad dat een man zich maar kon wensen.

Grote hemel. Het was alsof de gedachte aan Nyrene hem weer bij zijn positieven bracht en hij kreunde hardop: 'O, Nyrene, Nyrene.'

Ze had dit niet verdiend, want ze was geweldig voor hem geweest. Maar wat zat hij toch te zeuren? Ze hoefde dit nooit te weten te komen, want hij geloofde echt dat Yvette deze keer niet zou kletsen. Nee, omdat ze hoopte op een herhaling. Nee, allemachtig! Dat nooit! Dat mocht nooit meer gebeuren. Nyrene had hem gemaakt tot wat hij nu was, ze had de jongen van toen tot een man gevormd. Maar wat had Yvette met de man gedaan? Ze had hem weer tot jongen gemaakt. Nou ja, misschien niet tot jongen, maar wel tot een jonge vent, een ruige jonge vent.

Maar nu moest hij echt ophouden over haar.

Hij sprong op van de bank, liep naar de voordeur, draaide de deur op het nachtslot. Daarna deed hij de gashaard en de lichten uit, behalve het bedlampje, en toen hij tien minuten later op de rand van zijn bed zat, vatte hij zijn gedachten aldus hardop samen: 'Ze zal gewoon vaker hierheen moeten komen. Charles moet er maar aan wennen dat hij het af en toe zonder haar moet stellen. Hij is geen baby meer, er is geen enkele reden voor, er is geen enkele reden dat zij de hele tijd voor hem klaar moet staan. En dat zal ik haar zeggen. Ja, dat zal ik haar zeggen.'

12

Riley vond de feestdagen vermoeiender dan hij zich had voorgesteld, hoewel hij vrolijk meedeed aan alle voorbereidingen voor het huwelijk van Hamish en mevrouw Atkins. Hij toonde eveneens oprechte belangstelling voor de cursussen die Nyrene op het gebied van toneelspel, voordracht en houding gaf. En hij stoeide en speelde met zijn zoon. Hij kon zich er echter niet toe brengen zijn deel aan het vermaak te leveren door zijn gave voor imitatie te gebruiken. Op dat moment leek het niemand op te vallen, behalve Ivy, die later over de telefoon tegen Nyrene opmerkte: 'Peter leek niet helemaal zichzelf, laatst. Maar hij heeft vast veel aan zijn hoofd, met de grote dag voor de boeg. Daar verheugen we ons allemaal op. We komen met elf mensen.'

Pas op de avond voor zijn terugkeer naar Fellburn zei Nyrene tegen hem: 'Is er iets waar jij je zorgen over maakt, lieverd?'

'Ik... zorgen? Nee, waar zou ik me nou zorgen over moeten maken?'

'Nou ja, met dat hele circus van de opening voor de boeg?'

Hij lachte. 'Het zal inderdaad een circusvertoning worden,' zei hij. 'Juffrouw Connie heeft haar vriend lord Very zover gekregen dat hij de opening zal verrichten. De burgemeester zal er zijn en het voltallige personeel, we mogen niet vergeten dat er vanaf het begin van de eeuw bijeenkomsten van de gemeenteraad op het podium zijn gehouden.'

Hierop zei ze: 'Het zal een geweldig podium zijn om op te werken.'

'Dat is het inderdaad,' zei hij. 'De hele atmosfeer van die plek is geweldig, en de cast lijkt dat te voelen. De opwinding werkt aanstekelijk. Ik hoop alleen maar dat het publiek dat ook aanvoelt.'

'O, vast wel. Het is een heel leuk stuk, zelfs als je het alleen maar leest moet je al lachen.' Ze trok hem een eindje naar zich toe en zei: 'Maar je bent erg moe, hè?'

Hij wilde dit ontkennen door te zeggen: nee, ik ben helemaal niet moe. Maar het leek een goede uitweg, dus zei hij: 'Nou ja, niet erg moe, maar... maar gewoon een beetje gespannen over hoe alles zal uitpakken, want er hangt voor ons allen zoveel van af.'

Hij legde zijn hoofd op haar borst, trok haar tegen zich aan en mompelde: 'O, Nyrene, Nyrene.'

Ze zei ongerust: 'Wat is er, liefste? Wat is er? Ik heb het gevoel dat je iets dwarszit.'

Hierop antwoordde hij: 'Het is niets, helemaal niets. Ik zou alleen altijd wel zo willen blijven liggen, gewoon zo.'

Toen hij geen aanstalten maakte om de liefde met haar te bedrijven, wat haar op deze avond zeer verbaasde, drukte ze hem teder tegen zich aan en streelde hem over zijn haar. Hij viel in slaap, en zij bleef verwonderd in het donker liggen staren. Ze geloofde geen moment dat de ophanden zijnde opening werkelijk zo'n effect op hem had; hij genoot van zijn werk. Nee, er moest iets anders zijn wat hem dwarszat en ze had dat gevoeld vanaf het moment dat hij was thuisgekomen. De eerste avond in bed had hij op tedere wijze de liefde met haar bedreven. Er was geen koortsachtige begeerte geweest, zoals meestal als hij een paar weken was weggeweest, en ze kon zich zijn woorden herinneren toen hij in haar armen had gelegen, vreemde woorden voor hem om te spreken: 'Hou me vast, Nyrene. Laat me niet los. Laat me nóóit los!'

Het was vijf dagen voor de opening en de atmosfeer in het theater was geladen, net als in de stad. Overal hingen affiches. De mensen kwamen van heinde en verre om plaatsen te boeken, hoewel niet voor de openingsavond, want die was al weken geleden uitverkocht geweest. En er was veel belangstelling voor The New Palace en het restaurant en de aangrenzende gebouwen.

Het was halfvijf in de middag en Peter was in de slaapkamer van de flat om een schoon overhemd aan te trekken, toen de telefoon ging. Toen hij Nyrenes stem hoorde, zei hij: 'Hallo, liefste.' En zij antwoordde: 'Ik probeerde je in het theater te bereiken, maar ze zeiden dat je naar huis was gegaan.' Ze lachte even toen ze eraan toevoegde: 'Het begrip "naar huis" klinkt een beetje vreemd.'

'Op dit moment lijkt het in de verste verte niet op thuis, liefste. Volgens Lily is het hier een buitengewone puinhoop.'

'Wat? Wie?'

'Lily Poole.'

'O, Lily!'

'Ja, Lily. Ze kwam langs om mijn wasgoed op te halen. Ze zegt dat je nylon overhemden voor me zou moeten kopen in plaats van katoenen. Ze is heel lief voor me geweest. Maar dat zeg ik alleen maar omdat ze hier naast me staat, even nieuwsgierig als altijd. Ze wil je spreken.'

'Hallo, mevrouw Riley.'

'Hallo, Lily.' Nyrenes stem klonk heel opgewekt, ze kende Lily even goed als Peter, of misschien nog wel beter, want zij had geholpen haar op te leiden. Ze was niet bang voor Lily. Ze zei: 'Is het daar een erge puinhoop, Lily?'

'Ach, een beetje rommelig. Af en toe doet hij er wel wat aan, en hij stopt zijn wasgoed tegenwoordig in de machine, maar daar blijft het dan ook bij. Hij kan niet strijken en ik heb hem al vaak verteld dat het tijd wordt dat-ie dat eens leert. Maar verder is alles goed met hem en verheugt hij zich op uw komst. Ik wou echt dat u erbij was, mevrouw Riley, het is allemaal heel spannend. Maar ik geef de telefoon nu weer aan uw man terug, want hij staat te popelen. Tot ziens.'

'Tot ziens, Lily.' Daarna zei ze op gedempte toon tegen Riley: 'Dat accent raakt ze nooit kwijt, hè?'

'Jawel hoor.' Zijn stem was ook gedempt. 'Als ze eenmaal op de planken staat, hoor je er niets van.'

Vanuit de keuken werd nu geschreeuwd: 'Ik hoor wel wat daar gezegd wordt, hoor! Je reinste kwaadsprekerij!'

'Kun je dat horen? Ze luistert mee. Ze is een best mens, en ze speelt geweldig. Larry is erg tevreden over haar, net als David. Wat mij betreft,' – zijn stem werd luider – 'ik zal me gewoon naar haar moeten schikken, dat is alles. Ik ben degene die haar er op het toneel doorheen sleept.'

Uit de keuken riep een stem: 'Moet je dát nou horen!' Daarna klonk de stem van bijna vlak naast hem: 'Ik ga ervandoor.' En ze schreeuwde zo ongeveer: 'Tot ziens, mevrouw Riley!'

Toen de deur met een klap achter haar was dichtgevallen zei hij: 'Ze is weg. Ze is altijd goed voor je humeur. Maar hoe is het met Charles?'

Het duurde even voor ze antwoordde: 'Ik maak me zorgen, Peter. Sinds hij in de sloot is gevallen, loopt hij erg te hoesten. Ik heb de dokter erbij gehaald.' Toen ging ze op bittere toon verder: 'O, dokters! Het enige wat hij toen zei was: "Maakt u zich geen zorgen. Maakt u zich geen zorgen. Een onderdompeling zal hem echt geen kwaad doen, en wat schone modder ook niet." Maar het was toen ijskoud en we hebben hem pas na tien minuten gevonden, want hij kon niet op eigen kracht uit die modderige sloot klimmen. Er moet echt iets aan dat stuk land worden gedaan, het zal moeten worden gedraineerd. Ik heb gisteren de dokter weer gebeld – ik had twee nachten met hem getobd. Maar hij geeft hem nu antibiotica. Volgens mij had hij dat al veel eerder moeten doen. Tja, lieverd, ik vind het vreselijk om dit te moeten zeggen, maar ik zal morgen niet kunnen komen. Ik kan hem zo echt niet alleen laten, hij is erg ziek.'

Het bleef even stil. Toen zei Riley: 'Natuurlijk kun je hem zo niet alleen laten, liefste, maar denk je dat je wel alleen 's avonds kunt komen?'

'Ja, dat moet echt lukken. Ik zal mijn uiterste best doen. Zelfs al moet ik met de vroege trein komen en later weer weggaan, toch zal ik er zijn. Ja, Peter. En het spijt me geweldig. Maar zulke dingen gebeuren nu eenmaal, en ik maak me echt zorgen. Het lijkt wel of er elke keer een obstakel is dat ons uit elkaar houdt.'

Hij staarde even naar de telefoon zonder antwoord te geven, terwijl hij bedacht dat het wel elke keer hetzelfde obstakel was: hun zoon. Maar wat wilde hij dan dat ze deed? Het kind in die toestand alleen laten? Ten slotte zei hij: 'Hoor eens, liefje, probeer je niet te veel zorgen te maken. Ik weet dat je je uiterste best zult doen om voor de opening hier te zijn, want zoals David gisteren zei, jij hóórt erbij te zijn, jij hoort er nog meer bij dan juffrouw Connie. Zij is alleen maar een nieuwkomer… hoewel ze natuurlijk wel voor het geld zorgt.' Hij lachte vriendelijk. 'Is de dokter vandaag al geweest?'

'Nog niet, ik zit op hem te wachten. Ik moet zeggen dat hij sinds die eerste keer heel aardig is geweest. Ik was kwaad op hem omdat hij het zo luchthartig opnam. Maar ik had moeten weten dat hij Charles als een normaal kind zou behandelen.'

Riley antwoordde resoluut: 'Maar dat zeg jij toch ook altijd, dat hij een normaal kind is?'

'Geestelijk wel, maar lichamelijk niet. Hij heeft een broze gezondheid, dat weet jij ook.'

In de stilte die erop volgde dacht Riley: hij heeft niet alleen een broze lichamelijke gezondheid, zijn geestesgesteldheid is ook broos, als je dat nou maar eens wilde inzien.

'Ben je daar nog, Peter?'

'Ja, lieverd, ik ben er nog, maar ik maak me zorgen over jou. Ik hoor daar bij je te zijn.'

Haar stem klonk zacht toen ze zei: 'Nee, ik hoor daar bij jou te zijn, dat besef ik maar al te goed. Iedere vezel in mijn lijf zegt me dat. Mevrouw Atkins en Mac zijn geweldig en hij houdt van hen, maar ze zijn het er allebei over eens dat ze heel slechte vervangers voor ons zijn.'

'Voor jou, liefste, voor jou.'

'Nee, niet alleen voor mij, want gisteren vroeg hij me tot drie keer toe, tussen zijn hoestbuien door: 'Wanneer komt pappa?'

'O, hemel, Nyrene, ik voel me echt heel schuldig.'

'Nee, zo moet je het je niet aantrekken. Ik vind het geweldig dat hij zo naar je verlangt.'

Ze had eraan toe kunnen voegen: want hij ziet je zo weinig. Maar ze zei: 'Hoor eens, maak je niet ongerust. Hou het vol tot de grote avond en dan zal ik er zijn. Je weet dat ik mijn uiterste best zal doen om te komen, want ik heb me er net zo op verheugd als jij. Ik moet nu gaan, maar maak je over de situatie hier geen zorgen. Er is niemand die zo zorgzaam kan zijn als Mac en mevrouw Atkins, en Ivy en Ken zijn ook geweldig geweest. Ik neem aan dat jullie de hele tijd als waanzinnigen moeten repeteren?'

'Larry heeft ze vanmorgen vanaf halfacht op de planken gehad en afgezien van een korte lunchpauze zijn we nu net klaar.'

'Lieve help!'

'Zoals je maar al te goed weet is dat het patroon voor een première. Hoor eens, ik bel later vanavond nog wel even, en als het dan niet beter gaat, probeer ik morgenochtend weg te komen om 's avonds weer hier te zijn.'

'Nee, dat moet je niet doen. Juist jij bent daar nodig. Als zijn toestand verslechtert, zal ik het je meteen laten weten. Probeer je geen zorgen te maken, liever. Ik hoop je die avond... de dag van de avond, te zien. Ja, ik wil er heel graag bij zijn. Tot ziens, lieverd.'

'Tot ziens, liefje.'

De hele stad was in rep en roer. De koppen in de plaatselijke krant beweerden dat het de meest opwindende gebeurtenis was die er in jaren had plaatsgevonden. Naar de generale repetitie te oordelen zou het publiek een uitermate amusante avond beleven. Vandaag was er geen repetitie, want Larry hechtte aan een vrije dag voor de première.

Larry Fieldman en Riley zaten op het balkon en keken uit over het toneel. Ze spraken opnieuw hun bewondering uit voor het schitterend beschilderde plafond met de vergulde sierlijst erlangs, waar kleurige gestuukte guirlandes aan hingen.

'Ik denk dat er nergens in dit land zo'n theater te vinden is,' zei Riley, en Larry antwoordde: 'Nou, er zijn nog wel een paar mooie, maar ik ben het met je eens dat dit niet snel kan worden overtroffen. Die prachtige mahoniehouten lambrisering is op zichzelf al schitterend, net als de ingang en de trap.'

'Meneer Riley.' De stem klonk van beneden, uit de stalles, en Riley riep omlaag: 'Ja, wat is er?'

'Er is telefoon voor u.'

'Bedankt, ik neem hier wel op.' Hij draaide zich snel om en holde de treden van het balkon op, naar Davids kantoor, en daar nam hij de telefoon op en zei: 'Ja? Met Peter Riley. O, hallo, liefje.'

'Peter...'

'Wat is er? Wat is er?'

'Charles... Hij heeft longontsteking.' Het was duidelijk dat ze huilde. Ze moest een paar keer slikken voor ze kon uitbrengen: 'De dokter is vandaag twee keer geweest. Ik... ik kan echt niet bij hem weg, Peter.'

'Natuurlijk niet, dat begrijp ik.' Zijn stem was zo zacht dat hij zichzelf nauwelijks kon horen spreken. Toen zei hij: 'Wanneer is het gebeurd?'

'Het ging... het ging steeds slechter. De dokter heeft niet meteen gezegd dat het longontsteking was. Hij... hij kan nauwelijks ademhalen, liefste. Ik kan echt niet bij hem weg.'

'O, Nyrene!' Er viel een korte stilte voor hij verderging: 'Maar wind je niet te veel op. Als je niet kunt, dan kun je niet. Ik hoor eigenlijk daar bij jou te zijn. Dat weet ik. Ik wou dat ik me in tweeën kon splitsen.'

Ze zei met gebroken stem: 'Toe, trek het je niet zo aan. Jouw plaats is daar... Ik moet nu ophangen, lieverd.'

'Ja, ja, natuurlijk. Maar bel me later en laat me weten hoe het gaat.'

'Ja, dat zal ik doen.'

'Tot dan, liefste.'

Hij legde de hoorn op de haak en liet zich toen in een stoel vallen. Daarna draaide hij die om naar het bureau, legde zijn armen erop, balde zijn vuisten en timmerde ermee op het bureaublad. Wat gebeurde er toch met hen? Zonder dat hij er iets aan kon doen dreef het kind hen uit elkaar. Soms, als hij 's nachts alleen in bed lag, stelde hij zich Nyrenes gezicht op het kussen naast hem voor, en dan dacht hij terug aan hoe ze de liefde hadden bedreven. Maar het was nu dikwijls een ander gezicht dat hem aankeek en zijn lichaam raakte dan verhit bij de gedachte aan de vakkundige manier waarop Yvette de liefde had bedreven.

Maar nu had zijn zoon longontsteking en hij had het gevoel dat dit, doordat Nyrene er nu niet bij kon zijn, opnieuw een gat in zijn toch al zwakke verdediging zou slaan. Hij kreunde. Wat er ook mocht gebeuren, een groot deel van de verantwoordelijkheid voor de première lag op zijn schouders. Hij moest de cast aanvoeren, voor deze keer zou hij opnieuw de clown, de dronkelap, de onnozele hals spelen, om feitelijk terug te gaan naar waar hij was begonnen...

Hij ging naar beneden om David te zoeken, en hoewel David zelden vloekte, zei hij nu: 'Wel verdomme! Ze had eerlijk gezegd een van de belangrijkste attracties moeten vormen. Ze was in The Little Palace zo bekend en geliefd, ze hadden haar toegejuicht.'

'Het spijt me.'

'Doe niet zo gek, dat kun jij toch zeker niet helpen. Ik denk alleen maar aan haar, en aan je kind, en ik weet wat jij zult denken: dat je daar hoort te zijn. Nou, dat gaat niet, hè? Dus kom op, maak er het beste van. Er hangt veel van jou af. Vooral morgenavond. Maar maak je er niet te veel zorgen over. Als je donderdag naar huis moet, kan Tom heel goed je rol overnemen, ook al is hij jou niet en zal het publiek teleurgesteld zijn. Maar zo is het leven nu eenmaal en ze zullen er begrip voor hebben. Dus kop op.' Zijn toon veranderde en hij vervolgde: 'Connie is net binnengekomen. Ze lijkt wel een tiener die zich op haar eerste fuifje verheugt. Weet je wat ze gisteren tegen me zei? Ze zei dat deze onderneming haar tien jaar jonger had gemaakt. Dat ze eigenlijk nu de jeugd beleeft die ze nooit heeft gehad. Weet je, Riley, ze mag dan heel rijk zijn, ze is nooit erg gelukkig geweest, voorzover ik heb begrepen. Maar ze wil jou spreken. Kom mee.'

Toen hij door de ruime, met tapijt beklede foyer liep, vroeg hij zich af of iemand ooit echt gelukkig was. Je dacht dat je gelukkig was, maar dan bracht een van de streken van dit leven je weer op de knieën. Bij hem was dat Yvette en hij droeg nu niet alleen een zware last aan schuldgevoelens met zich mee, maar ook de angst haar weer te ontmoeten, want ze had in hem een deur geopend die hij niet meer dicht kreeg.

13

'U moet nu echt wat rust zien te krijgen.'

Nyrene keek de dokter aan, maar ze antwoordde hem niet en hij ging verder: 'McIntyre en uw huishoudster zijn uitstekend in staat hem te verzorgen. Ze zullen u waarschuwen als er een verandering optreedt.'

'Hoelang denkt u dat het gaat duren?'

'Dat kan ik niet zeggen... een paar uur. Het is nu in Gods handen, ik heb alles gedaan wat ik kon doen en u ook. Hebt u contact gehad met uw man?'

'Ja.'

'Eigenlijk vind ik dat hij hier zou moeten zijn.'

Ze keek weer naar hem op en zei: 'Het is de openingsavond van het theater, hij kan echt niet weg. Ik... ik had er ook moeten zijn.'

'U had er niet moeten zijn, u hoort hier bij uw zoon te zijn. En hij ook.'

Hij draaide zich om, pakte zijn tas en zei: 'Het is nu vier uur. Mijn spreekuur begint om vijf uur. Als u me nodig heeft, kunt u me thuis bereiken.'

Ze stond op en zei: 'Dank u. Dank u wel.'

Hij was al op weg naar de deur toen hij op zijn abrupte manier zei: 'Bedank me niet voordat hij het heeft gered.'

Ze gaf geen antwoord, maar toen de deur achter hem dichtviel, ging ze weer zitten en keek naar haar kind. Het beddengoed bewoog op zijn ademhaling, zijn gezicht was opgezet, de oogleden halfdicht. Ze veegde het klamme haar van zijn voorhoofd naar achteren en legde er een vochtige doek op.

De jongen kreeg een hoestbui, en toen hij wat donker slijm ophoestte, zei ze: 'Goed zo. Goed zo, lieverd. Zorg dat je dat smerige spul kwijtraakt, dan... dan word je gauw weer beter. Ja, liefje, echt.'

De deur ging zachtjes open en mevrouw Atkins kwam binnen met een dienblad dat ze op een tafeltje zette voor ze op haar tenen naar het bed liep. Nyrene keek haar aan en fluisterde: 'U had in bed moeten liggen, u had moeten slapen.'

'Ik heb nu drie uur geslapen, mevrouw. Ik ben meteen in slaap gevallen, dus met mij gaat alles goed. U bent hier degene die wat slaap zou moeten krijgen. Straks ligt u daar in bed, dat verzeker ik u. U bent al zesendertig uur deze kamer niet uit geweest. Zo kan het niet doorgaan. Hoor eens, drink een kop thee' – ze gebaarde naar het dienblad – 'en ga dan een paar uur slapen.'

'Nee. Nee, het gaat best. Maar ik zal die thee opdrinken en wat eten, en daarna neem ik een douche.'

'Een douche zal u niet wakker kunnen houden.'

Er viel een stilte voor Nyrene zei: 'Die zal me lang genoeg wakker houden, mevrouw Atkins. Hij kan niet veel langer zo blijven. Ik denk dat de dokter later misschien terugkomt.'

'Ik moet zeggen, mevrouw,' – ze fluisterden nog steeds – 'dat ik nooit een hoge pet van hem heb opgehad, maar de afgelopen dagen heb ik mijn mening over hem moeten herzien.'

Nyrene knikte en streek het haar van haar zoon opnieuw naar achteren. Ze staarde hem even aan voor ze uit haar stoel opstond en zei: 'Ik neem de thee wel mee naar hiernaast.' Daarna pakte ze het dienblad op en liep ermee naar haar kamer. Daar ging ze in een fauteuil zitten, keek naar het plafond en zei hardop: 'Spaar mijn kind. Alstublieft, spaar mijn kind. Als ik iemand moet verliezen, zal… zal ik het begrijpen. Maar spaar mijn kind, alstublieft. Alstublieft.'

Ze zat weer bij het kind. Ze keek op de klok. Zeven uur geweest.

Ze zouden nu allemaal op het toneel staan. Ze kon hen voor zich zien, de hele rij, met lord Very vooraan. Het theater zou afgeladen zijn. De mensen zouden achter in de stalles staan, ze zouden op de trap van het eerste balkon zitten en de engelenbak zou tjokvol zijn. Ze kon het applaus al horen. Het was oorverdovend. Ze zag het gordijn omlaaggaan, ze hoorde het orkest inzetten, ze zag het stuk beginnen. Adam en Eva in een visnetmaillot, met de slang die in een boom hing. Ze wist dat de eerste scène veel gelach zou veroorzaken, vooral wanneer de slang, die ondersteboven

aan een tak – een heel sterke, beschilderde kabel – hing zijn punti-
ge kop met slagtanden schudde en daarna een zakdoek onder zijn
schubben vandaan haalde om zijn ogen af te vegen en zijn neus te
snuiten, terwijl Adam en Eva beneden, zonder hem in de gaten te
hebben, elkaar achterna bleven zitten tussen de bomen – stevig
geconstrueerde palen, die op een afstand echte bomen leken. Ze
had het script gelezen en het met Peter besproken, en zelfs zonder
de gestalten in visnet en zonder de slang had ze erom moeten lachen. Peter was altijd goed in komische rollen en Lily was een echte comédienne geworden.

Ze had Hamish niet binnen horen komen, tot ze zijn stem achter zich hoorde fluisteren: 'Hij lijkt bijna te koken, mevrouw. De
crisis kan elk moment inzetten.' Ze legde hem niet nog eens uit
dat er met antibiotica geen crisis was, geen echte crisis zoals vroeger tenminste, want als Hamish eenmaal iets in zijn hoofd had,
kon je dat er net zo moeilijk uit krijgen als hem ervan overtuigen
dat 103-104° Fahrenheit hetzelfde was als 39° Celsius: dat waren
allemaal nieuwerwetse ideeën waar hij niets van moest hebben...

Gedurende de volgende twee uur vroeg het kind haar volledige aandacht. Hij hoestte tot het leek of zijn kleine longen zouden
barsten, maar bij iedere hoestbui gaf hij tenminste donker slijm
op.

Het moest ongeveer elf uur zijn geweest toen mevrouw Atkins
haar wakker maakte. Nyrene besefte dat ze moest zijn ingedom-
meld. De laatste keer dat ze op de klok had gekeken was het bijna
tien uur geweest en rond die tijd had ze bedacht dat het stuk nu
afgelopen zou zijn en dat het Applaus was begonnen.

Ze knipperde met haar ogen en keek naar het kind, en mevrouw Atkins zei: 'Ik denk dat het beter met hem is.' En toen hij
hees: 'Mamma,' zei, antwoordde Nyrene gretig: 'Ja, liverd? Wil je
iets drinken?' Ze bracht een beker naar zijn lippen. Maar hij ver-
slikte zich en begon weer te hoesten. Maar het klonk niet zo hart-
verscheurend als eerst.

Na de beker aan mevrouw Atkins te hebben gegeven pakte ze
een zachte handdoek om het zweet van Charles' lichaam te vegen.
Daarna veegde ze opnieuw het verwarde blonde haar van zijn
voorhoofd. Ze leunde met haar hoofd tegen de hoge, beklede,

rugleuning van de stoel en keek over het smalle bed naar waar mevrouw Atkins nu zakdoeken in repen zat te vouwen om ze daarna in een hamamelisoplossing te dopen. Bij het licht van het bedlampje met de roze kap kon Nyrene de vingers van mevrouw Atkins zien, zoals ze heen en weer bewogen over de tafel naast het bed, en de voortdurende beweging ervan maakte dat haar oogleden omlaag zakten en haar hoofd opzij viel, en ze weggleed in een diepe en hoognodige slaap.

Ze hoorde iemand zeggen: 'De hemel zij geprezen!' Maar ze kreunde het uit toen ze haar benen probeerde te bewegen en ze hoorde Hamish zeggen: 'Blijf even rustig zitten, ga niet meteen staan. U zult wel kramp hebben. Blijf daar zitten tot u een kop thee hebt gedronken. Het kind heeft u niet nodig, hij ligt diep te slapen, een natuurlijke slaap.'

Ze draaide moeizaam haar hoofd opzij om naar het bed te kijken en toen ze zag dat haar zoon vredig lag te slapen, slaakte ze een diepe zucht van opluchting. 'Hoe laat is het?' vroeg ze.

'Tien voor vijf, mevrouw.'

'Wat?' Ze had zo hard gesproken dat ze van schrik een hand voor haar mond sloeg. Daarna schoof ze naar de rand van de stoel en herhaalde: 'Tien voor vijf. Dat kan niet… Ik heb toch zeker niet al die tijd geslapen?'

'Jawel, mevrouw. U hebft liggen slapen als een marmot' – daar had je Hamish weer – 'en ik dacht dat u helemaal stijf zou zijn als u wakker werd. Klopt dat?'

Het enige antwoord dat ze kon geven was: 'O, Hamish.'

Mevrouw Atkins zei zacht: 'Ga naar beneden om een dienblad met eten te halen.' En hij zei: 'Met alle plezier.' Maar Nyrene hield hem tegen. 'Nog niet, Hamish, dank je. Ik ga eerst in bad, en ik wil iets anders aantrekken.'

Ze hees zich uit haar stoel overeind en bleef even naar haar slapende kind staan kijken. Zijn borst ging nog steeds snel op en neer, maar zonder die vreselijke krachtsinspanning. Ze aaide hem even over zijn haar. Daarna liep ze wankelend, bijna als iemand die dronken is, de kinderkamer uit naar haar eigen kamer, waar ze zich in een stoel liet vallen, weer naar het plafond keek en zei: 'Dank u. Dank u.' Maar de golf van opluchting was vermengd met een gevoel dat ze niet onder woorden kon brengen, het leek of ze een overeenkomst had gesloten waarvoor ze de prijs nog moest betalen.

14

Ze stormden het busje uit waarmee ze van het station waren gekomen, alsof ze van een rijkelijk met drank overgoten feest kwamen, zodat Hamish op berispende toon zei: 'Wilt u alstublieft een beetje zachtjes doen. Het kind ligt boven en is nog heel zwak.' Hij wees met zijn duim naar de bovenste ramen van het huis en Ken zei: 'Sorry, Mac. Maar we zitten in gedachten nog steeds bij gisteravond. Het was echt geweldig. Waar is mevrouw Riley?'

'Als u uw hoofd omdraait, meneer, zult u haar bij de voordeur op u zien staan wachten,' zei Hamish scherp.

Als zacht zoemende bijen zwermden ze naar Nyrene.

'O, liefje, hoe gaat het met jou?'

'We hebben je zo gemist.'

'Het is geweldig geweest! Echt geweldig! Je was vast heel trots op hem geweest, op iedereen.'

'Die stad heeft vast nog nooit zoiets meegemaakt. De ochtendkranten stonden er bol van. We hebben er een meegenomen.'

Ze waren in de zitkamer beland en Nyrene constateerde dat niemand naar Charles had geïnformeerd. Mick Brown vertelde: 'Ik heb nog nooit van mijn leven zo gelachen, Nyrene. Nog nooit. Die eerste scène was echt geweldig. Ik begrijp niet hoe ze het voor elkaar kregen.'

Angus Clarke zei: 'En de opening was echt uitstekend. Hij is een goed spreker, die lord Very. En ze hebben jou ook genoemd, Nyrene. De eigenaar zei dat er één persoon was die die avond ontbrak maar die er eigenlijk bij had horen te zijn. Hij zei dat jij jarenlang de steunpilaar van The Little Palace was geweest en dat iedereen in de stad je kende. Je heette toen juffrouw Mason, maar nu mevrouw Riley, en toen kwam er een groot applaus. Echt waar, hè?' Hij knikte naar de anderen.

'Nyrene gaf op dit alles geen antwoord, ze hielp mevrouw Atkins de thee te serveren.

Claire Brown merkte op: 'Er was een geweldig feest na afloop. Het was er bomvol, je kon geen vin verroeren, en ze moeten vaten vol champagne gehad hebben, als je zag hoe die vloeide. En dan waren er de fotografen.'

Hierop riep Ivy: 'En Ken en ik zijn meegegaan met jullie vrienden, je weet wel, Fred en Louise. We waren met een groep, Freds zuster was er ook, met haar dochter. Dat is me er toch eentje! Alle mannen zaten haar aan te gapen. Haar jurk was een dun floddertje, je kon zo ongeveer alles zien zitten.'

'Nou ja, wie zou er niet staan gapen?' zei Ken. 'Haar billen kwamen bijna onder d'r jurk uit, zo kort was die!' Wat luid gelach teweegbracht, maar Ivy stak snel een waarschuwende vinger op en zei tegen Nyrene: 'Hoe is het met hem?'

'Het gaat nu weer wat beter, dank je, Ivy.' Nyrenes antwoord klonk vlak.

Het zwijgzame lid van de groep, Arthur Maine, merkte op: 'Je hebt daar een mooie flat, Nyrene.' Maar hij werd overschreeuwd door Ken die zei: 'Ik begrijp niet hoe je dat kon zien, Arthur. Het was er zo vol. Maar tegen die tijd zag je waarschijnlijk alles dubbel. We zagen allemaal alles dubbel.' Hij keek naar Nyrene. 'Ik begrijp niet hoe we daar allemaal in konden. Peters familie was er, en dan had je zijn vrienden en David, de baas, en zijn partner, juffrouw Connie. Dat is me een bijdehandje! En altijd voor een geintje te porren. En toen wij 's nachts om twee uur vertrokken, zaten zij er nog steeds allemaal. Het was me het avondje wel! Het enige punt' – hij liet zijn stem dalen en de uitdrukking op zijn gezicht veranderde toen hij het gezelschap aankeek – 'het enige wat we allemaal zeiden, Nyrene, is dat we jou hebben gemist. Echt, we hebben je gemist, en ik kan je wel verzekeren dat Peter jou het meeste miste. Hij bleef maar naar jou en naar de jongen vragen en de laatste woorden die hij tegen Ivy zei waren: "Zeg tegen haar dat ik gauw naar huis kom."'

'Ja, dat wilde ik je zeggen, Nyrene, dat heeft hij tegen me gezegd: "Zeg haar dat ik gauw naar huis kom."'

Ze voelde een enorme brok in haar keel. Ze had een aversie gevoeld tegen deze groep grappenmakers, ze had hen als ongevoelige individuen beschouwd, maar dat gevoel was nu verdwenen, het waren haar vrienden. Ze was het liefst naar Ivy toe gelopen om haar hoofd op haar schouder te leggen en eens goed uit te huilen. Maar dat zou de sfeer verpesten, en daarom dwong ze zich te zeggen: 'Toen ik gisteravond bij Charles waakte, heb ik vanaf zeven uur de hele opvoering meegemaakt.' Maar toen ging ze over in jolige zelfspot en voegde eraan toe: 'Maar ik ben daarna niet meegevraagd naar de flat om mee te doen met de ceilidh.'

Ze schoten allemaal weer in de lach, tot Mike Brown opstond en zei: 'Zal ik eens wat zeggen? Hier is iemand die naar huis en naar bed gaat. Volgens mij slaap ik al voordat ik mijn laarzen uit heb getrokken.'

De een na de ander kwam overeind en ze namen hartelijk en zorgzaam afscheid, maar het laatste paar was nog niet vertrokken of Hamish stond in de keuken en zei tegen zijn toekomstige vrouw: 'Vrienden, zeggen ze. Vrienden! Stelletje pummels! Boven ligt een ziek kind en zij zitten daar te brullen van het lachen terwijl zij er niet bij heeft kunnen zijn. Ze hadden hun vrolijkheid wel even kunnen bewaren tot ze thuis waren.'

'Ach,' zei mevrouw Atkins. 'Ze wilden haar laten weten hoe het is geweest.'

'Onzin! Heel onattent, en volgens mij waren sommigen nog steeds halfbezopen. Ik weet hoe mensen doen als ze naar feestjes gaan waar de drank gratis is. Ik heb mensen van wie ik het nooit had verwacht zien zuipen als varkens.'

'Maar ze zijn altijd vrolijk, Hamish. Dat moet je ze toch nageven.'

'Jawel, Mary, maar alles heeft zijn tijd en zijn plaats. En dat kind boven is nog steeds erg ziek.'

'Hij heeft er dwars doorheen geslapen. Ik ben net nog boven geweest. Ga jij nu maar een poosje bij hem zitten. Ik kom zo.'

Toen Hamish door de hal liep, zag hij Nyrene op de rand van de bank de krant zitten lezen. Ze keek niet op en daarom zei hij niets.

Nyrene had hem zelfs niet eens opgemerkt, want haar aandacht was gericht op een foto in de krant waarop haar man te zien was, met zijn armen om Lily heen geslagen, en zij haar armen om hem – allebei in visnetmaillot. De foto moest tijdens de eerste scène zijn gemaakt. Op de een of andere manier zag het er niet langer grappig uit, alleen maar grof. Er waren nog meer foto's, en het levendige verslag eindigde met: 'Toen Adam en Eva aan het eind bedankten, brak het publiek de zaal bijna af.'

Langzaam vouwde ze de krant weer op. Toen ging ze weer op de bank zitten en keek op de klok op de schoorsteenmantel. Het was bijna twintig uur geleden dat hij haar voor het laatst had gebeld. Dat was gisteravond rond zes uur. Ze had de hele morgen excuses voor hem bedacht: hij moest bekaf zijn na zo'n toneelstuk, gevolgd door alle feestelijkheden. Maar hoe laat het ook mocht zijn geworden, hij had haar kunnen bellen. Hij wist dat ze zou zitten wachten, al was het maar om te horen hoe alles was gegaan. Hij had op zijn minst kunnen opbellen om te vragen hoe het met Charles was.

Er was iets aan de hand. De dingen begonnen te veranderen. Ze wist niet wat het was, maar ze was zich bewust van een verandering binnen in haar. Waarom had ze anders die overeenkomst met God gesloten?

15

Hij keek iedere keer weer in de richting van het telefoontafeltje. Hij moest haar bellen. Er was niets gebeurd, echt helemaal niets, maar toch had hij er een heel vervelend gevoel over. Hij had haar vanmorgen meteen moeten bellen, toen iedereen eindelijk was opgehoepeld, maar wat was er in plaats daarvan gebeurd? Zodra de laatste was vertrokken was hij naar het aanrecht gehold om zijn maag binnenstebuiten te keren. Hij had gewoon te veel gedronken. Hij wist dat hij erbij had moeten eten. En toch was het niet het gebrek aan eten, of zelfs de drank, die hem had doen overgeven. Het was het gevoel dat hem had vervuld, de begeerte die nog zo kort tevoren in hem was opgelaaid. Hij was naar buiten gelopen om zijn auto te verzetten, zodat de zuster met haar auto zijn nog steeds lachende familie naar huis kon brengen, want zijn vader, Betty en Harry hadden de grootste pret gehad. Hij had juist de auto weer op zijn plaats gezet en was op weg naar de keukendeur toen iemand van achteren zijn armen om hem heen sloeg. Hij wilde een klap met zijn ellebogen geven toen ze hem in het oor fluisterde: 'Peter, Peter, zal ik je eens wat zeggen? Je bent geweldig.'

Hij had haar van zich afgeduwd, maar toen hij zich omdraaide om haar aan te kijken, had ze haar armen alweer om hem heen geslagen, en ze zei zacht: 'Niemand kan het zien, niemand kan het horen, ze zijn daar allemaal ladderzat. Ik heb nog nooit zoveel bezopen mensen bij elkaar gezien.' Ze kuste hem op zijn wang en hij wist nog net uit te brengen: 'Yvette, laat dat. Hou op! Jij hebt te veel gedronken en ik heb te veel gedronken.'

'Ik drink zelden, Peter. Is dat je niet opgevallen? Ik drink zelden. Ik neem een slokje uit een glas, ik kan urenlang af en toe een slokje nemen. Ik wil mijn hoofd helder houden. O, Peter.' Ze drukte hem met heel haar lichaam tegen de muur en drukte haar mond op de zijne, en hij merkte dat hij bijna onmiddellijk reageerde.

De kus leek diep in hen beiden door te dringen, tot hij haar opeens opzij duwde en haar nu met haar rug tegen de muur duwde. Hun lichamen wilden zich met elkaar versmelten tot hij opeens terugdeinsde, alsof iemand hem een por in de ribben had gegeven. Hij wist zich van haar los te maken en stamelde: 'God, Yvette! Je bent vreselijk. Je bent de duivel in eigen persoon. Waarom ik? Er zijn tientallen anderen die… die staan te trappelen om jou te bemachtigen.'

Maar zij fluisterde hem hees toe: 'Dat weet ik, dat weet ik. Maar ik wil geen anderen. Ik wil vreemd genoeg alleen maar jou, Peter. Wat een bekentenis! Maar het is waar, ik wil alleen maar jou. Nou, wees maar niet bang, ik wilde je alleen maar kussen, vanavond tenminste. Kom mee, dan gaan we naar binnen.'

Ze nam hem bij de hand alsof ze hem als een kind mee de keuken in wilde nemen, maar hij rukte zich los en zei: 'Ga jij maar naar binnen. Vooruit, maak dat je wegkomt, weg van mij.' Zijn stem was ruw en ze lachte zachtjes toen ze bij hem vandaan liep, waarbij hij zich voor de zoveelste keer verbaasde over haar onverschrokken manier van doen en over haar vastberadenheid. Ze was gevaarlijk. In zijn hoofd galmden de woorden: het had opnieuw kunnen gebeuren. Als er niet snel iets veranderde, zou ze zijn leven verwoesten, zijn geordende, succesvolle leven. Wat bezielde hem toch? Hij moest naar huis, naar Nyrene.

Maar hoe moest hij zich tegenover haar gedragen, na alles wat hij voor die ander had gevoeld? Ze was duivels, echt duivels. Nee, hij veranderde van gedachten – ze was niet duivels, ze was een sirene, een mooie, jonge sirene. Het kwam door haar vurige jeugd, en door dat exotische lichaam van haar.

Hij hoorde auto's in de straat stoppen en hij dacht: goddank…

Maar zijn huis was pas om tien over vier leeg, toen Lily vertrok. 'Dank u wel, voor de geweldigste avond van mijn leven. Ik wou alleen dat Johnny erbij had kunnen zijn.'

'Dank je, Lily,' zei hij en hij pakte haar hand. 'Je bent de beste partner die een acteur zich maar kan wensen. Jij hebt vanavond de voorstelling gemaakt.'

'Onzin.'

Ze stonden op het trottoir en toen hij zich bukte om haar op de wang te kussen, nam ze zijn gezicht in haar handen en schudde zijn hoofd heen en weer. 'U bent een leuke man, en als ik niet zoveel van mijn kerel had gehouden, was ik nog eens verliefd geworden op u.'

Toen de taxi was weggereden, was hij naar de keuken gelopen om over te geven en had hij beseft dat hij Nyrene niet kon bellen, nu niet in elk geval. Hij moest eerst slapen.

Hij had nog wel veel langer kunnen slapen, maar hij werd om twaalf uur wakker doordat er aanhoudend werd gebeld.

Larry stond op de stoep. Hij zei: 'Kom mee, jongen, kom mee, je bent nodig.'

'Wie heeft mij nodig?'

'Lord Very, kerel, en onze lieve juffrouw Connie. Je bent uitgenodigd voor de lunch en ze zitten te wachten. Ze waren allebei zo fris als een hoentje en ik heb David ook uit bed moeten bellen. Het schijnt dat ik de enige ben die vanmorgen nog fris en bij zinnen was. Jij kunt er kennelijk niet tegen, jongen. Duik maar snel onder de douche en kleed je als de wiedeweerga aan! Ik hou ze nog wel een kwartier aan de praat. Volgens mij moet er iets worden besproken. Dus snel een beetje.'

'Grote hemel!'

'Dat zei ik ook al. Maar vergeet niet dat hij een titel heeft en dat zij op het geld zit. Wij zijn maar pionnetjes in het spel. Dus schiet op.'

'Ben jij ook uitgenodigd?'

'Vreemd genoeg wel, ja.'

Toen hij was aangekleed zei hij: 'Hoor eens, ik moet echt even bellen.' Maar Larry keek op zijn horloge en fluisterde hees: 'Ze zitten nu al meer dan een halfuur te wachten. En geldschieters moet je niet laten wachten, heb ik geleerd, dus kom mee.'

Om vier uur was hij pas weer terug in de flat en intussen had hij ontdekt dat er op veel manieren geld kon worden losgepeuterd in ruil voor bewezen vriendelijkheid. Hij was de producent van dit theater, dankzij de goedgeefsheid van juffrouw Connie Pickman-Blyth, en als juffrouw Connie een gunst wenste voor een vriend, een vriend die lord is, wie was hij dan om dat te weigeren? Dus zou hij de schrijver ontmoeten van het boek dat ze hem hadden gegeven en waar hij een toneelstuk van moest maken. Zijn enige troost was dat hij niet de enige was die de klos was: Larry had ook een exemplaar gekregen, en na een blik op de eerste pagina's te hebben geworpen viel zijn oordeel duidelijk af te meten aan de kreet: 'Allemachtig, nee!'

Maar wat deed dat boek er ook toe? Hij moest bellen. Hij moest nu echt bellen. Wat weerhield hem? Ze kon zijn gezicht niet zien, ze zou niet merken hoe hij zich voelde. Nee, maar dat zou ze wel doen als hij thuiskwam. Nou, hij moest de komende dagen maar niet naar huis gaan, hij moest gewoon nog niet naar huis gaan. Hij spróng zo ongeveer van de bank op en pakte de telefoon.

'Hallo, liefste. Ik heb je veel te vertellen. Maar ik wil eerst weten hoe het met Charles is.'

'Veel beter.'

Hij hield de hoorn even op een afstand... twee woorden maar: veel beter.

'Hoor eens, liefste, je zult inmiddels wel gehoord hebben van het wilde feest van gisteravond hier. Het is doorgegaan tot vroeg in de morgen en ik had sinds de lunch niets meer gegeten. Ik viel gewoon om. Ik kan me niet herinneren dat ik in mijn bed ben gekropen, en ik kwam pas weer bij zinnen toen Larry me om twaalf uur kwam wakker maken om te zeggen dat juffrouw Connie en lord Very zaten te wachten om met mij te lunchen... Het ging over een nieuw toneelstuk. Toen ik zag hoe laat het was, wist ik dat ik jou moest bellen, maar Larry was niet te vermurwen, want de anderen zaten te wachten. "Geld geeft macht," beweerde Larry. Ik ben nu net terug en waar denk je dat het aan die lunch over ging? Lord Very heeft een schrijver als vriend en zij denken dat dit boek een eersteklas toneelstuk moet kunnen worden. Larry's mening, toen hij de eerste pagina's had bekeken, was: "Allemachtig, nee!" Maar Very wil wel dat we morgen een gesprek hebben met die schrijver. Dit maakt wel dat ik dan niet naar huis kan komen, zoals ik had beloofd. Maar hoe gaat het met jou, liefste?'

'O, heel goed.'

'En is hij echt beter?'

'Ja, hij leek het ergste achter de rug te hebben zo ongeveer op het moment dat jij gisteravond moest opkomen.'

'Dat is vreemd, hè?'

'Ja. Ja, dat vind ik ook.'

'En is hij nu echt buiten gevaar?'

'Ja, de dokter zegt van wel. Maar ik denk dat hij heel zwakke longen zal houden. En het zal wel een tijdje duren voor hij volledig hersteld zal zijn.' Ze voegde er niet aan toe: als hij ooit herstelt.

'Kan... kan hij praten?'

'Ja, maar hij heeft bijna geen stem meer. Hij heeft naar jou gevraagd.'

De schuldgevoelens staken weer de kop op en hij zei: 'Ik voel me vreselijk schuldig. Ik weet dat ik daar had moeten zijn en ik voel me nog slechter omdat ik weet dat ik tot het weekend hier zal moeten blijven.'

Het bleef even stil. Toen zei ze: 'O, dat geeft niet. Wordt het dan zondag voor je teruggaat?'

'Ik weet het niet. Misschien gaat er een late trein, maar je weet hoe het op zaterdagavond is, het publiek blijft dan altijd plakken. Maar ik zal mijn best doen. Dan ben ik er in elk geval op zondagmorgen vroeg.'

'Haast je niet, het geeft niet.'

Uit haar eerste woorden begreep hij dat haar toon haar ware gevoelens vertegenwoordigde, en dat ze niet één keer een liefkozend woord had uitgesproken.

Zijn stem steeg toen hij zei: 'Ik kan het echt niet helpen, Nyrene. Als ik mijn eigen baas was geweest, dan...'

'Ach, ik begrijp het. Wie weet beter dan ik hoe het toneel je kan opeisen? Maar maak je geen zorgen, ik begrijp de situatie. Laat me maar zeggen dat ik blij ben dat alles zo goed is gegaan. De mannen hadden vanmorgen een krant meegebracht. Er stond een laaiende recensie in en het schijnt dat Lily het geweldig heeft gedaan.'

'Inderdaad, ze heeft eerlijk gezegd de show gestolen. Onze hoofdrolspeelster, juffrouw Petula Pratt – zo heet ze echt, Petula Pratt – was een beetje jaloers, maar ze wist dat goed te verbergen en zij kreeg ook een goede ontvangst.'

'Wat vindt David van dit alles?'

311

'Nou, dat kun je je wel voorstellen, hij is dolgelukkig. Hij is als een koning die over een land heerst, en het ís ook zijn land. Maar hij is heel goed voor iedereen, net als altijd, en hij is heel aardig voor mij.'

'Wat ga je nu doen?'

'Nou, liefste, kijk eens op de klok. Ik moet nu echt naar mijn kleedkamer, maar ik zou om je de waarheid te zeggen liever naar bed gaan.' Hij voegde er echter niet zoals anders aan toe: met jou naast me. 'Ik bel je later nog wel, echt, liefste.'

'Doe maar rustig aan, morgen is vroeg genoeg. Welterusten.'

Ze had alleen maar welterusten gezegd, niet: welterusten, liefste. Of: welterusten, lieveling. Alleen maar: welterusten. Hij legde de hoorn neer en bleef ernaar kijken. Ze was boos...

Toen hij op het punt stond de flat te verlaten, knipte hij het buitenlicht aan, deed de deur open, stapte achteruit en riep: 'Nee!' Maar enig verder protest werd gesmoord doordat ze zei: 'Stil maar, rustig. Kijk maar niet zo verschrikt. Als je je hoofd buiten de deur steekt, zul je zien dat mijn moeder in de auto zit.'

Hij deed wat ze zei, en hij kon de Jaguar aan het eind van zijn korte oprit zien staan.

Yvette zei: 'We vertrekken via Londen naar Griekenland.'

'Wat? O.' En zijn volgende woorden klonken zelfs in zijn eigen oren dom. 'Je gaat in het donker rijden... Ik bedoel, door de nacht?'

'Ja, ik ga in het donker rijden. Ik rijd graag 's nachts, maar dit zal niet 's nachts zijn. We zullen tegen middernacht bij de flat zijn en het vliegtuig vertrekt pas morgen om tien uur.' Ze stak een hand uit, raakte zijn arm aan en zei zacht: 'Kom mijn moeder even gedag zeggen. Ze heeft gisteravond erg genoten, net als iedereen.' Daarna liet ze haar stem dalen en zei: 'En wat ons betreft, wij hebben het bijna gedaan, hè, Peter?'

'Yvette, in godsnaam!'

Ze greep hem bij de hand, trok hem over de stoep en zei ongepast geestig: 'Nee, niet in zijn naam, maar in de mijne.'

Bij de auto draaide Gwendoline het raampje omlaag, stak haar hand naar hem uit en zei: 'Nogmaals bedankt, Peter, voor de geweldige avond. Het was van begin tot eind een...' – ze keek even naar haar dochter – 'knalsucces. Je zult wel moe zijn.'

'Ja, een beetje wel.'

'En je staat binnenkort weer op het toneel?'

'Jazeker.'

'Nou, we zullen je niet verder ophouden. We vertrekken naar Griekenland, weet je, voor drie weken. Ik moet af en toe weer even doorwarmen, om dit klimaat te kunnen verdragen.'

Hij knikte naar haar maar gaf geen antwoord. Daarna richtte hij zich op en keek toe hoe het raampje omhoog werd gedraaid, waarna hij zich naar Yvette omdraaide en zei: 'Goede reis.'

'Dat zal wel lukken, dank je.' Ze lachte naar hem. 'De goden staan aan mijn kant en ik zal hun vanavond vragen goed op jou te passen totdat we elkaar weer ontmoeten... binnenkort.'

De auto reed niet zomaar weg, maar spoot weg en snelde de duisternis in. Hij bleef op het trottoir staan kijken in de richting waarin hij was verdwenen. Ze was een heel vreemd wezen. Hij kende niemand zoals zij. Ze hád iets. Ze was in zekere zin als een vrouwelijke Jekyll and Hyde, ze was zowel bezeten door het goede als door het kwade.

Nee, nee, niet het kwade. Hij schudde zijn hoofd om deze gedachte van zich af te zetten. Het was alleen maar een soort aantrekkingskracht.

Toen hij weer naar de deur liep, dacht hij: drie weken. Goddank! Dat zou hem de tijd geven weer tot zichzelf te komen. Hij zou zo vaak mogelijk naar huis gaan. Hij was niet bij Nyrene geweest toen zij hem het hardste nodig had. Ze moest een vreselijke tijd hebben gehad toen het kind zo ziek was. Hij zou dat goedmaken. Ja, dat zou hij doen. En als die ander terugkwam, zou hij stevig genoeg in zijn schoenen staan om haar op haar nummer te zetten.

16

Riley kwam zondag kort na de lunch thuis, met een taxi vanaf het station. Toen hij de hal binnenstapte, klonk er een luide uitroep van mevrouw Atkins, die met de haard bezig was.

'Wat geweldig om u te zien, meneer. Lieve help! Kom, geef me uw jas.' Ze was zo ongeveer naar hem toe gehold. 'U hebt het vast koud. Ik zal gauw iets warms te drinken maken. Mevrouw is boven.'

Toen ze zijn jas aanpakte, zei hij: 'Bedankt, mevrouw Atkins. Het is fijn om weer thuis te zijn. Ik heb het gevoel alsof ik jaren weg ben geweest.'

'Dat gevoel hebben wij ook, meneer.'

Toen hij op de overloop kwam, zag hij Nyrene naar zich toe komen, maar ze holde niet en hij ook niet. Ze omhelsden elkaar en hij drukte haar hoofd tegen zijn schouder en zei zacht: 'O, lieveling, lieveling! Wat heerlijk om je te zien.'

Ze zei niets, en toen ze haar hoofd ophief, keken ze elkaar even doordringend aan. Daarna vroeg hij zacht: 'Hoe is het met hem?'

'Veel beter. Veel beter. Hij wacht op je.'

Ze leidde hem naar de kinderkamer alsof hij een vreemde was, en daar zat Charles rechtop in bed en bij het zien van zijn vader riep hij: 'Pappa! Pappa!' En toen het kind zijn armen rond Rileys hals sloeg, kon hij niets uitbrengen. Hij had een brok in zijn keel en zijn ogen brandden.

Na een tijdje legde hij de jongen weer in de kussens en hij vroeg, alsof hij het tegen een volwassene had: 'Hoe voel je je?'

'Veel beter. Ik kan nu weer praten.'

Riley constateerde echter dat de woorden er aarzelend uit kwamen, alsof hij voor ieder woord naar lucht moest happen.

Nyrene stond aan de andere kant van het bed en zei: 'Heb je al iets gegeten?'

'Nee, maar mevrouw Atkins haalt iets te drinken voor me.'

'O, je moet echt iets eten. Ik ga naar beneden om dat te regelen.'

Hij wilde zeggen: nee, dat hoeft niet. Blijf hier, ik heb geen honger. De ogen die hem uit diepliggende kassen aanstaarden, die een onrustbarende diepte onthulden, het was de blik van een ouder iemand, van iemand die veel zag, van iemand die de dubbelhartigheid van zijn vader doorzag.

Hij zei tegen zichzelf dat hij niet zo raar moest doen, want wat wist dat kind er nou van? Wat kon iemand in dit huis, vooral zij, of wie dan ook van zijn vrienden over hem weten buiten wat hijzelf wilde dat ze zouden weten? Er was niemand die iets over Yvette wist, dus waarom al dit innerlijke tumult en die zelfverwijten?

Zijn geweten? Ja, dat zat hem dwars, zijn geweten. Hij had nooit geweten dat hij een geweten had, tot een paar maanden terug, en nu zat het hem danig dwars.

De jongen zei: 'Heb je... vakantie, pappa?'

'Nee, lieverd, ik moet morgen weer terug, maar ik heb binnenkort vakantie, en dan gaan we samen leuke dingen doen.'

Hij glimlachte naar zijn zoon, maar hij kreeg geen glimlach terug. De jongen zei: 'Ik wou dat... dat nu was... pappa.' Waarop Riley snel antwoordde: 'Nou, je weet, lieverd, dat ik bij het toneel ben. En als ik vakantie neem, moet een ander mijn plaats innemen. Dus dat is heel moeilijk te organiseren.'

Het kind keek hem aan. Hij begon de kleine magere hand, die in de zijne lag, te strelen, maar toen het kind opeens zei: 'Mamma is erg moe,' klemden Rileys vingers zich onwillekeurig om de kleine hand. Hij zag weer die blik, die blik van een besef dat zijn leeftijd ver te boven ging.

Toen de deur openging, draaide hij zich snel om, en toen hij Hamish zag, liet hij voorzichtig de hand van zijn zoon los, stond op en zei: 'Hallo, Hamish.'

'Hallo, meneer Peter. Blij u weer te zien. En, wat vindt u van onze kleine knul hier?' Hij wees naar het bed. 'Is het geen flinke jongen?'

'Inderdaad, Mac.'

'Hallo, jongen.' Hamish boog zich over het bed en het kind keek stralend naar hem op en zei: 'Jij ook hallo.' Daarop schoten ze allebei in de lach, en Hamish keek naar Riley en zei: 'Ik ga een medail-

le voor hem laten slaan – een Schotse, uiteraard en niet zo'n klein-
tje, maar een hele grote – want volgens mij is hij de dapperste en de
flinkste jongen van de hele wereld.'

Het kind lachte alsof het een grote grap was, en Riley voelde
even iets van afgunst jegens deze ruige Schot vanwege de duidelijke genegenheid die er tussen hem en zijn zoon bestond.

Hij zei tegen Hamish: 'Blijf je nog even?'

'Even? Ik blijf hier de hele dag nog. Ga maar gauw naar beneden
om te eten, ze zetten van alles voor u klaar. Ik heb gehoord dat het
een geweldig feest is geweest, van de week.'

'Ja, het ging heel goed, Mac, maar het was wel vermoeiend.'

'Dat zal best. Hard werken is altijd vermoeiend. Maar ga nu
maar gauw eten, dan zal ik u zolang bij deze jongeman vervangen,
als tweede keus, tot u weer terug bent.'

Hij bracht dit heel tactvol, terwijl die man meer van de jongen
wist dan hijzelf.

Tweede keus. Er waren veel mensen die zich neer moesten leggen bij een tweede keus. Maar dat mocht Nyrene niet overkomen.
Nee, dat mocht Nyrene niet overkomen. Hoe had hij dat in hemelsnaam kunnen denken? Hij moest het goed maken met haar, in de
korte tijd dat hij hier zou zijn.

Ze stond bij de eettafel en was bezig schalen neer te zetten. Ze
zei: 'Het is alleen maar koud rundvlees en een salade. Het spijt me.'
Hij pakte haar bij de schouders en draaide haar om, maar de woorden die hij wilde zeggen, wilden gewoon niet komen.

Opeens trok hij haar naar zich toe, hield haar stevig vast en wist
uit te brengen: 'Ik heb je zo gemist, liefste. Ik heb je echt vreselijk gemist.' Er kwam een oud gezegde bij haar boven: de waarheid be-
hoeft geen nadruk. Maar daarna zei ze tegen zichzelf dat ze zo niet
mocht denken. Het was niet zijn schuld geweest dat het allemaal zo
was gelopen. Hij had nu eenmaal zijn werk en het toneel was een
veeleisende werkgever. Het oude gezegde *the show must go on* gold
nog steeds. In de meeste van dit soort afgezaagde gezegden lag nog
altijd een kern van waarheid. Net als laatst, toen ze de foto's in de
krant had gezien en er een ander cliché in haar was opgekomen:
waar rook is, is vuur. Ze had zichzelf vermanend toegesproken, dat
ze het vuur met dat meisje in verband bracht, maar volgens Louise

zat ze nu in Griekenland en zou ze daar waarschijnlijk nog wel een tijdje blijven. En dan had je Lily natuurlijk nog. Maar die gedachte was belachelijk.

Hij hield haar een eindje bij zich vandaan en zei zacht: 'Je ziet er erg moe uit, je zult wel uitgeput zijn. Hoor eens, ik weet wat ik ga doen. Deze voorstelling loopt nog twee weken, ik zal Tom de volgende laten overnemen.'

Ze bleef hem even rustig aankijken. Toen zei ze zacht: 'Dat zou fijn zijn. Ik verheug me erop. Ga zitten om iets te eten, liefste.'

In plaats van te doen wat ze hem vroeg, hield hij zijn hoofd scheef en zei: 'Zal ik jou eens wat zeggen? Je hebt me nog steeds niet gekust.'

En zij antwoordde in dezelfde trant: 'En zal ik jóú eens wat zeggen? Jij hebt míj nog niet gekust.'

Hij lachte. 'Dan ga ik nu die tekortkoming rechtzetten,' zei hij en hij kuste haar met een vurigheid die niet oprecht was.

Toen ze zich van hem losmaakte, zei ze zacht: 'Ga zitten om te eten, en... en daarna moet ik met je praten.'

'Met mij praten?' Hij keek naar haar op. 'Hoe bedoel je, met mij praten? Wat is er aan de hand?'

'O, Peter!'

Hij schudde zijn hoofd. 'Ja, ik weet wat er boven allemaal aan de hand is, maar het ging me om de manier waarop je het zei.'

'Het spijt me. Het spijt me. Maar ga eerst iets eten, dan ga ik koffiezetten.'

Het duurde echter een volle minuut voor hij aan zijn eten begon. Er was iets aan de hand. Met me praten. Wat bedoelde ze? Had ze...? Ach, doe toch niet zo stom, man. Wie kon daar nou van weten? Alleen zij tweeën. Je geweten speelt je gewoon parten. Denk nou eens goed na, bij andere kerels gebeuren zulke dingen aan de lopende band en die springen ook niet van een brug. Doe toch eens even rustig, man...

Nyrene had tegen mevrouw Atkins gezegd: 'Wilt u even naar boven lopen, mevrouw Atkins, om tegen Charles te zeggen dat ik zo kom?' En mevrouw Atkins had geantwoord: 'Blijft u maar even hier, mevrouw. Als Hamish bij hem is, is alles goed.'

Ze hadden nog geen tien minuten op de bank koffie zitten drinken. Het was nog geen halfuur geleden dat ze naar beneden was gekomen, en daarom klonk zijn stem een beetje geïrriteerd toen hij zijn gedachten hardop uitsprak: 'Je bent pas een paar minuten beneden. Gaat het altijd zo?'

Ze keek hem niet aan toen ze antwoordde: 'Min of meer, Peter. Weet je, we hebben hem bijna verloren. Het was op het nippertje, en sinds hij is bijgekomen schijnt hij het niet te kunnen verdragen mij uit het oog te verliezen. Het is vreemd, maar zoals Hamish zei, is het net of het kind het gevoel heeft dat als hij mij niet kan zien, hij misschien weer terugglijdt naar waarheen hij op weg was. Je weet hoe Hamish de dingen kan zeggen, maar er zit wel iets in.'

Hij greep haar handen, schudde ze, en zei: 'Maar, liefje, je kunt zo niet doorgaan. Hij is geen baby meer, hij is zeven jaar, en je weet dat ze misbruik van je kunnen maken. Achteraf bekeken heeft hij eigenlijk altijd al misbruik van je gemaakt.' Hij knikte, en toen ze hem alleen maar aanstaarde, zei hij snel: 'Ik weet dat ik niet de hele tijd hier ben, maar hij heeft niet alleen jou, hij heeft geweldige vrienden in Hamish en mevrouw Atkins. Ik zeg vrienden, maar hij moet hen als deel van zijn familie beschouwen.'

'Ja, dat is waar.' Het antwoord werd op vlakke toon gegeven. Hij liet haar handen los en leunde achterover op de bank. Het bleef een paar minuten stil tussen hen voordat hij zei: 'Wat probeer je me te vertellen, Nyrene?'

Ze wierp hem een vluchtige blik toe en zei: 'Dat… dat ik niet altijd zoveel bij je kan zijn als ik wel zou willen. Begrijp je dat niet? En dat er nu niets anders op zit dan dat jij probeert vaker thuis te zijn. Als je dat tenminste wilt.'

Hij boog zich naar voren, zette zijn ellebogen op zijn knieën en legde zijn hoofd in zijn handen terwijl hij mompelde: 'Wat is er met ons gebeurd, Nyrene? Beschuldig je me ervan weg te blijven op het moment dat ik bij je had moeten zijn?'

'Nee. Nee.' Haar stem klonk weer vlak. 'Maar ik vind wel dat je Tom vaker moet vragen op zaterdagavond voor je in te vallen, zodat je dan weg kunt en de zondag en maandag hier kunt zijn.'

Hij hief zijn hoofd niet op maar zakte weer terug op de bank. Ze had het allemaal uitgedacht.

Hij vond het niet erg als Tom hem gedurende de week af en toe verving, maar hij hield van het publiek van zaterdagavond. Op zaterdagavond heerste er altijd een gezellige stemming. Dat moest zij toch weten. En hij was trouwens moe. Hij was ook erg moe.

Ze sloeg haar armen om hem heen en omhelsde hem terwijl ze zacht zei: 'Het spijt me, Peter. Het spijt me erg. Maar ik mis je zo.'

Hierdoor herkende hij haar onmiddellijk, niet als de moeder van zijn zoon maar als de vrouw die hem had leren beminnen en bemind te worden. Toch flitste er tegelijkertijd een andere liefdesscène door hem heen en toen hij in haar omhelzing huiverde, keek ze naar hem en zei: 'Wat is er?'

'Niets, liefste, niets. Ik bedacht opeens…' Hoe kon hij eerlijk zeggen waar hij aan had gedacht? Dus zei hij: 'Jij mist mij echt niet erger dan ik jou, liefste. Maar maak je geen zorgen, ik zal proberen iets te regelen.' Hij glimlachte en zei: 'Als Mohammed niet naar de berg komt, moet de berg maar naar Mohammed komen.'

Toen ze allebei in de lach schoten, sprong zij van de bank op, hees hem overeind en zei, nu zelfs vrolijk: 'Laten we met hem gaan praten en dan vertellen we hem dat Pasen niet ver weg meer is, en dat jij dan twee hele weken thuis zult zijn.'

Ze liepen de trap op en hij zei: 'Trouwens, hoe gaat het met jouw toneelschool? Daar heb je nog niets over verteld.'

'Dat is een lang verhaal. Je moet de brieven maar lezen. En ik heb bezoek gehad van twee mannen, van wie één uit Aberdeen. Je hebt geen idee hoeveel talent er hier verloren gaat. Hij heeft nog nooit op het toneel gestaan, hoewel hij er altijd naar heeft gehunkerd. Hij denkt dat hij meteen aan de slag kan, en hij had alleen maar een paar kleine aanwijzingen nodig. Als je zijn ego moet geloven, zullen de filmregisseurs uit alle hoeken van de wereld voor hem in de rij staan.'

'Nee!'

Ze liepen lachend over de overloop en ze zei: 'Ja, echt. Maar de zaken gaan goed. Ik heb al een vaste pianist. Hij is echt geweldig. Hij had niets te doen na een gedwongen ontslag. En mijn assistente is tapdanseres.'

'Echt?'

'Jazeker.'

Bij de deur van de kinderkamer bleef ze staan en ze boog zich naar hem toe. 'Hoe zou u het vinden om voor mij te komen werken, meneer Riley? Ik heb behoefte aan een directeur.' Hij ging hier op in en zei: 'Wanneer u maar wilt. Ik heb altijd al komische rollen willen spelen.' Ze vielen tegen elkaar aan en lachten stilletjes.

Later zou ze zich dit moment maar al te goed herinneren.

17

Hij had in drie weken slechts één lang weekend vrij kunnen houden. Er was via juffrouw Connie een uitnodiging gekomen voor een zondagse lunch bij lord Very, en dit was als een koninklijk bevel waaraan niet viel te ontkomen, had David hem uitgelegd. Vorige week had hij het bed moeten houden met een zware verkoudheid. Die speelde hem nog steeds parten.

Nyrene was aan de telefoon vol begrip geweest en ze had hem verzekerd dat hij zich over de toestand thuis geen zorgen moest maken. Maar dit gold niet voor Fred, die zover was gegaan dat hij hem verweet dat hij zijn gezin verwaarloosde. Dit was niet met zoveel woorden gezegd, toch was de implicatie er geweest. Hij had bijna teruggeblaft: waar bemoei je je mee? Dit zijn familiezaken. Maar waren Fred en Louise eigenlijk niet een soort familie, zelfs nog meer dan zijn vader en Betty? Want Fred was degene geweest die zijn leven richting had gegeven.

Hij smeet de laatste zondagskrant neer. Hij had genoeg van al dat lezen. Hij had vandaag nog geen levende ziel gezien en hij had alleen met Fred en Nyrene over de telefoon gesproken.

Hij bedacht dat hij zich goed in zou pakken en naar Fred zou gaan. Maar dat zou betekenen dat hij de auto uit de garage moest halen en daar had hij gewoon de puf niet voor.

Het was acht uur toen hij een halfuur in bad ging liggen en daarna schonk hij zich een flink glas whisky in en nam dat mee naar bed, waar hij naar Alan Keith met zijn verzoekplatenprogramma ging liggen luisteren. Die man had een prachtige stem en zijn dictie was volmaakt. Hij moest ooit acteur zijn geweest, of misschien was hij gewend voordrachten te houden.

Hij wist niet hoe laat hij de radio uitzette, maar hij moest tegen elf uur in slaap zijn gevallen...

Wanneer voelde hij voor het eerst dat er iemand in de kamer was? Hij was geen lichte slaper, maar hij draaide zich van zijn rug op zijn zij en stak langzaam zijn hand uit om het bedlampje aan te doen. Wat hij toen zag, maakte dat hij nog net niet uit bed sprong, maar hij schoot wel stokstijf recht overeind en staarde naar wat hij hoopte dat een spookverschijning was. Daar stond ze. En wat deed ze? Ze gleed uit haar kleren zoals een slang zijn huid van zich afstroopt. Ze had inderdaad een slang kunnen zijn, want ze siste: 'Kijk maar niet zo angstig, lieverd. Ik ben het, in eigen persoon.'

'Godallemachtig.' Hij stootte het woord gesmoord uit en ze zei: 'Nou doe je alweer alsof ik God ben, maar ik ben Yvette maar, lieverd.'

'Wat doe je hier?'

'Als je je ogen eens wat verder opendoet, dan zul je het zien. Ik ben mijn kleren aan het uittrekken, ik héb ze feitelijk al uit.'

Toen hij naar haar opkeek, voelde hij zich als een maagd die elk moment kan worden verkracht. De angst was allesoverheersend, vooral de angst voor hemzelf, want hij trok het beddengoed plotseling op tot aan zijn kin, wat haar veel gegiechel ontlokte.

Hij zei: 'Niet doen! Ga weg. Je bent gek.'

'Ik wórd nog eens gek, lieverd, als ik hier nog langer blijf staan. Het is buiten heel koud.' En ze giechelde weer.

Hij kneep zijn ogen halfdicht en zijn stem klonk laag toen hij zei: 'Yvette, ga alsjeblieft weg. Ik smeek het je, alsjeblieft!'

Haar stem klonk koel en kalm toen ze zei: 'Ik ga niet weg, omdat ik iets over jou weet wat jij ook weet. En dat is dat je mij begeert. Dus,' voegde ze er op luchtiger toon aan toe, 'als je mij er niet aan de bovenkant in laat, kom ik er gewoon aan de onderkant in.' Ze liep naar het voeteneind van het bed.

Op het moment dat hij zich weer in de kussens liet vallen, lag ze al naast hem, en haar lange lichaam huiverde toen ze zich tegen hem aan drukte. 'Ik zou dit nooit voor iemand anders doen, je zou je vereerd moeten voelen, Peter, echt waar.'

Hij hoorde zijn eigen stem vaag mompelen: 'Hoe ben je in hemelsnaam binnengekomen?'

'Door je achterdeur. Ik heb een duplicaatsleutel laten maken. Dat kan binnen een halfuur, weet je. Je moet nooit je reservesleutels aan een haakje naast de achterdeur laten hangen. Ik zag ze laatst toevallig hangen en dat bracht me op een idee. Vind je het geen goeie? Nu misschien nog niet, maar straks wel.'

Zoveel brutaliteit verbijsterde hem. Ze praatte als een geroutineerde hoer. Maar dat wás ze toch zeker ook? En ze was bovendien de dochter van een hoer. Hij probeerde bij haar vandaan te schuiven en dat maakte dat ze ongeduldig zei: 'Ik heb maar een uur, ik ben op weg naar huis… Peter, Peter,' – ze sprak zijn naam smekend uit – 'laten we die tijd niet verspillen, we doen niemand kwaad. Zoals moeder bij gelegenheid zegt: wat niet weet, wat niet deert.'

'Staat je auto hier voor de deur?'

'Ik ben niet gek, Peter. Nee, ik heb de auto niet voor je deur laten staan, of om de hoek. Ik heb hem achter het theater gezet. Er is daar een stuk braakliggend land. Ik hoop wel dat-ie er straks nog staat, want mijn moeder heeft me geklokt.'

'Geklokt?'

'Jawel, lieverd, geklokt. Ik heb haar vanuit de flat gebeld en gezegd dat ik het eerste uur of zo nog niet weg zou gaan, omdat ik bezoek had. Ik zei niet wie dat bezoek was, maar ik kon door de toon van mijn stem van alles laten doorschemeren. Ik ben een heel slim meisje, Peter. Dat schijn jij niet te beseffen.'

'Ik besef het maar al te goed, Yvette, en ik weet dat jij een duivelse meid en een raddraaister bent, want overal waar jij komt, ontstaan problemen.'

'Dat is heel onaardig van je, Peter.' Haar toon klonk gekwetst en ze zei: 'Ik kan jou niet uit mijn gedachten zetten. Dat heb ik je al eerder verteld. Ik wist dat we bij elkaar zouden komen. Ik vraag je niet van haar te scheiden of zo.'

'Ik zou nooit scheiden van Nyrene,' zei hij nadrukkelijk.

'Dat weet ik, liefste. En geloof me, ik wil nooit getrouwd zijn. Maar dat is ook zoiets: ik moet weer eens gaan trouwen.'

'Wat? Alweer?'

'Ja, alweer. En zij heeft hem uitgezocht. Ik moet zeggen dat hij heel aardig is.'

Hij maakte zich van haar los en zei: 'En jij bedoelt dat je met die man gaat trouwen en dat je nog steeds hier bent?'

'Hoor eens, Peter, er is niets definitief geregeld. Hij weet niet dat ik met hem ga trouwen, dat weten alleen moeder en ik. Hij heeft geld, hij is aardig, hij is twee keer zo oud als ik, maar hij is knap en rijk en heeft geen dikke buik, dus zijn er veel pluspunten... maar er is geen liefde in het spel.'

Hij wist niet of hij moest lachen of niet. Dit was een klucht. Hij speelde in een echte klucht.

'Peter,' – haar stem klonk weer smekend – 'we hebben niet veel tijd. Wees lief voor me, ik verlang zo naar je.' Ze greep hem beet en drukte hem tegen zich aan. En toen haar mond de zijne raakte, was hij verloren...

Toch was hij degene die, toen ze op wilde staan, haar tegenhield, wat maakte dat ze zó hard moest lachen dat hij haar hoofd onder de dekens moest stoppen om het geluid te smoren.

Daarna keek hij toe hoe ze weer snel in haar kleren glipte, op dezelfde soepele manier als waarop ze ze uit had gedaan, en hij hoorde haar zacht zeggen: 'Maak je maar geen zorgen, lieverd, we gaan voorlopig niet naar het buitenland. In elk geval niet zolang Ray in Londen blijft. Dus maak je maar geen zorgen. Ik hou je in de gaten. Dat heb ik steeds gedaan. Ik weet waar je zit, dankzij die lieve Louise, dankzij die lieve oom Fred, en dankzij mijn moeder, maar vooral dankzij oom Fred. Ik vraag me wel eens af of hij meer weet dan goed voor hem is. Maar nee, want dan had hij er vast wel een stokje voor gestoken. Hij is niet erg op me gesteld, weet je, oom Fred... Hoe dan ook, liefste...' Ze boog zich over hem heen en fluisterde: 'Denk niet dat ik je ooit in verlegenheid zal brengen, ik zal altijd heel voorzichtig zijn. Maar ik verlang naar jou en jij verlangt naar mij. Ja, je hebt me nodig, hè? Zeg dat je me nodig hebt, dat je mij steeds wilt.'

Toen hij geen antwoord gaf, zei ze: 'Ach, het maakt ook niet uit. Je lichaam spreekt boekdelen.'

Opeens was de kamer leeg. Hij hoorde geen deur dichtgaan, niet dichtbij en niet ver weg.

Hij draaide zich op zijn rug en sloeg zijn handen voor zijn ogen. Er was iets begonnen en hij was niet bij machte het tegen te houden.

18

Het was de eerste week van juni en het was schitterend weer.

Fred en Louise zaten op de loggia aan de achterkant van het huis. Hij droeg een gestreepte korte broek en Louise een minuscule bikini.

Ze nam een slokje uit een hoog glas sinaasappelsap met ijs, veegde het haar van haar voorhoofd en zei: 'We hadden eigenlijk samen met Jason naar het zwembad moeten gaan.'

'Ja, dat weet ik, maar dat zou hebben betekend dat we daarheen moesten en zoals je al hebt gemerkt, mens, ben ik een beetje ouder dan mijn zoon. Hij is met de bus gegaan, ik heb geen puf om in de bus te zitten en ook niet om er weer met de auto op uit te gaan. De enige troost die ik heb, nu ik levend word geroosterd, is dat ik niet de enige ben. Volgens mij is het jaren geleden dat we zo'n hittegolf hebben gehad, maar de weerberichten zeiden dat het niet lang meer zal duren. Er is trouwens iets waarover ik met je wil praten.'

'Ja,' – ze draaide zich om en keek hem aan – 'je gaat met pensioen.'

'Doe niet zo gek, mens. Het betreft Gwendoline.'

Hij hees zich uit zijn ligstoel, hief waarschuwend zijn vinger over de bamboetafel naar haar en zei: 'Zucht nou maar niet zo. Ik ga er niet heen, dat heb ik tegen jou gezegd en dat heb ik tegen haar gezegd. Ik heb genoeg van het hele gedoe. Ik zou eerlijk gezegd het liefste zien dat ze terugging naar waar ze vandaan kwam, naar Frankrijk of waar dan ook.'

'Gwendoline of Yvette?'

'Allebei, om je de waarheid te zeggen.'

'Lieve help! Dan moet het wel ernstig zijn.'

'Het ís ernstig, Louise. Niet voor ons, maar voor twee mensen op wie we erg gesteld zijn.'

Hij had nu haar volledige aandacht en ze schoof naar de rand van de stoel, keek hem aan en vroeg bezorgd: 'Wat is er gebeurd?'

'Tot nu toe niets. Hoewel… dat weet ik ook niet zeker. Het kan al een tijd aan de gang zijn, want er is iets aan de hand. Ik ken die twee… Peter en Nyrene. Ik kan het voelen.'

'En heeft dat met die achterbakse griet te maken? Heeft Gwendoline je iets verteld?'

'Niet rechtstreeks. Maar je weet toch van die Ray Zussman die ze voor Yvette achter de hand had… ze zouden feitelijk volgend weekend naar Menorca gaan, waar alles zou worden bezegeld. Dat had Gwendoline tenminste gedacht, maar het schijnt dat Yvette nu aarzelt, alsof ze andere plannen heeft.'

'Heeft ze dat allemaal verteld?'

'Nee, dat heeft ze niet verteld, maar ik vertel wat ik heb opgemaakt uit wat ze zei. Ik kan het gesprek niet woord voor woord herhalen, maar ze zei in elk geval dat het jammer was dat de zoon van Nyrene zo ziekelijk was, waardoor ze niet bij haar man kon zijn. Mannen worden dan eenzaam, zei ze.'

'Nee!'

'Jawel, dat heeft ze gezegd, en ik denk er net zo over. Het is heel jammer dat ze niet vaker kan komen. Herinner je je nog dat ze hem de vorige maand twee weekends thuis verwachtte en dat er iedere keer iets gebeurde waardoor hij niet kon komen? En ik weet ook dat dat meisje de laatste maanden is veranderd.'

Louise leunde weer achterover in de stoel en het duurde even voor ze zei: 'Dat is nou net het punt, Fred. Zij is geen meisje meer, maar die andere wél.'

'Denk je dat dat het zou kunnen zijn?'

'Ik acht haar, of iemand als zij, tot alles in staat.'

'Ik denk dat ik het met je eens ben. Maar wat kunnen we doen?'

'Het is die verdraaide jongen. Maar dat hoor ik niet zo te zeggen,' – Louise schudde haar hoofd – 'want het is een heel lief ventje. Maar het is niet normaal dat hij helemaal niet zonder haar kan. Ze had in het begin voet bij stuk moeten houden en hem bij Hamish en mevrouw Atkins moeten achterlaten. Daar was hij vast wel aan gewend.'

'Je kunt niet voet bij stuk houden, Louise, als het een wellicht au-

tistisch kind betreft, en dan nog wel eentje met zo'n gevoelig zenuwgestel als hij. Ik kan er over mee praten, want ik heb net zo'n
type in de derde klas. Hij zou een briljante leerling kunnen zijn als
hij maar lang genoeg stil kon zitten. Er zijn klachten van andere ouders dat hij naar een speciale school zou moeten worden gestuurd.
Daar zal het uiteindelijk ook wel op uitdraaien. Maar om op ons
punt terug te komen, heb jij iets in gedachten?'

'Ja, dat heb ik. Maar jij moet het er natuurlijk mee eens zijn. Wat
dacht je ervan als ik eens tegen haar zei dat ik er even tussenuit wil
en dat ik vraag of ik een weekend naar haar toe mag komen? Ik zou
Jason mee kunnen nemen. Hij zou het erg leuk vinden om Charles
weer te zien. Dan heeft zij de gelegenheid om naar Peter te gaan.'

'Heel goed. Heel goed.'

'En jij hebt daar geen bezwaar tegen?'

'Natuurlijk heb ik er bezwaar tegen om hier in de wildernis achter te moeten blijven, maar aan de andere kant ben jij hard aan een
verzetje toe en duurt het nog een tijdje voor het schooljaar is afgelopen. Dus ga gerust je gang.'

'Nou, ik zou er donderdagavond naartoe kunnen gaan en dan
zou zij vrijdagmorgen kunnen vertrekken. En ik zou daar kunnen
blijven tot zij op dinsdag weer thuiskomt. Is dat te lang?'

'Ja, natuurlijk is dat te lang.' Hij boog zich over de tafel, pakte
haar hand en zei: 'Ik begin oud en seniel te worden, weet je, en ik
heb jou steeds meer nodig.' Daarna veranderde hij van toon en zei:
'Ga jij maar. Als het iets kan voorkomen waarvan wij vinden dat het
moet worden voorkomen, dan is mijn offer niet vergeefs geweest.'

Ze klopte hem even op de hand en zei: 'Je bent een ouwe lieverd,
meneer Beardsley… af en toe. Alleen maar af en toe.' Ze voegde er
op een andere toon aan toe: 'Er is één ding dat we moeten doen, we
moeten hem vertellen dat ze komt. Ik moet er niet aan denken dat
ze op een ongelegen moment binnen zou komen.'

'Dus jij denkt…?'

'Ik weet het niet. Ik weet het echt niet, maar ik denk dat we daar,
alles bij elkaar genomen, snel genoeg achter zullen komen.'

Nyrene legde de hoorn op de haak en bleef er even naar staan kijken voor ze naar de openstaande deur liep. Ze ging naar buiten, naar het terras, waar ze op een lage stoel ging zitten, tegenover de oprit aan de zijkant, die ze hadden gemaakt naar het nieuwe hek, waarvandaan ze over een brede groene vlakte de zilveren streep van de rivier en de heuvels aan de overkant konden zien. Hamish kwam naast haar staan en zei: 'Goed, ik ga nu, mevrouw. U hoeft voorlopig nog niet naar boven, hij ligt te slapen. Na een dag als vandaag zeg ik: geef mij maar een flink pak sneeuw. En dan te bedenken dat de mensen naar het buitenland gaan om in de zon te kunnen liggen. Ze lijken wel gek om veel geld te betalen om te verbranden en uitgeput te blijven liggen, zodat ze eerst moeten uitrusten als ze thuiskomen. Krankzinnig. Krankzinnig. De mensen zijn gewoon krankzinnig, mevrouw.'

'Hamish.'

De toon waarop ze zijn naam uitsprak, maakte hem opmerkzaam en hij liep bij de stoel vandaan en ging voor haar staan. Hij wachtte terwijl hij naar haar keek. Ze keek naar hem op en zei langzaam: 'Zou het voor jou een probleem zijn om nog een halfuur te blijven?'

'Een probleem, mevrouw? Nog een halfuur? Al wilt u dat ik de hele avond blijf. U hoeft het maar te zeggen. Dat weet u toch zeker zo langzamerhand wel? Maar de jongen... met hem is alles goed.'

'Ik denk voor deze ene keer niet aan de jongen, Hamish.' Ze keek hem aan. 'Ik moet een besluit nemen. Mevrouw Beardsley heeft voorgesteld een lang weekend hier te komen, zodat ik eens naar mijn' – ze zweeg even – 'echtgenoot toe kan.' Meestal had ze het tegen Hamish over 'meneer Peter' als ze op hem doelde. 'Als ik mocht besluiten om te gaan, dan wil ik niet tot vrijdag wachten, wanneer ze me zullen verwachten, maar dan ga ik morgen al.'

Ze staarden elkaar in de zoele schemering aan en ze vond het niet vreemd om met deze man te praten op een manier zoals ze dat niet met Mary of zelfs met Louise deed.

'Ik ga er onaangekondigd heen. Begrijp je dat, Hamish?'

Ze zag dat hij even diep inademde voor hij zei: 'Jawel, mevrouw, ik begrijp het maar al te goed en ik heb het al lange tijd begrepen, en mijn hart doet pijn om u beiden. Maar ik wil dit wel zeggen: wat er ook aan de hand mag zijn, hij maakt zich er veel zorgen over.'

328

Ze dacht: ja, hij maakt zich er kennelijk zorgen over en dat had hij niet kunnen verbergen.

'Ik zou daar graag morgen om vijf uur willen zijn en ik hoef geen woord over de jongen te zeggen want jij, Hamish, bent meer een vader voor hem geweest dan zijn eigen vader heeft kunnen zijn.'

'O, mevrouw, dat moet u niet zeggen. Het komt door de omstandigheden. Het zijn altijd de omstandigheden die zulke situaties veroorzaken. Als meneer Peter hier had kunnen zijn, dan was hij hier wel geweest, tenzij er dan ook weer omstandigheden waren geweest, en wie kan het opnemen tegen de omstandigheden? Jawel, wie kan het opnemen tegen de omstandigheden? Maar er is één ding dat ik zou durven zweren, mevrouw, en dat is dat wat het ook mag zijn wat hem heeft laten afdwalen, u altijd zijn hart zult hebben en zijn intense liefde.'

Ze moest bijna huilen. Nee, nee, ze mocht niet huilen. Vanuit haar ooghoek zag ze mevrouw Atkins vanaf de binnenplaats naar hen toe komen en toen ze voldoende dichtbij was zei ze: 'Er is onweer op komst, mevrouw, en dat zal een flinke bui worden ook.'

'Ja, ik denk dat u gelijk hebt, mevrouw Atkins.' Nyrene keek op naar de oudere vrouw. 'Ik heb Hamish gevraagd nog een halfuur te blijven. Ik moet nog even wat nadenken. Dat komt door het telefoongesprek dat ik zojuist heb gevoerd. Ik had het u meteen willen vertellen, maar u was er toevallig niet en Hamish wel, en daarom kan hij u vertellen wat ik morgen ga doen.'

Mevrouw Atkins staarde haar even aan en zei toen: 'Goed, mevrouw. Wat u ook mag besluiten te doen, wij zullen achter u staan. En zoals mijn vader zou zeggen, als het naar de hel is, dan wordt het een zware tocht, maar beter een zware tocht dan achter te moeten blijven.'

Toen Nyrene hen samen zag weglopen, stond het huilen haar nader dan het lachen, zoals die lange, magere man daar liep met een vrouw die niet half zo lang was, maar wel tien jaar ouder. Toch was het verschil in leeftijd op geen enkele manier zichtbaar, lang niet zo zichtbaar als dat tussen een jongen van negentien en een vrouw van bijna negenendertig. Hun liefde was echter veel hartstochtelijker geweest dan wanneer ze allebei jong waren geweest.

Hij had de jeugd ingebracht en zij haar ervaring, en die combinatie was dynamisch geweest.

Maar nu, wat moest ze doen? De huidige situatie zich verder laten ontwikkelen tot er van hem niets over was voor haar? Er was nu al zo weinig. Hun leeftijdsverschil had omgekeerd kunnen zijn, want hij kon wel een man van middelbare leeftijd zijn, nog steeds liefdevol – o, ja, nog steeds liefdevol – maar teder, behoedzaam, zorgzaam, erop bedacht haar geen pijn te doen. Maar hij kwelde haar geest tegelijkertijd met het besef dat deze man niet de Peter Riley was die haar aanbad en het zelfs, net als haar zoon, niet kon verdragen als ze lang uit zijn nabijheid bleef. Als hij 'onderweg' was, was zijn afwezigheid hem zo moeilijk gevallen dat het hem op het punt had gebracht zijn carrière op te geven. Maar nu was dat alles veranderd. Zijn werk slokte hem op, dat zei hij tenminste. Want was hij niet producent, acteur en ook voor een deel partner in het bedrijf, wat betekende dat hij uitnodigingen voor lunches moest accepteren en bij vergaderingen aanwezig moest zijn?

Ze ging wat rechterop zitten. Nou, één ding was zeker: haar goede vriendin Louise had niet aangeboden haar lieve man een lang weekend alleen te laten tenzij ze daar eerder over hadden gepraat en het ernstig genoeg vonden om het even zonder elkaar te stellen. Voorzover zij wist waren ze sinds hun huwelijk nauwelijks gescheiden geweest. Er bestond tussen hen een sterke liefdesband die zelfs Gwendoline, die een hardnekkig beroep op haar broer deed, op geen enkele manier kon beschadigen.

Ze ging staan en liep langzaam naar het hek. Hiervandaan was het uitzicht weids en toen haar ogen er in de invallende schemering overheen gleden, zag ze het niet echt, want in gedachten was ze bezig met de voorbereidingen voor haar reis van morgen. De enige vrije tijd die hij zich gedurende de dag gunde, was tussen vier en zes. Nou, ze zou in die periode bij hem arriveren en dan had hij geen excuus dat hij het te druk had om over privé-zaken te praten. Ze zou hem duidelijk vertellen waarom ze dat tijdstip voor haar komst had gekozen, om hem de mogelijkheid te geven met de waarheid te komen en haar te vertellen wat er aan de hand was, want er was duidelijk iets aan de hand. Ze had Louises tactvolle suggestie niet nodig gehad om dit in te zien.

Toen ze weer naar het huis terugliep, besefte ze dat ze zich voor de eerste keer zolang ze zich kon herinneren geen zorgen maakte dat ze haar zoon een poosje alleen moest laten.

19

Bij het station van Fellburn kletterde de regen op het trottoir en stui-
terde als knikkers omhoog, terwijl nergens een taxi te bekennen
was. Toen een bliksemflits haar weer in het portaal terug deed
springen, bleef ze daar ineengedoken staan wachten tot ze aan het
eind van de standplaats een taxi zag naderen en ze rende er met gebogen hoofd naartoe, rukte het portier open en hijgde: 'Flat nummer 1, Palace Buildings.' Waarop de chauffeur herhaalde: 'Goed,
mevrouw, flat nummer 1, Palace Buildings. Wat een beestenweer,
hè? Op Grove Crescent is een boom omlaag gekomen.'

'Is het al lang zo?'

'Nou, sinds etenstijd heeft het gerommeld, maar de afgelopen
twee uur is het goed raak geweest. Overal staat de boel blank.'

Het leek een heel korte rit tot de taxi stilhield en ze bleef erin zitten tot ze de chauffeur had betaald en haar sleutel uit haar tas had
gehaald. Op het moment dat de chauffeur zich uitrekte om haar
portier open te doen, kwam er een felle bliksemflits, gevolgd door
een knetterende donderslag, die de hemel leek te splijten en haar tegelijkertijd uit de taxi tilde, het trottoir over, door het steegje naar de
voordeur.

Voor ze het besefte had ze de sleutel in het slot gestoken en omgedraaid. Ze struikelde de kleine hal in en deed de deur achter zich
dicht, waarna ze tegen de betimmerde muur naar adem bleef snak-
ken.

De donder rolde nog steeds toen ze de glazen deur opendeed.
Maar daar bleef ze als aan de grond genageld staan.

Er klonken stemmen uit de slaapkamer, en ze herkende beide
stemmen.

Haar hand ging automatisch naar haar hoofd om de slierten nat
haar te fatsoeneren. Ze veegde wat plukjes haar weg van haar drijf-

natte gezicht. Maar in een hoekje van haar geest vroeg ze zich af waarom ze zich deze moeite nog gaf, want het maakte niets meer uit hoe ze eruitzag.

Het gerommel van de donder was afgenomen en ze hoorde de stem van haar man duidelijk zeggen: 'Ik heb je dit toch zeker vanaf het begin gezegd?'

Het antwoord hierop was: 'Ja, dat heb je gezegd, en ik heb jou ook vanaf het eerste begin gezegd dat ik van plan was nooit te trouwen. Maar nu heb jij gemaakt dat ik van gedachten ben veranderd. Zie je dan niet wat ik bereid ben voor jou op te geven? Ray is heel rijk, maar dat ben jij niet. Hij is een man van de wereld en jij niet. Hij is ook heel goedgeefs, en tot dusver heb ik niets van enige goedgeefsheid bij jou bespeurd, behalve natuurlijk in één opzicht. Jazeker, in één opzicht, maar juist in dat opzicht weet ik zeker dat wij één zijn. O, Peter, denk eens goed na. Je ziet toch dat zij haar beste dagen heeft gehad. Ze komt morgen. Vertel haar dat je wilt scheiden.'

'Daar komt niets van in.'

'Dan zeg ik het haar wel.'

'Als je dat verdomme maar uit je hoofd laat!'

'Wacht maar eens af. Wacht gewoon maar eens af.'

'Yvette,' – zijn stem klonk nu smekend – 'doe dat alsjeblieft niet.'

'Geef me één goede reden waarom ik dat niet zou doen na alles wat wij in de afgelopen maanden voor elkaar hebben betekend. Kom op. Bovendien is ze geen klein kind, ze is een volwassen vrouw en ze moet weten dat er iets aan de hand is. Jouw smoesjes over uitnodigingen voor de lunch en besprekingen en zo zouden zelfs niet door een imbeciel worden geslikt, en zij is echt geen imbeciel. Maar ze is wel een slinkse vrouw, dat ze een jonge knul weet te verleiden haar een kind te bezorgen, om hem met haar te laten trouwen. Hoor eens, Peter, ik wil je één ding vragen. Als jij niet met haar was getrouwd en je had mij ontmoet, was je dan met mij getrouwd?'

Toen er geen antwoord kwam, riep ze triomfantelijk: 'Zie je nu wel! En dan zal ik je nog iets zeggen. Als je me nu laat gaan, zul je nooit meer van me los kunnen komen, dan blijf ik je altijd bij. Je weet zelf hoe zwaar je het te pakken hebt.'

Hij was de eerste die uit de slaapkamer kwam. Hij was bezig een shirt over zijn hoofd te trekken en de halsopening zat halverwege zijn schouders. Toen verscheen Yvette naast hem, en ook zij bleef even met open mond staan. Dit duurde echter maar kort, want daarna zei ze vrolijk en luchthartig: 'Laatste tafereel, binnenkomst van de bedrogen vrouw.'

'Hou je mond!'

Riley was zo scherp tegen haar uitgevallen dat zijn stem maakte dat zij achteruitdeinsde en hem even sprakeloos aankeek. Maar toen hervond ze haar zelfbeheersing en zei: 'Nou, als ze hier al die tijd heeft gestaan, valt er niets meer te zeggen, hè?'

Nu schrééuwde hij werkelijk, en zijn woorden galmden door de kamer toen hij brulde: 'Eruit! Maak dat je wegkomt!'

Maar zij reageerde hier wonderlijk kalm op. 'Nee, ik maak niet dat ik wegkom, ik heb mijn eigen leven, net als jij, en net als zij.' Ze knikte van de een naar de ander. 'Het besluit dat zij neemt zal hierop van grote invloed zijn. Of ik trouw met jou, blijf hier en pas me aan aan jouw armoedige familie, of ik trouw met een rijke man, reis over de hele wereld en leid een leven vol luxe. Om te beginnen,' – haar stem klonk kwaad en ze stapte op Nyrene af – 'kan ik me niet voorstellen dat jij in je jonge jaren zou hebben geaarzeld bij zo'n besluit. Jij was voor het geld en op de reis rond de wereld gegaan, dat weet ik zeker. Je ziet dat ik meer van jou en je jonge jaren weet dan jij denkt. En jij vindt mij een hoer. Ja, ik weet precies wat jij van me vindt, net als die lieve Louise. Maar aan de andere kant… oké, ik ben wat ik ben, de dochter van een hoer. En toch ben ik bereid dit alles op te geven om te kunnen trouwen met de man die jouw echtgenoot is. Ik had misschien moeten zeggen: de jongeman die nu je echtgenoot is, iemand met wie je nooit had horen te trouwen omdat hij je zoon had kunnen zijn.'

Toen het tafeltje tegen de muur knalde, schrokken beide vrouwen en Riley wees naar Yvette en zei: 'Nu is de maat vol.' Maar ze draaiden zich beiden om toen Nyrene met een gespannen, lage stem zei: 'Je hebt helemaal gelijk in alles wat je zegt. Jij, Peter, zoekt het verder zelf maar uit. Ik zal zodra ik thuis ben contact opnemen met mijn advocaat. Ik zal ook je spullen laten inpakken en naar je toe sturen.'

Ze was al in de hal toen hij riep: 'Nyrene! Alsjeblieft! Luister alsjeblieft! Het zit heel anders. Ik wil niet…'

Toen werd hij door Yvette teruggetrokken doordat ze haar armen om zijn hals sloeg.

Toen hij haar van zich had afgeschud, had Nyrene het eind van het steegje bereikt en liep ze haastig de straat door. Maar hij haalde haar in en zei met overslaande stem: 'Nyrene, dit is niet wat het lijkt.'

'Laat me los, Peter!'

'Nee, nee! Ik kan dit uitleggen. Jij bent mijn vrouw en je zult altijd mijn vrouw blijven.'

'Als je me niet loslaat, ga ik gillen!'

Hij liet zijn handen zakken en ze stond op het punt zich om te draaien toen ze zei: 'Probeer op geen enkele manier contact met me op te nemen. Wat ik jou te zeggen heb en jij mij, kan via onze advocaten worden gezegd. Begrepen?' Hierop liep ze bij hem vandaan, met haar hoofd tegen de regen en de wind gebogen, terwijl hij stil bleef staan en zich drijfnat liet regenen.

Hij wankelde terug naar de flat, en toen Yvette naar hem toe kwam en haar armen om hem heen wilde slaan, haalde hij zo snel met zijn onderarm uit dat ze achterover tuimelde. Haar val werd slechts gebroken door de rugleuning van de bank. Toen boog hij zich over haar heen en siste: 'Jij vals, gemeen kreng!'

Ze had zich overeind gehesen, ze keek hem aan en riep: 'Ik, gemeen? Ik heb niemand bedrogen. Ik ben nog niet getrouwd. Jij was een getrouwde man, je had me elk moment tegen kunnen houden.'

'Jou tegenhouden?' brieste hij. 'Niemand had jou kunnen tegenhouden, want je bent een slang, een egoïstische, inhalige, oversekste slang.'

Ze deinsde achteruit en zei: 'Wees voorzichtig met wat je zegt, want morgen zul je er spijt van hebben. Je hebt gehoord wat ze zei, ze wil van je scheiden.'

'Ze gaat helemaal niet van me scheiden. Maar ook al was ik tien keer gescheiden, dan zou ik nog niet met jou willen trouwen.'

De uitdrukking op haar gezicht vertelde hem dat hij eindelijk doel had getroffen. Op de een of andere manier had hij haar weten te raken, want ze viel nu tegen hem uit: 'Nou, ik denk dat dat dan maar goed is ook, want mijn ogen gaan nu pas open. Op dit moment gaan mijn ogen pas open, en ik vraag me af wat mij in hemelsnaam in jou heeft aangetrokken. Maar ik voelde me wel tot je aangetrokken. Jawel, door je ordinaire manier van doen, door het goedkope in je, door alles wat tegengesteld was aan wat ik had geleerd van een man te verwachten. En waar leidde dit alles toe? Tot een tweederangs acteur, een grote vis in een kleine kom. En zelfs die plaats zou je nog niet hebben bereikt,' – ze spuwde de woorden uit – 'als je niet met een oude vrouw was getrouwd. Ze was toen al oud, maar kijk nu eens naar haar, bijna vijftig, en dat is haar aan te zien. Jawel, dat is haar aan te zien.'

Zijn stem klonk kalm toen hij zei: 'Hou je mond!'

'Zeg niet dat ik mijn mond moet houden. Ik zeg jou dat je moet luisteren. Heb jij enig idee waar ik allemaal toe bereid was om bij jou te kunnen zijn? Als ik jou met Ray vergelijk, besef ik dat ik stapelgek moet zijn geweest, want je bent een zwakkeling.' Ze wierp hem sissend toe: 'Zelfs in bed. Je had geen idee waar het allemaal om ging.'

'Eruit! Maak dat je wegkomt voordat… voordat…' Maar ze antwoordde snel: 'Voordat wat? Voordat je een potje begint te huilen? Daar ben je zeker heel goed in?'

Ze keek hem woest aan, wachtend op een antwoord, maar het duurde even voor dat kwam.

'Ik heb nooit eerder in mijn leven gehuild,' zei hij, 'maar ik zal vanavond waarschijnlijk wel huilen, want jij, seksmaniak, jij hebt iets heel moois bedorven.'

Hij zag hoe ze haar hoofd in haar nek wierp en smalend lachte. '"Iets heel moois," zegt hij. Het was eerder een kwestie van incest, want ze had je moeder kunnen zijn. Het feit dat jij het hebt aangelegd met een vrouw die ouder is dan je moeder, heeft die oude vrouw bijna krankzinnig gemaakt, heb ik gehoord. En dan heb jij het over iets moois. Poeh! Ze is niet eens goed geconserveerd. Mijn moeder is zelfs ouder dan zij, maar ze ziet er lang niet zo oud uit.'

'Nee, dat zal best, want als hoer ligt ze nou eenmaal meestal op haar rug.'

Toen de gebalde vuist uithaalde en zijn gezicht raakte, dacht hij dat hij door een scheermes werd opengescheurd, maar het was alleen maar de steen in haar ring. Hij reageerde alsof hij met een man vocht en timmerde haar met zijn vuisten in het gezicht. Toen greep hij haar bij de keel en schreeuwde: 'Ik zou je kunnen vermoorden. Ik zou je kunnen vermoorden.' Maar er gebeurde iets vreemds: de duimen die hij kruislings over haar luchtpijp had geslagen weken uiteen, alsof hij een klap op zijn hoofd had gehad, en toen zij in een fauteuil viel, wankelde hij achteruit, want de gestalte die hij zag was die van zijn zoon.

Hij begon krankzinnig te worden, hij ging terug naar Larry.

Hij zocht steun bij de armleuning van de bank toen hij de hese stem hoorde zeggen: 'Ik zal je hiervoor laten boeten. Ik zal zo'n schandaal veroorzaken dat jij er niet mee zult kunnen leven. Jij eindigt met kunstjes in de kroeg. En zij zal je niet terug willen hebben, dat is een ding dat zeker is!'

Hij zag hoe ze, met één hand tegen haar keel en de andere tegen haar wang, naar de slaapkamer liep. En toen ze terugkwam met haar regenjas aan, moest ze zich langs hem heen dringen om bij de deur te komen, waar ze zich omdraaide en zei: 'Dit is niet de laatste keer dat wij elkaar zien, meneer Peter Riley. De volgende keer dat wij elkaar ontmoeten zal in een rechtszaal zijn.'

Hij hoorde de deur met een klap dichtvallen, maar hij bleef nog steeds staan waar hij stond, hoewel hij knikte en hardop zei: 'Jawel, de volgende keer dat wij elkaar zien zal in een rechtszaal zijn, daar twijfel ik echt niet aan, en morgen zal jouw gezicht goed kapot zijn. Reken maar.' Zijn hoofd ging nog steeds op en neer. Ze zou een fotograaf er een foto van laten maken. Nee, ze hadden elkaar echt niet voor het laatst gezien.

Hij knipperde met zijn ogen, alsof hij wakker werd uit een nachtmerrie, en hij zag dat zijn lichte shirt onder het bloed zat. Het shirt was drijfnat geweest omdat hij Nyrene achterna was gehold, en hij had er geen aandacht aan besteed omdat het zijn verhitte lichaam had afgekoeld, maar nu bracht de aanblik van het bloed hem weer bij zijn positieven.

Toen hij in de badkamer in de spiegel keek, kon hij zijn gezicht even niet herkennen, niet omdat hij zo bloedde uit de snee op zijn kaak, maar omdat zijn ogen zo verwilderd stonden. Het waren helemaal niet zijn ogen.

Hij maakte een doek nat en veegde ermee over zijn gezicht. Hij zag dat het bloed uit de snee van zo'n vijf centimeter lang bleef stromen.

Hij voelde zich misselijk en draaierig. Hij legde zijn hand tegen de spiegel om steun te zoeken, draaide zich toen om en leunde met zijn rug tegen de wasbak terwijl hij zijn met bloed bevlekte shirt uittrok en ook zijn broek, omdat daar ook bloed op zat.

Hij deed het medicijnkastje open en haalde er een prop watten uit, die hij op de wond drukte, maar hij zag dat die onmiddellijk met bloed doorweekt raakte. Hij keek hulpeloos om zich heen. Toen pakte hij een handdoek, scheurde die in repen en wond deze om het onderste deel van zijn gezicht.

Toen hij door de kamer wankelde, werd er hard op de voordeur gebonsd. Hij sloeg er geen acht op en liep naar de bank, tot hij een gesmoorde stem hoorde zeggen: 'Doe eens open, meneer Riley! Ik ben het, Lily.'

Hij bleef staan, maar het duurde een paar seconden voor hij de grendel losschoof en de kamer weer in liep, op de hielen gevolgd door Lily, die uitriep: 'Wat is er in hemelsnaam gebeurd?'

Ze bleef voor hem staan, wees verbijsterd naar zijn gezicht en bracht toen uit: 'Grote goedheid, man. Wie heeft dat gedaan? Zij?'

Toen hij geen antwoord gaf maar zich op de bank liet vallen, ging ze snel verder: 'Ik liep haar tegen het lijf. Ze holde hier voor over straat, met haar hand voor haar gezicht, naar haar auto, denk ik. O, kijk nou maar niet zo!' Ze wapperde wild met haar arm. 'Ze weten er allemaal van. Ze zijn niet blind of achterlijk… gewoon omdat ze haar auto daar verstopt. Maar wat dat andere betreft, Anna en Jane stonden in de kleedkamer te praten en Anna zei tegen mij: "Ik heb haar gezien, mevrouw Riley. Ik weet dat ze pas morgen zou komen. Maar ze stond daar opeens op straat. En ze leek ruzie te hebben met hem. Toen liep ze weg en liet hem zomaar staan." Tja, toen ik dat hoorde' – Lily schudde haar hoofd – 'had ik zo'n vermoeden wat er aan de hand was. En toen ik tegen die ander opbotste, wist ik dat ik er niet ver naast zat. Maar heeft zij dat bij u gedaan?'

Hij verschoof het met bloed bevlekte kompres op zijn kaak en moest eerst wat bloed uitspugen voor hij in staat was te mompelen: 'Rustig, Lily. Geef… geef me even een schone handdoek.'

Binnen een paar seconden had ze een nieuwe handdoek voor hem, maar toen ze die op zijn gezicht wilde leggen, riep ze uit: 'O, nee, meneer Riley! Een natte handdoek is niet voldoende om dit bloeden te stelpen. U moet naar het ziekenhuis.'

'Nee!' Hij was naar de rand van de bank geschoven. 'Nee, niet naar het ziekenhuis. Hoor eens, help me even en pak mijn jas. Dokter Carter heeft op dit moment spreekuur.'

'Ja, dat is goed. Maar kunt u het plein oversteken? Haalt u dat?'

'Natuurlijk. Maar geef me voor alle zekerheid een hand.'

Hij had dit heel kalm gezegd, maar zijn hoofd tolde en niet alleen door het besef dat de hele cast moest hebben geweten wat er gaande was. Zelfs David. Nee, David niet. David zou hem op het matje hebben geroepen. Maar voor de rest was in deze afgelopen weken hun houding tegenover hem totaal niet veranderd.

Hij dacht dat hij flauw zou vallen.

'Kalm aan! Leun daar maar even tegenaan tot ik de deur op slot heb gedaan.'

Ze drukte hem tegen de muur. Toen sloeg ze een arm om hem heen en zei: 'Kom nu maar mee!'

De regen die op zijn gezicht kletterde bracht hem weer enigszins tot leven. Lily opende de deur van de wachtkamer en de geur van natte jassen sloeg hem tegemoet. Toen ze hem naar de enige lege plaats had gebracht, liep ze naar de balie en zei: 'Mijn... vriend heeft een ongeluk gehad. Er zit een grote snee in zijn gezicht en hij verliest veel bloed.'

De vrouw keek langs haar heen naar waar de jongeman zat. Hij leunde met zijn hoofd achterover tegen de muur en hield een groot, met bloed bevlekt kompres tegen zijn gezicht. Ze keek Lily onderzoekend aan en zei: 'Bent u niet een van de actrices van The Palace? En is dat niet meneer Riley?'

'Jawel, en hij is er slecht aan toe.'

'Nou, ik zal eens zien wat ik kan doen.'

Toen de deur van de spreekkamer openging, glipte ze van haar stoel en zei tegen de patiënt die naar binnen wilde gaan: 'Vindt u het heel erg om even te moeten wachten?' En ze wees naar Riley.

De man stapte behulpzaam opzij en zei: 'Nee, oké.'

Lily hielp Riley naar de spreekkamer. Het leek alsof ze een kind bij de hand hield en de dokter kwam uit zijn stoel achter het bureau overeind en begroette hen met: 'Nou, nou! Wat heeft dit te betekenen?' Het was duidelijk dat ook hij hen beiden had herkend.

Na Rileys gezicht oppervlakkig te hebben bekeken, zei hij: 'U had hier meteen mee naar het ziekenhuis moeten gaan, maar we zullen zien wat we kunnen doen zonder nog meer tijd te verspillen.' Hij pakte een fles, wat verband, en een smal etui uit een kast. 'Dit gaat wel prikken, let op,' zei hij tegen Riley.

Hij maakte Rileys gezicht uitvoerig schoon en probeerde het bloeden te stelpen. 'Als dit met een mes is gedaan, dan was het een kartelig mes.'

Riley gaf geen antwoord, zodat de dokter en Lily hem vragend aankeken.

'Nou?' vroeg de dokter.

'Het was een steen... in een ring.'

Riley sloot zijn ogen en toen de dokter de naald begon te hanteren, klemde hij zijn kaken opeen.

Ja, het was met een steen in een ring gedaan en ze had geweten wat ze deed toen ze haar vuist had gebald. Ze had hem als boksbeugel gebruikt.

De dokter vroeg niet verder, hij had begrepen dat hier iets persoonlijks in het spel was. Ten slotte zei hij: 'Ziezo! Dat is alles wat ik vanavond voor u kan doen. Ik heb er tien prachtige hechtingen in gezet en ze zijn klein en netjes, dus u zult er geen erg groot litteken aan overhouden. Mijn advies is dat u nu in bed kruipt. En laat dat verband de eerste dagen zitten, hoe het ook mag aanvoelen. Kom over een week terug, dan haal ik de hechtingen eruit.'

Hij keerde zich naar Lily en zei: 'U hebt zich heel flink gehouden, ook al zag u even een beetje groen.' Ze antwoordde lachend: 'Ik werd er zelf misselijk van, en het scheelde niet veel of u had er nog een patiënt bij gehad.'

Hij lachte toen hij hen naar de deur leidde en zei: 'U kunt ermee door.'

De regen kletterde nog steeds omlaag, de wind loeide nog steeds, en Lily moest haar arm om zijn schouders slaan om hem op de been te houden toen ze het plein overstaken.

Ze zei niets tegen hem tot ze hem in de flat had, waar hij op de bank ging zitten. 'Zoals de dokter zei, kunt u het beste meteen naar bed gaan. Ik zal iets warms te drinken halen.'

'Ik red me wel, Lily, dank je. Het gaat wel weer.'

'Doe niet zo raar! U denkt toch zeker niet dat u zo het toneel op kunt, hè? Ik moet meneer Bernice bellen en Larry ook. Er zal van alles moeten worden geregeld en snel! Dus wen er maar vast aan, meneer Riley, dat u de eerstkomende dagen niet op de planken zult staan.'

Louise en Fred stonden op het punt het huis te verlaten voor Louises maandelijkse uitje naar een goed restaurant – de oppas zat boven al met Jason te schaken – toen de telefoon ging.

Fred gebaarde met zijn hoofd naar de trap en zei: 'Laat Nancy maar opnemen.'

'Nee, kijk jij maar even wie het is.'

Fred greep met tegenzin de telefoon en zei: 'Met Beardsley.'

'Met… met Lily, van het theater, weet u wel?'

'Jazeker, juffrouw Poole van het theater.' Hij keek naar Louise, knikte naar de telefoon en zei: 'Wat kan ik voor u doen, juffrouw?'

'Het gaat om meneer Riley, hij is er slecht aan toe. Hij heeft een ongeluk gehad.'

'Een ongeluk? Wat voor ongeluk? Met de auto?'

'Nee, niet zoiets, er… nou ja, u bent een vriend van hem, dus u weet alles over hem en over zijn vrouw. Zijn vrouw kwam vanavond onverwacht hierheen.'

'Wát?'

De stem zei op luide toon: 'Misschien komt het door de wind. Verstaat u me nu?'

'Ik versta u heel goed! U zei dat zijn vrouw vanavond onverwacht is gekomen. We hadden haar pas morgen verwacht.'

'Nou, ze was er nu al. Ze heeft op straat met meneer Riley staan praten. Maar meneer Riley had nog meer bezoek. Ik weet er niet alles van, het enige wat ik wel weet is dat zijn gezicht is opengehaald. Ik heb hem naar de dokter gebracht en daar is hij gehecht.'

Het bleef even stil aan de telefoon en Fred keek naar Louise. 'Is hij in zijn gezicht gewond? Waar is hij nu?'

'In bed. Meneer Bernice en de anderen zijn geweest en weer vertrokken en ik moet nu gaan, maar ik kom gauw weer terug. Ik zal de sleutel achter de bloempot leggen, rechts van de voordeur. Bent u daar nog?'

'Ja, ja, ik ben er nog, en dank u wel.' Zijn stem was nu rustig. 'Dank u wel voor alle moeite. Het is bijzonder vriendelijk van u.'

'Helemaal niet, helemaal niet. Ik ben erg op hem gesteld. Hij heeft veel voor mij gedaan, ik bedoel, hij heeft me veel geholpen bij mijn werk. Maar het moet me toch van het hart dat hij een stomme klootzak is, en mevrouw Riley is zo'n vreselijk aardige vrouw. De mensen zullen zeggen dat het zijn verdiende loon is, maar… maar eigenlijk is het een aardige kerel. Maar goed, ik leg de sleutel dus daar neer.'

Toen de verbinding werd verbroken legde Fred de hoorn op de haak, hij keek Louise aan en schudde langzaam zijn hoofd terwijl hij zei: 'Ja, net zoals ze zegt, hij is een stomme klootzak. Ik zou er misschien om moeten lachen, maar dat kan ik niet.'

'Wat is er? Wat is er dan aan de hand?'

'Daar komen we nog wel achter. Voorzover ik heb begrepen is Nyrene onverwachts verschenen en heeft hij een jaap in zijn kaak. Ik weet niet hoe het is gebeurd, maar ddaar komen we nog wel achter. Dus zeg maar dag tegen je chique etentje.'

Louise liet zich op een stoel in de hal vallen en sloeg met een vuist op haar knie. 'Ze moet iets hebben vermoed, en mijn uitnodiging heeft dat bevestigd. En als ze haar daar heeft ontdekt, zijn er ongetwijfeld woorden gevallen, harde woorden, en dat betekent dat hij het verder wel kan schudden bij haar, want haar leeftijd is steeds een teer punt geweest, en ze is altijd bang geweest dat hij haar voor iets jongs zou laten vallen. Het moet al weken hebben gespeeld. En hij heeft ons ook voor de gek gehouden.'

'Wat had jij dan gedacht, dat hij ons in vertrouwen zou nemen? Doe niet zo onnozel, zeg. Kom op! Laten we erheen gaan om te zien wat er precies aan de hand is.'

Toen Louise overeind kwam, rinkelde de telefoon weer en Fred griste de hoorn nijdig van de haak. Er gilde een stem: 'Fred!'

'Ja, Gwendoline?'

'Kom eens gauw hierheen om te zien wat dat ordinaire mispunt met mijn dochter heeft gedaan.'

'Nou, voor ik kom kijken kun jij me misschien vertellen wat hij heeft gedaan?'

'Ja, dat zal ik je vertellen. Hij heeft haar niet alleen een stel blauwe ogen bezorgd en haar gezicht in elkaar geslagen, maar hij heeft ook geprobeerd haar te vermoorden. Je zou de afdrukken in haar hals eens moeten zien.'

Fred zei niets, maar hij keek Louise aan en schudde zijn hoofd.

Hierop hield Louise haar hoofd naast de telefoon en ze hoorde Gwendoline zeggen: 'Heb je gehoord wat ik zei, Fred? Ik zei dat hij heeft geprobeerd haar te vermoorden. Haar prachtige gezicht is geruïneerd. Hij zal hiervoor in de gevangenis komen. Daar zal ik wel voor zorgen. Ik ga voor een groot schandaal zorgen.'

'Ik denk dat je dit toch van twee kanten zult moeten bekijken, Gwendoline, en voor ik naar jou kom, ga ik eerst met hem praten, want ik heb gehoord dat hij een grote snijwond in zijn gezicht heeft opgelopen. Dus wil jij je dochter daarvoor om een verklaring vragen? En tot ik weet wat hier precies aan de hand is... tot ziens, Gwendoline.' Hij smeet de telefoon neer, keek Louise even somber aan en zei: 'Allemachtig! Wat een toestand! Hoe moet dit aflopen?'

20

Nyrene zat aan het ene uiteinde van de keukentafel met Mary Atkins en Hamish aan weerskanten naast zich. Mevrouw Atkins had
haar hand op de hand van Nyrene gelegd en streelde die terwijl ze
zei: 'O, mevrouw, dit is echt de treurigste dag van mijn leven.'

Nyrene keek haar aan en zei zacht: 'En ook van mijn leven, mevrouw Atkins.'

Er was geen spoor van tranen op haar gezicht. Ze had vreemd
genoeg niet meer gehuild sinds ze bij Riley vandaan door de regen
naar het huis van haar schoonvader was gehold. Daar had ze de
nacht doorgebracht en ze was de volgende morgen vroeg vertrokken. Dat was gistermorgen geweest, maar afgelopen nacht had ze,
toen ze alleen in bed lag, alles nog eens doorgenomen, vanaf het
moment dat ze de glazen deur had opengedaan tot ze die weer achter zich dicht had getrokken, en ze had nog steeds niet gehuild.

Hamish zei: 'Ik kan me niet voorstellen, mevrouw, dat meneer
Peter een vrouw slaat, om wat voor reden dan ook, om vervolgens
te proberen haar te wurgen, maar ik kan me wel voorstellen dat
zo'n griet een man met een mes te lijf gaat. En een scherpe diamant
snijdt nog beter dan welk mes ook. Ja, ik kan me voorstellen dat zij
zoiets doet. De duivel heeft fraaie handlangers. Maar wat ik maar
niet begrijp, mevrouw, is dat u niet met hem wilt praten en dat terwijl hij er zo aan toe is.'

Nyrenes stem klonk heel resoluut: 'Hamish, ik ben op dit punt
vastbesloten, ik wil niet met mijn man praten, en daarom wil ik, zoals ik heb gezegd, dat jullie of wie de telefoon maar mag opnemen,
ieder willekeurig excuus bedenken: dat ik niet thuis ben of dat ik
druk bezig ben. Of vertel gewoon de waarheid: dat ik hem niet wil
spreken.'

'Neemt u me niet kwalijk dat ik het zeg, mevrouw, maar ik vind

niet dat ik dat kan doen. Dus als u het niet erg vindt, laat ik het opnemen van de telefoon aan Mary over. Zij bekijkt het vanuit het
standpunt van een vrouw en ik bekijk het op dit moment vanuit
zijn standpunt. Let wel,' – zijn toon veranderde – 'niet dat ik ook
maar iets kan goedkeuren van wat hij heeft gedaan, echt niets. Nee,
ik keur het niet goed, maar ik weet iets van de verleidingen waar
een man aan kan worden blootgesteld en daarom heb ik begrip
voor zijn lot, waarin hij week na week van u gescheiden is. Dan ver-
schijnt er een jong grietje op het toneel en zij brengt hem het hoofd
op hol. Mevrouw, ik heb al eerder gezegd dat er omstandigheden
kunnen zijn. En die omstandigheden scheppen de tragedies, en de
omgeving of de plaats waar ze zich voordoen.'

Nyrene beantwoordde zijn strakke blik en zei: 'Nou, Hamish, er
zouden zich in de toekomst ook omstandigheden kunnen voordoen. Hij is nog steeds een jongeman en ik ben een vrouw van middelbare leeftijd.'

'Nee, het is geen kwestie van dat u een vrouw van middelbare
leeftijd bent,' zei mevrouw Atkins snel, terwijl ze met haar hand
naar Nyrene gebaarde, uit protest over zo'n denigrerende opmerking. 'Niemand die u ziet zou denken dat u over de veertig was.'

Nyrene gaf geen antwoord, ze keek mevrouw Atkins vriendelijk
aan en schudde haar hoofd. Toen zei ze: 'Waar ik werkelijk over wil
praten is onze zakelijke onderneming' – ze keek naar Hamish – 'zowel in de schuur als op het land. Het land zal geheel jouw verantwoordelijkheid zijn, Hamish. Je kunt zoveel mensen in dienst nemen als jou nodig lijkt, en je hebt een cultivator nodig, zoals je al
hebt gezegd. Nou, regel dat. Zodra dat verwilderde stuk land is
ontgonnen en gedraineerd en omheind, kunnen we bespreken wat
we daar het beste mee kunnen doen.' Ze glimlachte flauw naar hem
en ging verder: 'Tegen die tijd heb jij vast al een duidelijk plan voor
ogen; ik ken je.' Waarop zijn antwoord simpel was: 'Waarschijnlijk
wel, mevrouw, waarschijnlijk wel.'

Nu keek ze van de een naar de ander en zei: 'Mijn deel van het
bedrijf zie ik sneller groeien dan ik kan bijhouden. Mijn belangrijkste steunpilaar in dezen zal meneer Rice zijn. Want hij heeft zijn hele
leven als begeleider gewerkt en hij is vreselijk blij dat hij eindelijk
weer een baan heeft. Jullie hebben allebei juffrouw Gray aan het

werk gezien: ze is heel goed, in elk geval met haar voeten. Maar ze zal nooit, zoals juffrouw Fuller, iets op het gebied van spraakkunst kunnen doen.'

'Dat is dan maar goed ook. Die Fuller vind ik een ramp, met die aardappel in d'r keel. Ze is nog erger dan professor Higgins.'

'Ze is een heel goede lerares.'

'Ja, dat zal best,' zei mevrouw Atkins. En ze ging verder: 'Wat ik maar niet begrijp is dat het kind het zo goed met haar kan vinden. Nog even, en hij praat net zoals zij.'

'Dat zou nog niet zo gek zijn, hè, Mary?'

'Ach, ik weet het niet. Maar nu we het toch over Charles hebben, denk ik dat beide kanten van het bedrijf goed voor hem zullen zijn, want hij kan altijd buiten bij jou zijn, Hamish, wanneer hij maar wil. En wie weet, misschien krijgt hij zijn krachten nog wel eens terug en kan hij zelfs wat voor je spitten.' Nyrene glimlachte en slaakte even een diepe zucht, terwijl ze leek na te denken. Toen zei ze: 'Ik denk dat het voor hem ook goed is om allerlei mensen te ontmoeten en dat hij in de schuur daar alle kans toe krijgt.'

Er volgde een korte stilte, waarna Hamish zei: 'Wat gaat u tegen hem zeggen, mevrouw?'

Nyrene hoefde niet te vragen op wie hij doelde en ze antwoordde: 'Ik heb hem verteld dat zijn vader op tournee naar het buitenland is en dat de hoofdrolspeler ziek is geworden… en dat zijn vader die plaats heeft ingenomen.'

'Denkt u dat hij u geloofde, mevrouw?'

Nyrene keek in het verweerde gezicht en ze antwoordde naar waarheid: 'Ik weet het niet, Hamish.'

'Wat heeft hij daarop gezegd?'

'Niets.'

'Dan heeft hij u niet geloofd, mevrouw.'

'Dat zou waar kunnen zijn, Hamish. Dat zou waar kunnen zijn.' Ze stond abrupt van tafel op en zei: 'Goed, dat is dus wat onze toekomstplannen betreft. De twee ondernemingen zullen uiteindelijk één geheel vormen. Of ze zullen in elk geval als één geheel geboekt worden en we zullen de winst samen delen.'

Hamish McIntyre en Mary Atkins stonden eveneens op en Hamish zei: 'Dat is echt heel aardig van u, mevrouw. Zo'n voorstel valt niet te versmaden. Maar geen van ons wil dat of heeft het nodig. We hebben het daar uitvoerig over gehad, hè, Mary?'

'Ja, mevrouw.' Ze knikte naar Nyrene. 'We zijn maar al te blij om bij u te zijn en hier te werken, en u betaalt ons heel royaal. En dan hebt u ook nog eens voor het opknappen van de kamers gezorgd en voor de aanbouw. We zouden niet meer kunnen wensen. Hamish heeft het niet nodig en ik ook niet.'

Nyrene keek van de een naar de ander en zei zacht: 'Ik bof geweldig dat ik jullie heb, maar het contract, zoals dat binnenkort wordt opgesteld, blijft geldig.' Ze draaide zich om en liep de keuken uit. In haar slaapkamer liet ze zich op de rand van het bed vallen. Ze had het liefst haar hoofd in het kussen gelegd om te... het woord 'huilen' deed haar rechtop zitten en naar haar toilettafel lopen, waar ze haar haar naar achteren kamde, waarna ze de kamer weer uit liep naar de kinderkamer, waar haar zoon grote, gekleurde letters uit een boek probeerde na te tekenen.

Twee dagen later belde Riley. Toen ze de kamer uit liep, hoorde ze mevrouw Atkins antwoorden: 'Vanmorgen.' Ze wist niet hoelang Mary aan de telefoon was, maar 's avonds hoorde ze dat hij weer belde en na een tijdje legde mevrouw Atkins de telefoon neer, liep naar haar toe en zei: 'Mevrouw, ik kan er niet langer tegen. Het is vreselijk. Wilt u echt niet even iets zeggen?'

'Nee, ik zeg helemaal niets.'

Dit patroon werd de volgende dag herhaald. De dag daarna kreeg ze een brief. Ze wist dat hij van hem was en ze hield hem tussen haar vingers alsof ze zich eraan brandde. Ze liep omhoog naar haar kamer, naar haar schrijftafel in de hoek, en toen ze daar ging zitten keek ze naar de brief en haar hand pakte bijna de briefopener die op het vloeiblad lag, maar ze beheerste zich. Toen scheurde ze de brief doormidden. Ze bleef scheuren tot het leek of de brief door een papierversnipperaar was gehaald. Met haar onderarm veegde ze de ontelbare snippers in de prullenmand. En dat was het moment waarop de tranen kwamen.

Toen ze bij het bed kwam, stroomden ze vrijelijk over haar gezicht. Er vormde zich een loodzware brok in haar keel, het leek of haar hart door een mes in tweeën werd gesneden. Haar mond ging open toen alles tot een uitbarsting kwam en ze slaakte een felle kreet. Toen lag ze op het bed en timmerde met haar vuisten op het kussen en haar kreten waren zo luid dat ze de keuken bereikten en mevrouw Atkins op een holletje naar boven brachten.

Een uur later stond dokter Johnson bij haar bed en ze huilde nog steeds, maar nu zachtjes, en hij keek mevrouw Atkins aan terwijl hij Nyrenes pols voelde. 'Wat heeft dit veroorzaakt?' Maar mevrouw Atkins antwoordde: 'Dat is een privé-kwestie. Als ze het wil zal ze het u zelf wel vertellen.'

Hierop zei hij: 'Dat is dan in elk geval iets om naar uit te kijken. Maar als ik zie hoe ze eraan toe is, denk ik dat het nog wel een paar dagen zal duren voor ik dat voorrecht zal genieten.'

Nyrene gaf hem dat voorrecht niet, en hij moest uit andere bronnen de reden van haar instorting zien te achterhalen.

21

Een maand later was de trouwerij van Hamish McIntyre en Mary Atkins, en het enige dat een schaduw op die dag wierp was de afwezigheid van meneer Peter. Het bruidspaar ging drie dagen op huwelijksreis en Ivy en Ken hielden Nyrene gezelschap.

De andere opmerkelijke gebeurtenis was dat Gwendoline, via Fred, een dringend beroep op Nyrene deed om de aanvraag tot echtscheiding te laten vallen, omdat haar dochter ermee had ingestemd met de heer Ray Zussman te trouwen.

Het feit dat Yvette bij een auto-ongeluk betrokken was geweest en zich daarom voorlopig niet bij hem kon voegen op zijn jacht, zoals was afgesproken, had hem naar de flat in Londen gebracht, waar Gwendoline zich heel diplomatiek zo snel mogelijk na het ongeluk had gevestigd, teneinde verdere roddels en vragen van de plaatselijke kranten te voorkomen. Ze was zo verstandig geweest te beseffen dat als zij Riley zou aanklagen wegens mishandeling en daarmee het gebeurde publiek zou maken, dit een einde zou maken aan verdere belangstelling van de rijke aanbidder.

Nyrene had op de boodschap die Fred overbracht geantwoord: 'Ik wil een scheiding en dat wil hij ook.' Wat een scherpe ontkenning van Fred bracht: 'Hij wil geen scheiding, Nyrene. Hij is bijna gek van verdriet en hij zal zijn hele leven dat litteken moeten dragen, en het maakt hem er niet mooier op.' Ze had hem onderbroken met: 'Fred, alsjeblieft!' En hij was tegen haar uitgevallen: 'Als jij de waarheid hebt verteld, Nyrene, dan wil je geen scheiding.'

'Jawel, Fred, dat wil ik wel,' had ze hem geantwoord. 'Ik wil om veel redenen een scheiding. Ik wil oud kunnen worden zonder bang te hoeven zijn voor de jaren die komen. Ik wil mezelf volledig kunnen bevrijden van de angst voor wat er nu is gebeurd en waar ik sinds ons huwelijk op schijn te hebben gewacht. Ik wil een scheiding omdat ik niet langer bestand ben tegen de heimelijke kritiek, zelfs spot, over een vrouw van mijn leeftijd die een jonge kerel aan de haak heeft geslagen. Dit zijn geen hersenspinsels. Ik heb het meer dan eens horen zeggen. Je schijnt bovendien te vergeten, Fred, dat ik een zoon heb om voor te zorgen en dat er nog lange tijd voor hem zal moeten worden gezorgd, en dat ik hem misschien wel niet zo lang zal mogen houden.'

Het was lang stil gebleven voor Fred antwoordde, en toen zei hij zacht: 'Hoe zit het dan met je hart, Nyrene?'

Hierop had ze geantwoord: 'Fred, maak de zaken alsjeblieft niet nog moeilijker voor me.'

'Dat zou wel het laatste zijn wat ik wil, Nyrene, dat weet je wel,' zei hij. 'Maar wat voor boodschap moet ik aan mijn radeloze zuster overbrengen?'

Ze dacht even na en zei toen: 'Goed, zeg maar tegen haar dat ik er voorlopig van af zal zien. Maar het is alleen maar voorlopig. En daarom kan ze maar beter snel werk maken van die aanbidder,' had ze er verbitterd aan toegevoegd.

'Nou, Nyrene, ik ga één ding wel zeggen, en dat is het laatste wat ik hierover zeg: er zullen zat anderen voor hem in de rij staan, als jij hiermee doorgaat en dat zullen ook minder jonge vrouwen zijn. Ik weet echt niet wat er zich tussen hen heeft afgespeeld, dat zij hem zo heeft verminkt, maar ik wed dat hij voor de rest van zijn leven genoeg heeft van jonge meisjes.'

Het was zomervakantie. Met uitzondering van Riley en Lily was het gezelschap uiteengevallen en vertrokken. Ze hadden van tevoren afgesproken dat David, Larry en Riley ieder een maand op zouden geven om toezicht te houden op het theater en het restaurant, gedurende de tijd dat die voor diverse evenementen werden verhuurd. Maar toen Riley benadrukte dat hij niet meer dan twee weken vrij hoefde, en dat hij voor de rest het reilen en zeilen van het bedrijf in de gaten kon houden, wisten David en Larry, die zich terdege bewust waren van Rileys huidige situatie, dat de reden dat hij in Fellburn wilde blijven was dat hij dicht bij zijn vrienden en familie wilde zijn. Want als iemand op dit moment steun nodig had, dan was hij het wel. En daarom hadden ze snel ingestemd met dit voorstel. Hoewel het werk er niet onder had geleden, was hij in veel opzichten een ander mens geworden.

Wat Lily betrof: haar man maakte lange vrachtritten door Europa en ze wist dat het op dit moment niet verstandig was er bij hem op aan te dringen vakantie te nemen, want met de huidige stand van zaken was er altijd wel iemand die zijn werk wilde inpikken. Ze was blij geweest met de mogelijkheid Riley bij het werk te helpen en wat aan zijn huishouden te doen.

Fred en Louise hadden er steeds op aangedrongen dat hij de zondag bij hen zou doorbrengen en in de afgelopen moeilijke maanden had hij ook een hechtere band met zijn vader gekregen. Alex kwam vaak halverwege de middag even langs en hij had er een gewoonte van gemaakt samen met de zuster de voorstelling op zaterdagavond te bezoeken. Na de voorstelling dronken ze nog een kopje koffie bij hem in de flat. En als Betty en Harry er toevallig bij waren, was er veel gepraat en gelach, vooral als Harry ging vertellen wat hij van balletdansers vond.

Maar Betty lachte niet op de dag dat ze haastig naar haar vaders huis kwam, zoals ze het huis van de zuster nu noemde.

Alex stond op het punt weg te gaan. 'Wat is er aan de hand? Is er iets gebeurd?'

'Het gaat om ma,' zei ze.

'Wat heeft ze nu weer uitgespookt?'

'Dat valt nog te bezien. Je kent Christy's, het café dat de hele nacht open blijft, tegenover het theater?'

'Jawel, wie kent het niet?'

'Nou, de moeder van Peggy Mear, een van onze assistentes, die werkt daar 's avonds, om af te wassen. Ze zei dat haar moeder had verteld dat ma daar uren met een kop thee zit. Ze zegt dat ze heeft gezien hoe ze opstaat, weggaat, en dan binnen een uur weer terugkomt.'

'Gaat ma naar Christy's?'

'Ja, pa, ze gaat naar Christy's.'

'Maar wat kan zij daar nou 's avonds zitten doen?'

'Word eens wakker, pa, en denk eens na.'

'Ik bén wakker, meisje, en ik dénk na. Maar wat kan zij nou bij Christy's uitspoken of vanuit Christy's doen?'

'Ze kan aan de overkant van de straat het theater zien en ze kan Peters flat zien, en alles wat daar in- en uitgaat. Zelfs wanneer het donker is, wordt die straat tot na elven goed verlicht. Ze schijnt er niet iedere avond te zijn, maar vaak genoeg om het mevrouw Mear te laten opvallen dat zij daar uit het raam zit te staren.' Betty's stem klonk zacht toen ze zei: 'Ze voert iets in haar schild, pa. Waarom zou ze anders de hele avond in de kroeg zitten? En wat is er met Florrie gebeurd? Die vertelde me altijd alles, maar de laatste tijd doet ze dat niet meer. Ma zal haar wel weer hebben bedreigd.'

'Ik weet wat er met Florrie is,' zei Alex met een knik. 'Ze wordt bang. Ze kwam hier gisteren langs en ze vertelde dat ma haar 's avonds steeds vaker opsluit, met zowel de voordeur als de achterdeur op slot. Het huis zou eens in brand kunnen worden gestoken. Ze vertelde me dat ze aan ma had gevraagd of ze in de vakantie bij oom Frank mocht logeren, maar het antwoord was duidelijk nee. Frank wil het kind met alle genoegen te logeren hebben en daarom ga ik daar iets aan doen.'

Betty zei: 'Ik moet weer terug, pa, maar ik maak me wel vreselijk ongerust over dat mens. Ze is tot alles in staat. Ze is m'n moeder en ik hoor dit niet te zeggen, maar ze is slecht, heel slecht. Trouwens,' – ze keek hem onderzoekend aan – 'je hebt toch niet weer last van die pijn, hè?'

'Nee, nee, natuurlijk niet. Hoe kom je daar nu bij?'

Ze glimlachte flauw en zei: 'Ik weet nooit wanneer je jokt of niet.'

'Maak het nou gauw met jou! En maak je geen zorgen over dat andere gedoe. Weet je wat, ik loop er op een avond laat eens langs en dan krijg ik misschien een idee van wat ze in haar schild voert.'

Bij het weggaan zei ze: 'Peter gaat met vakantie. Hij vertelde me gisteren dat hij met vakantie gaat in de veertien dagen voor ze weer opengaan. Maar hij wilde niet zeggen waar hij naartoe gaat. Weet jij het, pa?'

'Nee, meisje, ik weet het niet. Ik heb zo'n idee wat het zou kunnen zijn, maar misschien heb ik het mis, dus hou ik het maar voor me.'

'Juist ja.' Ze knikte naar hem. 'Heeft hij het ooit over haar?'

'Nooit. En ik ook niet.'

Betty stak een hand uit en klopte haar vader op de arm. 'Ik ben blij dat hij jou heeft, pa. De Beardsleys zijn aardige mensen, maar ze zijn geen familie.' Ze werd nu ruw door hem de straat op geduwd. Daarna siste hij zacht: 'Je vergeet, meisje, dat je moeder familie is. De Beardsleys zijn aardiger voor hem geweest dan wie ook in zijn leven en daar bedoel ik zijn vrouw ook mee. Dus begin tegen mij niet over familie. Vooruit, maak dat je wegkomt.'

Ze deed een paar stappen bij hem vandaan en zei lachend: 'Ja, pa, als ik er zo over nadenk, dan heb je gelijk. Je hebt bijna altijd gelijk. Tot ziens maar weer.'

'Tot ziens, meisje.'

Het was een warme september geweest, maar nu, in de derde week, begonnen de lariksen herfstkleuren te vertonen. Dit deel van het bos was altijd heel mooi in de herfst.

Zijn hart bonsde hevig, hij zag dat hij slechts een tiental stappen van het pad verwijderd was. En daar, recht voor hem, was de achterpoort.

Wat zou ze doen als ze hem zag en wat zou ze zeggen? Maar het was de verjaardag van zijn zoon en hij kwam hem een cadeau brengen. Ze zou hem toch zeker wel toestaan zijn zoon te zien. Hoe ze er ook over mocht denken, hij hield veel van zijn kind, ook al nam hij het hem, heel diep in zijn binnenste, kwalijk dat hij hen zoveel uit elkaar had gehouden. Maar wat hij werkelijk wilde was haar gezicht zien, de blik in haar ogen zien, zelfs als hij daar niets dan minachting in las.

Het bos ging over in laag struikgewas en hij stapte eruit op de onverharde weg voor het hek.

Toen hij in de verte de stem van Charles had gehoord, had hij verwacht hem samen met Hamish te zien, maar hij liep daar met haar op de oprijlaan. De jongen moest hem het eerst hebben gezien, want de hoge kreet bracht haar plotseling tot staan, en toen holde het kind naar hem toe.

Het was niet de manier van hollen die hij zich herinnerde, met sprongen ertussen, als van een jonge antilope, het was eerder een haastige, slungelige stap. En toen sloeg de jongen zijn armen om zijn hals en zakte hij op zijn hurken voor hem neer, zodat hun gezichten op gelijke hoogte waren.

353

'Pappa! O, pappa! Je bent weer terug uit het buitenland. O pappa!' De armen waren stijf om zijn nek geslagen, wang werd tegen wang gedrukt. Toen gleden de vingers over het litteken dat van zijn oorlelletje naar de onderkant van zijn kin liep. 'Je hebt je gekrabd, pappa.'

'Ja, jongen, ja.' Hij kon het gezicht van zijn zoon nauwelijks onderscheiden. Hij stond op en keek over de oprit. Ze had zich niet verroerd, ze had geen stap verzet. Hij bukte zich opzij, duwde het kind het pakje in de armen en zei: 'Voor je verjaardag.'

'O, pappa! Dank je wel! Dank je wel! Mamma!' Charles draaide zich om en leek verbaasd te zijn dat zijn moeder nog steeds op dezelfde plek stond. De stralende glimlach verdween even van zijn gezicht. Toen greep hij de hand van zijn vader en trok hem langzaam naar haar toe. 'Kijk, mamma! Ik heb een cadeau van pappa gekregen.'

Opeens stonden ze slechts een armlengte bij elkaar vandaan. Het kind naast hem keek van het ene gezicht naar het andere. Toen draaide hij zich met een ruk om en liep zonder te hollen naar de binnenplaats, waar hij riep: 'Meneer Mac! Meneer Mac! Pappa is thuis.'

'Hallo, Nyrene.' Rileys stem klonk heel zacht. Hij had 'liefste' willen zeggen, maar hij had zich bedacht. Toen ze geen antwoord gaf maar hem alleen maar zwijgend aankeek, ging hij aarzelend verder: 'Ik... ik wilde hem even zien om hem iets voor zijn verjaardag te geven.'

'Je had die reis echt niet hoeven ondernemen, je had het over de post kunnen sturen.' Haar stem was koel.

Maar nu viel hij scherp uit: 'Ik had het niet over de post kunnen sturen, ik wilde hem zien. Dat is wel het minste waar ik recht op heb. Je kunt mij er niet van weerhouden hem te zien.'

'In de toekomst kunnen we daar afspraken over maken.' Deze woorden maakten dat hij zich met een ruk omdraaide en even met zijn rug naar haar toe bleef staan. Toen keerde hij zich weer om en zei zacht: 'O, Nyrene, ook al word ik honderd, dan nog zal ik mezelf nooit vergeven wat ik jou heb aangedaan. Ik moet er echter bij zeggen dat het niet zo belangrijk was als jij denkt. Het stelde helemaal niets voor. Maar het is allemaal mijn eigen schuld, ik heb geprobeerd je dat in mijn brieven uit te leggen. Kon je dat niet begrijpen?'

'Ik heb je brieven helemaal niet gelezen.'

Zijn ogen werden groot en zijn mond viel open, en toen zei hij met een stem vol ongeloof: 'Heb je die niet gelezen?'

'Nee, dat zeg ik, ik heb ze niet gelezen. Van de vijf brieven die je hebt gestuurd, heb ik er één verscheurd en de rest verbrand. Misschien kan dit je overtuigen hoe ik erover denk. Ik heb op verzoek van Fred het aanvragen van een echtscheiding uitgesteld, maar nu die persoon in kwestie is getrouwd, kan alles verder worden afgehandeld. En dan ben jij vrij om je leven voort te zetten, zoals ik vrij ben om mijn leven te kunnen leiden.'

Hij staarde haar aan.

'Ik wil helemaal geen leven zonder jou, Nyrene, en dat weet jij diep in je hart ook. En tot mijn eigen verdediging wil ik aanvoeren dat wat ik heb gedaan iedere dag bij duizenden echtparen gebeurt maar dat hun leven niet onherroepelijk wordt verwoest. Als jij je had verwaardigd mijn brieven te lezen – al was het maar de eerste – dan had je begrepen dat wat er was gebeurd niets met liefde te maken had, niets met een liefde zoals wij die voor elkaar koesteren, en dat er geen minuut van de dag, elke dag, is geweest dat jij niet in mijn gedachten was, en dat ik niet naar jou verlangde.' Hij zweeg even, en toen daalde zijn stem tot bevend gefluister: 'En dat doe ik nog steeds. Ja, ik verlang nog steeds naar jou.'

Hij verbeeldde zich dat hij gedurende één moment haar gezicht zachter zag worden. Haar ogen knipperden, haar tong gleed langs haar lippen, en toen zei ze hees: 'Gedane zaken nemen geen keer, Peter.' Ze sprak als een rechter die een vonnis uitsprak. 'Je kunt het verleden niet uitwissen. Hoe intenser dat is geweest, hoe groter de breuk. Het enige wat ik nu wil is gemoedsrust en die zal ik bij jou nooit kennen. Alle levenswijsheid die ik in die twintig extra jaren heb vergaard, heeft me dat vanaf het begin verteld, maar ik wilde niet luisteren, dus heb ik voor mijn doofheid moeten boeten.'

Hij keek in het strakke gezicht. Hij had zich nooit in zijn leven echt jong gevoeld, niet stuntelig jong, maar op dit moment voelde hij zich wel zo, omdat hij werd geconfronteerd met een vrouw van middelbare leeftijd. Haar huid vertoonde nog geen rimpels, haar figuur was nog slank, haar haar was niet grijs, maar haar ogen waren oud. Ze was inderdaad van middelbare leeftijd. Hij had dit al vaker opgemerkt, vooral bij vrouwen; ze konden in de zestig zijn en nog een jeugdig figuur hebben, hun haar kon geverfd zijn, het gezicht kon nauwelijks een rimpel vertonen, maar in de ogen viel de leeftijd te lezen. Hij had Nyrene nooit eerder gezien als een vrouw van midden veertig, maar de vrouw die nu voor hem stond, leek zo oud als ze was. En hij besefte dat ze nu geen rol speelde, dat ze zichzelf was, haar ware ik toonde. Alles wat zij wilde, had ze gezegd, was gemoedsrust. Ze praatte als iemand op leeftijd, als iemand die veel ouder was dan zij. Naar zijn mening verlangde je pas naar gemoedsrust als je besefte dat de dood ophanden was.

De spanning werd verbroken door een vertrouwde Schotse stem die hoog van opwinding klonk. Hamish riep: 'O, meneer Peter! Wat ben ik blij u te zien! Dat is een leuke verrassing!'

De lange Schot greep Peter bij de hand en schudde die hevig terwijl hij zijn vreugde uitte: 'Wat ben ik blij u te zien, meneer Peter! En u hebt aan de verjaardag van de kleine jongen gedacht! Nou, nou!'

Toen Riley hem eindelijk kon onderbreken, zei hij: 'Hoe gaat het ermee, Hamish?'

'Met mij? Uitstekend, meneer Peter. Nu ik mijn kleine wijfie heb om voor me te zorgen, is mijn leven compleet!' Hij schaterde het uit en Riley glimlachte. Maar inwendig kon hij niet lachen, want hij zag Nyrene snel over de oprit naar de binnenplaats lopen.

Hamish draaide zich ook om en keek haar na. Toen keek hij Riley weer aan en zei: 'Kom mee, meneer. Kom mee. Dan gaan we theedrinken.'

'Nee, dank je, Hamish. Ik kan maar beter… Ik kan maar beter…'

De Schot brulde tegen hem: 'Daar komt niets van in, als u bedoelde dat u weer wilde gaan. U moet eerst iets drinken. En kijk de jongen toch eens, hij loopt nu naast zijn moeder te dansen. Hij mist u. Hij heeft u meer gemist dan sommige mensen schijnen te denken.' Hamish knikte heftig, met een ernstig gezicht. 'Dat kind begrijpt meer dan hij laat blijken. Hij beseft heel goed dat er iets niet in orde is.'

'Ik ga wel naar de schuur, Hamish.'

'O, meneer Peter, kom toch mee naar uw eigen keuken.'

Rileys stem klonk zacht. 'Het is niet langer mijn keuken, Hamish, en dat weet jij ook, dus als je het niet erg vindt, drink ik liever iets in de schuur. Ik weet zeker dat mevrouw Atkins het wel wil brengen.'

Mevrouw Atkins bracht een dienblad met thee en broodjes, en lang voordat ze bij hem was riep ze al uit: 'O, meneer Peter! Dat dit nou toch heeft moeten gebeuren! Lieve help!' Ze zette het dienblad luidruchtig naast hem neer, daarna pakte ze een van zijn handen en zei: 'Wat is het fijn u weer te zien. Hoe heeft dit toch kunnen gebeuren? Zal ik u eens wat zeggen?' Ze boog haar hoofd naar hem toe. 'Het heeft mijn hart gebroken, dat van u beiden. Ze voelt zich verloren, echt waar. Al dit gedoe met toneel en dans, en dan die grote kerel' – ze gebaarde met haar duim over haar schouder naar waar Hamish de schuur binnenkwam – 'met zijn volkstuintje of zijn groentekwekerij of hoe hij het ook maar wil noemen, dient alleen maar om haar gevoelens te verbloemen, als zalf op een zweer.'

Riley kreeg een brok in zijn keel en hij had moeite om iets uit te brengen. 'Dank je,' zei hij. 'Het is fijn jou weer te zien. Het spijt me dat ik niet bij de trouwerij kon zijn.'

'Dat speet ons ook. Echt waar, meneer Peter.'

Hamish was naast Riley op de rand van het podium gaan zitten en hij zei tegen zijn vrouw: 'Heb je niet nog een kopje meegebracht?' Waarop zij scherp antwoordde: 'Nee, en dat van jou staat op de keukentafel en dat is een beker, net als anders. Drinkt u dat op nu het nog warm is, meneer Peter.'

Hamish keek bedroefd naar Riley. 'Ik heb laat in het leven een grote vergissing begaan. Niet door te trouwen, nee... want ik had van alles om uit te kiezen, maar door een oud lijf met een scherpe tong te kiezen.'

Mevrouw Atkins gaf hem een flinke klap op het grote hoofd en hij kaatste terug: 'En die me ook nog eens mishandelt. Daar bent u getuige van, meneer Peter. Ik ga nu gauw mijn beker halen.'

'Blijf zitten waar je zit! Ik haal hem wel.'

Hamish was al half overeind gekomen, maar hij ging met een glimlach op zijn gezicht weer zitten en zei: 'Doe dat, mens. Doe dat.'

Mevrouw Atkins slaakte een zucht voor ze zich omdraaide en de studio uit liep en Hamish zei zacht tegen Riley: 'We hebben misschien niet veel tijd voordat ze terug is. Waar logeert u, meneer Peter?'

'Ik heb een kamer in een hotel in Aberdeen. Ik ga morgen weer terug.'

'Hebt u dan nog steeds vakantie?'

'Ja, ik heb net twee weken vrij gekregen. Tijdens de zomervakantie ben ik gebleven, om van alles te regelen.'

'O, dus u hebt nog de tijd?'

'Ja, ik heb nog een paar dagen, Hamish.'

'Waarom blijft u dan niet nog wat langer? Nee, stil!' Hij stak zijn handen op alsof hij Riley bij voorbaat het zwijgen op wilde leggen. 'Er is geen reden waarom u niet hier wat vakantie kunt houden. Wacht.' Opnieuw ging de hand omhoog. 'Ik heb nog mijn eigen kleine onderkomen. Er zijn maar twee kamers, maar het is er comfortabel en u hebt alles wat u nodig heeft. Ik heb het er tenslotte jarenlang uitgehouden. Ik lucht het regelmatig, ik kon er geen afstand van doen. U hebt het gezien, in elk geval aan de buitenkant. Wat de kleine jongen betreft, die voelt zich er net zo thuis als ikzelf. En als u daar zit, dan kan ik af en toe met hem langskomen. Wat vindt u daarvan?'

Riley keek naar deze goedhartige man en hij moest even iets wegslikken voor hij kon uitbrengen: 'Dat lijkt me een geweldig aanbod, Hamish. Ik zou het heel graag aannemen. Denk je dat zij de jongen...?'

'Jawel. Ze kan u er trouwens echt niet van weerhouden de kleine jongen te zien. Zelfs slechte mannen hebben dat recht.' Hij liet zijn stem dalen en ging verder: 'Als er iets is wat ik voor u kan doen, meneer Peter, laat het me dan weten, want ik vind het een verdomde schande – nou vloek ik, terwijl ik anders nooit vloek – dat u niet eens uw eigen huis in mag terwijl mijn vrouwtje en ik hierboven zulke gezellige kamers hebben. En ik heb bovendien diep in mijn binnenste het gevoel dat ik me hier nooit echt thuis zal voelen tot u weer terug bent op uw plek.'

Het werd hem nu echt te machtig. Deze zorgzaamheid, deze goedhartigheid, deze oprechtheid deden hem bijna instorten. Riley richtte zich snel op het dienblad en schonk zich een kop thee in. Terwijl hij hiermee bezig was kwam mevrouw Atkins de schuur weer binnen, vergezeld van Charles, en na Hamish zijn beker thee te hebben gegeven keek ze Peter aan en zei: 'Deze jongeman' – ze woelde de jongen door het haar – 'popelt om u zijn kippenhok te laten zien, meneer Peter.'

'Hebben jullie dan kippen?'

'Ja, pappa. Tien kippen en een haan. En de haan heet Jock.' Hij lachte vrolijk en ze glimlachten allen breed naar hem. Toen keek hij naar het dienblad met het bordje broodjes waar niets van was gegeten, en hij zei: 'Mag ik een broodje, Mary?' Niet 'mevrouw Atkins' maar 'Mary'. Ze zei streng: 'Niet om aan de kippen te voeren, Charles.'

'Voor de helft… de helft, Mary. Dat beloof ik.'

'Ach jij!' Ze nam een broodje van het bord en duwde dit de jongen in de hand, en Riley zei: 'Mag ik er ook een nemen?' Toen hij er een van het bordje pakte, wisselde hij een blik met zijn zoon en de ogen van de jongen twinkelden naar hem.

Hamish en zijn vrouw zagen vader en zoon samen de schuur uit lopen en toen de buitendeur achter hen dicht viel keek Mary Atkins haar man aan en zei: 'Ze wil je spreken. En ik denk dat het is om jou te vertellen dat jij je met je eigen zaken moet bemoeien.'

'O, dat zal best. Ik had niet anders verwacht.'

'Wat heb je tegen hem gezegd?'

'Ik? Tegen hem gezegd? Niets. Ik heb hem alleen maar de cottage voor een paar dagen aangeboden. Hij is aan het eind van zijn Latijn. Kun je dat niet zien? En hij voelt zich bovendien verloren, reddeloos verloren. Maar dat wil zij niet zien.'

'Dat weet ik net zo goed als jij. Maar je kunt haar niet dwingen dat te zien.'

'Nee, maar Gods wegen zijn soms ondoorgrondelijk.'

'Misschien wel,' antwoordde ze snel, 'maar jij bent geen familie van Hem, dus verwacht niet dat Hij jou zal helpen met een wondertje.'

Hij legde zijn hoofd in zijn nek en zijn lach weerklonk door de schuur. En toen hij zijn armen om haar heen sloeg, haar stevig tegen zich aan drukte, en zich bukte om haar een heel natte kus op de mond te geven, gaf ze hem een por en zei: 'Geef je over. Hou je praatjes maar voor je. Ga nu maar naar binnen om ervan langs te krijgen. Ik weet wel zeker dat zij er niet blij mee zal zijn dat je hem de cottage hebt aangeboden.'

'Je kunt nooit weten. Je kunt nooit weten.'

Hamish' klop op de deur van de zitkamer was aarzelend en toen hij de kamer binnenkwam stond Nyrene bij de haard. 'U wilde me spreken, mevrouw?' zei hij.

Ze draaide zich naar hem om en keek hem even aan voor ze rustig zei: 'Wat voer jij in je schild, Hamish?'

'In mijn schild, mevrouw?'

'Dat zei ik, ja. We kennen elkaar goed genoeg, jij en ik, en jij vindt dat ik een heel harde vrouw ben om zo'n standpunt in te nemen en jou kennende weet ik zeker dat jij een manier probeert te bedenken om de verzoening tot stand te brengen, of niet soms? Maar laat me je één ding zeggen: het enige wat je bereikt is dat je mij in verlegenheid brengt.'

'Mevrouw, mevrouw, één momentje alstublieft. Wat dat in mijn schild voeren betreft, hebt u het helemaal mis. Ik heb nooit ook maar één gedachte in die richting gehad. En wat dat in verlegenheid brengen betreft: ik heb het alleen maar gedaan omdat ik u juist níét in verlegenheid wilde brengen. Maar ik heb dat echt niet uitvoerig beraamd of zo. Het gebeurde gewoon in een opwelling. en ik dacht daarbij aan u. Hij loopt daar met zijn zoon te wandelen alsof hij bij een vreemde op bezoek is, en ik moet zeggen dat ik het toch hem te doen heb. De rest is echter, hoe dan ook, uw zaak. Maar wat ik heb gedaan is bedoeld om u een pijnlijke situatie te besparen. Hij heeft de hele zomer hard gewerkt om het theater draaiende te houden, waarschijnlijk omdat hij toch nergens anders naartoe kon. En nu heeft hij twee weken vrij genomen, heb ik gehoord, om zijn zoon te kunnen zien. Ik vind dat hij er moe uitziet en ook al wilt u niets met hem te maken hebben, dan is zijn zoon er ook nog. Ik weet dat hij hem de laatste tijd niet vaak heeft gezien, maar ik weet ook dat hij heel veel van het kind houdt, en dat hij hem graag nog een paar dagen wil zien, dus hebt u dan liever dat hij iedere dag hier komt, of wilt u dat ik de jongen meeneem zodat hij hem in de cottage kan ontmoeten? U weet, mevrouw, dat u hem er niet van kunt weerhouden zijn zoon te ontmoeten. Goed, breng ik u daarmee in verlegenheid, of bespaar ik u die verlegenheid? Mocht het zo zijn dat u hem liever hier hebt, zodat u de jongen in het oog kunt houden, dan is het voor mij heel eenvoudig om hem te vertellen dat u hem toestemming hebt gegeven hier te komen. Maar ik weet één ding zeker, hoe u het ook wendt of keert, hij wil die jongen nog een paar keer zien, want het kan misschien wel heel lang duren voor hij hem weer ziet. Uw verhaal tegen de jongen over dat zijn vader naar het buitenland gaat, bevat misschien wel enige waarheid, want ik heb begrepen dat hij een heel goed aanbod uit Amerika heeft gekregen.'

Hamish vroeg zich onmiddellijk af waarom hij dat in hemelsnaam had gezegd. Waar haalde hij opeens zo'n leugen vandaan? Eén ding was zeker: ze had grote ogen opgezet. Hij besloot met: 'Dus, mevrouw, zegt u het maar. U hebt hem verder niet over de vloer, om zo te zeggen, als hij naar de cottage gaat. Dat is zo ongeveer midden in de negorij, dus het is niet waarschijnlijk dat hij door iemand zal worden herkend. En het zal hoe dan ook maar voor een paar dagen zijn.'

Ze had zich van hem afgewend, want ze besefte dat met die begrijpende ogen die haar onderzoekend aankeken, zij geen oprecht antwoord kon geven, en daarom mompelde ze: 'Doe dan maar de cottage.'

'Dank u wel, mevrouw. En komt het gelegen als ik een uurtje vrij neem om hem even wegwijs te maken? Ik denk dat afgezien van al het andere de rust hem goed zal doen. Dus is het goed als ik de jongen af en toe meeneem om hem te zien?'

Het bleef opnieuw even stil voor ze in staat was te antwoorden. 'Ja, ik denk van wel. Je kunt Mary vragen een mand in te pakken met wat hij de komende dagen aan eten nodig heeft.'

'Dank u wel, mevrouw, dat scheelt een hoop werk. En is het goed als bij die gelegenheden de auto wordt gebruikt?'

Ditmaal aarzelde ze niet en ze zei: 'Zeker.'

Een halfuur later stond ze uit het raam van de logeerkamer te kijken, waarvandaan ze nog net het eind van de oprit kon zien, en de auto die op de weg stond. Ze zag de lange gestalte van Hamish die iets in de bagageruimte legde, toen zag ze hoe Charles zijn armen om de hals van zijn vader sloeg. Ze omhelsden elkaar voordat Riley zich haastig omdraaide en in de auto stapte terwijl mevrouw Atkins met de jongen naast zich bleef staan. En toen de auto wegreed, bleven ze staan, ze keken niet de weg af maar elkaar aan, alsof ze met elkaar praatten. Toen de jongen tegen mevrouw Atkins aan leunde, en zij hem over zijn haar streelde, wendde Nyrene zich af. Ze kon het niet langer aanzien.

Wat was er gebeurd dat haar zoon zo deed? Hij moest verdrietig zijn geweest over iets. Hamish moest hem hebben verteld dat hij zijn vader morgen weer zou zien, in de cottage, en hij had het altijd leuk gevonden om naar Hamish' huisje te gaan. Dan was er het verjaardagscadeau dat Peter voor hem had meegebracht. Anders bracht Charles zijn cadeaus altijd naar haar toe en maakten ze die samen open. Maar deze keer was hij er rechtstreeks mee naar zijn slaapkamer gegaan. Hij sliep niet langer in de kinderkamer, aangezien die kamer nu in schoolkamer was veranderd, en daar was ook zijn elektrische trein nu opgesteld, hoewel hij hier veel minder ruimte had dan in de schuur.

Deze handelingen van haar zoon baarden haar zorgen, want ze waren typerend voor zijn manier van denken.

Toen ze naar beneden ging, trof ze mevrouw Atkins alleen in de keuken en ze keek om zich heen en zei: 'Waar is hij?'

Mevrouw Atkins stond bij de oven gebukt – ze schoof een aardewerken schaal over de onderste richel – en zei: 'Hij hoorde een kip kakelen, dus is hij gaan kijken of het dier heeft gelegd.' Ze had eraan toe kunnen voegen: 'Er is weer zo'n stille bui van hem op komst en hij probeert die van zich af te lopen.'

Mevrouw Atkins richtte zich op en veegde haar handen af. Daarna liep ze naar het aanrecht. Ze stond nog steeds met haar rug naar Nyrene toe toen ze haar hoorde zeggen: 'Wat is er bij het hek gebeurd? Ik bedoel, was Charles erg overstuur?'

Het duurde even eer mevrouw Atkins zich omdraaide en toen ze dit deed, veegde ze haar neus af aan de rug van haar hand. Haar wangen waren nat en haar stem klonk gesmoord toen ze op een toon die ze nooit eerder tegen haar mevrouw had gebruikt zei: 'Natuurlijk was hij overstuur, mevrouw. Wat had u anders gedacht? Het lijkt me dat hoe minder hij hem ziet, hoe meer hij hem mist. En u wilt weten wat er is gebeurd? Nou, het kind keek naar me op en kwam weer met een van zijn vreemde gezegden. Weet u wat hij zei, mevrouw? Hij zei: "Mijn pappa en mamma zijn niet blij meer, hè,

Mary?" Hebt u ooit zoiets gehoord, mevrouw? "Mijn pappa en mamma zijn niet blij meer, hè, Mary?"' Toen greep ze een theedoek, rolde die op tot een stijve bal en smeet hem in de gootsteen, en daarna ging ze op een holletje de keuken uit, over het erf naar haar gezellige zitkamer. En daar ging ze op de bank zitten huilen zoals ze in geen jaren had gehuild...

Nyrene was blijven staan, maar ze leunde nu tegen de keukentafel alsof ze steun zocht. En ze vroeg zich af waarom in omstandigheden als deze het medeleven en het begrip altijd schenen uit te gaan naar de dader, terwijl het slachtoffer zich schuldig leek te moeten voelen, schuldig aan hardheid, aan gebrek aan mededogen en begrip.

Ze liep langzaam naar boven en toen ze haar kamer binnenging en op de rand van haar bed wilde gaan zitten, bedwong ze zich. Nee, ze had nu een rechte stoel nodig. Een bed riep verkeerde gevoelens op, gevoelens die je zwak maakten, die je treurig maakten, die je onmachtig maakten en die je – ja, inderdaad – een schuldig gevoel bezorgden.

22

De eerste week van het nieuwe seizoen was voorbij. Riley en Larry Fieldman stonden buiten het theater en Larry haalde diep adem en zei: 'Oef! Ik ben altijd blij als de eerste week erop zit, vooral bij een komedie.'

De deuren achter hen gingen open. Ze draaiden zich om en zagen Lily Poole naar buiten komen, samen met iemand van de cast. Ze zei lachend: 'Dat is goddank voorbij. Nog maar zesendertig voorstellingen tot de volgende vakantie.' Toen de anderen ook lachten, ging ze verder: 'Maar het ging heel goed, nietwaar?' Ze keek Riley aan. 'U zult wel moeie benen hebben!'

'Reken maar. Net wat je zegt.'

'Ga je mee een glaasje drinken, Riley?' vroeg Larry.

'Nee, vanavond niet, Larry, bedankt. Ik heb alleen maar zin om onderuit te zakken.'

'Nou, ik ga één afzakkertje nemen. Ga jij mee, Lucy? En jij, Lily?'

'Reken maar,' zei Lily. 'Ik heb een gin-tonic nodig om energie te verzamelen voor morgen.' Ze giechelde. 'Dan is het schoonmaak- en wasdag. En dat brengt me op iets anders: ik kan maar beter nu met u meegaan, meneer Riley, om uw wasgoed bij elkaar te zoeken. Tot over vijf minuten, meneer Larry en Lucy.'

'Ga je morgen nog naar de kerk?' vroeg Larry, en zij antwoordde bijdehand: 'Ik laat het aan u over, meneer Larry, om voor ons beiden te bidden.'

'Je krijgt binnenkort kapelaan Honeyset nog eens op je dak.'

'Ach,' – ze gebaarde met haar hand – 'ik heb hem al op bezoek gehad. Hij kwam een keer op zondagmiddag. Ik liep nog in mijn ochtendjas en hij verblikte of verbloosde niet, ook niet toen hij vroeg waar Johnny was en ik zei dat hij nog in bed lag. We hebben samen theegedronken en hij heeft me een Ierse mop verteld, echt waar. Maar de climax kwam toen hij op het punt stond om te gaan. Hij liep naar de deur van de slaapkamer, bonsde er met zijn vuist op en riep: 'Kom eens te voorschijn, Johnny Poole! Ik kom je meenemen naar de hel!'

Ze schoten allemaal in de lach en Riley zei: 'Echt waar?'

'Jawel. Hij is me er eentje.'

Ze keek Riley aan en zei: 'U vindt het toch niet erg als ik even meeloop om uw wasgoed op te halen?'

'Erg vinden? Waarom zou ik het erg vinden als de wasvrouw haar werk doet?'

'Kijk maar uit, anders krijgt u uw spullen nog ongestreken terug! Ik ben over een paar minuten terug, meneer Larry,' ging ze verder.

Er werd goedenavond geroepen en daarna liepen Riley en Lily over het trottoir naar de flat.

'Wanneer verwacht je Johnny terug?' vroeg Riley.

'Dat kan nu elk moment zijn. Misschien vroeg in de morgen. Het is echt een vreselijke baan en ik geloof dat hij er genoeg van begint te krijgen. Dat moet haast wel, want hij is de laatste weken erg humeurig geweest, heel snauwerig, en dat is altijd een zeker teken dat het niet goed gaat op het werk. Ze wisselen steeds van chauffeur, weet u, en dat valt te begrijpen als ze eindeloos door de nacht moeten rijden. Hij heeft een hekel aan het rijden door Frankrijk, vanwege de boeren. Het is daar een raar stelletje, ze denken dat er in iedere vrachtwagen schapen verstopt zitten. Hij heeft al eens zijn hele lading op de weg moeten uitstallen, en toen ze niets konden vinden, wilden ze het niet meer inladen. Hij moest toen op een andere chauffeur wachten.'

Ze liepen het steegje in. Hij haalde de sleutel uit zijn zak en zei: 'Het moet heel zwaar werk zijn. Niet iedereen is daartegen opgewassen.' Toen hij zijn hand naar de deur uitstak, hoorde hij haar gillen en toen hij met een ruk werd omgedraaid, zag hij haar achterover vallen. Toen werd hij in zijn gezicht getimmerd en zijn eigen vuist die uithaalde, trof geen doel. Hij kon Lily nog steeds horen gillen toen er een knie in zijn maag werd gezet en hij werd bijna van de grond getild. Daarna wist hij dat hij viel... viel... viel, en hij schreeuwde het uit.

Toen zijn hoofd de grond raakte, was hij zich van niets meer bewust. Niet van de voet die hem steeds weer in zijn zij schopte, noch van Lily's kreten toen ze met haar vuisten haar man te lijf ging, noch van de mensen die het steegje blokkeerden, of van de politie die een inmiddels gekalmeerde man bij de muur vandaan haalden, waar hij steun had gezocht voor zijn dronken lichaam, terwijl zijn vrouw op de grond neerknielde om het bebloede hoofd van haar goede vriend en weldoener, zoals ze hem altijd zag, vast te houden.

Toen de broeders van de ambulance Riley voorzichtig op de brancard tilden en in de ambulance schoven, namen ze de jonge vrouw ook mee.

23

Hoewel Nyrene een aantal nachten onrustig had geslapen, weigerde ze haar toevlucht te nemen tot slaappillen. Ze had de afgelopen
nacht tot halfeen liggen lezen, daarna had ze nagedacht en zoals gewoonlijk had haar geest rondjes gedraaid tot ze zich op haar zij had
gekeerd en haar gezicht in het kussen had begraven om op die manier in te dutten.

Ze had langer geslapen dan anders toen de telefoon ging. Ze
nam op en zei verdwaasd: 'Hallo? Met wie?'

'Spreek ik met mevrouw Riley, de vrouw van de heer Peter Riley,
de acteur in Fellburn?'

Ze antwoordde zacht: 'Ja.'

'U spreekt met brigadier Smith van de politie in Fellburn, mevrouw, en ik moet u helaas mededelen dat uw man ernstig gewond
is.'

Even kon ze niets uitbrengen en ze kreeg het opeens heel koud.
Toen zei ze: 'Met... met de auto?'

'Nee, mevrouw, hij was het slachtoffer van een gemene overval.'

'Een overval? Wie wil hem nou overvallen?'

'Een man die de echtgenoot schijnt te zijn van een van de actrices
van The Palace. Hij verkeert nu in hechtenis, de naam is Poole.'

'Lily,' fluisterde ze. 'Lily's man.'

'Dat meen ik te hebben begrepen, mevrouw. Hij was naar het
ziekenhuis in Fellburn gebracht, maar zijn verwondingen schijnen
dusdanig te zijn, in ieder geval aan zijn hoofd, dat hij is overgebracht naar de Royal Victoria Infirmary in Newcastle.'

Ze zei iets wat klonk als: 'Grote god!' Hij ging verder: 'Ik weet
dat u ver weg woont, mevrouw, en dat het even duurt voor u hier
kunt zijn. Hebt u goede vrienden die ik voor u kan waarschuwen?'

'Zijn... zijn vader.'

'Kunt u me zijn adres geven?'

Ze gaf hem het adres van Alex.

'Ik zal direct contact met hem opnemen, mevrouw. Het spijt me heel erg dat ik u zulk schokkend nieuws moet brengen.'

'Dank u.' Haar stem klonk iel.

Wat nu? Wat nu? Ze moest erheen. Ze móést erheen... Fred! Ze moest Fred bellen. Hij kon te weten komen hoe het ervoor stond.

Ze draaide het nummer. Er klonk een stem die gromde: 'Wat? Wie is daar?'

'Met Nyrene, Fred.'

'Nyrene?' Het bleef even stil. 'Het is... het is halfvier in de morgen, wat is er aan de hand?'

'Peter... Hij is overvallen. De politie zegt dat hij zwaar gewond is. Hij is naar de RVI in Newcastle gebracht.'

'Peter.'

'Ja. Ja, word wakker.'

'Ik bén wakker.'

'Sorry, Fred, maar ik ben in alle staten. Het schijnt dat hij door Lily's man in elkaar is geslagen.'

'Wiens man?'

'Die van Lily. Je weet wel, Lily Poole, de jonge actrice. Ze doet voor hem de was en zo.'

'Allemachtig!'

'De politie waarschuwt zijn vader. Zou jij willen uitzoeken hoe het met hem is?'

'Ik zal er meteen naartoe gaan en het je laten weten.'

'Het spijt me dat ik je wakker heb gemaakt, Fred.'

'Doe niet zo mal. Hier heb je Louise, ik ga me snel aankleden.'

Louises stem klonk zacht en haar toon was ongelovig toen ze zei: 'Ik heb het net gehoord, maar ik kan het gewoon niet geloven. Waarom zou Lily's man Peter iets willen aandoen? Dat is toch die bonk van een kerel, nietwaar, die vrachtwagenchauffeur?'

'Ja.' Nyrene knikte naar het mondstuk. 'Ja, het is een bonk van een kerel en Lily zei altijd dat hij nog geen vlieg kwaad deed.'

'Hij was vast dronken.'

'Dat denk ik ook,' zei Nyrene.

'Fred is bijna klaar, liefje. Ik ga met hem naar beneden. We bellen zodra we iets weten.'

'Dank je, Louise. Dank je.'

Toen ze er later op terugkeek, kon ze zich niet herinneren wat ze had gedaan in de tijd tussen dat ze uit bed was gekomen en dat de telefoon om zes uur ging. Tegen die tijd was ze niet meer alleen, Hamish en zijn vrouw waren inmiddels bij haar.

Freds stem zei tegen haar: 'Luister. Luister goed, Nyrene. Ik weet niet precies wat er met hem is gebeurd, want hij is nog op de operatiekamer. Ik weet alleen dat hij ergens in de nek moet zijn geraakt door een punt van die voetenschraper naast de deur van de flat. De nachtzuster heeft me in grote lijnen het een en ander verteld. Ik ben ook naar het politiebureau geweest om uit te zoeken of ze iets konden vertellen waarom dit was gebeurd. Het schijnt dat die Poole stomdronken was, maar dat hij zich daarna zo ongeveer nuchter heeft gehuild. Uit wat ik heb gehoord had iemand hem brieven gestuurd over dat zijn vrouw het met Riley hield. Maar hij moest eerst dronken worden gevoerd voor hij er iets aan kon doen, want doorgaans is het een heel rustige kerel.'

Toen hij was opgehouden met praten mompelde Nyrene: 'Anonieme brieven? Dat zou alleen zijn moeder weer kunnen zijn!'

'Ja, dat dacht ik ook, net als zijn vader. Hij was ook naar het politiebureau geweest. Hij zit hier nu in de wachtkamer, samen met Betty en met Lily, de vrouw van die kerel. Ze is er vreselijk aan toe. Ze kan maar niet ophouden met praten. De zuster heeft haar een poosje geleden iets gegeven en dat heeft haar een beetje gekalmeerd. Ze zou naar huis, naar bed moeten gaan, maar ze wil niet weg voordat ze weet hoe het met hem is.'

Het bleef even stil voordat hij zacht zei: 'Nyrene?'

'Ja, Fred?'

'Ik... ik denk dat je beter hierheen kunt komen.'

'Ik sta klaar om te vertrekken, Fred. Hoewel het zondag is, denk ik dat ik er vanmiddag kan zijn. Ik ga rechtstreeks naar het ziekenhuis.'

'Ja. Ja, natuurlijk. Tot dan.'

Ze stond in de kleine spreekkamer tegenover een jongeman, veel te jong, vond ze, om dokter te kunnen zijn. Hij zei: 'U weet dat hij op de intensive care ligt?'

'Dat wist ik niet. Ik kom net aan. Ik weet nog helemaal niet hoe het met hem is.'

'Juist ja.' Hij pakte een stapel papieren in een klem van het bureau, bekeek de eerste pagina, en knikte. 'Hij schijnt een zwaar pak slaag te hebben gehad. Zijn belager was een bokser, heb ik begrepen, maar hij schijnt veel geluk te hebben gehad, in zoverre dat de scherpe punt waar hij op viel zijn schedel niet heeft doorboord. Hij is wel een deel van zijn oor kwijt, hoewel daar met plastische chirurgie veel aan kan worden gedaan. We moeten nog afwachten of die ijzeren punt enige schade aan de hersenen heeft toegebracht.' Hij rommelde weer in zijn aantekeningen. 'Het schijnt dat hij wat tanden heeft verloren toen zijn kaak werd gebroken, maar ook dat is niet zo belangrijk. Maar wat op dit moment wel zeker is, is dat het dijbeen is beschadigd. En dan moeten we ook rekening houden met de shock.'

'Kan ik hem zien?' De vraag klonk vlak en hij antwoordde: 'Ja, natuurlijk. Maar hij zal u niet herkennen, voorlopig niet.'

Even later stond ze naast Peters bed en keek ze neer op een hoofd als van een mummie, want alles wat ze van zijn gezicht kon zien waren zijn gesloten oogleden, zijn neus en een deel van zijn mond. Vanaf zijn rechterpols liep een slangetje naar een zak met bloed die aan een standaard naast zijn bed was vastgemaakt.

Iemand zette een stoel naast haar neer. Ze bedankte niet maar liet zich erop vallen. Ze sloeg een hand tegen haar mond om de kreten die in haar keel opwelden te smoren. Ze dacht: o, Peter, Peter. O, Peter, Peter. O, liefste, had ik maar... had ik maar... De woorden tuimelden door haar hoofd en ze was zich er slechts vaag van bewust dat een stem zei: 'Adem diep in.' Daarna werd ze uit de stoel overeind geholpen en het leek of ze nog maar drie stappen had gezet toen ze weer in een spreekkamer was en een stem zei: 'Zal ik haar een kopje thee geven, zuster?' Het antwoord luidde: 'Ja.' Daarna: 'Stil maar, rustig aan.' Er lag een gemoedelijke klank in de stem. 'Daar hadden we bijna nog een ongeluk. Het was maar goed dat de zuster langskwam.'

O, Peter, Peter.

'Aha, kijk eens aan! Drink dit maar op. Uw vrienden zeiden dat u een lange reis had gemaakt, helemaal uit Aberdeen, en op zondag is het openbaar vervoer vaak heel traag.'

Peter, o, liefste, ga niet dood. Ga niet dood. Geef me de tijd mezelf te vergeven. Ga niet dood.

'We nemen haar meteen mee naar huis.' Dat was de stem van Louise. Ze keek op, en jammerde: 'Louise, hij...'

'Stil maar, liefje, stil maar. Hij knapt wel weer op, hè, zuster?'

De stem van de zuster reageerde niet meteen, maar ze zei ten slotte: 'Het enige wat hij nu nodig heeft is rust. Daarna zal zijn gestel het overnemen. En hij is jong en sterk. Dat werkt allemaal in zijn voordeel en ik weet zeker dat hij zich morgen een stuk beter zal voelen, als hij u ziet.'

Toen Louise met haar door de gang liep, besefte ze dat ze niemand had bedankt voor de thee. Wat was er met haar gebeurd? Was ze flauwgevallen? Ze was nooit eerder in haar leven flauwgevallen, voorzover ze zich kon herinneren.

Toen ze de wachtkamer binnenkwamen liep Fred snel naar hen toe en zei: 'We brengen je meteen naar huis.'

Ze keek van hem naar Alex en Betty en daarna naar Lily, die wat verder weg stond. Lily's man had Peter dit aangedaan en dat allemaal om wat hij had gedacht dat er zich tussen hen afspeelde. Ze was ervan overtuigd dat de boosaardige geest van die vrouw, en haar haat, dit hadden bewerkstelligd.

Ze merkte dat Alex haar handen greep en toen ze zich weer op een stoel wilde laten zakken, hoorde ze Freds stem, die op bijna ouderwetse manier blafte: 'Niets daarvan! Je gaat naar huis en naar bed.' Hij herhaalde de woorden van de zuster: 'Anders hebben we straks nog een slachtoffer. Jij hebt gewoon slaap nodig, net als ik. Morgen zal alles beter lijken, Peter incluis. Wacht maar af.' Hierop sloeg hij zijn grote arm om haar heen en met Louise aan de andere kant droegen ze haar zo ongeveer naar de auto.

Er was een slaappil voor nodig geweest om haar ten slotte van de wereld te brengen en ze werd op maandagmorgen om tien uur pas weer wakker. Toen had ze de behoefte te blijven waar ze was, want ze voelde zich uitgeput. Dat wil zeggen, tot goed en wel tot haar doordrong wat de reden was dat ze bij Louise was.

Nog geen uur later was ze in het ziekenhuis en stond ze naast Peters bed. Zijn ogen waren halfopen en het leek of hij probeerde scherp te stellen. Hij merkte haar aanwezigheid echter niet op tot ze zacht zei: 'Peter. Peter.'

Hij kon zijn hoofd niet bewegen, het was alsof hij in een klem zat, maar hij draaide zijn ogen in haar richting en daarna bewoog hij zijn lippen. Er kwam geen geluid uit, maar ze wist dat hij haar naam had genoemd.

'O, liefste.' Ze boog zich over hem heen en keek hem aan. 'Het spijt me. Het spijt me.'

De hand die slap op de sprei had gelegen bewoog langzaam in haar richting, maar het leek of hij geen kracht had om hem op te lichten. En nu greep zij zijn hand, ze hield hem vast en stamelde: 'Zodra je vervoerd mag worden, moet je naar huis komen.'

Toen zijn ogen weer dichtgingen, zei ze weer: 'O, Peter, Peter.' Hierop verscheen er een zuster aan de andere kant van het bed en zij zei zacht: 'Het wordt tijd voor zijn injectie, daarna zal hij bijna onmiddellijk in slaap vallen.' Bijna als verontschuldiging voor wat ze moest doen, zei ze: 'Dat is beter voor hem, anders heeft hij veel pijn. Hij heeft veel kneuzingen.'

Nyrene vroeg rustig: 'Hoelang zal het duren voor hij… nou ja, volledig is bijgekomen?'

'Ach,' – de zuster haalde even haar schouders op – 'dat hangt allemaal af van hoe hij vooruitgaat. Het is nu nog vroeg dag.'

De ogen waren weer dicht. Ze wierp nog een blik op hem voor ze zich omdraaide en bij de deur wachtte ze tot de zuster bij het bed vandaan was gelopen, en toen vroeg ze haar zacht: 'Is hij in levensgevaar?'

'Ach, hij zou niet op deze afdeling liggen als dat niet het geval was. Maar ik heb ergere gevallen gezien die ten slotte op twee benen de afdeling af zijn gegaan. Dus probeer u geen zorgen te maken.'

Het was een schrale troost, maar Nyrene knikte dankbaar, en toen de zuster de deur voor haar openhield, aarzelde ze een moment om nog even naar het bed te kijken.

Louise zat alleen in de wachtkamer en ze begroette haar niet met de vraag: en, hoe is het met hem? Ze nam haar bij de arm, draaide haar snel om en zei: 'We gaan eerst lunchen. Je moet iets eten. We moeten allemaal iets eten.' En ze voegde er onheilspellend aan toe: 'We hebben misschien nog lange nachten voor de boeg.'

24

De plaatselijke krant had twee topdagen: JALOERSE ECHTGENOOT OVERVALT ACTEUR gevolgd door: NACHTELIJKE WAKE IN HET ZIEKEN-HUIS.

De avondkrant van maandag ging verder: EX-BOKSER STAPT WEER IN DE RING EN MISHANDELT ACTEUR.

In alle gevallen volgden er uitvoerige artikelen over de verwondingen van Riley, die hadden gemaakt dat hij van het plaatselijke ziekenhuis moest worden overgebracht naar Newcastle, waar hij nu op de intensive care lag met ernstige hoofdwonden, een gebroken been, enzovoort. De derde dag was er niets, maar de vierde dag luidde de kop: ACTEUR VECHT VOOR ZIJN LEVEN. NACHTELIJKE WAKE DOOR VROUW EN VADER. Daarna volgde: 'In een speciaal interview met onze verslaggever zei Johnny Poole dat hij tot in het diepst van zijn hart spijt heeft van wat hij heeft gedaan, maar dat dit alles was veroorzaakt door anonieme brieven die hij had gekregen. Hij had ze een paar weken achter elkaar ontvangen. Ze lagen op hem te wachten in het depot en ze gingen over de bezoeken van zijn vrouw aan de flat van de acteur, waar zij zogenaamd alleen het wasgoed moest ophalen en de vriezer moest bijvullen. De vrouw van de acteur werd overwegend in beslag genomen door de zorg voor hun invalide zoon.' De verslaggever meldde voorts dat de heer Poole niets had gezegd over het feit dat hij zijn baan had verloren en dat zijn vrouw hem had verlaten en een verzoek tot echtscheiding had ingediend.

Er verscheen verder niets in de kranten, tot vijf weken later, toen de zaak voorkwam.

In de tussentijd rees echter onder de theatermensen en anderen de vraag wie die brieven kon hebben geschreven.

Alle familieleden en naaste vrienden hadden hen in kunnen

lichten, maar ze wisten allemaal, omdat Riley dit vanaf het begin had gezegd, dat hij niet wilde dat de naam van zijn moeder werd genoemd, want als zijn moeder voor de rechtbank moest verschijnen zou de situatie openbaar worden gemaakt en dan zou hij nooit van haar verlost zijn. Het was al erg genoeg dat hij dit zijn hele leven met zich mee moest dragen. Alex had hen gewaarschuwd dat ze hun mond moesten houden en het aan hem moesten overlaten. Hij zou haar wel voor zijn rekening nemen. Reken maar.

Ze was de afgelopen vijf weken slechts vier keer thuis geweest, maar ze belde iedere morgen en iedere avond met Charles, en hij reageerde veel beter op haar afwezigheid dan ze had gedacht, want er was de belofte dat zijn vader weer thuis zou komen als zijn been beter was.

Ze had Charles nu aan de telefoon en ze zei: 'Pappa is gisteren uit bed geweest en heeft een eindje kunnen lopen, dus het duurt nu niet lang meer, liefje, voor hij naar huis mag.' Maar zelfs terwijl ze die woorden uitsprak, vroeg ze zich af waarom ze daar zo zeker van was, want de man die ze nu dagelijks zag leek in niets meer op de man die op de oprit had gestaan met het excuus dat hij zijn zoon wilde zien. Deze man was veel stiller, hij had het nooit over naar huis gaan en hij vroeg zelden naar zijn zoon.

De stem van het kind klonk weer: 'Heb je pappa verteld dat ik mijn naam al kan schrijven?'

'Ja, hij was daar heel blij om. En hij zei dat als jij je adres opschrijft, hij je een brief zal sturen.'

De lach van Charles klonk door de telefoon. Toen zei hij: 'Meneer Mac wil je even spreken, mamma.'

'Hallo, mevrouw.'

'Hallo, Hamish.'

'Hoe is het met hem?'

'Ongeveer hetzelfde als gisteren, maar hij kan zijn benen wat beter bewegen.'

'Zal hij voor Kerstmis naar huis kunnen?'

Toen ze niet meteen antwoord gaf, vroeg hij weer: 'Hij zal dan toch wel thuis kunnen zijn, hè? We kunnen iets bedenken zodat hij achter in de auto languit kan liggen.'

'Ik weet niet of hij daartoe in staat zal zijn, Hamish.' Ze had het hart niet om te zeggen: ik weet niet of hij wel wil komen. Want dat was dichter bij de waarheid geweest.

'Nou ja, we moeten het maar van de positieve kant blijven bekijken, vindt u niet, mevrouw? En Mary heeft een hele waslijst aan koekjes die ze allemaal gaat bakken. Ze is op dit moment boven. Moet ik haar roepen?'

'Nee, ik spreek haar vanavond wel, Hamish. Ik moet terug. Het is de dag van de rechtszaak.'

'O, ja. Hij heeft twee jaar verdiend, maar ik zou hem er drie geven.'

Ze gaf hier geen commentaar op, want ze wist wie er eigenlijk drie jaar naar de gevangenis zou moeten, en dat was niet deze grote lobbes van een ex-bokser.

Toen ze Rileys kleine eenpersoonskamer had bereikt bleek hij in zijn ochtendjas op de rand van het bed te zitten.

Hij glimlachte naar haar, alsof ze zojuist de kamer had verlaten en nu weer terug was, en hij zei: 'Ze zeggen dat ik therapie ga krijgen.'

Ze schoof een stoel dichterbij en ging naast hem zitten, maar ze maakte geen aanstalten om hem te kussen en hij ook niet om haar te kussen. Met uitzondering van de korte tussenpozen dat ze naar huis was geweest, had ze hem dagelijks gezien en hun intimiteit was nooit verder gegaan dan elkaars hand vasthouden. Ze zei tegen hem: 'Ik heb net even naar huis gebeld. Charles klonk heel opgewekt.' Hij gaf hier geen antwoord op maar knikte alleen en zei toen: 'Hoe laat is het?' Ze keek op haar horloge en zei: 'Kwart voor tien.'

'Dan is de rechtszaak begonnen.'

'Ja.' Ze had gedacht dat ze het beter niet met hem over de rechtszaak kon hebben, maar hij begon er zelf over, dus moest hij erover hebben nagedacht. Dit bleek vooral toen hij zei: 'Ik hoop dat ze hem vrijspreken.'

Haar stem klonk verontwaardigd toen ze zei: 'Hij verdient geen vrijspraak! Je had wel dood kunnen zijn!'

'Misschien door die voetschraper, maar niet door wat hij deed.'

Haar verontwaardiging maakte dat ze bijna uit haar stoel opstond toen ze zei: 'Een scheur in je lies, een gebarsten heupbeen, een gebroken kaak, vier tanden eruit, en je halve oor weg.'

'Dat kwam door die punt.'

'Nee, als hij jou niet had geslagen was jij niet gevallen en hij had je echt niet hoeven schoppen. En bedenk wel dat die punt je schedel had kunnen doorboren. De chirurg zei nadrukkelijk dat je erg veel geluk hebt gehad.'

'Ja, dat weet ik, maar jij weet net zo goed als ik, Nyrene, dat het niet echt zijn schuld is.' Hij noemde niet de naam van degene wier schuld het wel was, en zij ook niet. Hij vervolgde: 'En hij was stomdronken.'

Na een korte stilte zei hij rustig: 'Hij heeft me geschreven, weet je.'

'Echt waar?'

'Ja, en hij zei dat het hem geweldig speet wat hij had gedaan. Ik heb tegen Lily gezegd – ze was hier vanmorgen vroeg al – dat ze niet van hem moet scheiden. Ik heb het weliswaar niet op die manier gezegd, ik heb gezegd dat ze niet bij hem weg moet gaan omdat hij iemand nodig zal hebben, want als, zoals ik heb gehoord, rechter D'Arcy achter de tafel zit, zal hij waarschijnlijk de gevangenis indraaien.'

Ze zei zacht: 'Dat is precies wat hij heeft verdiend, want hij had je wel levenslang invalide kunnen maken.'

Hij staarde haar aan. Hij wilde tegen haar zeggen dat hij hem inderdaad levenslang invalide had gemaakt, niet zozeer wat lichaam maar wel wat geest betrof. Hij had de afgelopen weken veel nagedacht toen hij daar had gelegen. Pijn maakte veel duidelijk, je ging je prioriteiten heel anders stellen. Wat bereikte je in een bestaan als acteur, buiten applaus van het publiek en het strelen van je toch al grote ego? Maar voor je dat applaus kreeg, moest je behagen, en wat gaf je op om te behagen? In zijn geval had hij tijd opgegeven, tijd om bij zijn vrouw te zijn, tijd om bij zijn kind te zijn, en waar had dat toe geleid? Het antwoord lag in het litteken op zijn kin. En om acteur te blijven, moest je over bezieling beschikken, en bezieling betekende enthousiasme en vuur. Nou, er was geen spoortje vuur meer in hem achtergebleven. Wat enthousiasme betrof besefte hij dat hij nooit meer één stap op het toneel zou zetten. De behoefte om zichzelf uit te drukken, anderen te plezieren, zichzelf zelfs tentoon te stellen, was verdwenen. Het enige wat hij nu wilde was een plek zoeken waar hij een tijdje alleen kon zijn. Niet thuis, o, nee, niet thuis. Ze bleef maar praten over thuis, over hoe hij thuis moest komen voor Kerstmis. Maar hij had het gevoel dat het grootste deel van haar gepraat uit medelijden voortkwam. Voor de rest probeerde ze haar schuldgevoelens uit te wissen, omdat ze het kind boven hem had gesteld, want ze besefte dat als ze het kind nu alleen kon laten, ze hem ook eerder alleen had kunnen laten, en dat als ze dit had gedaan, er niets van dit alles was gebeurd, en dat hij zeker dat litteken op zijn kin niet zou hebben gehad.

'Doet je gezicht pijn?'

Hij haalde zijn hand van zijn wang. Hij had onbewust het litteken betast en hij zei: 'Nee. Nee, maar af en toe voelt mijn oor een beetje vreemd. Ze zeggen dat ze het deze week af zullen maken, en dat ik het verschil niet zal zien.' Hij legde een hand om zijn verbonden oor.

Hij keek haar aan en zei: 'Dus je gaat niet naar de rechtszitting?'

'Nee, Peter, dat kan ik echt niet.'

'Het hoeft ook niet. Pa zal er trouwens zijn, en Betty en Lily. Arme Lily.'

Hij leek erg met Lily te doen te hebben, maar terwijl ze dit dacht voelde ze geen enkele jaloezie jegens dat meisje. Het was niet haar schuld dat dit was gebeurd, het was feitelijk haar eigen schuld, want als zij in de flat was geweest om de was voor haar man te doen, was het niet nodig geweest dat Lily langskwam. Ze schudde snel haar hoofd. Ze moest zich er niet meer zo in verdiepen. Dit voortdurend de schuld op zich nemen voor alles wat er was gebeurd, zou haar nog eens doen bezwijken.

De deur werd opengeduwd en een zuster zei: 'Het rijtuig is onderweg, Rip Van Winkle. Maak u klaar!'

De deur ging weer dicht en Nyrene glimlachte. 'Rip Van Winkle? Noemt ze je zo?'

'Ja, ze is van de therapiekamer. Ik denk dat ze me zo noemt omdat Rip Van Winkle in dat verhaal honderd jaar heeft geslapen.'

'Ja, ik ken het verhaal.'

'Ze zei dat ik de eerste veertien dagen heb liggen slapen. Maar om je de waarheid te zeggen heb ik nog maar vage herinneringen aan die eerste dagen.'

De deur ging weer open en er werd een rolstoel naar binnen geduwd, en toen Nyrene opzij stapte om Riley zich erin te laten helpen, zei ze: 'Ik ga naar de flat, je vader zei dat hij daarheen zou bellen.'

Hij draaide zijn hoofd om naar haar op te kunnen kijken en hij zei: 'Ja, doe dat, liefste. Doe dat. Tot vanmiddag.'

'Ja, tot dan.' Ze bleef knikken toen hij werd weggereden door twee lachende en grapjesmakende verpleegsters, een aanblik die op de een of andere manier nog bijdroeg aan haar voortdurende gekwetstheid. Hier was opnieuw de jeugd vertegenwoordigd, vrolijk en onopgesmukt. Ze stond er niet bij stil dat die twee verpleegsters waarschijnlijk net zo hadden gedaan bij een beverige oude man. Nee, zij zag alleen maar hun jeugd.

25

In het naargeestige kamertje stond Lily voor de man die sinds ze hem voor het laatst had gezien heel veel was afgevallen. Die laatste keer was de dag na het incident geweest, toen hij op borgtocht was vrijgelaten en zij hem had verteld dat ze hem voorgoed ging verlaten. Ze wist nog dat hij hier geen antwoord op had gegeven en haar ook niet naar hun huis had gevolgd. Maar ze had begrepen dat hij bij zijn zuster logeerde. En nu keek ze naar hem op, met een gezicht dat van verdriet en medelijden was vertrokken, en ze herhaalde bij zichzelf de woorden van de rechter: 'Hoewel u zonder aanleiding een zware mishandeling hebt gepleegd, ligt de schuld niet uitsluitend bij u, maar ook bij de schrijver van die anonieme brieven.' Vervolgens had hij zijn mening gegeven over zulke brievenschrijvers. Hij had gezegd dat hij zulke mensen publiekelijk aan de schandpaal wilde nagelen. En hij vond dat de politie net zoveel moeite moest doen om de schuldigen op te sporen als bij het zoeken naar een moordenaar. Zulke brievenschrijvers waren boosaardig en slecht, ze ruïneerden levens en ze ruïneerden gezinnen. In dit speciale geval hadden ze een man bijna een aanklacht wegens moord bezorgd. In elk geval was de carrière van een getalenteerde acteur beschadigd en wel zodanig dat het de vraag was of hij ooit nog op het toneel kon staan. Het gebeurde was echter een ernstig misdrijf en de beklaagde had bekend, en hoewel hij diep berouw had getoond, moest het recht toch zijn loop krijgen en moest hij zijn straf ondergaan.

Ze stak haar hand uit en pakte Johnny bij de arm. 'Het is echt niet zo lang. Ik… ik zal op je wachten… thuis.'

De spieren in het grote, magere gezicht leken tegelijk te bewegen, alsof hij een tic had. Toen fluisterde hij hees: 'Het spijt me, Lily. Het spijt me echt.'

'Dat weet ik, maar… maar maak je daar nu maar geen zorgen meer over.' Ze boog zich half naar hem toe, keek toen opzij naar waar de politieman stond, en toen die een gebaar met zijn hoofd maakte alsof de tijd bijna om was, legde ze opeens haar handen op de brede schouders en hief haar gezicht, en toen hij zijn armen om haar heen sloeg en haar tegen zich aan drukte, kon ze zijn hele lichaam voelen trillen. Het was alsof hij bang was, en ze had niet gedacht dat hij ooit bang kon zijn.

Haar lippen weken uiteen toen de stem van de politieman achter hen zei: 'De tijd is om. Kom.' Waarop Johnny haastig stamelde; 'Meen je dat, Lily? Zul je op me wachten?'

'Ja, ja.' Ze knikte heftig, en hij liet haar langzaam los en deed twee stappen achteruit voor hij zich omdraaide en door de deur liep die de politieman openhield.

Ze bleef een paar minuten roerloos staan. Ze kneep haar ogen dicht en ze kreeg een brok in haar keel. Ze werd overweldigd door een gevoel van medelijden waarvan ze niet had gedacht dat ze het ooit voor hem zou voelen. Hij was niet het soort man dat medelijden opriep. Misprijzen, ja, want er waren wel eens ogenblikken geweest dat ze zich had geërgerd aan zijn onwetendheid, waarvan ze geloofde dat die voortkwam uit zijn onvermogen tot leren. Toch waren er andere tijden geweest dat hij haar verbaasd had doen opkijken omdat hij over bepaalde onderwerpen met kennis van zaken kon spreken. Ze had hem in zekere zin in gedachten geëxcuseerd door zichzelf wijs te maken dat hij geen prater was.

Toen ze op straat kwam, was ze geroerd daar de familie van meneer Riley op haar te zien wachten. Zijn vader was er, en zijn zus Betty, zuster Fawcett, en zijn vrouw Nyrene, en hun vriendin mevrouw Beardsley.

Nyrene zei tegen haar: 'We willen ergens met zijn allen koffie gaan drinken. Heb jij nog tijd?' Ze keek van de een naar de ander en stamelde toen: 'Ja. Ja… ja, ik heb wel tijd. Graag.'

In het restaurant bleef het gesprek algemeen, tot Alex opeens naar Lily keek en zei: 'Hij is er licht van afgekomen, een jaar waarvan zes maanden voorwaardelijk.' Maar hierop zei Betty snel: 'Pa bedoelt niet dat hij hem alleen de schuld geeft, hè,pa?'

Hierop zei Alex: 'Nee, nee. Zoals de rechter zei, het kwam door die brievenschrijver.' Hij had dit laatste woord benadrukt en Betty knikte, keek van de een naar de ander en zei: 'Ja, zoals pa zegt, het kwam door die brieven.' Maar toen haar blik op de zuster bleef rusten, riep Betty bijna hartstochtelijk uit: 'Ja, de brievenschrijver! En ik heb er ook een paar gehad. Ze zou eigenlijk…'

'Weet je wie het was?' Deze vraag kwam scherp van Lily en de anderen riepen bijna in koor: 'Nee, nee!' Terwijl Nyrene uitlegde: 'Het is meestal een vrouw die deze vorm van boosaardigheid bedrijft, Lily, en de zuster heeft een tijdje geleden ook zulke brieven gehad.'

'O.' Lily keek weer naar Betty, en daarna ging haar blik naar Alex, die zei: 'Dat was omdat ik bij de zuster was gaan wonen, weet je.'

'O.' Deze verklaring leek Lily te bevredigen, in elk geval voor even, en dat was tot ze scherp zei: 'Zal ik jullie eens wat zeggen? Ik ga uitzoeken wie mij heeft lopen bespioneren en naar die brieven te oordelen moet dat een hele tijd zo zijn geweest. Ja, dat ga ik uitzoeken.' Ze knikte heftig.

Alex zei rustig: 'Als je dat te weten kwam, wat zou je dan doen?'

'Wat ik dan zou doen, meneer Riley? Ik zou diegene ervoor laten boeten. Ik zou hem voor de rechter slepen. Jawel! Ik zou ervoor zorgen dat diegene – of het nou een hij of een zij was – geen anonieme brieven meer zou schrijven.'

Hij knikte naar haar en zei: 'Je hebt gelijk, ja. Ieder van ons aan deze tafel denkt er net zo over, maar we zouden het niet doen.'

Ze keek even verbaasd. Toen zei ze: 'Waarom… waarom zouden jullie diegene niet aanbrengen?'

'Omdat Peter het niet zou willen. Hij is er niet voor.'

'Peter? U bedoelt dat als hij wist wie ervoor had gezorgd dat hij zo in elkaar was geslagen, en door wie Johnny in de bak zit, hij toch niets zou doen?'

'Nee, hij zou niets doen.'

Alex keek van de een naar de ander, en toen zijn ogen weer op Lily bleven rusten zei hij: 'We weten allemaal wie het gedaan heeft.'

'Wat! Weet u dat?'

'Je kunt gerust verbaasd kijken. Weet je, het was Peters moeder, mijn vrouw.'

Lily schoof achteruit in haar stoel en haar ogen overzagen de groep terwijl ze fluisterde: 'Nee!'

'Jawel, meisje, toch wel. En het is al een hele tijd aan de gang.'

'Door mij.' Nyrene had nu alle aandacht en Alex zei: 'Nee, meisje, nee. Voor die tijd deugde ze ook al niet. Ik heb het jarenlang meegemaakt.' Maar Nyrene zei: 'Ja, maar anders.' Toen keek ze Lily aan en zei: 'Vanaf het moment dat Peter met mij is getrouwd, met een vrouw die bijna net zo oud is als zijzelf, heeft ze geprobeerd zijn leven te ruïneren.'

'Allemachtig! Arme meneer Riley. Hoe heeft hij dat al die tijd kunnen verdragen?'

Nu gaf Alex antwoord. 'Omdat ze zijn moeder is, en ik heb het eerder ook steeds verdragen omdat ze mijn vrouw is. Maar nu weet je het en je zou hem heel veel verdriet doen door dit openbaar te maken. En dat wil je toch zeker niet?'

Lily antwoordde door langzaam haar hoofd te schudden. Toen zei ze: 'Nee, dat niet. Maar... maar ik kan het gewoon niet geloven. Zou een moeder echt zoiets doen?'

Toen er geen antwoord kwam ging ze verder. 'Maar het is niet eerlijk.' Ze keek hen weer aan. 'Ze hoort op de een of andere manier te worden gestraft, want als ze tot zoiets in staat is, zal ze nu ook niet ophouden.'

'Ja, dat ben ik met je eens, meisje,' – Alex knikte naar haar – 'er moet iets gebeuren en er zál ook iets gebeuren, meisje. Maar we kunnen dit beter laten rusten tot Peter weer echt op de been is. En, dan zullen we wel zien.'

26

Ze hadden de recreatieruimte voor zich alleen. Riley zat in een rolstoel en Nyrene zat naast hem, en ze hield zijn hand vast en schudde die toen ze zei: 'Nee, nee, Peter, dat kun je niet doen.'

'Hoor eens,' hij klopte op haar hand, 'het is echt beter zo.'

'Je hebt verzorging nodig.'

'Nou, waar kun je betere verzorging krijgen dan bij een zuster in huis? Maggie is echt een goede verpleegster, ze heeft nachtdienst en als ik overdag hulp nodig heb, is zij er. En dan is pa er. Ik wil graag wat tijd samen met pa doorbrengen. Hij moet weer naar het ziekenhuis, maar hij stelt het steeds weer uit. Ik geloof dat hij het gevoel heeft dat het zijn laatste bezoek zal zijn. Maggie denkt dat ook: hij heeft veel pijn gehad en zijn pillen hebben weinig effect meer.'

'O, dat spijt me, Peter. Maar als je naar huis kwam, zou je vader ook mee kunnen komen. Hij vindt het heerlijk om daar te zijn.'

Hij keek haar aan en schudde toegeeflijk zijn hoofd toen hij zei: 'Aberdeen is een eind bij het ziekenhuis van Newcastle vandaan.'

'Toe, Peter!' Ze liet haar stem tot bijna een jammerklacht dalen. 'We hadden je allemaal voor Kerstmis thuis verwacht, en ik' – ze sloeg haar ogen neer – 'wil je zo graag thuis hebben.'

'Nyrene… Kijk naar me. Kijk me aan.'

Toen ze haar ogen opsloeg, zei hij: 'Als dit niet was gebeurd,' – hij raakte zijn hoofd en zijn been aan – 'dan hadden we nog steeds in dezelfde situatie gezeten, nietwaar? Je had me toen echt niet thuis willen hebben.'

'Je hebt geen idee hoe ik met mezelf overhoop lag. Ik verlangde naar jou, maar ik kon de eerste stap niet zetten.'

'Nee, dat kon je niet, liefje, en jou kennende zou je dat ook nooit hebben gedaan. Maar nu speel je weer een rol, want de omstandigheden hebben voor een andere setting gezorgd.'

'Nee, Peter, nee!'

'Jawel. Jij speelde een rol om mij een carrière te geven, je speelde weer een andere rol om mij mijn vrijheid te geven. Dit gedoe van jeugd met jeugd werd je toen weer te machtig. Ja, ik weet het wel. Ik weet dat je niet wilde inzien dat ik geen jeugd nodig had, ik ben innerlijk nooit jong geweest. Ik had innerlijk geen behoefte aan jeugd.' Hij wendde zijn hoofd af en staarde naar de rij stoelen langs de muur, maar toen hij ze begon te tellen, bedwong hij zich – het was een gewoonte die de laatste tijd over hem was gekomen, dingen tellen – en daarna ging hij verder: 'Ik werd alleen maar door seks gedreven, zuiver en alleen, en seks heeft niks te maken met liefde. Dat heb ik door schade en schande moeten ontdekken.'

Er volgde een stilte die een paar minuten duurde. Toen zei hij zacht: 'Dan is er nog iets: je hebt schuldgevoelens tegenover mij, en hoewel ik weet dat de dingen nooit meer zo kunnen worden als vroeger, zou ik het niet kunnen verdragen... zou ik het echt niet kunnen verdragen te worden geaccepteerd op grond van gevoelens die het midden houden tussen medelijden en schuldbesef.'

'Peter, Peter, geloof me, je hebt het mis. Ja, je hebt het helemaal mis als je op die manier denkt. Ja, ik héb schuldgevoelens gehad, en ook medelijden, ja. Wie zou dat niet hebben gehad, door de toestand waarin jij verkeerde? En alle schuldgevoelens die ik had kwamen daaruit voort, want we weten allebei dat ik in de eerste plaats de oorzaak van alles was. Luister. Luister.' Ze had zijn handen gegrepen en ze hield ze stevig vast, maar ze merkte dat ze niet de woorden kon uiten die in haar keel bleven steken, want die zouden misschien geen begrip bij hem ontmoeten. Toch wist ze dat als ze ze niet zou uiten, ze het nooit zou weten, dus sloeg ze haar ogen neer en zei zacht: 'Ik hou van je, Peter, ik hou nog net zo veel van je als toen. Misschien zelfs nog meer. En ik verlang naar je. Maar ik heb je vooral nodig. Ik heb je nodig om mijn leven weer compleet te maken. Mijn liefde is in de loop der jaren bezoedeld geraakt door angst voor wat er zou kunnen gebeuren, en dat is gebeurd. Sindsdien zijn al die gevoelens en angsten verdwenen. Wat jij ook in de toekomst gaat doen, met of zonder mij, ik zal altijd van je blijven houden.'

'O, Nyrene.' Hij hield zijn hoofd gebogen en zijn handen grepen haar stevig vast toen ze opschrokken doordat de deur opeens openging. Ze zuchtten allebei toen Alex binnenkwam.

'Hallo, allebei! Klaar om te gaan?'

Alex schoof een stoel bij, keek hen beiden aan en zei tegen Nyrene: 'Heeft hij je verteld dat hij naar ons komt? Het is maar voor een paar dagen, tot hij een beetje beter kan strompelen. Het zal niet voor lang zijn. Je zult hem gauw genoeg weer thuis hebben. Ik moet in elk geval binnenkort weer naar het ziekenhuis. Maar zoals ik hun daar heb gezegd,' – hij hield zijn hoofd schalks scheef – 'kom ik pas als ik zelf zover ben en niet eerder. Goed, Nyrene, ga jij met ons mee naar huis?'

Ze kon alleen maar knikken. Haar keel werd dichtgeknepen, terwijl ze juist zo flink wilde doen. Maar Alex ging verder: 'En je weet dat je niet bij de familie Beardsley hoeft te logeren, we hebben boven nog een logeerkamer over.' Hij haalde zijn schouders op en voegde er snel aan toe: 'Maar die is natuurlijk niet zo chique als bij hen. Toch worden de lakens eens per maand verschoond.'

'O, Alex!' Ze schoot onwillekeurig in de lach en dat werkte bevrijdend. Ze zei: 'Ik geloof je op je woord, Alex.' Maar Peter zei snel: 'Nee, je kunt beter weer naar huis gaan. Je bent alweer een week weg.'

'Ik ga wanneer ik daaraan toe ben,' zei ze nu scherp. Toen keek ze Alex weer aan en zei zacht: 'Bedankt, Alex, ik blijf in elk geval een paar nachten.' Daarna keek ze Peter aan en ze hielden elkaars blik even vast tot hij zijn hoofd afwendde… Hij had het nu verder niet in de hand.

Het was vijf dagen geleden dat hij in het ziekenhuis had moeten aanhoren hoe zijn vader alles regelde opdat hij bij de zuster kon logeren, en nu was hij weer bezig van alles te regelen, want Alex zei: 'Het was eerst een goed idee, toen ik dacht dat jij rust en vrede en stilte zou hebben, en dat we wat tijd zouden hebben om te praten, maar lieve hemel! Praten? We hebben amper tijd gehad om mekaar gedag te zeggen. Niet te geloven. Ik had er nog begrip voor dat je familie kwam en mevrouw en meneer Beardsley, maar ik had er niet op gerekend dat hele verdraaide zooitje van The Palace over de vloer te krijgen.'

Hij gaf zijn zoon een duwtje tegen de schouder en zei: 'Weet je nog die keer dat ik in het ziekenhuis lag en dat jij me die bloemen bracht en de zuster zei dat mannen nooit bloemen kregen? Nou, kijk hier eens om je heen, het lijkt wel een rouwcentrum.'

'Pa, hou toch op!'

'Ophouden, zeg je? Ik zou er wel meteen mee op willen houden en deze tent willen dichtgooien, want het lijkt goddomme wel een theesalon, met al die koppen thee heb ik zo langzamerhand wel de helft van de dozen chocola en de flessen wijn verdiend. Dat zou me een aardige besparing bij de kerstcadeaus geven. En het wordt nog steeds niet beter, want er zijn nu te veel mensen die weten waar jij zit, en dan alle kinderen die aan de deur komen omdat ze een handtekening willen. Ik wed dat je nooit had gedacht dat je zo populair was.'

Populair. Hij hoorde Yvette nog zeggen: 'Een grote vis in een kleine kom, dat ben je.' Maar hij had ervan genoten die grote vis te zijn. Jawel, hij had ervan genoten. Maar hij wist dat hij nu nooit meer wat voor soort vis dan ook zou zijn, zoals hij het nu zag. Het was niet alleen zijn uiterlijk dat hem vroeger had geholpen, maar ook zijn lichaam en zijn vitaliteit. Maar die was nu verdwenen.

Het was alsof zijn vader zijn gedachten had opgepikt, want hij zei: 'En je loopt een stuk beter, prima, maar zoals ik al zei, je krijgt nooit echt rust met alle mensen die weten dat je hier bent.'

Alex hield op met praten, hij liep naar de haard en bleef er even in staan kijken. Toen mompelde hij in zichzelf: 'Waarom heb ik verdomme niet eerder aan haar gedacht? Als er iemand kon weten dat hij hier was, dan is zij het wel. En god mag weten wat ze nu weer zal uitspoken.'

Riley zei: 'Maar, pa, je wilde juist zo graag dat ik hier kwam, en ik heb het hier uitstekend naar mijn zin.'

'Naar mijn zin,' had Riley gezegd. Af en toe verlangde hij terug naar het ziekenhuis, naar dat rustige kamertje waar vaste uren voor het bezoek waren. De mensen waren vriendelijk, meer dan vriendelijk, echt onvoorstelbaar lief, maar het was toch vermoeiend en hij was moe, vreselijk moe, nog meer dan in het ziekenhuis. Zijn vader zei nu: 'Dat weet ik, en in het begin was het allemaal prima. Maar ik had niet gedacht dat het min of meer het centraal station van Newcastle zou worden. Ja, wat jij nu nodig hebt is rust en stilte.' Hij liep naar Riley toe, greep hem bij de pols en zei zacht: 'Ga naar huis, Peter. Ik vraag je dit uit de grond van mijn hart: doe het voor mij. Ik heb je nooit echt iets gevraagd, hè? Maar nu wel. Ik wil dat je naar huis gaat. Ze is pas twee dagen weg en je mist haar nu al, je voelt je nu al verloren zonder haar. Dat zal altijd zo zijn, dus slik je trots in.'

'Trots? Pa, ik heb geen enkele trots meer over.'

'Nou, wat het ook mag zijn, ik verzeker je dat ik weet dat jij naar huis wilt, dat je ernaar verlangt thuis te zijn, en dat die vrouw van jou dagelijks bidt dat jij naar huis zult komen. Jongen,' – hij schudde langzaam zijn hoofd – 'verspil niet nog meer dagen. Verspil geen minuut van je leven meer, want hoelang het ook mag zijn, het is een heel korte rit. Jawel, jongen, het is een heel korte rit. En ik weet dit wel: wat jullie ook uit elkaar mag houden, het ligt aan jou, dus zet die trots overboord, jongen, en ga naar huis. Wil je dit voor me doen? Want ik ga je nog iets vertellen: zolang jij in dit huis bent, ga ik niet naar het ziekenhuis.'

'Doe niet zo gek, pa. Als jij volgende week niet gaat, dan gaat je beurt voorbij en dan moet je misschien weer weken wachten.'

'Nee,' – Alex schudde zijn hoofd en zijn stem klonk nu opschepperig – 'ik zal geen weken hoeven te wachten, ik ben een speciaal geval. Ik ga naar het ziekenhuis wanneer ik dat wil.'

'Doe niet zo dwaas, pa.'

'Oké, ik zal niet dwaas doen. Maar wat vind je ervan?'

'Ik voel me nog niet in staat om te reizen, pa.'

'Ik ga wel met je mee.'

'Daar komt niets van in. Als ik ga, dan ga ik alleen.'

Alex stond lachend op en zei: 'Ik zal het tegen de zuster gaan zeggen en ik ga je spullen inpakken.'

'Ga zitten!' Het was bijna een brul van Riley, en zijn vader ging zitten. Hij glimlachte nog steeds toen Riley zijn hand pakte en op gedempte toon zei: 'Ik denk niet dat we ooit nog zo bij elkaar zullen zitten, dus zeg ik het nu. Ik… ik ben blij dat we elkaar hebben leren kennen, pa.'

Riley wachtte tot zijn vader iets zou zeggen, maar Alex staarde hem alleen maar aan. Toen spróng hij zo ongeveer overeind, viel naar voren en sloeg zijn armen om de hals van zijn zoon, en Riley omhelsde hem en ze klampten zich even aan elkaar vast. Daarna rukte Alex zich ruw los en liep haastig de kamer uit. Hij had geen woord gezegd, maar zijn gebaar had zijn gevoelens beter uitgedrukt dan alles wat hij had kunnen zeggen.

27

Nyrene stond bij het hek, met haar blik op de zilveren streep van de rivier gericht. Er was geen enkele beweging in het water, het leek stil, bevroren, en misschien was het dat ook wel. Toen ze huiverde, vroeg ze zich af waarom ze daar stond, want ze had zoveel brieven om te beantwoorden. Het was een vreemde dag geweest, en ze had haar draai niet kunnen vinden. Ze was pas twee dagen thuis en ze wilde nu alweer terug naar hem. Maar dat kleine huis was propvol en ze waren daar geen minuut alleen. Hij ging niet vooruit en hij zou daar ook niet vooruitgaan. Wat hij nodig had was rust en stilte. Hoewel hij beter liep, de wonden op zijn hoofd en gezicht waren genezen en zijn kneuzingen minder waren geworden, had ze de indruk dat hij geestelijk nog steeds onder de shock van de overval leed.

Het zou zo donker zijn, de schemering was 's winters heel kort. Toen ze zich afwendde van het hek gleed haar blik nog even over de onverharde weg en ze bleef opeens staan. Daar was iemand die langzaam haar kant uit kwam. Het was Hamish niet, want de gestalte was niet lang genoeg, en Hamish zou bovendien Charles bij zich hebben gehad. De laatste keer dat ze hen had gezien waren ze in de schuur bezig geweest, waar Hamish een decordoek had beschilderd, uiteraard geholpen door haar assistent. Deze gestalte liep heel langzaam. Ze boog zich over het hek. Toen leek haar hart opeens een tel stil te staan, en ze herinnerde zich hoe onrustig ze de hele dag al was geweest. Nu wist ze dat er iets met hem was gebeurd en dat dit zijn geest was, daar op het pad. O, lieve god! Ze greep met haar handen naar haar keel.

Toen de gestalte dichterbij kwam en de hinkende stap versnelde, rukte ze het hek open en bleef even stokstijf staan voor ze naar voren holde en riep: 'Jij bent het, Peter! Jij bent het!'

Ze moest steun zoeken voor hem en haarzelf, om niet te vallen, en ze liet hem met één hand los en greep de paal van het hek vast. 'Peter, wat is er aan de hand? Is er niemand bij je?' Ze keek over zijn schouder. 'Lieverd, je had me moeten laten weten dat je kwam.'

Hij zei niets, maar toen hij zich vooroverboog en haar teder kuste, wankelden ze allebei weer alsof ze zouden vallen, en ze riep: 'O, kom mee! Kom mee!' En toen schreeuwde ze luidkeels: 'Hamish! Hamish! Hamish!'

Ze waren halverwege het pad toen mevrouw Atkins om de hoek van het huis kwam en Hamish van de binnenplaats, en ze holden allebei, net als de jongen. Charles was de eerste die hen zag en hij slaakte een hoge kreet, vloog over het terrein en klampte zich toen aan hen beiden vast, terwijl hij riep: 'Pappa! Pappa, je bent thuis. O, pappa!'

Hamish was nu aan zijn ene kant, met zijn arm om hem heen, en hij droeg hem zo ongeveer naar het huis terwijl hij allerlei uitroepen slaakte, deels bevelen en deels commentaren. 'Lieve hemel, hoe hebt u dit voor elkaar gekregen? Doe de voordeur open, mens! Hebt u helemaal niets bij u?'

Bij het huis liet Riley hen allen stoppen en hij lachte en hijgde. 'De bagage, Hamish, staat verderop langs de weg. De taxichauffeur was zo vriendelijk alles daar neer te zetten.'

'Grote hemel!'

'Niets grote hemel, mens! Zet die ketel op, en niet voor de thee, maar voor een warme grog. Dat is precies wat hij nodig heeft.'

Toen ze hem in de grote stoel voor het hoogoplaaiende vuur hadden gezet, leunde hij achterover en sloot zijn ogen. Ze bleven om hem heen staan: Hamish, mevrouw Atkins, Charles en Nyrene, en even zei niemand iets, tot Hamish opnieuw door de kamer brulde: 'De grog, mens! De grog!'

Zijn vrouw draaide zich lachend om en holde naar de keuken, terwijl Hamish naar Nyrene knikte en zei: 'Ik ga wel even de bagage ophalen.'

Hij was halverwege de kamer toen hij omkeek en zei: 'Jongeman, ga jij niet met me mee? Ik hoef toch zeker niet alles alleen te dragen?'

De jongen lachte, met zijn mond wijdopen, en hij keek naar zijn vader. Hij sloeg zijn armen om zijn nek, gaf hem snel een kus en draaide zich toen om en holde op zijn waggelende manier naar Hamish.

Nu waren ze alleen en ze liet zich naast de stoel op haar knieën vallen, pakte zijn handen en drukte die tegen haar borsten terwijl ze zacht zei: 'O, liefste. Je hebt geen idee hoe ik ben geschrokken. Ik dacht even dat je een geest was. Hoe heb je dit in hemelsnaam in je eentje kunnen doen?'

'Ik heb het niet in m'n eentje gedaan, pa heeft alles geregeld. Hij heeft me in een eersteklas coupé gezet en hij zal de conducteur wel een flinke fooi hebben gegeven, te oordelen naar alle zorg tijdens de reis. Het was echt een makkie.'

Hij schoof naar voren en sloeg zijn armen om haar heen, en zo zaten ze ineengestrengeld toen mevrouw Atkins de kamer binnenkwam. Ze lieten elkaar niet meteen los, maar wachtten tot Mary 'Break!' riep, alsof ze in een boksring stonden.

Na de eerste slok van de warme whisky keek hij naar mevrouw Atkins en zei: 'Driemaal daags mevrouw Atkins. Dat heeft de dokter gezegd. Driemaal daags.' En hierop antwoordde ze op gelijke toon: 'Ja, meneer, goed meneer, ik zal ervoor zorgen, meneer.'

Na een maaltijd van een ovenschotel met lam, een fruitsalade die in een versierde halve meloen was geschept, gevolgd door chocoladetaart en koffie, besteedden ze een uur aan Charles, waarbij ze zijn pogingen tot schrijven volgden en zijn pogingen tot lezen aanhoorden. Ten slotte las Nyrene hem een verhaal voor, terwijl hij opgerold bij zijn vader op schoot zat, met zijn hoofd tegen zijn schouder, zijn lichaam tegen hem aan gedrukt, tot mevrouw Atkins binnenkwam en luid riep: 'Je mag kiezen wat je wilt: de bovenkant of de onderkant van het bed.' Waarop Charles lachend zei: 'Het midden, Mary.'

Hij hief zijn hoofd van zijn vaders schouder, keek zijn moeder aan en zei: 'Moet ik echt?'

'Ja lieverd, je moet echt naar bed.'

Met tegenzin kwam hij overeind en kuste zijn vader drie keer. Vlak voor hij zich van Rileys knieën liet glijden keek hij hem aan en vroeg ongerust: 'Ben... ben jij er morgen ook nog, pappa?'

'Ik hoop van wel. En alle andere morgens ook, zoon.' Waarop de jongen onmiddellijk antwoordde: 'Nou, dat wou 'k gewoon effe weten, zoals meneer Mac zou zeggen. Jawel! Dat wou 'k gewoon effe weten!' Zodat Riley het uitschaterde.

Hamish stond onder aan de trap op Charles te wachten en de grote Schot keek met gefronste wenkbrauwen op hem neer en zei: 'Ik laat niet de spot met me drijven, Charles, ik laat niet de spot met me drijven.' Er steeg opnieuw gelach in de kamer op toen het antwoord kwam, nog steeds op de toon van Hamish: 'Dat spijt me dan geweldig. Jawel, dat spijt me geweldig.' Gevolgd door roffelende voetstappen op de trap. Mevrouw Atkins gezicht was nat van de tranen. Riley keek haar aan en vroeg: 'Hoelang speelt hij dat spelletje al?'

'O, een hele tijd. Je hebt geen idee hoe ze elkaar kunnen plagen. Het zijn net twee oude mannetjes bij elkaar.' Ze slaakte een blije zucht, wendde zich van hen af en zei: 'Als er vanavond iemand nieuwe levenslust heeft gekregen, dan is het wel dat kind.'

Eenmaal alleen gebleven keken ze elkaar aan. Toen knielde Nyrene opeens naast hem neer en zei zacht: 'Hij is niet de enige.' En Riley antwoordde heftig: 'Nee, hij is niet de enige.'

Het duurde nog enige tijd voor het rustig werd in huis en zij in bed lagen. Hoewel ze beneden vrijelijk met elkaar hadden gepraat, leken ze nu, terwijl ze naast elkaar lagen, opeens van gêne te zijn vervuld. Hij had zijn armen om haar heen geslagen, maar zijn lichaam lag niet tegen het hare aan gedrukt.

Ze zocht koortsachtig naar iets om te zeggen. Waar hadden ze beneden nog niet over gesproken? The Palace. Dus zei ze in een opwelling: 'Heb je David en juffrouw Connie nog gesproken voor je wegging?'

'Nee.' Het antwoord kwam snel. 'Maar ik heb hen gebeld. Ze waren gisteren langs geweest en ze waren teleurgesteld dat jij er niet was.'

'Ze zullen willen weten hoe snel je terugkomt, denk ik.'

Hij zweeg even. Toen zei hij: 'Ik ga niet meer terug, Nyrene.'

'Je bedoelt dat je niet meer teruggaat naar The Palace?'

'Ja, dat bedoel ik, en ook niet naar iets anders in die richting.'

Ze ging rechtop zitten, leunde op haar elleboog en keek in de roze gloed van het bedlampje op hem neer. 'Dat… dat kun je niet menen, het is je léven.'

'Het is mijn leven niet meer. Ik geloof niet dat het dat ooit echt is geweest. Ik werd erin geduwd. Misschien was het anders geweest als ik komiek was gebleven, dan was ik eigen baas geweest.'

Er klonk iets van woede in haar stem toen ze reageerde: 'Doe niet zo dwaas! Je bent van jezelf helemaal geen komiek voor solo-optredens! Je bent een acteur, een geweldige acteur.'

Zijn stem klonk zacht en zelfs treurig toen hij zei: 'Ik ben wat jij van me hebt gemaakt, Nyrene. En trouwens, ben ik fit genoeg om weer naar het toneel te gaan?'

'Dit gaat allemaal weer over. Je zult binnen de kortste keren weer recht kunnen lopen. Wat hebben ze ook alweer gezegd? Een halfjaar of iets langer?'

'Ik weet wat ze hebben gezegd, maar het gaat niet alleen om mijn been en ook niet alleen om mijn gezicht. Het gaat om mijn binnenste.'

'O.' Ze liet zich weer in zijn armen vallen. 'Dat kun je niet doen, Peter. Je moet het echt niet helemaal opgeven. Je bent voor dat leven geschapen. Dat weet ik zeker. Je zou kunnen regisseren, en dat zou je beter doen dan Larry. Ik vond hem vaak erg slordig en gemakzuchtig.'

Hij bleef even zwijgen, en ten slotte zei hij: 'Zou je het heel erg vinden als ik niet meer naar The Palace ga, en ook geen tournees meer doe?'

Wat kon ze zeggen als ze de waarheid sprak? Nee. Ze zou het helemaal niet erg vinden, want wat hij verder ook mocht gaan doen, ze wilde bij hem zijn. Terwijl als hij weer naar The Palace ging, en vooral als hij weer tournees ging doen, zij haar leven weer tussen hem en het kind moest verdelen.

Ze maakte zich uit zijn armen los en ging rechtop zitten. Hij kwam eveneens overeind en zei: 'Wat is er? Wat is er aan de hand?'

Ze keerde zich naar hem toe, nam zijn gezicht stevig in haar handen en zei: 'Beneden, op mijn bureau, liggen minstens twintig werkloze acteurs die solliciteren op een advertentie die ik heb geplaatst voor een assistent om de toneelschool te leiden, of woorden van gelijke strekking. Ik heb de voorwaarde gesteld dat hij of zij over brede ervaring in het acteren moet beschikken.' Ze haalde haar handen van zijn gezicht, sloeg haar armen om zijn hals en zei: 'Hoor je me?'

'Ja, ik heb het gehoord. Maar heb je genoeg leerlingen om een assistent aan te kunnen stellen?'

'Ik heb er al vijfentwintig, variërend van tapdansen of stemgebruik tot acteren.'

'Vijfentwintig?'

'Ja, en ik krijg voortdurend nieuwe aanmeldingen.'

'Hoe is dit mogelijk?'

'Mond-tot-mondreclame, lieverd, mond-tot-mond. En ik reken nog niet de helft van wat de zogenaamde officiële toneelscholen rekenen. Bovendien heb ik bepaald dat ze ook voor maar drie maanden kunnen boeken, niet alleen maar voor drie jaar. Ik heb er een paar die tijdelijk niets om handen hebben maar in vorm willen blijven, en heel wat die nooit echt op de planken zullen komen te staan. Maar ze zijn allemaal heel serieus. Ik heb eveneens de bepaling dat een leerling vrij kan krijgen voor audities.'

'Maar als je niet veel rekent, hoe kun je dan winst maken? Je maakt ook onkosten om dit...'

'Ach, ik verdien genoeg. Het belangrijkste is dat ik een bezigheid heb die met acteren te maken heeft. Bovendien heb ik iets om te geven.'

'Jawel, liefste, jij hebt heel veel te geven. Dat is altijd al zo geweest.'

Ze schudde de hand die ze vasthield en zei: 'Maar begrijp je waar ik naartoe wil? Ik zoek een assistent. Heb je gehoord wat ik zei?'

Hij schudde zijn hoofd toen deze mogelijkheid zich voor hem ontvouwde en alle gedachten verdreef aan de onzekere toekomst waarin hij het toneel had opgegeven in ruil voor een commerciële baan, zo hij die al kon vinden.

'O, Nyrene,' – hij drukte haar nu stevig tegen zich aan – 'zou dat echt werkbaar kunnen zijn?'

Ze sprak heel langzaam en zacht toen ze antwoordde: 'Dat zou echt kunnen. Het is hier allemaal, onze gezamenlijke toekomst. En daarnaast hebben we ook nog de opbrengst van de groentekwekerij van Hamish.'

Ze vielen allebei op hun zij en hoewel hij haar stevig vasthield, deed hij geen poging haar te beminnen. Maar toen zijn lichaam be-

gon te trillen en zijn adem met korte stoten kwam, zei ze: 'Ga nou…
ga nou niet huilen.' Haar gezicht was eveneens nat toen ze het tegen hem aan drukte en ze bleef zo liggen tot zijn huilbui ophield.
Na lange tijd zei hij zacht: 'Nyrene?'

'Ja, lieverd, wat is er?'

'Laat me nooit alleen. Laat me nooit in de steek.'

'Nee, lieverd, nooit, nooit.' Ze omhelsden elkaar en ze herhaalde: 'Nooit. Nooit.'

Ze bedreven de liefde niet, ze waren één en die eenheid was liefde.

28

Mevrouw Atkins nam de telefoon op. 'Hallo?'

'Hallo, mevrouw Atkins, ik bedoel mevrouw McIntyre. U spreekt met Betty, de zus van Peter.'

'O, Peters zus. Ja, hallo, Betty. Wilt u meneer Peter spreken?'

'Ja graag, als dat kan.'

'Hij is boven, bij de jongen. Ik roep hem wel.'

Mary liep naar de trap en riep: 'Meneer Peter! Telefoon voor u. Uw zuster.'

Riley verscheen boven aan de trap en zei: 'Ik neem boven wel even op. Bedankt.' Hij keek Charles aan en zei: 'Ga jij die oefening verder maken. Je kunt het vast wel. Ik ben zo weer terug.'

'Goed, pappa.' De jongen draaide zich gehoorzaam om en Riley liep naar de slaapkamer. 'Hallo, Betty.'

'Hallo, Peter. Hoe gaat het met je?'

'O, een stuk beter, je hebt geen idee.'

'Alles goed?'

'Alles, echt alles.'

'Daar ben ik blij om. Peter?'

'Ja?'

'Ik moet je iets vertellen.'

'Het bleef even stil voordat Peter gespannen zei: 'Pa?'

'O, nee, hoewel hij dit weekend naar het ziekenhuis gaat, weet je. Maar hij wil dat ik je vertel wat er hier is gebeurd, en je mag niet proberen hier te komen, want je kunt toch niets doen. Weet je, ma is dood.'

'Wat!' Hij strekte zich uit om een slaapkamerstoel naar zich toe te trekken en hij ging moeizaam zitten voor hij weer sprak. 'Wanneer?'

'Dat weten we niet precies. Oom Frank heeft haar gistermiddag gevonden, maar het kan de dag ervoor al zijn gebeurd.'

'Hoe bedoel je, heeft haar gevonden?'

'Nou, ze had hem geschreven dat als hij Florrie niet terugbracht, zij daarheen zou gaan om haar op te halen. Oom Frank vertelde me dat Florrie doodsbang was om terug te gaan, dus ging hij erheen om met haar te praten. Hij klopte en klopte op de deur, maar er werd niet opengedaan. En alle gordijnen waren dicht, zelfs aan de achterkant. Dus heeft hij het keukenraam geforceerd en is naar binnen gegaan en naar boven, en daar was ze. Wat ik je nu verder ga vertellen, Peter, moet je je volgens pa echt niet aantrekken, want hij zit er niet over in en ik ook niet, en zoals hij zei zullen veel mensen rustiger durven slapen nu zij er niet meer is. Toch spijt het hem dat hij dit moet zeggen. Weet je, Peter, ze heeft zelfmoord gepleegd.'

Zijn mond viel open. Het was alsof hij haar daar zag liggen, met flessen of wat dan ook om zich heen. Zijn stem klonk heel zwak toen hij zei: 'O, nee... Betty!'

'Ze was niet goed snik, Peter, ze was echt niet goed snik. Maar ik had nooit gedacht dat ze zich van het leven zou beroven, daar was ze te egoïstisch voor. Maar ze heeft het toch gedaan. Ik denk dat ze dronken moet zijn geweest, want er lag een lege whiskyfles naast haar.'

'Ze dronk nooit.'

'We weten niet wat ze wel of niet deed, Peter, we zullen nooit weten wat ze deed, want ze was altijd heel achterbaks. Maar ik kan je wel verzekeren dat ik blij ben dat ze dood is. Wat de doodsoorzaak ook mag zijn geweest, ik ben blij, want afgezien van al het andere had ze een zieke geest. Je had de brieven eens moeten zien die ze naar de zuster heeft gestuurd. En kijk eens hoe ze heeft geprobeerd het huis in brand te steken. En vergeet niet dat er door haar brieven iemand in de gevangenis is beland. En dan ben jij er ook nog, ze heeft haar uiterste best gedaan je te ruïneren.'

'Ik kan maar beter komen.'

'Nee, Peter. Pa heeft dat heel nadrukkelijk gezegd. Hij zei dat het toch geen zin heeft. Ze is eergisteren gestorven en ze wordt morgen begraven. Er komt geen uitvoerige begrafenis en er zullen weinig begrafenisgangers zijn, dat kan ik je wel verzekeren. Pa zei dat hij je morgen wel zal bellen en' – haar stem daalde – 'hij zei ook, nou ja, hij stelde voor dat je het Nyrene pas na de feestdagen zou vertellen, want hij vond dat ze zo gelukkig klonk toen hij haar vorige week zaterdag aan de telefoon had.'

'Ja, ik denk dat pa gelijk heeft, maar o, Betty, wat een treurige manier om dood te gaan. En als je er zo op terugkijkt, heeft ze toch eigenlijk geen leven gehad.'

'Doe niet zo sentimenteel, Peter. Ze heeft ons allen het leven tot een hel gemaakt, tot we het huis uit moesten. Dat weet jij ook. En daarna maakte haar bitterheid haar boosaardig. Ik moet je iets vertellen, want ik heb het nooit kunnen vergeten. Toen ze wist dat jij met Nyrene was getrouwd, weet je wat ze toen zei? Ze zei dat ze ooit op je graf zou dansen. Vanaf dat moment ben ik bang voor haar geworden, echt bang, en ik wist dat ze slecht was. En oom Frank zei gisteren dat hij wist waar ze haar slechtheid vandaan had, dat was van haar eigen vader, die heeft nog in de gevangenis gezeten omdat hij hun moeder in elkaar had geslagen en oom Frank bijna bewusteloos heeft geslagen toen hij acht jaar oud was. Hun vader heeft daar anderhalf jaar voor gekregen. Dat wisten we niet, hè?'

Riley draaide zich om en zag Nyrene naar hem toe komen, dus sloeg hij een luchtiger toon aan en zei: 'Hier heb je Nyrene. Ze wil je vast even spreken.' Hij glimlachte naar Nyrene en zei: 'Dit is Betty, ze wilde weten hoe het met me is. Neem jij haar maar even.' Hij gaf haar de telefoon.

'Hallo, Nyrene. Hoe is het met jou?'

'O, geweldig. Uitstekend. Heeft Peter je verteld over onze nieuwe onderneming in de studio? We kunnen het geen schuur meer noemen.'

'Nee, wat dan?'

'Nou, hij is mijn bedrijfsleider geworden. Had je dat ooit kunnen denken?'

'Je bedoelt voorgoed?'

'Ja, Betty, voorgoed. Geen Palace meer, en ook geen tournees meer. Hij was daar bovendien voorlopig nog lang niet toe in staat geweest en het idee lijkt hem erg leuk.'

'Ja, het lijkt me helemaal in zijn straatje passen. In jullie beider straatje.'

'Hebben Harry en jij misschien zin om de kerstdagen bij ons door te brengen?'

'Dat zouden we erg leuk hebben gevonden, Nyrene, maar we gaan al naar oom Frank. Sue heeft met Kerstmis vrij omdat de mensen bij wie ze werkt naar het buitenland gaan en nu Florrie daar al is, vond oom Frank...'

'Dat begrijp ik.'

'Ik moet nu ophangen, Nyrene, maar ik belde even omdat ik wilde weten hoe het met Peter gaat. Hij klinkt geweldig, een stuk beter. En hoe gaat het met jou?'

'Met mij gaat het prima en ik ben blij hem thuis te hebben, Betty.'

'Dat kan ik me voorstellen. Nou, tot ziens.'

'Tot ziens, Betty.'

Nyrene legde de hoorn op de haak en draaide zich om naar Riley, die nog steeds bij het voeteneind van het bed stond. 'Dat is een aardig meisje. Ik heb haar altijd gemogen. Heel attent. Wat is er? Voel je je wel goed? Kom, ga even zitten. Je ziet heel bleek. Wat had ze eigenlijk? Is er iets gebeurd?'

'Nee, nee, ze wilde alleen weten hoe het met mij ging en of alles hier goed was. En dat heb ik haar verteld.' Hij glimlachte. 'En dat heb jij haar ook verteld.'

Ze nam hem bij de arm en zei: 'Kom mee, dan gaan we een kopje thee drinken. Ik zet wel even thee. Mevrouw Atkins is bezig met opruimen, de bus is weer vertrokken. Ze verheugen zich allemaal op het kerstfeest van vrijdag. Ik heb hun verteld dat er alleen maar thee en broodjes zullen zijn, maar zij willen er per se een feest van maken en ook een beetje dansen. Het wordt vast erg leuk.'

Toen hij in de zitkamer op de bank voor de haard ging zitten, bukte ze zich en kuste hem voor ze vroeg: 'Weet je zeker dat alles goed met je is?'

'Nee, ik ben doodziek. Vooruit, ga die thee eens zetten, liever.' Hij gaf haar een klap op haar achterwerk toen ze wegliep en haar vrolijke lach toen ze de kamer uit liep herinnerde hem eraan dat de wetenschap van die zelfmoord die lach zou hebben weggevaagd. Zijn vader had gelijk en Betty ook. Hij had geen enkele reden zich schuldig te voelen. 'Ik zal dansen op zijn graf.' O, wat moest ze hem hebben gehaat, en wel zo erg dat ze hem dood had gewild. Want een paar klappen meer op zijn hoofd zouden hebben bereikt wat die ijzeren punt niet had kunnen doen, of hij had in elk geval hersenbeschadigingen opgelopen.

Hij haalde beverig adem toen dit tot hem doordrong, op een golf van opluchting omdat hij van nu af aan bevrijd zou zijn van de angst voor haar. Diep in zijn hart was hij altijd vreselijk bang voor haar geweest. Ja, als kind had hij al voor haar staan trillen van angst. Ze had hem af en toe doodsbang gemaakt en hem zich doen afvragen waarom ze naar meneer Beardsley ging om die aan te moedigen hem een flink pak slaag te geven. Hij wist ook nog dat ze hem zelf een keer een geweldig pak slaag had gegeven – hij moest toen veertien zijn geweest – en dat allemaal omdat Cissie Morgan, die uit een achterbuurt kwam, een keer voor hem aan de deur was geweest. Hij had Cissie Morgan een tijdje aardig gevonden. Ze had hem een keer na schooltijd haar borsten laten aanraken. Hij wist nog dat er niet veel aan te raken was geweest, maar dat het hem toch erg had opgewonden. En toen ze die dag aan de deur was geweest om naar hem te vragen, had zijn moeder haar een oplawaai verkocht. Daarna had ze hem naar de achterkamer meegenomen om hem ervan langs te geven, waarbij ze voortdurend het woord seks riep. Het was de eerste keer dat hij het woord had gehoord. Lichamelijke kwesties werden altijd aangeduid als 'dat andere' of 'het' of 'niet zoals het hoort'. Er waren ook nog andere betitelingen, maar die waren grover en 'seks' scheen alles samen te vatten.

De loop van zijn gedachten voerde hem naar zijn vader. Wat een leven moest hij al die jaren naast haar hebben gehad. Hoe hadden ze in vredesnaam nog vier kinderen op de wereld kunnen zetten? Maar waarom stelde hij eigenlijk zo'n vraag? Als er iemand moest weten dat seks weinig met liefde te maken had, dan was hij het toch zeker wel.

Toen hij zijn zoon aarzelend de trap af hoorde komen en hoorde roepen: 'Ik ben klaar, pappa,' stond Riley van de bank op en liep naar de jongen toe. Hij keek naar het schrift dat hem voor werd gehouden en hij riep: 'Allemensen! Dat is geweldig. Echt geweldig.'

De jongen glimlachte scheef naar zijn vader en zei: 'Pappa, je hebt daar een woord voor.'

'Voor wat, Charles? Voor wat?'

'Voor het zeggen van dingen die niet helemaal waar zijn. Geen leugens, maar ook niet echt waar. Dat heet overdrijven. Mijn les was goed, hè, pappa? Maar niet geweldig.'

Riley keek in het knappe, bleke gezicht, in het kinderlijke gezicht met de ouwelijke ogen, en hij wist niets te bedenken om te zeggen. Hij kon zijn gevoelens slechts in een gebaar uitdrukken. En dus pakte hij zijn zoon in een snelle beweging op en nam hem in zijn armen.

En zo vond Nyrene hen toen ze de kamer binnenkwam met een dienblad met thee.

Ze zette het blad snel neer, liep haastig naar hen toe en riep: 'Wat is dit? Wat heeft deze vertoning te betekenen?'

Riley draaide zich met een ruk om, met het kind nog in zijn armen, en hij zei: 'Ik vier het feit dat ik een uitzonderlijk intelligente zoon heb, mevrouw Riley.'

Nyrene sloeg haar armen om hen beiden heen en riep uit: 'En ik heb een lieve en geweldige zoon, meneer Riley.'

Toen de jongen boven het gelach uit riep: 'Dat is overdrijven, pappa, overdrijven,' zei Riley: 'Nee, deze keer is dat niet overdreven, lieverd, deze keer niet.'

De keukendeur ging zachtjes achter Hamish en zijn vrouw dicht die het tafereel in de zitkamer hadden staan bekijken. Ze wisselden een lange en vrolijke blik. Toen lachte Hamish zacht, tilde zijn vrouw op en gaf haar een klinkende zoen terwijl hij haar zachtjes heen en weer wiegde voor hij haar weer neerzette. 'Vrolijk kerstfeest, mevrouw McIntyre.' Hierop antwoordde zij: 'U ook een vrolijk kerstfeest, meneer McIntyre. En heb ik u ooit verteld dat ik van u hou?'

Hamish keek neer op zijn kleine vrouw en gaf niet meteen antwoord. Toen zei hij met grote oprechtheid in zijn stem: 'Dank u, mevrouw McIntyre, dank u. Dat was alles wat ik wilde horen.'

Nawoord

Toen Fred over het lege schoolplein liep, haalde hij diep adem. Hij was blij dat het bijna kerstvakantie was. Hij was moe, het was een zwaar trimester geweest. Hij begon het werk steeds zwaarder te vinden. Louise had gelijk, hij moest meer doen dan nadenken over op zijn zestigste met pensioen gaan – hij moest het dóén.

Er stonden slechts twee auto's op de parkeerplaats, en afgezien van een kleine man die beschutting zocht bij de muur langs de speelplaats, was er niemand te zien. Hij had al een keer zijn kant uit gekeken, maar nu keek hij scherper, want de kerel liep de parkeerplaats op.

Hij deed de auto van het slot en knipte de lichten aan. Toen hij over de motorkap keek, zag hij de man in het licht van de koplampen en hij zei: 'Bent u dat, meneer Riley?'

'Ja, meneer Beardsley, ik ben het. Ik stond u op te wachten, ik bedoel, ik hoopte dat ik u even kon spreken.'

'Ja, natuurlijk. Maar ik dacht dat u in het ziekenhuis lag.'

'Morgen.'

'O, gaat u morgen pas? Nou, stapt u maar gauw in, anders worden we hier morgen nog dood aangetroffen, hè?'

Toen hij goed en wel in de auto zat, reikte Fred voor Alex langs en zei: 'Ik zal de verwarming hoog zetten tot we thuis zijn, ik weet zeker dat u wel een kopje thee kunt gebruiken. Hoelang hebt u daar gestaan?'

'O, niet zo lang, hoor, niet zo lang. Maar dat doet er niet toe. En als u het niet erg vindt, meneer Beardsley, wil ik liever… nou ja, wil ik liever buiten even met u praten.'

'Buiten? Hoe bedoelt u?'

'Ik bedoel niet in de buitenlucht, ik bedoel buiten het huis. Als ik, nou ja, als u vijf minuten voor me hebt, dan kan ik u vertellen wat ik te zeggen heb.'

'Oké, brand maar los.'

'Weet u zeker dat u tijd hebt?

'Hoe lang heeft u daar gestaan? Dat zegt u niet en u verwacht dat ik naar u zal luisteren, en nu verontschuldigt u zich en hebt u het over mijn tijd in beslag nemen… nou, dat doet u inderdaad, dus schiet maar gauw op.' Toen werd zijn stem mild en hij boog zich naar Alex toe. 'Wat is het? Zit u iets dwars? Problemen?'

'Nee. Nee, meneer Beardsley, nou ja, geen problemen méér. Ik heb me om zo te zeggen van mijn probleem ontdaan en als ik eenmaal in het ziekenhuis lig, denk ik niet dat ik nog veel last van problemen zal hebben.'

'Kop op, man! Ze zijn tegenwoordig zo knap, ze verrichten echt wonderen.'

'Jawel, ze hebben bij mij al twee wonderen verricht. Daarom ben ik er nog steeds. Maar hoe dan ook…' Alex zweeg. Hij keek omlaag en sloeg zijn handen op zijn knieën ineen. 'Ik… ik wil iets opbiechten.'

'Opbiechten? Ik denk dat u dan bij de verkeerde man bent. Ik bedoel, waarom komt u naar mij toe? Hebt u aan een priester gedacht? Ach, u bent niet katholiek, hè?'

'Nee.'

'Wat dacht u dan van een dominee?'

'Ik zou het niet aan een dominee kunnen vertellen, ik beschouw hen nooit als… nou ja, als mensen die iets met God te maken hebben.'

Hierop schoot Fred even in de lach en hij zei: 'Nou, ik vrees dat ik jarenlang weinig met hogere machten te schaften heb gehad.'

Toen klonk zijn stem niet langer gekscherend, en hij vroeg zacht: 'Hebt u iets gedaan waar u zich voor schaamt?'

Alex keek Fred recht aan en zei: 'Jawel, ik heb iets gedaan, meneer Beardsley, maar ik schaam me er niet voor. En ik heb er ook geen spijt van. Maar ik vond dat ik het íémand moest vertellen. Ik weet dat Peter degene is aan wie ik het had moeten vertellen, maar hij is net weer een beetje tot rust gekomen en hij zou dit nog niet kunnen verwerken. Weet u, ik heb dit gedaan omdat ik wilde dat hij in vrede verder zou kunnen leven.'

'Dat zal hij ongetwijfeld doen.' Freds stem klonk vriendelijk. 'Hij is weer terug bij de vrouw van wie hij houdt, en die van hem houdt. Ik heb hen gisteravond nog aan de telefoon gehad, ze waren zo gelukkig als wat.'

'Dat weet ik, en zo moet het ook zijn, dus wilde ik hem niet overstuur maken. Want hij moet nog steeds aansterken. U weet dat hij zo erg is mishandeld dat hij een paar jaar nodig zal hebben om erbovenop te komen, ook mentaal.'

'Dat ben ik helemaal met u eens. Ja. Maar u weet dat hij zich toch weer met het toneel bezig gaat houden?'

'Ja, daar heeft hij me het een en ander over verteld. Hij is er heel blij mee.'

'En dan is er nog iets,' zei Fred rustig. 'Nu zijn moeder dood is, zal hij zich geen zorgen meer hoeven maken over haar, want zolang ze leefde zou hij bezorgd zijn geweest. Ze was een onvoorspelbare vrouw.'

'Net wat u zegt, meneer Beardsley, een onvoorspelbare vrouw. Maar daar wilde ik het juist over hebben. Weet u, ze is geen natuurlijke dood gestorven, ik heb haar gedood.'

Fred schoot overeind op zijn stoel. 'Wát zegt u?'

'Zoals ik al zei, ik heb haar gedood, haar vermoord. Het was een kwestie van hij of zij, want ze was door hem geobsedeerd. Ze zou hem op de een of andere manier te grazen hebben genomen. Ze was niet tevreden toen hij bijna doodgeslagen was. Nee, nee, ze was nooit tevreden. Ze heeft een keer tegen haar dochter gezegd dat ze zou dansen op zijn graf, en op het mijne.'

'Wat?'

'Ja, ze heeft tegen Betty gezegd dat ze ooit op onze graven zou dansen. Ze was niet goed bij haar hoofd waar het hem betrof, en ook niet waar het de anderen betrof. Ze leefde op haat. Ze kwam uit een vreemde familie. Het is een wonder dat haar broer Frank niet net zo is.'

Fred moest even slikken voor hij zei: 'Maar ik dacht dat ze geconcludeerd hadden dat ze...' Hij slikte moeizaam en Alex zei: 'Ja, dat ze zelfmoord had gepleegd. Nou, ik had het allemaal uitgedacht, tot in detail. Maar aan de andere kant wist ik dat Peter zich na haar dood schuldig zou voelen, dus daarom dacht ik dat ik u, als zijn beste vriend, meneer Beardsley, zou kunnen vragen hem uit de droom te helpen door hem later deze brief te geven.' Hij stak zijn hand in zijn jas en haalde een envelop te voorschijn die hij aan Fred gaf. 'Daarin zit een bekentenis. Ik ben niet goed met de pen, maar ik heb in grote lijnen beschreven wat er is gebeurd. Ik... ik laat het aan u over, meneer Beardsley, om hem verder op de hoogte te stellen. Er is ook een brief bij die bewijst dat ze van plan was door te gaan. Ik heb die pas gevonden toen ik op het punt stond de kamer uit te gaan, maar daar, op de hoek van de kaptafel, lag deze brief. Hij is zoals u ziet aan Nyrene gericht en hij was dichtgeplakt en klaar om te worden verstuurd, hoewel er geen postzegel op zat. Dus heb ik hem gelezen, meneer Beardsley. Het was een smerige brief, je zou niet geloven dat een vrouw zoiets kon schrijven. Als dat voor Peter geen bewijs is dat ze van plan was ooit op zijn graf te dansen, nou, dan weet ik het niet meer. Leest u hem maar, meneer Beardsley.'

Fred stak zijn hand op om het binnenlicht aan te doen. Daarna haalde hij uit de bruine envelop een kleinere witte, maakte die open en las de inhoud. Maar voor zijn ogen de helft van de pagina hadden gelezen, ging zijn blik naar Alex, die knikte, alsof hij antwoordde op iets wat hij had gezegd.

Toen Fred de brief helemaal had gelezen beet hij in zijn onderlip. Langzaam vouwde hij de pagina weer op, deed hem in de envelop en stopte die weer in de bruine envelop. Daarna zei hij alleen maar: 'Grote god!'

'Ja, meneer Beardsley, grote god! Wanneer iets echt slecht is, zeggen ze dat het verrot is, maar dit is erger dan verrot, het is zeldzaam smerig en het stinkt.'

Fred keek hem even aan voor hij antwoord gaf. 'Het is haast niet te geloven dat een vrouw, vooral een moeder, in staat is zulke dingen te denken, laat staan ze te schrijven. Volgens mij moet ze echt gestoord zijn geweest.'

'Ja, dat was ze in zekere zin, maar tot ik die brief vond was dat moeilijk te bewijzen.'

Er viel opnieuw een stilte tussen hen, tot Alex naar voren leunde en zei: 'Na afloop heb ik God niet om vergeving gevraagd, o, nee, want ik had een aantal mensen van hun zorgen bevrijd, zodat ze verder een betrekkelijk gelukkig leven kunnen leiden. Niet alleen

Peter en Nyrene, de meisjes hebben ook moeten lijden, vooral Florrie.'

'Daar weet ik alles van. Ik weet welk effect de brieven en de brandstichting op de zuster hebben gehad. En zij is een sterke vrouw.'

Alex knikte instemmend. 'Wat mij betreft, sinds ons huwelijk heb ik niets dan minachting van haar gehad en ben ik op allerlei manieren gekleineerd.'

Fred knikte eveneens. 'U zegt dat u haar hebt vermoord, maar hoe hebt u dat gedaan? Heeft ze zich niet verzet of zo?'

'Daar heb ik haar niet veel kans toe gegeven. Weet u, ik had alles overdacht, het was echt heel gemakkelijk. Ik heb altijd een sleutel gehouden, en ik ben pas na middernacht op weg gegaan, toen ik zeker wist dat er niemand op straat was. Ik ken het huis uiteraard als mijn broekzak. Er brandde geen licht, behalve in de slaapkamer. Dat was ook zo vreemd aan haar. Ze had altijd dikke gordijnen die ze over de vitrages schoof, zodat niemand ergens naar binnen kon kijken, boven of beneden, maar ze was bang om in het donker te slapen.' Zijn stem ging omhoog toen hij zei: 'Ze was niet bang om in het donker naar buiten te gaan of buiten te blijven, wat ze soms tot twee uur 's nachts moet hebben gedaan, als ik Florries nerveuze geklets moet geloven, maar zoals ik in al die jaren heb meegemaakt moest het bedlampje blijven branden. Ze sliep altijd diep, en omdat ze last had van haar bijholtes, sliep ze met haar mond open. Ze snurkte niet, maar ze snoof zo af en toe wel. En daar lag ze, diep in slaap, en ze verroerde geen spier en geen ooglid toen ik de spullen uit mijn zak haalde en ze uitstalde rond de lamp: een medicijnflesje met een witachtige vloeistof, een fles whisky die voor ongeveer eenderde vol was, twee potjes met pillen, met van die druk-en-schroefdoppen, weet u wel, die veiliger zijn omdat kinderen ze niet open kunnen krijgen, en die altijd zo'n klikgeluid maken. Zelfs daar had ik me op voorbereid: ze waren halfopen en ik strooide het restje uit het ene potje over het nachtkastje en op de vloer. Daarna haalde ik een van Sally's zijden sjaals uit mijn zak. Ik had hem al opgevouwen en ik knoopte heel voorzichtig het ene uiteinde om de pols van haar hand die over de rand van het bed hing. Daarna haalde ik een dikke prop uit mijn zak en legde die op de tafel. Hierna tilde ik de hand die aan de sjaal was vastgemaakt heel voorzichtig naar de andere en schoof de zijden lus eromheen. Toen ze bewoog draaide ik haar nog wat verder op haar rug en trok de lus snel strak en bond de twee polsen aan elkaar. Haar ogen gingen opeens open en ze staarde omhoog in mijn gezicht, en toen haar mond openging om te gillen, duwde ik de prop erin. Omdat ze haar armen niet kon bewegen stootte ze haar knieën omhoog, maar ik klom op het bed en ging boven op haar zitten.' Hij zweeg even voor hij verderging. 'Ik hield haar bij haar keel omlaag en zei heel zacht: "Mona, als jij ook maar één kik geeft als ik deze prop uit je mond haal, dan snijd ik je open." En toen schoof ik mijn hand in mijn jas en haalde mijn vlijmscherpe scheermes te voorschijn, en toen ik het lemmet openklapte, schokte het hele lichaam in het bed en ik zei: "Ik waarschuw je, ik zal bij jou precies de plaatsen aangeven waar Peter door jou is verminkt en daarna zal ik het scheermes in je hand achterlaten, alsof je het zelf hebt gedaan. Begrijp je me?" Weet u, meneer Beardsley,' – hij keek Fred aan – 'zelfs in dit stadium stond er niet zozeer angst op haar gezicht te lezen als wel haat, een gruwelijke, zwarte haat. En zo wilde ik het ook, want als ze angst had getoond, of had gejammerd, dan weet ik niet of ik in staat was geweest verder te gaan, ook al had ik mezelf thuis voorbereid door een dubbele dosis pijnstillers te nemen, u weet wel, het soort waarvan je in je hoofd ook rustig wordt. En ik voelde me echt heel rustig. Maar goed, ik nam nu een medicijnflesje waar ik een kurk in had gestopt, want het is gemakkelijk om een kurk er met je tanden uit te trekken. Daarna wipte ik de prop uit haar mond, duwde de fles erin, en zodra ze het mengsel in haar keel voelde lopen, begon ze te spartelen als een wild beest. Maar ik hield haar neus dicht, zodat ze naar lucht moest happen, en toen ging het erin. Na drie of vier slokken hield ze op met spartelen en bleef hijgend liggen, en weet u wat ze toen zei?' Hij zweeg even en herhaalde: 'Weet u wat ze toen zei?' Hij wachtte niet op enig antwoord van Fred maar ging meteen verder. 'Ze proestte en zei: "Dit zal me echt niet tegenhouden. Ik zal je vanuit het graf blijven achtervolgen." En weet u wat ik toen zei? "Het is niet nodig, Mona, om naar boven te komen en mij te kwellen, want we zullen binnenkort samen in de hel zijn." Maar, meneer Beardsley, ik denk eerlijk gezegd niet dat ik naar de hel zal gaan. Als er een

God bestaat, en Hij is rechtvaardig, dan ga ik niet naar de hel. Ik zal een flinke uitbrander krijgen en ik zal misschien boete moeten doen, net als de katholieken, het vagevuur noemen ze dat, maar ik ga niet naar de hel.'

Hij keek naar de ineengeslagen handen op zijn knieën en zei: 'Toen ze ongeveer driekwart van de inhoud van het flesje binnen had, wist ik dat het genoeg was. De slaappillen en de whisky alleen al hadden haar onderuit moeten halen, en dan zat er ook nog bijna een heel potje aspirine doorheen.

Ik zie haar daar nog naar mij liggen staren, toen ik de sjaal van haar handen haalde. Daarna ruimde ik de dingen op die ik moest meenemen. Ik moest ervoor zorgen dat ik het medicijnflesje, de prop en natuurlijk het scheermes en de sjaal meenam, en toen ik als laatste detail één hand om de whiskyfles vouwde en de andere om de pillenflesjes, voelde ik geen enkel berouw, en dat voelde ik natuurlijk al helemaal niet meer toen ik die brief had opgepakt en hem had gelezen... Bent u erg geschokt, meneer Beardsley?'

Als Fred de waarheid had moeten spreken, had hij gezegd: 'Ja, ik ben erg geschokt.' Want hij voelde zich onpasselijk en zijn ingewanden verkrampten – hij kon gewoon niet geloven wat hij had gehoord. In plaats daarvan zei hij: 'Ik weet niet wat ik moet zeggen. Ik kan me niet voorstellen dat u tot zoiets in staat bent.'

'Toch heb ik het gedaan, en als ik, voor mijn tijd is gekomen, denk dat ik misschien spijt van mijn actie zou krijgen, dan hoef ik mezelf maar te herinneren aan die laatste brief aan Nyrene, waarin ze schreef dat zij een achterlijk kind ter wereld had gebracht, en over wat er zou gebeuren als zij kwam te overlijden, en dat zou binnenkort zijn. En dat er dan ook geen Peter meer zou zijn om zich over hem te ontfermen. Hij zou er weer met een van die jonge liefjes vandoor gaan. En dan werd het dus een inrichting voor het achterlijke kind. Maar dat kind is toch zeker niet achterlijker dan ik, hè?'

'Nee, natuurlijk niet.'

Ze staarden elkaar zwijgend aan. Toen slaakte Alex een diepe zucht en zei: 'Ik ga nu, meneer Beardsley. Ik wil niet ergens worden afgezet, ik wil lopen. En dank u wel dat u naar mij heeft willen luisteren en dat u dit voor mij wilt doen.' Daarna stak hij, als bij wijze van vraag, zijn hoofd naar voren en zei: 'Ik wilde u eigenlijk niet met deze verantwoordelijkheid opzadelen terwijl u daar eigenlijk niets mee te maken hebt, maar... u bent al zo lang Peters vriend geweest. Misschien vindt u het wel niet eerlijk, wat ik van u vraag.'

'Nou, daar zou ik me maar geen zorgen over maken. Ik ben blij dat ik u ergens mee kan helpen. En hoor eens, ik zal u in het ziekenhuis op komen zoeken. Wanneer gaat u erheen? O, ja, u zei morgen. Nou, ik denk niet dat ze u in het weekend zullen opereren, dus dan komen we zondag even.'

'Dat zou heel leuk zijn, heel vriendelijk van u. Nou, tot dan. En bedankt, meneer Beardsley. Bedankt uit de grond van mijn hart.'

De deur ging open en weer dicht, en Fred keek toe hoe de kleine, tengere gestalte in het licht van de koplampen bewoog en daarna wegliep, de nacht en de dood tegemoet.

Lieve god! Hij zakte in zijn stoel onderuit en legde zijn hand tegen zijn hoofd terwijl hij naar de envelop in zijn hand keek. 'Ik wil u eigenlijk niet met deze verantwoordelijkheid opzadelen... u bent al zo lang Peters vriend.'

Hij hoorde weer hoe hij Riley luid en duidelijk voortdurend terecht had gewezen, net als vele anderen, over het bepalen van prioriteiten en essenties. Tja, als hij zich beperkte tot de essentie van deze zaak, wat vond hij dan? De persoon die verantwoordelijk was voor dit alles. En wie was dat?

Hij zag het schoolplein weer voor zich, en de zestienjarige jongen die grijnzend voor hem stond, en hij hoorde zijn eigen stem in de loop der jaren schallen: 'Jij kunt de mensen laten lachen, je moet bij het toneel gaan.' De scène verdween, en werd vervangen door één in Frankrijk. Dat was weer die vrolijke, intelligente jongen die zei: 'Ik heb gedaan wat u had gezegd: u zei dat ik bij het toneel moest gaan. Ik heb meegedaan aan een wedstrijd, en ik heb gewonnen, en de prijs was een reis naar Parijs, en een baantje als assistent-toneelmeester.'

Daarna waren zij daar: de jonge acteur en de oudere vrouw, op het toneel ineengestrengeld als moeder en geestelijk gestoorde zoon, en de echte moeder zat in de zaal te kijken... en het vuur van haat, jaloezie, woede en frustratie laaide op.

Dus wie was er verantwoordelijk voor alles wat er sindsdien

was gebeurd? De verantwoordelijkheid lag eerlijk gezegd bij de aanstichter van dit alles, die een jonge, opstandige, onderzoekende, rauwe jongeman het pad had gewezen dat hij moest nemen.

Hij moest naar huis. Hij kon dit niet langer voor zich houden, hij zou Louise in vertrouwen moeten nemen. Maar van één ding was hij zeker: zolang hij in het onderwijs bleef zou hij nooit meer een jongen advies geven over de loopbaan die hij moest kiezen.